# LE MAÎTRE
# DES ILLUSIONS

DONNA TARTT

# LE MAÎTRE DES ILLUSIONS

*Roman*
*Traduit de l'anglais (États-Unis)*
*par Pierre Alien*

FEUX CROISÉS

PLON
76, rue Bonaparte
Paris

Titre original

*The Secret History*

Collection Feux Croisés
dirigée par Ivan Nabokov

This translation published by arrangement
with Alfred A. Knopf, Inc.



ISBN édition originale : Alfred A. Knopf, Inc. New York : 0–679–41032–5
ISBN Librairie Plon : 2–259–2593–5

Pour Bret Easton Ellis,
dont la générosité ne cesse de me réchauffer le cœur ;
et pour Paul Edward McGloin,
muse et mécène,
l'ami le plus cher que je puisse espérer avoir en ce monde.

J'interroge maintenant la genèse d'un philologue et j'affirme ce qui suit :
1. Un jeune homme ne peut pas savoir ce que sont les Grecs et les Romains.
2. Il ignore s'il est apte à les connaître.

Friedrich Nietzsche
*Considérations inactuelles*

Viens donc, passons une heure de loisir à nous dire des contes, et notre récit sera l'éducation de nos héros.

Platon
*La République*, Livre II

REMERCIEMENTS

Merci à Binky Urban, dont les efforts intrépides en faveur de ce livre m'ont laissée sans voix ; à Sonny Mehta, qui a tout rendu possible ; à Gary Fisketjon *il miglior fabbro* ; à Garth Battista et Marie Behan, dont la patience envers moi m'a parfois donné envie de pleurer.

Les personnes suivantes — malgré le risque de paraître énumérer un catalogue de navires homériques — doivent aussi être remerciées pour leur aide, leur inspiration, leur amour : Russ Dallen, Greta Edwards-Anthony, Claude Fredericks, Cheryl Gilman, Edna Golding, Barry Hannah, Ben Herring, Beatrice Hill, Mary Minter Krotzer, Antoinette Linn, Caitlin McCaffrey, Paul et Louise McGloin, Joe McGinniss, Mark McNairy, Willie Morris, Erin "Maxfield" Parish, Delia Reid, Pascale Retourner-Raab, Jim et Mary Robinson, Elizabeth Seelig, Mark Shaw, Orianne Smith, Maura Siegel, Richard Stilwell, Mackenzie Stubbins, Rebecca Tartt, Minnie Lou Thompson, Arturo Vivante, Taylor Weatherall, Alice Welsh, Thomas Yarker, et avant tout cette chère et peu sage vieille et infernale famille Boushé.

## PROLOGUE

La neige fondait dans la montagne et Bunny était mort depuis plusieurs semaines quand nous avons fini par comprendre la gravité de notre situation. Il était mort depuis dix jours quand on l'a trouvé, vous savez. Ce fut l'une des plus grandes chasses à l'homme dans l'histoire du Vermont — la police fédérale, le FBI, même un hélicoptère de l'armée ; l'université a fermé, l'usine de teinture de Hampden s'est arrêtée, des gens sont venus du New Hampshire, du nord de l'État de New York et même de Boston.

Il est difficile de croire que le modeste plan de Henry ait pu si bien marcher malgré ces événements imprévus. Nous n'avions pas eu l'intention de cacher le corps là où on ne l'aurait pas retrouvé. En fait, nous ne l'avions pas du tout caché, mais simplement laissé là où il était tombé dans l'espoir qu'un passant infortuné tomberait dessus avant qu'on ait même remarqué son absence. L'histoire se racontait d'elle-même, simple et évidente : les cailloux instables, le corps au fond du ravin avec le cou cassé, les traces boueuses des talons glissant vers le bas ; un accident de randonnée, ni plus ni moins, et ça aurait pu en rester là, quelques larmes et une petite cérémonie, sans la neige qui est tombée cette nuit-là ; elle l'a recouvert sans laisser de traces, et dix jours plus tard, quand le dégel a fini par venir, la police fédérale, le FBI et les sauveteurs de la ville ont tous vu qu'ils avaient marché à l'endroit de son corps jusqu'à ce que la neige soit tassée comme de la glace.

---

Il est difficile de croire qu'il y ait eu un tel tapage à propos d'un acte dont j'étais partiellement responsable, encore plus difficile de croire que j'aie pu traverser tout cela — les caméras, les uniformes, les foules noires grouillant sur le mont Cataract comme des fourmis dans un bol de sucre — sans être le moins du monde soupçonné. Mais le traverser était une chose ; en sortir, malheureusement, s'est avéré très différent, et bien que j'aie cru un moment avoir quitté à jamais ce ravin lors d'un après-midi d'avril, il y a bien longtemps, je n'en suis plus tellement certain. Maintenant que les sauveteurs sont partis, que la vie autour de moi a retrouvé son calme, je me suis rendu compte que si pendant des années j'ai pu imaginer que j'étais ailleurs, en réalité j'y étais resté tout ce temps : là-haut, près des ornières boueuses dans l'herbe nouvelle, là où le ciel s'assombrit au-dessus des fleurs frémissantes des pommiers et où on sent déjà dans l'air le premier frisson de la neige qui va tomber à la nuit.

« Qu'est-ce que vous faites ici? » a dit Bunny, surpris, quand il nous a trouvés tous les cinq en train de l'attendre.

« Oh, on cherche des fougères », a dit Henry.

Après que nous avons chuchoté dans les broussailles — un dernier regard au corps et tout autour, pas de clefs tombées par terre, de lunettes perdues, tout le monde a tout ? — et que nous sommes repartis en file indienne dans la forêt, j'ai jeté un coup d'œil à travers les branches qui se redressaient pour refermer la piste derrière moi. Bien que je me souvienne de notre retour et des premiers flocons de neige isolés qui flottaient au bas des pins, de m'être enfourné avec soulagement dans la voiture et d'avoir pris la route comme une famille en vacances, avec Henry qui conduisait mâchoires serrées dans les nids-de-poule et nous autres penchés sur les sièges en train de parler comme des enfants, bien que je ne me souvienne que trop bien de la longue et terrible nuit qui nous attendait et des nuits et des jours longs et terribles qui ont suivi, je n'ai qu'à regarder en arrière pour que toutes ces années s'effacent et que je le revoie derrière moi, ce ravin, vert et noir à travers les branches, une image qui ne me quittera jamais. Je suppose qu'à un moment de ma vie j'aurais pu avoir bien d'autres histoires en réserve, mais maintenant il n'y en a plus qu'une. C'est la seule histoire que je serais jamais capable de raconter.

# LIVRE I

# CHAPITRE 1

Est-ce que quelque chose comme la "fêlure fatale", cette faille sombre et révélatrice qui traverse le milieu d'une vie, existe hors de la littérature ? Je croyais que non. Maintenant je pense que oui. Et je crois que voici la mienne : une avidité morbide du pittoresque à tout prix.

*A moi. L'histoire d'une de mes folies.*

Je m'appelle Richard Papen. J'ai vingt-huit ans et je n'avais jamais vu la Nouvelle-Angleterre ou l'université de Hampden avant d'avoir dix-neuf ans. Je suis Californien de naissance et aussi, je le sais depuis peu, par nature. Cela, je ne l'avoue que maintenant, après coup. Mais peu importe.

J'ai grandi à Plano, un petit village du nord de la Silicon Valley. Ni sœurs, ni frères. Mon père tenait une station service et ma mère est restée à la maison jusqu'à ce que je devienne adulte, que les temps se fassent plus difficiles, ensuite elle a pris un travail consistant à répondre au téléphone dans les bureaux d'une grande usine de composants à côté de San José.

Plano. Le mot évoque des drive-in, des mobil-homes, des ondes de chaleur montant de l'asphalte. Les années où j'ai vécu là-bas m'ont créé un passé jetable comme une tasse en plastique. Ce qui est en un sens un don précieux, j'imagine. En partant de chez moi j'ai pu me fabriquer une nouvelle histoire, beaucoup plus satisfaisante, remplie d'influences évidentes et simplistes dues à l'environnement ; un passé coloré, facilement accessible aux autres.

L'éblouissement de cette enfance fictive — pleine de piscines, de bosquets d'orangers et de parents dissolus, charmants et dans le show-biz — a presque éclipsé la monotonie de l'original. En fait, quand je pense à ma véritable enfance, je suis incapable de me rappeler grand-chose à part un triste méli-mélo d'objets : les tennis que je portais toute l'année ; les livres à colorier du supermarché et le vieux ballon écrasé, ma contribution aux jeux du voisinage ; guère d'intérêt, encore moins de beauté. J'étais un garçon calme, grand pour son âge, sujet aux taches de rousseur. Je n'avais pas beaucoup d'amis mais j'ignore si c'est par choix ou dû aux circonstances. Un bon élève, semble-t-il, mais sans rien d'exceptionnel ; j'aimais lire — Tom Swift, les livres de Tolkien — mais aussi regarder la télévision, ce que je faisais abondamment, allongé sur la moquette de notre salon désert au cours des longs après-midi d'ennui après la classe.

Franchement, je ne me rappelle pas grand-chose d'autre de ces années sinon une certaine humeur qui leur était commune, un sentiment mélancolique que j'associe à la vision du *Monde merveilleux de Walt Disney* le dimanche soir. Dimanche était un jour triste — couché tôt, à l'école le lendemain matin, je m'inquiétais toujours d'avoir mal fait mes devoirs — mais en regardant les feux d'artifice éclater dans le ciel nocturne par-dessus les châteaux illuminés de Disneyland, j'étais consumé par une impression de terreur plus générale, d'emprisonnement dans l'aller-retour sempiternel de l'école au foyer : des circonstances qui, du moins pour moi, offraient de solides arguments empiriques en faveur de la sinistrose. Mon père était méchant, notre maison était laide, et ma mère ne faisait pas attention à moi ; mes vêtements étaient nuls, mes cheveux trop courts, et à l'école personne ne m'aimait énormément ; et comme tout cela se vérifiait depuis toujours, j'avais l'impression que les choses continueraient sans doute dans cette veine déprimante aussi longtemps que je pouvais l'imaginer. En bref : je sentais que mon existence était compromise d'une façon subtile mais essentielle.

Je suppose alors qu'il n'y a rien d'étrange à ce que j'aie du mal à réconcilier ma vie avec celle de mes amis, ou du moins avec ce que je perçois de leurs vies. Charles et Camilla sont des orphelins (comme j'ai pu désirer la rigueur d'un tel destin !) élevés par leurs grand-mères et grand-tantes dans une maison en Virginie : une enfance dont j'aime à rêver, avec des chevaux, des rivières et des arbres à gomme. Et Francis : sa mère, quand elle l'a eu, n'avait que dix-sept ans — une fille au sang appauvri, capricieuse, avec des cheveux roux et un papa très riche, qui s'était enfuie avec le batteur de Vance Vane et ses Musical Swains. Elle était rentrée au bout de trois semaines, le mariage avait été annulé en six ; et comme Francis se plaît à dire, les grands-parents les avaient élevés comme frère et sœur, lui et sa mère, dans un style si magnanime que même les mauvaises langues en étaient impressionnées — gouvernantes anglaises, écoles privées, étés en Suisse, hivers en France. Voyons enfin ce vieux bourru de Bunny, si vous voulez. Pas une enfance avec duffle-coats et leçons de danse, pas plus que la mienne, mais une enfance américaine : fils d'une star du football à Clemson devenu banquier ; quatre frères, pas de sœurs, dans une grande maison bruyante en banlieue, bateaux à voile, raquettes de tennis et chiens de chasse à leur disposition ; l'été à Cape Cod, des pensions près de Boston et des pique-niques en 4x4 pendant la saison de foot — une éducation dont on sentait la présence vitale dans chaque geste de Bunny, de la façon dont il vous serrait la main à celle dont il racontait une blague.

Je n'ai pas et je n'ai jamais rien eu de commun avec aucun d'entre eux, rien sinon ma connaissance du grec et l'année que j'ai passé en leur compagnie. Et si l'amour est quelque chose qu'on a en commun, je suppose que nous l'avions en commun, mais j'imagine que cela peut paraître bizarre au vu de l'histoire que je vais vous raconter.

Comment commencer.

Après le lycée je suis entré à une petite université de ma ville natale (mes parents s'y étaient opposés, puisque de toute évidence on s'attendait à ce que j'aide mon père à son commerce, une des nombreuses raisons qui m'ont fait tant souffrir au moment de l'inscription) et, au cours de ces deux ans, j'ai étudié le grec ancien. Non par amour de cette langue mais parce que je préparais médecine (l'argent, voyez-vous, était le seul moyen d'améliorer mon sort, les médecins gagnent beaucoup d'argent, *quod erat demonstrandum*) et que mon orientateur avait suggéré que je prenne une langue pour remplir le programme de lettres ; comme les cours avaient lieu l'après-midi, j'ai choisi le grec pour pouvoir dormir le lundi matin. Une décision prise entièrement au hasard et qui s'avéra, comme vous le verrez, un choix fatidique.

J'étais bon en grec, voire excellent, et j'ai même gagné un prix du département classique en dernière année. C'était ma matière favorite, parce que c'était la seule enseignée dans une salle normale — pas d'odeur de formol, pas de cages pleines de singes hurlants. Au début, j'avais cru qu'un travail acharné m'aurait fait surmonter ma répulsion fondamentale et mon dégoût pour cette vocation, qu'en m'acharnant encore plus j'aurais pu simuler une sorte de talent. Mais ce ne fut pas le cas. Au fil des mois je n'éprouvais qu'indifférence, voire une véritable répugnance, pour mes études de biologie ; j'avais de mauvaises notes ; j'étais méprisé tant par le professeur que par mes condisciples. Avec ce qui m'a paru, même à moi, un geste à la Pyrrhus, sans avenir, je suis passé en littérature anglaise sans le dire à mes parents. J'avais l'impression de me trancher la gorge, et d'avoir à m'en repentir amèrement, encore persuadé qu'il valait mieux échouer dans un domaine lucratif que d'exceller dans celui dont mon père (qui ne connaissait rien à la finance ni à l'université) m'avait assuré qu'il était sans aucun profit ; un geste qui m'obligerait inévitablement à traîner à la maison le restant de mes jours en lui demandant de l'argent ; argent, m'assurait-il énergiquement, qu'il n'avait pas la moindre intention de me donner.

Ainsi j'ai étudié la littérature, que j'aimais mieux. Mais je n'aimais toujours pas être chez moi. Je ne crois pas pouvoir expliquer le désespoir que cet environnement m'inspirait. Bien que je soupçonne aujourd'hui, étant donné les circonstances et mon tempérament, que j'aurais été malheureux partout, à Biarritz, à Caracas ou à Capri, j'étais alors convaincu que mon malheur était consubstantiel à cet endroit. Peut-être l'était-il en partie. Si dans une certaine mesure Milton a raison — l'esprit est son propre lieu et peut faire en lui-même un Paradis de l'Enfer et ainsi de suite — il n'en est pas moins clair que les fondateurs de Plano n'ont pas modelé leur ville d'après le paradis mais d'après cette autre cité, plus douloureuse. Au lycée, j'avais pris l'habitude d'errer dans les centres commerciaux après la classe, d'ondoyer le long des galeries brillantes et glacées au point d'être tellement ébloui par les marchandises et les codes-barre, les jeux électroniques et les escalators, les miroirs et la musique au kilomètre, le bruit et la lumière, qu'un fusible sautait dans mon esprit et que tout devenait soudain inintelligible : une couleur sans forme, un galimatias de molécules autonomes. Alors j'allais comme un zombie sur le parking et je roulais jusqu'au terrain de base-ball, où, sans même sortir de voiture, les mains sur le volant, je contemplais la barrière en grillage et l'herbe jaunie par l'hiver, le temps que le soleil se couche et qu'il fasse trop sombre pour y voir.

Même si je pensais confusément que mon insatisfaction était d'ordre bohème, vaguement d'origine marxiste (à l'adolescence, j'ai posé bêtement au socialiste, surtout pour énerver mon père), je n'avais aucun moyen de commencer à comprendre, et je me serais mis en colère si quelqu'un avait suggéré que cela venait d'une forte dose de puritanisme dans mon tempérament, ce qui était effectivement le cas. Il y a peu de temps j'ai retrouvé ce passage d'un vieux carnet, écrit quand j'avais environ dix-huit ans : « Il y a pour moi dans cet endroit une odeur de pourriture, l'odeur que dégagent les fruits blets. Nulle part, jamais, les mécaniques hideuses de la naissance, de la copulation et de la mort — ces monstrueux bouleversements de la vie que les Grecs appellent *miasma*, souillure — n'ont été si brutales ni si bien fardées pour les embellir ; nulle part tant de gens n'ont accordé tant de foi aux mensonges, à l'inconstance et à la mort la mort la mort. »

Voilà, je trouve, qui est assez dur. A l'entendre, si j'étais resté en Californie j'aurais pu finir dans une secte ou pour le moins pratiquer une sorte de redoutable régime alimentaire. Je me souviens d'avoir lu des textes sur Pythagore, à cette époque, et d'avoir trouvé certaines de ses idées étrangement attirantes — se vêtir tout de blanc, par exemple, ou s'abstenir de nourriture ayant une âme.

Au lieu de quoi j'ai fini sur la côte Est.

Je suis tombé sur Hampden par un caprice du sort. Un soir, pendant les longues vacances de Thanksgiving, faites de pluie, de confitures d'airelle, de matchs de foot ronronnant à la télévision, j'étais allé dans ma chambre après m'être disputé avec mes parents (je ne me souviens pas particulièrement de cette dispute, parmi beaucoup d'autres, toutes au sujet de l'argent et des études) et je vidais mon placard à la recherche de mon manteau quand elle a volé en l'air : la brochure de l'université de Hampden, à Hampden, dans le Vermont.

Elle datait de deux ans, cette brochure. Au lycée, beaucoup d'universités m'avaient envoyé leur documentation parce que j'avais réussi mes tests d'aptitude (malheureusement pas assez bien pour obtenir grand-chose en guise de bourse) et j'avais mis celle-ci dans mon livre de géométrie pendant ma dernière année.

Je ne sais pas ce qu'elle faisait dans mon placard. Je suppose que je l'avais gardée à cause des belles images. Cette année-là, j'avais passé des heures à étudier ces photographies comme si, à condition de les regarder assez longtemps et avec assez de désir, j'aurais pu être transporté, par une sorte d'osmose, dans ce silence pur et lumineux. Encore aujourd'hui je me souviens de ces images comme de celles d'un livre de contes qu'on a aimé dans son enfance. Des prairies radieuses, des montagnes vaporeuses dans un lointain frémissant ; un épais tapis de feuilles sur une route dans les bourrasques de l'automne ; les grands feux et le brouillard dans les vallées ; des violoncelles, des fenêtres obscures, la neige.

Université de Hampden, à Hampden, dans le Vermont. Fondée en 1895. (Ce qui suffisait à m'émerveiller ; à Plano, presque rien, à ma connaissance, n'avait été fondé avant 1962.) Cinq cents étudiants. Mixte. Méthodes progressistes. Spécialisée dans les arts libéraux. Sélection très poussée. « Hampden, en proposant un programme approfondi dans le domaine des lettres, ne vise pas seulement à donner aux étudiants une formation rigoureuse dans le domaine choisi, mais un aperçu de toutes les disciplines de l'art occidental. Ce faisant, nous espérons ne pas seulement apporter à chaque individu des faits bruts, mais le matériau de la sagesse. »

Université de Hampden, à Hampden, dans le Vermont. Même ce nom avait une résonance austère et anglicane, du moins pour mon oreille, qui soupirait désespérément après l'Angleterre et restait sourde aux rythmes sombres et doux des petites villes de mission. J'ai longuement regardé l'image du bâtiment qu'on appelait le Collège. Il était baigné d'une lumière indistincte, académique — différente de celle de Plano, de tout ce que j'avais jamais connu — une lumière qui m'évoquait de longues heures en bibliothèque, des vieux livres et le silence.

Ma mère a frappé à la porte, m'a appelé. Je n'ai pas répondu. J'ai détaché le formulaire d'inscription au dos de la brochure et j'ai commencé à le remplir. Nom : John Richard Papen. Adresse : 4487 cours des Mimosas, Plano, Californie. Aimeriez-vous recevoir des renseignements sur les aides financières ? Oui (évidemment). Et je l'ai mis à la poste le lendemain matin.

Au cours des mois suivants ce fut une bataille de paperasserie interminable et sinistre, une guerre de tranchées qui s'est éternisée. Mon père refusait de remplir les papiers pour l'aide financière ; finalement, désespéré, j'ai volé ses quittances d'impôt dans la boîte à gants de sa Toyota et je les ai remplies moi-même. Encore attendre. Ensuite un mot du doyen des admissions. Un entretien était requis : quand pouvais-je prendre l'avion pour le Vermont ? Je ne pouvais pas me permettre de prendre l'avion, je lui ai écrit pour le dire. Encore des délais, une autre lettre. L'université me rembourserait mes frais de voyage si leur proposition de bourse était acceptée. Pendant ce temps le plan d'aide financière est arrivé. La contribution familiale était au-delà des moyens de mon père, dit-il, et il refusa de payer. Ce genre de guérilla s'est prolongé pendant huit mois. Même aujourd'hui je ne comprends pas toute la série d'événements qui m'ont fait venir à Hampden. Des professeurs écrivirent des lettres de soutien ; on fit toutes sortes d'exceptions à mon avantage. Et moins d'un an après m'être assis sur le tapis doré à longs poils de ma petite chambre, à Plano, pour remplir le questionnaire sur un coup de tête, je descendais du car à Hampden avec deux valises et cinquante dollars en poche.

Je n'avais jamais été à l'est de Santa Fé, jamais au nord de

Portland, il était six heures du matin, le soleil se levait sur les montagnes, les bouleaux et les prés d'un vert incroyable ; pour moi, ahuri par une nuit sans sommeil et trois jours sur la route, c'était comme un pays de rêve.

Les dortoirs n'en étaient même pas : en tout cas pas comme ceux que j'avais connu, avec des murs en carreaux de plâtre et une lumière jaunâtre et déprimante, mais des petites maisons en bardeaux aux volets verts, posées à l'écart du Collège dans des bosquets de frênes et d'érables. Pourtant il ne m'était pas venu un seul instant à l'esprit que ma chambre personnelle puisse ne pas être laide et décevante, et c'est avec une sorte de choc que je l'ai vue pour la première fois — une pièce blanche avec de grandes fenêtres donnant au nord, nue et monacale, avec un parquet en chêne usé et un plafond mansardé comme dans un grenier. Lors de ma première nuit, je suis resté assis sur le lit au crépuscule pendant que les murs passaient lentement du gris au doré puis au noir, en écoutant une voix de soprano monter et descendre vertigineusement quelque part à l'autre bout du couloir jusqu'à ce que la lumière ait entièrement disparu, tandis que la chanteuse lointaine déroulait ses spirales dans l'obscurité comme un ange de la mort, et je ne me souviens pas d'un air plus pur ou plus froid et raréfié que cette nuit-là, ni de m'être jamais senti si loin des paysages bas et poussiéreux de Plano.

J'ai passé les premiers jours, avant le début des cours, seul dans ma chambre blanchie à la chaux, au milieu des prés lumineux de Hampden. Et à ce moment j'ai été heureux comme je ne l'avais jamais été ; j'errais comme un somnambule, abasourdi et ivre de beauté. Un groupe de filles aux joues rouges qui jouaient au football, queues de cheval au vent, leurs cris et leurs rires atténués par la prairie veloutée au déclin du jour. Des pommiers craquant sous les pommes, avec en dessous des fruits rouges tombés sur l'herbe, l'odeur lourde et sucrée des pommes qui pourrissaient par terre, le bourdonnement régulier des guêpes. Le beffroi du Collège : le lierre sur les briques, une tour blanche avec une horloge, figée dans le lointain. Le choc de voir pour la première fois un bouleau se dresser dans le noir, le soir, aussi mince et indifférent qu'un fantôme. Et les nuits, d'une ampleur inimaginable : noires et venteuses, énormes et agitées, traversées d'étoiles.

---

J'avais prévu de m'inscrire à nouveau en grec — c'était la seule langue où j'avais une compétence quelconque. Mais quand j'en ai fait part au conseiller pédagogique qu'on m'avait assigné — un professeur français qui s'appelait Georges Laforgue, avec un teint olivâtre et de longues narines pincées comme celles d'une tortue — il s'est contenté de sourire et de presser le bout de ses doigts les uns contre les autres. « Je crains qu'il n'y ait un problème », a-t-il dit avec son accent.

« Pourquoi ? »

« Il n'y a ici qu'un seul professeur de grec ancien et il est très difficile pour ce qui est de ses élèves. »

« J'ai étudié le grec pendant deux ans. »

« Cela ne fera probablement aucune différence. Il n'accepte qu'un nombre limité d'étudiants. Un nombre très limité. De plus, à mon avis, il opère son choix selon des critères personnels et non académiques. »

Son ton était légèrement sarcastique, et suggérait aussi que si cela ne me gênait pas il préférait ne pas s'étendre sur ce sujet.

« Je ne vois pas ce que vous voulez dire. »

En fait, je croyais savoir. La réponse de Laforgue m'a étonné. « Il ne s'agit de rien de tel. C'est évidemment un universitaire distingué. Il se trouve aussi qu'il est tout à fait charmant. Mais il a des idées sur la pédagogie que je trouve très surprenantes. Lui-même et ses étudiants n'ont pratiquement aucun contact avec le reste du département. J'ignore pourquoi on continue à proposer ses cours dans le catalogue général — ce qui induit en erreur — tous les ans il y a des problèmes à ce sujet — car, pratiquement, personne n'y a accès. On me dit que pour étudier avec lui il faut avoir lu ce qu'il faut et avoir des opinions adéquates. Il est arrivé à plusieurs reprises qu'il renvoie des étudiants tels que vous, ayant déjà abordé les classiques. Pour moi — il a haussé un sourcil — si l'étudiant a envie d'apprendre ce que j'enseigne et est qualifié pour le faire, je l'accepte à mes cours. Très démocratique, non ? C'est la meilleure façon. »

« Ce genre de choses arrive souvent ici ? »

« Bien sûr. Il y a des professeurs à problèmes dans toutes les écoles. Et ici beaucoup — à mon étonnement, il a baissé la voix — beaucoup qui posent bien plus de problèmes que lui. Bien que je doive vous demander de ne pas me citer sur ce point. »

« Entendu. » J'étais plutôt surpris par ce ton brusquement confidentiel.

« A vrai dire, il est essentiel que vous ne le fassiez pas. » Il chuchotait, penché en avant, sa bouche minuscule remuant à peine. « Je dois insister. Vous n'êtes sans doute pas au courant, mais j'ai plusieurs ennemis redoutables dans le département Littérature. Et même, vous aurez du mal à le croire, *ici dans ma propre section*. De plus, a-t-il ajouté d'une voix plus normale, c'est un cas spécial. Il enseigne depuis de nombreuses années et refuse même d'être payé. »

« Pourquoi ? »

« C'est un homme riche. Il fait don de son salaire à l'université, bien qu'il accepte, je crois, un dollar par an à cause des impôts. »

« Oh. » Même si je n'étais arrivé à Hampden que depuis quelques jours, j'étais déjà familiarisé avec le discours officiel sur les difficultés financières, les subventions réduites, les économies de bout de chandelle.

« Moi, par contre, a dit Laforgue, j'aime bien enseigner, mais j'ai une femme et une fille à l'école en France — l'argent est le bienvenu, non ? »

« Peut-être irai-je tout de même lui parler. »

Laforgue a haussé les épaules. « Vous pouvez essayer. Mais je vous conseille de ne pas prendre rendez-vous, car il est probable qu'il refusera. Il s'appelle Julian Morrow. »

Je ne tenais pas particulièrement à m'inscrire en grec, mais j'étais intrigué par ce que m'avait dit Laforgue. Je suis descendu et je suis entré dans les premiers locaux que j'ai vus. Une femme maigre, l'air aigri, aux cheveux blond filasse, était assise au bureau de la première pièce, en train de manger un sandwich.

« C'est mon heure de déjeuner. Revenez à deux heures. »

« Excusez-moi. Je cherche seulement le bureau d'un professeur. »

« Oh, vous êtes au secrétariat, pas au standard. Mais je suis peut-être au courant. Qui cherchez vous? »

« Julian Morrow. »

« Oh, lui, a-t-elle dit, étonnée. Qu'est-ce que vous lui voulez ? Il est en haut, je crois, au Lyceum. »

« Quelle salle ? »

« Il est le seul, là-haut. Aime le calme et la tranquillité. Vous verrez bien. »

En fait, trouver le Lyceum n'a pas du tout été chose facile. C'était un petit bâtiment en lisière du campus, ancien et recouvert de lierre, de sorte qu'on le distinguait à peine du paysage. En bas il y avait des salles de cours et de conférence, vides, avec des tableaux noirs très propres et des parquets bien cirés. J'ai erré en vain jusqu'à apercevoir enfin un escalier — étroit et mal éclairé — à l'autre bout du bâtiment.

En haut, je me suis retrouvé dans un long couloir désert où j'ai marché d'un bon pas, prenant plaisir au bruit de mes semelles sur le linoléum, et cherché des noms ou des numéros sur les portes fermées jusqu'à en trouver une avec un porte-carte en cuivre et une carte de visite gravée, JULIAN MORROW. J'ai frappé trois coups secs.

Une minute ou deux ont passé, puis une autre, puis la porte blanche s'est à peine entrouverte. Un visage m'a regardé. C'était un petit visage sagace, alerte et dressé comme un point d'interrogation ; et si certains de ses traits suggéraient la jeunesse — la courbe espiègle des sourcils, les lignes nettes du nez, de la bouche et du menton — il n'avait rien d'un visage jeune, et ses cheveux étaient blancs comme neige. Je ne suis pas trop mauvais pour ce qui est de deviner l'âge des gens, mais je n'aurais rien pu dire sur le sien.

J'ai attendu un moment, pendant qu'il m'étudiait de ses yeux bleus en clignant des paupières.

« Puis-je vous aider ? » La voix était raisonnable, bienveillante, comme font parfois gentiment les adultes avec les enfants.

« Je — eh bien, je m'appelle Richard Papen... »

Il a penché la tête de l'autre côté et à nouveau cligné des yeux, à la façon d'un moineau.

« ... et je désire suivre votre cours de grec ancien. »

Son visage s'est défait. « Oh, je regrette. » Le ton de sa voix, ce qui était surprenant, tendait à faire croire qu'il était réellement désolé, plus encore que moi. « Rien ne me ferait plus plaisir, mais je crains que mon cours ne soit déjà complet. »

Ce regret apparemment sincère me donna du courage. « Il doit sûrement y avoir un moyen. Un étudiant de plus... »

« Je regrette terriblement, monsieur Papen », a-t-il dit, presque comme s'il me consolait de la perte d'un ami bienaimé, voulant me faire comprendre son impuissance à m'aider concrètement d'aucune façon. « Mais je me suis restreint personnellement à cinq élèves et il m'est impensable d'en ajouter un seul. »

« Cinq élèves, ce n'est pas beaucoup. »

Il a secoué la tête très vite, les yeux fermés, comme si toute prière lui était insupportable.

« Vraiment, j'aurais aimé vous avoir, mais je ne dois même pas y penser. Je regrette terriblement. Voulez-vous m'excuser, à présent ? J'ai un étudiant avec moi. »

---

Il s'est écoulé plus d'une semaine. J'ai commencé mes cours et trouvé du travail chez un professeur de psychologie, le Dr Roland. (Je devais l'assister pour de vagues « recherches », dont je n'ai jamais découvert la nature ; c'était un vieux bonhomme ahuri, apparemment détraqué, un behavioriste, qui passait le plus clair de son temps à traîner dans la salle des professeurs.) Et je me suis fait quelques amis, pour la plupart des nouveaux habitant le même bâtiment. *Amis* n'est peut-être pas le terme approprié. On prenait nos repas ensemble, on se voyait aller et venir, mais nous étions surtout réunis par le fait que nul d'entre nous ne connaissait personne d'autre — une situation, sur le moment, pas nécessairement désagréable. Aux rares personnes de ma connaissance qui résidaient depuis quelque temps à Hampden, j'ai demandé quelle était l'histoire de Julian Morrow.

Presque tout le monde avait entendu parler de lui, et j'ai reçu toutes sortes de renseignements fascinants mais contradictoires : que c'était quelqu'un de brillant ; que c'était un imposteur ; qu'il n'avait aucun diplôme ; que c'était un grand intellectuel dans les années quarante, ami d'Ezra Pound et de T.S. Eliot ; que son héritage était venu d'une association avec une banque privée traditionnelle, ou réciproquement de l'acquisition d'une propriété saisie pendant la Dépression ; qu'il s'était fait réformer lors d'une guerre (quoique, chronologiquement, c'était difficile à établir) ; qu'il avait des liens avec le Vatican ; avec une famille royale détrônée du Moyen-Orient ; avec l'Espagne franquiste. La part de vérité de tout cela était bien sûr inconnaissable, mais plus j'entendais parler de lui, plus je m'y intéressais. Je me suis mis à le guetter sur le campus, ainsi que son petit groupe d'élèves. Quatre garçons et une fille, n'ayant rien de très particulier à les voir de loin. Néanmoins, de plus près, c'était un groupe qui attirait le regard — du moins le mien, qui n'avait jamais rien vu de tel, et qui m'évoquait diverses qualités pittoresques et fictionnelles.

Deux des garçons portaient des lunettes, du même style, chose curieuse : minuscules, à l'ancienne, avec des montures rondes en acier. Le plus grand des deux — et il était vraiment grand, plus d'un mètre quatre-vingts — avait les cheveux bruns, le menton carré, le teint pâle et brouillé. Il aurait pu être beau si ses traits avaient été moins figés, ou ses yeux, derrière ses lunettes, moins vides et dénués d'expression. Il portait des costumes sombres, de genre anglais, avec un parapluie noir (spectacle étrange à Hampden), et traversait d'un pas raide les foules de hippies, de beatniks, de prépas et de punks avec l'air contraint et cérémonieux d'une vieille ballerine, étonnant chez un type aussi grand. « Henry Winter », m'ont dit mes amis quand je l'ai montré du doigt, de loin, alors qu'il faisait un grand cercle pour éviter un groupe de joueurs de bongo sur la pelouse.

Le plus petit des deux — mais de peu — était un blond négligé, aux joues roses, mâchant du chewing-gum, avec une jovialité perpétuelle et les poings toujours au fond des poches de son pantalon aux genoux déformés. Il portait tous les jours la même veste, une veste en tweed informe usée aux coudes, aux manches trop courtes, et ses cheveux blond-roux avaient une raie à gauche, de sorte qu'une longue boucle tombait sur le verre de ses lunettes. Il s'appelait Bunny Corcoran, Bunny étant une sorte de diminutif pour Edmond. Sa voix forte et nasillarde résonnait dans les réfectoires.

Le troisième était le plus surprenant de la bande. Élégant, anguleux, il était d'une maigreur extrême, avec des mains nerveuses, un visage rusé d'albinos et une touffe des cheveux les plus roux que j'aie jamais vus. J'ai cru (à tort) qu'il s'habillait comme Alfred Douglas, ou le comte de Montesquiou : de magnifiques chemises empesées avec des manchettes à la française ; des cravates splendides ; un grand manteau noir qui s'envolait derrière lui quand il marchait et lui donnait l'air d'un croisement de prince royal et de Jack l'Éventreur. Une fois, à mon grand plaisir, je l'ai vu avec un pince-nez. (Plus tard, j'ai découvert que ce n'était pas un vrai pince-nez, qu'il avait des verres neutres, et que sa vue était bien meilleure que la mienne.) Il s'appelait Francis Abernathy. D'autres questions m'ont valu les soupçons de mes relations masculines, qui s'étonnaient de mon intérêt pour un tel personnage.

Et puis il y avait le couple, fille et garçon. Je les voyais beaucoup ensemble, et j'ai d'abord cru qu'ils étaient amis de cœur, jusqu'à les voir de près et comprendre qu'ils devaient être frère et sœur. Plus tard j'ai su qu'ils étaient jumeaux. Ils se ressemblaient beaucoup, avec une épaisse chevelure châtain et des visages d'androgynes aussi clairs, joyeux et graves que des anges flamands. Le plus inhabituel, peut-être, dans le contexte de Hampden — où abondaient les pseudo-intellectuels et les adolescents décadents, et où les vêtements noirs étaient *de rigueur* — c'étaient les vêtements de couleur pâle qu'ils affectionnaient, surtout blancs. Dans cet essaim de cigarettes et de sophistication sinistre, ils apparaissaient ici et là, tels les personnages d'une allégorie ou les invités morts depuis longtemps d'une garden-party oubliée. Il était facile de savoir qui ils étaient, car ils avaient l'avantage d'être les seuls jumeaux du campus. Ils s'appelaient Charles et Camilla Macaulay.

Tous me paraissaient hautement inapprochables. Mais je les observais avec intérêt chaque fois que je les voyais : Francis, se penchant pour parler à un chat sur le perron ; Henry qui filait au volant d'une petite voiture blanche, avec Julian à la place du passager ; Bunny penché à une fenêtre du premier étage pour crier quelque chose aux jumeaux sur la pelouse. Lentement, d'autres informations parvenaient jusqu'à moi. Francis Abernathy était de Boston, et d'après la plupart des gens, très riche. On disait qu'Henry aussi était riche, mais surtout que c'était un génie linguistique. Il parlait plusieurs langues, anciennes et modernes, et avait publié une traduction d'Anacreon, avec commentaire, à l'âge de dix-huit ans. Les jumeaux avaient un appartement hors du campus, et venaient de quelque part au Sud. Et Bunny Corcoran avait l'habitude, tard dans la nuit, de jouer à plein volume des marches de John Philip Sousa dans sa chambre.

Ce n'est pas dire que j'étais excessivement préoccupé par tout cela. A l'époque, je m'habituais à l'école ; les cours avaient commencé et j'étais absorbé par le travail. Mon intérêt envers Julian Morrow et ses élèves de grec, toujours vif, commençait à décliner quand survint une bizarre coïncidence.

Cela se passa le mercredi matin de ma deuxième semaine à Hampden, et j'étais dans la bibliothèque, occupé à faire des photocopies pour le Dr Roland avant mon cours de onze heures. Au bout d'une demi-heure, j'avais des taches lumineuses qui dansaient devant mes yeux, et quand je suis revenu au bureau pour rendre la clef de la photocopieuse au bibliothécaire, je me suis retourné pour m'en aller et je les ai vus, Bunny et les jumeaux, assis devant une table couverte de papiers, de porte-plumes et de bouteilles d'encre. Je me souviens particulièrement des bouteilles d'encre, parce que je les avais trouvées charmantes, ainsi que les longs porte-plumes noirs et cylindriques qui me paraissaient incroyablement archaïques et malcommodes. Charles portait un sweater blanc, et Camilla une robe échancrée à col marin, ainsi qu'un chapeau de paille. La veste en tweed de Bunny, jetée sur le dossier de sa chaise, montrait sa doublure déchirée et parsemée de grandes taches. Il avait les coudes sur la table, les cheveux dans les yeux, les manches de sa chemise froissée relevées par des bracelets élastiques à rayures. Leurs têtes se touchaient presque et ils parlaient calmement.

Pris d'une envie de savoir ce qu'ils se disaient, j'ai suivi le rayonnage derrière leur table — tout du long, comme si je ne savais pas bien ce que je cherchais — et je suis arrivé si près que j'aurais pu tendre la main et toucher le bras de Bunny. En leur tournant le dos, j'ai choisi un livre au hasard — un manuel de sociologie parfaitement ridicule — et fait semblant d'en étudier l'index.

« Pour ça, je ne sais pas, disait Camilla. Si les Grecs font voile vers Carthage, ce devrait être l'accusatif. Tu te rappelles ? L'endroit où. C'est la règle. »

« Pas possible. » C'était Bunny, sa voix nasale, sa verbosité, un W.C. Fields tétanisé par l'accent de Long Island. « Ce n'est pas l'endroit où, c'est l'endroit pour. Je parie sur l'ablatif. »

Il y eut un froissement confus de papiers.

« Attends », a dit Charles. Sa voix ressemblait beaucoup à celle de sa sœur — rauque, douce, avec une pointe d'accent du Sud. « Regarde ça. Non seulement ils font voile vers Carthage, ils y vont pour l'*attaquer*. »

« Tu es cinglé. »

« Non, c'est vrai. Regarde la phrase suivante. Il nous faut un datif. »

« Tu es sûr ? »
Encore des papiers remués.
« Absolument. *Epi tō karchidona.* »
« Je ne vois pas comment », a fait Bunny. « L'ablatif, c'est le truc. Quand c'est difficile, c'est toujours l'ablatif. »
Une courte pause. « Bunny, a dit Charles, tu mélanges tout. L'ablatif c'est en latin. »
« Bon, *bien sûr*, je sais », a répondu Bunny d'un ton agacé, après un silence confus qui paraissait démontrer le contraire, « mais tu vois ce que je veux dire. Aoriste, ablatif, c'est du pareil au même, en fait... »
Camilla est intervenue. « Écoute, Charles. Le datif ne marche pas. »
« Mais si. Ils font voile pour attaquer, pas vrai ? »
« Oui, mais les Grecs ont franchi la mer vers Carthage. »
« Mais si je mets cet *epi* devant. »
« Eh bien, on peut attaquer et mettre aussi *epi*, mais il nous faut un accusatif à cause des règles impératives. »
Je parcourais l'index en me creusant la tête à propos du cas qu'ils cherchaient. Les Grecs franchirent la mer en direction de Carthage. Vers Carthage. L'endroit où. L'endroit d'où. Carthage.
Soudain une idée m'est venue. J'ai refermé le livre, l'ai remis dans son rayon et je me suis retourné.
« Excusez-moi. » Aussitôt ils se sont arrêté de parler, surpris, et m'ont regardé fixement.
« Je regrette, mais est-ce que le locatif conviendrait ? »
Tout le monde s'est tu pendant un long moment.
« Le locatif ? » a dit Charles.
« Ajoutez juste *adze* à *karchido*. Je crois que c'est *adze*. Si vous faites ça, vous n'avez pas besoin de préposition, sauf le *epi* s'ils vont à la guerre. Ça implique "vers Carthage", alors vous n'avez pas non plus à vous inquiéter du cas. »
Charles a regardé sa feuille, puis moi. « Le locatif ? C'est drôlement obscur. »

« Vous êtes sûr que ça existe pour Carthage ? » a demandé Camilla.

Je n'y avais pas pensé. « Peut-être pas. Je sais que ça existe pour Athènes. »

Charles a tendu le bras de l'autre côté de la table, tiré son dictionnaire à lui, et s'est mis à le feuilleter.

« Oh, bon Dieu, ne prends pas cette peine, a lancé Bunny d'une voix stridente. Si t'as pas à décliner et si ça n'a pas besoin de préposition je trouve ça très bien. » Il a reculé sa chaise en levant les yeux vers moi. « Ça me ferait plaisir de vous serrer la main, l'inconnu. » Je lui ai tendu la mienne, qu'il a serrée et secouée vigoureusement, manquant renverser un encrier avec son coude. « Content de vous voir, oui, oui », a-t-il dit en se servant de son autre main pour écarter les cheveux de ses yeux.

J'étais désorienté par l'éclat subit de toute cette attention ; c'était comme si les personnages d'un tableau favori, absorbés par leurs propres préoccupations, s'étaient penchés hors de la toile et m'avaient parlé. La veille encore, Francis, dans un envol de cachemire noir et de fumée de cigarette, m'avait dépassé dans un couloir. L'instant où son bras avait frôlé le mien, il était devenu un être de chair et de sang, mais l'instant suivant il était redevenu une hallucination, une invention de mon imagination qui s'éloignait à grand pas sans plus faire cas de moi que les fantômes, dit-on, au cours de leurs rondes ténébreuses, ne font cas des vivants.

Charles, encore occupé par son dictionnaire, s'est levé et m'a tendu la main. « Je m'appelle Charles Macaulay. »

« Richard Papen. »

« Oh, c'est vous », a dit brusquement Camilla.

« Quoi ? »

« Vous. Vous qui êtes venu poser des questions sur le cours de grec. »

« C'est ma sœur, a précisé Charles, et lui c'est — Bun, tu lui as déjà dit ton nom ? »

« Non, non, je ne pense pas. Vous avez fait de moi un homme heureux, monsieur. On en a encore dix comme ça à faire et cinq minutes pour les finir. Edmond Corcoran, c'est moi. » Bunny m'a repris la main.

« Vous faites du grec depuis combien de temps ? » a demandé Camilla.

« Deux ans. »

« Vous n'êtes pas mauvais. »

« Dommage que vous ne soyez pas dans notre classe », a glissé Bunny.

Silence gêné.

« Bon, a dit Charles, mal à l'aise, Julian est bizarre avec ces choses-là. »

« Allez donc le revoir, pourquoi pas, a proposé Bunny. Apportez-lui des fleurs et dites lui que vous adorez Platon et il va vous manger dans la main. »

Encore un silence, plus désagréable que le précédent. Camilla a souri, pas vraiment à mon intention — un sourire vague et doux, impersonnel, comme si j'étais un serveur ou un vendeur dans une boutique. Charles, à côté d'elle, toujours debout, a lui aussi souri et levé poliment un sourcil — ce qui pouvait être un geste de nervosité, signifier vraiment n'importe quoi, mais que j'ai pris pour *Est-ce tout ?*

J'ai marmonné quelque chose et j'allais m'en aller quand Bunny — qui avait le regard braqué de l'autre côté — a lancé son bras et m'a pris par le poignet. « Attendez. »

Surpris, j'ai levé les yeux. Henry venait d'apparaître dans la porte — costume sombre, parapluie et tout.

En arrivant à la table il a fait comme s'il ne me voyait pas « Salut, leur a-t-il dit. Vous avez fini ? »

Bunny m'a indiqué d'un signe de tête. « Regarde, Henry, on a quelqu'un à te présenter. »

Henry a levé la tête, sans changer d'expression. Il a fermé les yeux et les a rouverts, comme s'il trouvait extravagant qu'une personne telle que moi soit dans son champ de vision.

« Oui, oui, a insisté Bunny. Ce type s'appelle Richard... Richard quoi ? »

« Papen. »

« Oui, oui. Richard Papen. Il fait du grec. »

Henry a tourné la tête vers moi. « Pas ici, sûrement. »

« Non », ai-je répondu en croisant son regard, mais le sien était si brutal que j'ai détourné les yeux.

« Oh, Henry, regarde ça, tu veux, a dit Charles très vite en remuant à nouveau ses papiers. On allait employer un datif ou un accusatif mais il a suggéré un locatif. »

Henry s'est penché sur son épaule pour étudier la page. « Hmm, le locatif archaïque. Très homérique. Bien sûr, ce serait grammaticalement correct mais peut-être un peu hors du contexte. » Il a relevé la tête pour m'inspecter. Le lumière tombait en biais sur ses petites lunettes et je ne voyais pas ses yeux derrière les reflets. « Très intéressant. Vous étudiez Homère ? »

J'aurais pu dire oui, mais j'ai eu l'impression qu'il aurait été heureux de me prendre en faute, et qu'il aurait pu facilement le faire. « J'aime bien Homère », ai-je répondu faiblement.

Il m'a regardé avec un déplaisir glacial. « Moi j'aime Homère. Bien sûr, nous étudions plutôt des textes plus modernes, Platon et les tragédiens et ainsi de suite. »

Je m'efforçais de trouver quelque chose à dire mais il m'a tourné le dos, l'air d'avoir perdu tout intérêt. « On devrait y aller. »

Charles a ramassé ses papiers, s'est relevé ; Camilla était à côté de lui et cette fois elle m'a tendu la main, elle aussi. Côte à côte, ils se ressemblaient énormément, moins par leur physique que par leurs manières et leurs attitudes, une correspondance entre leurs gestes qui rebondissaient entre eux et se faisaient écho de sorte qu'un clin d'œil chez l'un paraissait se réfléchir, quelques instants plus tard, dans un tressaillement de paupière chez l'autre. Ils avaient des yeux du même gris, calmes et intelligents. Elle, à mon avis, était très belle, d'une beauté troublante, presque médiévale, que n'aurait pas remarquée un spectateur peu attentif.

Bunny a repoussé sa chaise et m'a donné une claque entre les omoplates. « Eh bien, monsieur, il faut qu'on se voie un de ces jours pour parler du grec, pas vrai ? ».

« Au revoir », a fait Henry avec un signe de tête.

« Au revoir. » Ils sont partis et je suis resté sur place à les regarder sortir de la bibliothèque comme une phalange grecque, côte à côte sur un seul rang.

---

Quand je suis revenu au bureau du Dr Roland, quelques minutes plus tard, pour déposer les photocopies, je lui ai demandé s'il pourrait m'accorder une avance sur mon allocation d'études.

Il s'est adossé sur son siège et a braqué sur moi ses yeux larmoyants et injectés de sang. « Eh bien, vous savez, ces dix dernières années, j'ai pris l'habitude de ne pas le faire. Laissez-moi vous expliquer ce qu'il en est. »

« Je sais, monsieur », ai-je lancé très vite. Les discours du Dr Roland quant à ses « habitudes » pouvaient durer une demi-heure ou plus. « Je comprends. Seulement c'est un peu une urgence. »

Il s'est penché vers moi et s'est raclé la gorge. « Et de quoi peut-il s'agir ? »

Ses mains, croisées devant lui sur le bureau, étaient noueuses, avec les veines apparentes et des reflets nacrés, bleuâtres aux articulations. Je les ai fixées du regard. J'avais besoin de dix ou vingt dollars, un besoin urgent, mais j'étais venu sans savoir ce que je lui dirais. « Je ne sais pas. Il s'est passé quelque chose. »

Il a froncé les sourcils d'une façon impressionnante. On prétendait que ses manières séniles n'étaient qu'une façade ; elles m'avaient l'air tout à fait authentiques, mais parfois, quand on n'était pas sur ses gardes, il avait un éclair de lucidité inattendu, lequel — bien qu'il fut souvent sans rapport avec le sujet en question — était la preuve que des processus rationnels continuaient à cahoter lourdement dans les profondeurs boueuses de sa conscience.

« C'est ma voiture », ai-je dit, pris d'une inspiration soudaine. Je n'avais même pas de voiture. « Il faut que je la fasse réparer. »

Je ne pensais pas qu'il aurait demandé d'autres détails, mais au contraire, il a repris du poil de la bête. « Quel est le problème ? »

« Quelque chose à la transmission. »

« Elle est à double voie ? Refroidie par air ? »

« Refroidie par air », ai-je dit en changeant de pied. Le tour que prenait la conversation ne me plaisait pas. Je ne connais rien aux voitures et j'ai même du mal à changer un pneu.

« Qu'est-ce que vous avez, un de ces petits modèles V-6 ? »

« Oui. »

« On dirait que tous les gosses adorent ça. Je ne laisserais pas un de mes enfants se promener avec autre chose qu'un V-8. »

Je n'avais aucune idée de la réponse à lui donner.

Il a ouvert le tiroir de son bureau, y a pris des objets qu'il approchait de ses yeux avant de les y remettre. « Quand la transmission lâche, d'après mon expérience la voiture est foutue. Surtout sur un V-6. Vous pouvez aussi bien l'envoyer à la casse. Moi, par contre, j'ai une Brougham Regency 98 qui a dix ans d'âge. Avec moi, c'est des révisions régulières, un filtre neuf tous les trois mille kilomètres, et une vidange tous les six mille. Attention aux garages en ville », a-t-il ajouté d'un ton sec.

« Pardon ? »

Il avait fini par trouver son carnet de chèques. « Bon, vous devriez vous adresser à l'économe, mais je crois que ça ira. » Il a ouvert son carnet et commencé laborieusement à écrire. « Il y a des endroits à Hampden, quand ils apprennent que vous venez de l'université, ils vous comptent le double. Le Garage de la Rédemption est le meilleur, en général — c'est toute une bande de fondamentalistes, mais ça ne les empêche pas de vous voler comme dans un bois si vous ne les tenez pas à l'œil. »

Il a détaché le chèque et me l'a tendu. J'ai jeté un coup d'œil et mon cœur a sauté dans ma poitrine. Deux cents dollars. Il l'avait signé et tout.

« Ne les laissez pas vous prendre un centime de trop. »

« Non, monsieur. » J'avais du mal à dissimuler ma joie. Qu'est-ce que j'allais faire de tout cet argent ? Peut-être allait-il même oublier qu'il me l'avait donné.

Il a rabaissé ses lunettes et m'a regardé par-dessus les montures. « C'est le Garage de la Rédemption. Ils sont sur la Nationale 6. L'enseigne a la forme d'une croix. »

« Merci. »

Je suis ressorti d'excellente humeur, avec deux cents dollars en poche, et j'ai commencé par descendre à la cabine téléphonique appeler un taxi pour me faire conduire en ville. S'il y a une chose que je sais faire, c'est mentir. C'est une sorte de don.

---

J'ai eu une impression de *déjà vu* quand, l'après-midi suivant, Julian a répondu exactement de la même manière que la première fois, la porte entrebâillée, avec un regard méfiant, comme s'il y avait dans son bureau quelque merveille qu'il fallait garder, une chose ne devant pas être vue par n'importe qui. C'était une impression que j'allais bien connaître au cours des mois suivants. Même aujourd'hui, longtemps après et très loin de là, il arrive qu'en rêve je me retrouve debout devant cette porte blanche dans l'attente de le voir apparaître, tel le portier d'un conte de fées : sans âge, aux aguets, rusé comme un enfant.

Quand il a vu que c'était moi, il a ouvert la porte un peu plus largement que la fois d'avant. « Encore monsieur Pépin, n'est-ce pas ? »

Je n'ai pas pris la peine de rectifier. « Je crains que oui. »

Il m'a regardé un moment. « Votre nom est magnifique, vous savez. Il y a eu des rois de France appelés Pépin. »

« Vous êtes occupé ? »

« J'ai toujours le temps de recevoir un héritier du trône de France si c'est vraiment votre cas », m'a-t-il répondu aimablement.

« Je crains que non. »

Il a ri, cité une petite épigramme en grec comme quoi la probité est une vertu dangereuse, et, à mon grand étonnement, a ouvert la porte et m'a fait entrer.

C'était une très belle pièce, pas du tout un bureau, et beaucoup plus grande qu'elle n'en avait l'air de l'extérieur — blanche et spacieuse, avec de hauts plafonds et une brise qui faisait frissonner les rideaux amidonnés. Dans un coin, près d'une étagère basse, il y avait une grande table ronde couverte de théières et de livres grecs, et partout des fleurs, des roses, des œillets, des anémones, sur son bureau, sur la table, sur les appuis de fenêtre. Les roses embaumaient tout particulièrement ; leur parfum flottait dans l'air, épais, intense, mêlé aux senteurs de bergamote, de thé noir de Chine, et à l'odeur plus sombre du camphre. Il m'a suffi de respirer pour en être enivré. Partout, mes yeux se posaient sur de beaux objets — des tapis d'Orient, des porcelaines, des tableaux aussi petits que des bijoux — un éblouissement de couleurs éclatées qui m'a frappé comme si j'étais entré dans une de ces petites églises byzantines si simples à l'extérieur, et dont l'intérieur est une coquille paradisiaque tapissée de peintures, d'or et de *tesserae*.

Il a pris un fauteuil près de la fenêtre et m'a fait signe de m'asseoir. « Je suppose que vous venez pour les cours de grec. »

« Oui. »

Il avait des yeux bienveillants, honnêtes, plus gris que bleus. « C'est un peu tard pour ce trimestre. »

« J'aimerais me remettre au grec. Il me semble dommage d'arrêter au bout de deux ans. »

Il a haussé des sourcils épais et malicieux, et a regardé ses mains. « On me dit que vous venez de Californie. »

« Oui, c'est vrai. » J'étais plutôt surpris. Qui lui avait dit ça ?

« Je connais peu de gens venant de l'Ouest. Je ne sais pas si je m'y plairais. » Il a fait une pause, apparemment troublé. « Et qu'est-ce qu'on fait en Californie ? »

Je lui ai sorti mon discours. Bosquets d'orangers, starlettes déchues, cocktails à la lumière des lampes autour de la piscine, cigarettes et ennui. Il écoutait, ses yeux fixés sur les miens, apparemment captivé par ces souvenirs frauduleux. Jamais mes efforts n'avaient bénéficié d'une telle attention, d'une sollicitude aussi active. Il m'a paru fasciné au point que j'ai eu la tentation de broder peut-être un peu plus qu'il n'était prudent.

« Comme c'est passionnant », a-t-il dit avec enthousiasme quand j'ai fini par arriver au bout, presque euphorique. « Comme c'est romantique. »

« Oh, on est pas mal habitués à tout ça, là-bas », ai-je ajouté en essayant de tenir en place, ivre de mon succès.

« Et qu'est-ce qu'une personne de tempérament romantique peut rechercher dans l'étude des classiques ? » Il a posé cette question comme si, ayant eu la bonne fortune d'attraper un oiseau rare tel que moi, il tenait beaucoup à me soutirer mon opinion pendant que j'étais encore prisonnier de son bureau.

« Si par romantique vous voulez dire solitaire et introspectif, je pense que les romantiques sont souvent les meilleurs classiques. »

Il a ri. « Les grands romantiques sont souvent des classiques ratés. Mais c'est sans rapport, n'est-ce pas ? Que pensez-vous de Hampden ? Vous êtes heureux ici ? »

J'ai fourni une exégèse, moins brève qu'elle n'aurait pu être, de ce pour quoi l'université paraissait actuellement satisfaire à mes exigences.

« Les jeunes gens trouvent souvent la campagne ennuyeuse, a remarqué Julian. Ce qui ne veut pas dire que cela ne leur fait pas du bien. Vous avez beaucoup voyagé ? Dites-moi ce qui vous a attiré ici. J'imaginerais qu'un jeune homme tel que vous se sentirait perdu à l'extérieur de la ville, mais vous vous êtes peut-être lassé de la vie citadine, n'est-il pas vrai ? »

Avec tellement d'adresse et d'amabilité que j'en étais désarmé, il m'a conduit adroitement d'un sujet à l'autre, et je suis sûr qu'au cours de cette conversation qui a paru durer quelques minutes mais a dû être en fait beaucoup plus longue, Julian a réussi à me soutirer tout ce qu'il voulait savoir sur moi. Je n'imaginais pas que son intérêt émerveillé eut d'autre source que l'extrême plaisir de ma propre compagnie, et même si je me voyais parler avec entrain d'une variété ahurissante de sujets — dont certains d'ordre intime, et plus franchement que je n'en avais l'habitude — j'étais persuadé d'agir de mon propre mouvement. J'aimerais me souvenir plus en détail de ce qui a été dit ce jour-là — en réalité je me rappelle beaucoup de choses que j'ai dites, moi, surtout des sottises que je n'aurais aucun plaisir à raconter. Le seul point où il a marqué son désaccord (à part un sourcil incrédule qu'il a haussé lorsque j'ai mentionné Picasso ; quand je l'ai mieux connu j'ai compris qu'il avait dû presque le prendre pour une injure personnelle), c'est à propos de psychologie, matière qui, après tout, me tenait à cœur, vu mon travail pour le Dr Roland. « Mais vous croyez vraiment, a-t-il dit d'un ton inquiet, qu'on peut appeler la psychologie une science ? »

« Certainement. Que serait-ce d'autre ? »

« Mais même Platon savait que la classe sociale, le conditionnement et tout ça ont un effet inaltérable sur l'individu. Il me semble que la psychologie n'est qu'un autre mot pour ce que les anciens appelaient destin. »

« Psychologie est vraiment un mot affreux. »

Il a aquiescé énergiquement — « Oui, affreux, n'est-ce pas ? » — mais avec une expression indiquant qu'il trouvait de mauvais goût d'avoir même osé l'utiliser. « Peut-être qu'en un sens c'est un artifice utile pour parler d'un certain genre d'esprit. Les gens de la campagne qui vivent par ici sont fascinants, parce que leurs existences sont liées si étroitement au destin qu'ils sont réellement prédestinés. Mais » — il a ri — « je crains que mes étudiants ne soient jamais très intéressants à mes yeux parce que je sais toujours précisément ce qu'ils vont faire. »

J'étais charmé par cette conversation, et malgré l'illusion qu'il donnait d'être plutôt moderne et enclin aux digressions (pour moi, le signe d'un esprit moderne c'est qu'il adore s'écarter du sujet), je vois maintenant qu'il me ramenait sans cesse aux mêmes points grâce à des circonlocutions. Car si l'esprit moderne est discursif et fantasque, l'esprit classique est étroit, résolu, implacable. Ce n'est pas une sorte d'intelligence qu'on rencontre fréquemment de nos jours. Et quoique je puisse digresser à l'égal des meilleurs, mon âme est avant tout obsessionnelle.

Nous avons encore parlé quelques instants, et le silence s'est installé. Au bout d'un moment Julian a dit d'un ton courtois : « Si vous le désirez, je serais content de vous prendre comme élève, monsieur Papen. »

Le regard perdu par la fenêtre, ayant à moitié oublié la

raison de ma présence, je me suis tourné vers lui, bouche bée, sans rien trouver à lui répondre.

« Néanmoins, avant que vous acceptiez, il y a quelques conditions auxquelles vous devez consentir. »

« Quoi ? » Brusquement, j'étais sur mes gardes.

« Irez-vous demain au secrétariat déposer une demande de changement de conseiller ? » Il a pris un stylo dans une coupe posée sur son bureau ; fait stupéfiant, elle était pleine de stylos Montblanc, des Meisterstücks, au moins une douzaine. Il a écrit rapidement un mot qu'il m'a tendu. « Ne le perdez pas, parce que le secrétariat ne m'adresse jamais d'étudiant que je n'ai pas réclamé. »

Le mot était d'une écriture masculine, plutôt dix-neuvième siècle, avec des *e* grecs. L'encre n'était pas sèche. « Mais j'ai déjà un conseiller. »

« J'ai pour politique de ne jamais accepter un élève si je ne suis pas également son conseiller. D'autres membres de la faculté de littérature sont en désaccord avec mes méthodes d'enseignement, et vous rencontrerez des problèmes si quelqu'un d'autre acquiert le pouvoir de s'opposer à mes décisions. Je pense que vous allez devoir abandonner tous les cours que vous suivez actuellement, sauf le français, que vous feriez mieux de garder. Il semble que vous soyez déficient dans le domaine des langues vivantes. »

J'étais stupéfait. « Je ne peux pas lâcher *tous* mes cours. »

« Pourquoi pas ? »

« Les inscriptions sont closes. »

« Cela n'a aucune importance », a-t-il dit d'un ton serein. « Les cours que je veux vous voir prendre sont tous avec moi. Vous suivrez probablement trois ou quatre de mes cours par trimestre tant que vous resterez ici. »

Je l'ai regardé. Pas étonnant qu'il n'ait que cinq élèves. « Mais comment pourrai-je ? »

Il a ri. « Je crains que vous ne soyez à Hampden que depuis peu. L'administration n'aime pas beaucoup ça, mais elle n'y peut rien. A l'occasion, on essaie de me faire des histoires avec des exigences de diversité, mais cela n'a jamais posé de vrai problème. Nous étudions l'art, l'histoire, la philosophie, toutes sortes de choses. Si je trouve que vous êtes faible dans un domaine quelconque, je peux décider de vous envoyer à un répétiteur, voire même vous adresser à un autre professeur. Comme le français n'est pas ma première langue, je trouverais sage de continuer cette matière avec M. Laforgue. L'an prochain je vous mettrai au latin. C'est une langue difficile, mais de savoir le grec vous facilitera les choses. Une langue des plus satisfaisantes, le latin. C'est un plaisir de l'apprendre, vous allez voir. »

J'écoutais, un peu offensé par ses manières. Faire ce qu'il demandait équivalait à quitter entièrement l'université de Hampden pour sa petite école de grec ancien qui comptait cinq étudiants, six moi compris. « Tous mes cours avec vous ? »

« Pas vraiment tous », a-t-il dit sérieusement, avant de rire en voyant mon expression. « Je crois qu'une grande diversité de professeurs est nuisible et ne peut que troubler un jeune esprit, tout comme je crois qu'il vaut mieux connaître un livre à fond qu'une centaine de façon superficielle. Je sais que le monde moderne a tendance à me donner tort, mais après tout Platon n'a eu qu'un seul professeur, de même qu'Alexandre. »

J'ai hoché la tête, lentement, en essayant d'imaginer une manière polie de me rétracter, mais j'ai croisé son regard et je me suis dit brusquement : *pourquoi pas ?* La force de sa personnalité me donnait un peu le vertige, mais l'extrémisme de sa proposition était néanmoins séduisant. Ses élèves — pour autant qu'ils fussent représentatifs de sa tutelle — possédaient quelque chose d'impressionnant, et avaient en commun, malgré leurs différences, un sang-froid, un charme maniéré et cruel qui, pas du tout moderne, présentait l'étrange parfum glacé de l'ancien monde : c'étaient des créatures magnifiques, avec ces yeux, ces mains, cette allure — *sic oculos, sic ille manus, sic ora ferebat*. Je les enviais, et je les trouvais attirants ; cette étrangeté, qui plus est, loin d'être naturelle, donnait toute apparence d'avoir été cultivée avec acharnement. (Il en était de même, allais-je découvrir, pour Julian : même s'il donnait l'impression opposée, toute de candeur et d'innocence, ce n'était pas sa spontanéité mais son grand art qui la faisait paraître improvisée.) Préméditée ou pas, j'avais envie de leur ressembler. Il était grisant de penser que ces qualités étaient acquises, et qu'il y avait peut-être ici moyen de les apprendre.

Nous étions bien loin de Plano et de la station-service de mon père. « Et si je prends mes cours avec vous, ils seront tous en grec ? »

Il a ri. « Bien sûr que non. Nous allons étudier Dante, Virgile, toutes sortes de choses. Mais je ne vous conseillerai pas d'aller acheter un exemplaire de *Goodbye, Columbus* » — exigé, de notoriété publique, dans un des cours d'anglais en première année — « si vous voulez bien me passer cette vulgarité. »

---

Georges Laforgue s'est troublé quand je lui ai annoncé mes intentions. « C'est une affaire sérieuse. Vous comprenez, n'est-ce pas, à quel point vos contacts avec les étudiants et le reste de la faculté vont être limités ? »

« C'est un bon professeur. »

« Personne n'est aussi bon que ça. Et si par hasard vous étiez en désaccord avec lui, ou traité de façon injuste, aucun membre de la faculté ne pourra faire quoi que ce soit pour vous. Pardonnez-moi, mais je ne vois pas l'intérêt de payer trente mille dollars à l'université pour se contenter d'étudier avec un seul instructeur. »

J'ai pensé à renvoyer cette question à la Fondation boursière de l'université de Hampden, mais je n'ai rien dit.

Il s'est adossé à son fauteuil. « Pardonnez-moi, mais il me semblait que les valeurs élitistes d'un tel individu vous auraient rebuté. Franchement, c'est à ma connaissance la première fois qu'il accepte un élève bénéficiant d'une aide financière aussi considérable. Étant une institution démocratique, l'université de Hampden n'est pas fondée sur ce genre de principes. »

« Oh, il ne peut pas être élitiste à ce point puisqu'il m'accepte. »

Il n'a pas été sensible à ce sarcasme. « J'ai tendance à croire qu'il ignore votre qualité de boursier. »

« Eh bien, s'il n'en sait rien, ce n'est pas moi qui vais le lui apprendre. »

---

Les cours de Julian se passaient dans son bureau. Nous étions très peu nombreux, et de plus aucune salle de classe ne pouvait l'égaler en termes de confort et d'intimité.

Alors que j'allais y prendre mon premier cours, j'ai vu Francis Abernathy traverser le pré à grand pas tel un oiseau noir, les pans de son manteau battant comme les ailes d'un corbeau. Il fumait une cigarette, l'air préoccupé, mais l'idée qu'il puisse me voir m'a rempli d'une angoisse inexplicable. J'ai plongé sous un porche et attendu qu'il soit passé.

Quand je suis arrivé sur le palier du Lyceum, j'ai sursauté en le voyant assis sur l'appui de la fenêtre, lui ai lancé un bref coup d'œil pour aussitôt me détourner, et j'allais prendre le couloir quand il m'a dit : « Attendez. » Il avait une voix calme, bostonienne, presque britannique.

Je lui ai fait face.

« Êtes-vous le nouveau *neanias* ? » a-t-il dit d'un ton moqueur.

Le nouveau jeune homme. J'ai répondu que oui.

« *Cubitum eamus ?* »

« Quoi ? »

« Rien. »

Il a fait passer sa cigarette dans sa main gauche et m'a offert sa main droite. Une main osseuse, une peau douce comme celle d'une adolescente.

Il n'a pas pris la peine de se présenter. Après un bref silence embarrassé, je lui ai dit mon nom.

Il a tiré une dernière bouffée de sa cigarette et l'a jetée par la fenêtre. « Je sais qui vous êtes. »

Henry et Bunny étaient déjà dans le bureau ; Henry lisait un livre et Bunny, penché sur la table, lui parlait d'une voix forte et excitée.

« ... une faute de goût, voilà ce que c'est, mon vieux. Tu me déçois... »

« Bonjour », a dit Francis qui est entré derrière moi et a fermé la porte.

Henry a levé les yeux, fait un signe de tête, s'est remis à lire.

« Salut », a fait Bunny, et puis, « Oh, hello », à mon adresse avant de se tourner vers Francis. « Devine un peu, Henry s'est acheté un stylo Montblanc. »

« Vraiment ? » a dit Francis.

Bunny a hoché la tête vers la coupe pleine de stylos noirs sur le bureau de Julian. « Je lui ai dit qu'il devrait faire attention sinon Julian va croire qu'il l'a volé. »

« Il était avec moi quand je l'ai acheté », a lâché Henry sans lever le nez de son livre.

« Combien vaut ce genre de truc, à part ça ? » a dit Bunny.

Pas de réponse.

« Allons. Combien ? Trois cents dollars pièce ? » Il a pesé de tout son poids, non négligeable, contre la table. « Je me souviens, quand tu disais qu'il n'y avait pas plus laid. Tu disais que tu n'écrirais jamais de ta vie qu'avec un porte-plume. Pas vrai ? »

Silence.

« Refais-moi voir ça, tu veux ? »

Henry a posé son livre, sorti le stylo de sa poche de poitrine et l'a mis sur la table. « Voilà. »

Bunny l'a pris et l'a tourné dans tous les sens entre ses doigts. « C'est comme les gros crayons que j'avais en sixième. C'est Julian qui te l'a fait acheter ? »

« J'avais envie d'un stylo. »

« C'est pas pour ça que t'as pris celui-là. »

« J'en ai assez de parler de ça. »

« Moi, je trouve ça une faute de goût. »

« Ce n'est pas à toi, a dit sèchement Henry, de parler de bon goût. »

Il y a eu un long silence, et Bunny s'est adossé à son siège. « Voyons, quel genre de stylo on a tous ici ? » a-t-il demandé sur le ton de la conversation. « François, t'es genre plume et encrier comme moi, non ? »

« Plus ou moins. »

Il m'a montré du doigt comme si j'étais l'invité d'un débat télévisé. « Et toi, comment c'est déjà, Robert ? Quel genre de stylo on vous fait utiliser, en Californie ? »

« Des stylos bille. »

Il a hoché sentencieusement la tête. « Voilà un homme honnête, messieurs. Des goûts simples. Posant ses cartes sur la table. J'aime ça. »

La porte s'est ouverte et les jumeaux sont entrés.

« Pourquoi cries-tu comme ça, Bun ? » a dit Charles en riant et en refermant la porte d'un coup de pied. « On t'entend depuis l'autre bout du couloir. »

Bunny a raconté l'histoire du stylo Montblanc. Gêné, je me suis glissé dans un coin pour examiner les livres sur l'étagère.

« Depuis combien de temps étudiez-vous les classiques ? » a dit une voix près de mon coude. C'était Henry, qui avait pivoté sur sa chaise pour me regarder.

« Deux ans. »

« Qu'est-ce que vous avez lu en grec ? »

« Le Nouveau Testament. »

« Oh, vous avez lu *Koine*, bien sûr, a-t-il dit, agacé. Quoi d'autre ? Homère, sûrement. Et les poètes lyriques. »

Ce qui, je le savais, était le domaine de prédilection d'Henry. J'avais peur de mentir. « Un peu. »

« Et Platon ? »

« Oui. »

« Tout Platon ? »

« Un peu de Platon. »

« Mais tout en traduction. »

J'ai hésité un instant de trop. Il m'a regardé, incrédule. « *Non ?* »

J'ai plongé les mains dans les poches de mon manteau neuf. « La plupart », ai-je dit, ce qui était loin d'être vrai.

« La plupart de quoi ? Les dialogues, voulez-vous dire ? Et les trucs plus tardifs ? Plotin ? »

J'ai menti. « Oui. » Jusqu'à ce jour, je n'ai jamais lu une ligne de Plotin.

« Quoi ? »

Hélas, je suis resté en plan et n'ai pu citer le moindre texte dont j'étais sûr qu'il soit de Plotin. Les *Églogues* ? Non, bon Dieu, c'est Virgile. « En fait, je ne m'intéresse guère à Plotin. »

« Non ? Pourquoi ça ? »

On aurait dit un interrogatoire de police. J'ai eu un vague regret pour mon ancien cours, celui que j'avais lâché pour celui-ci : « Introduction à la Tragédie », avec le jovial M. Lanin, qui nous faisait nous allonger par terre pour faire de la relaxation tandis qu'il déambulait en disant des choses du genre : « Maintenant imaginez que votre corps se remplit d'un liquide frais et orangé. »

Je n'avais pas répondu assez vite, au gré d'Henry, à la question sur Plotin. Il a marmonné quelques mots en latin.

« Je vous demande pardon ? »

Il m'a regardé froidement. « Peu importe. » Et il a repris sa lecture.

Pour cacher ma consternation, je me suis tourné vers la bibliothèque.

« T'es content ? a lancé Bunny dans mon dos. Tu crois pas que tu lui as fait subir un troisième degré, hein ? »

A mon immense soulagement, Charles s'est approché pour dire bonjour. Il était amical, parfaitement calme, mais nous avons à peine eu le temps de dire deux mots que la porte s'est ouverte. Le silence s'est fait, Julian s'est glissé dans la pièce et a refermé sans un bruit.

« Bonjour. Vous avez tous rencontré notre nouvel élève ? »

« Oui », a répondu Francis d'un ton ennuyé, m'a-t-il semblé, en tenant la chaise de Camilla avant de s'asseoir à sa place.

« Magnifique. Charles, voulez-vous faire chauffer l'eau pour le thé ? »

Charles est allé dans une petite antichambre, grande comme un placard, et j'ai entendu couler de l'eau. (Je n'ai jamais su exactement ce qu'il y avait dans cette antichambre ou comment Julian, à l'occasion, pouvait en faire sortir par miracle un repas complet.) Il est ressorti, a refermé la porte et s'est rassis.

« Très bien, a dit Julian en nous dévisageant. J'espère que nous sommes tous prêts à quitter le monde phénoménal et à entrer dans le sublime ? »

---

C'était un causeur merveilleux, magique, et j'aimerais pouvoir mieux rendre compte de ce qu'il disait, mais un intellect médiocre est incapable de restituer le discours d'un intellect supérieur — surtout après tant d'années — sans l'appauvrir considérablement. La discussion ce jour-là traita de la perte de soi, des quatre démences divines de Platon, des folies de toutes sortes ; il a commencé à parler de ce qu'il appelait le fardeau du soi, et avant tout de pourquoi les gens veulent d'abord échapper au soi.

« Pourquoi cette petite voix obstinée dans nos têtes nous tourmente-t-elle à ce point ? a-t-il dit en nous regardant l'un après l'autre. Serait-ce qu'elle nous rappelle que nous sommes vivants — notre mortalité, notre âme individuelle, ce que nous avons trop peur, après tout, d'abandonner, et pourtant ce qui nous rend plus misérables que n'importe quoi d'autre ? Mais n'est-ce pas la souffrance qui nous rend le plus souvent conscients de notre soi ? C'est une chose terrible que d'apprendre, dans l'enfance, que nous sommes un être séparé du monde, que nul être et nulle chose ne *souffre* de notre langue brûlée ou de nos genoux écorchés, que nos douleurs et souffrances ne sont qu'à nous. Plus terrible encore, lorsque nous grandissons, d'apprendre qu'aucune personne, si bien aimée qu'elle soit, ne peut jamais nous comprendre vraiment. Notre soi est la cause de nos plus grands malheurs, et c'est pourquoi nous sommes si impatients de le perdre, ne pensez-vous pas ? Vous vous souvenez des Érinyes ? »

« Les Furies », a dit Bunny, ses yeux éblouis perdus sous sa frange.

« Exactement. Et comment rendaient-elles fous les gens ? Elles augmentaient le volume de leur monologue intérieur, magnifiaient excessivement des qualités déjà présentes, rendaient les gens tellement eux-mêmes qu'ils ne pouvaient pas le supporter.

« Et comment pouvons-nous perdre ce soi affolant, le perdre entièrement ? L'amour ? Oui, mais comme le vieux Cephalus l'entendit dire à Sophocle, le plus humble d'entre nous sait que l'amour est un maître terrible et cruel. On se perd soi-même pour un autre, mais ce faisant on devient un misérable esclave. La guerre ? On peut se perdre dans la joie de la bataille, en se battant pour une cause glorieuse, mais il n'y a pas tant de causes glorieuses, ces temps-ci, pour lesquelles se battre. » Il a ri. « Quoiqu'après tout votre Xénophon et votre Thucydide, j'oserais dire qu'il y a peu de jeunes gens aussi bien versés dans la tactique militaire. Je suis sûr que s'il vous en prenait l'envie, vous pourriez faire marche sur la ville de Hampden et la prendre à vous seuls. »

Henry s'est mis à rire. « Nous pourrions le faire cet après-midi même, à nous six. »

« Comment ? » avons nous dit en chœur.

« Une personne pour couper les lignes du téléphone et d'électricité, une au pont sur la Battenkill, une autre à la sortie nord de la grande route. Le reste avancerait par le sud et l'est. Nous ne sommes pas nombreux, mais en nous dispersant nous pourrions fermer toutes les autres issues » — il a tendu une main, les doigts écartés — « et converger vers le centre. » La main s'est fermée en un poing. « Bien sûr, nous aurions le bénéfice de la surprise, » a-t-il ajouté, et la froideur de sa voix m'a fait frissonner.

Julian a ri. « Et cela fait combien d'années que les dieux ne sont plus intervenus dans les guerres humaines ? J'imagine qu'Apollon et Athena descendraient se battre à vos côtés, "invités ou non", comme l'annonce aux Spartiates l'oracle de Delphes. Voyez les héros que vous seriez. »

« Des demi-dieux, a dit Francis en riant. Nous aurions des trônes sur la place de la ville. »

« Où les marchands locaux viendraient vous payer leur tribut. »

« De l'or. Des plumes de paon et de l'ivoire. »

« Plutôt du cheddar et des biscuits », a ajouté Bunny.

« Verser le sang est quelque chose de terrible, a très vite enchaîné Julian — la remarque à propos des biscuits lui avait déplu — mais les passages les plus sanglants d'Homère ou d'Eschyle sont souvent les plus magnifiques — par exemple, ce superbe discours de Clytemnestre dans l'*Agamemnon*, que j'aime tant — Camilla, vous étiez notre Clytemnestre quand nous avons donné *L'Orestie* ; vous vous en souvenez un peu ? »

La lumière de la fenêtre se déversait directement sur son visage ; sous un éclairage aussi fort la plupart des gens ont l'air quelque peu délavés, mais ses traits fins et limpides en étaient illuminés, si bien que la regarder provoquait un choc : ses yeux pâles et rayonnants aux cils cendrés, l'éclat doré de sa tempe qui se fondait graduellement dans le miel tiède de ses cheveux luisants. « Je m'en souviens un peu », a-t-elle dit.

Les yeux fixés sur le mur, au-dessus de ma tête, elle s'est mise à réciter. Je la contemplais. Avait-elle un petit ami, Francis, par exemple ? Ils avaient l'air bons copains, mais Francis ne paraissait pas du genre à beaucoup s'intéresser aux filles. Non que j'avais la moindre chance, alors qu'elle était entourée par tous ces riches forts en thème en costume noir — moi, ma gaucherie et mes façons de banlieusard.

En grec elle avait une voix dure, grave et adorable.

« C'est ainsi qu'il mourut, et toute la vie jaillit de son corps ; et en mourant il m'éclaboussa d'une sombre et violente pluie de sang au goût amer pour me réjouir, de même que les jardins se tiennent glorieusement sous les averses divines à la naissance des bourgeons. »

Il y eut un bref silence, et j'ai été un peu surpris de voir Henry lui faire un solennel clin d'œil de l'autre côté de la table.

Julian a souri. « Quel passage magnifique. Je ne m'en lasse jamais. Mais comment se fait-il que quelque chose d'aussi effroyable, une reine qui poignarde son mari dans son bain, nous paraisse aussi séduisant ? »

« C'est le rythme, a dit Francis. Le trimètre iambique. Ces passages vraiment horribles de l'*Enfer*, par exemple, Pier de Medicina avec son nez tranché qui parle par une entaille sanglante dans sa gorge... »

« Je peux imaginer pire que ça », l'a coupé Camilla.

« Moi aussi. Mais ce passage est merveilleux et c'est à cause de la *terza rima*. Sa musique. Le trimètre sonne comme une cloche tout au long du discours de Clytemnestre. »

« Mais le trimètre iambique est très commun dans la poésie grecque, non ? a dit Julian. Pourquoi ce passage-là est-il à couper le souffle ? Pourquoi ne sommes-nous pas attirés par un texte plus calme ou plus agréable ? »

« Aristote dit dans sa *Poétique*, a remarqué Henry, que les objets tels que des cadavres, douloureux à voir en eux-mêmes, peuvent devenir délicieux à contempler dans une œuvre d'art. »

« Et je crois qu'Aristote a raison. Après tout, quelles sont les scènes poétiques gravées dans notre souvenir, celles que nous aimons par-dessus tout ? Précisément celles-ci. Le meurtre d'Agamemnon et la colère d'Achille. Didon sur le bûcher funéraire. Les poignards des traîtres et le sang de César — rappelez-vous comment Suétone décrit son corps qu'on emporte sur une litière, avec un bras qui pend ? »

« La mort est mère de la beauté », a dit Henry.

« Et qu'est-ce que la beauté ? »

« La terreur. »

« Bien dit, a conclu Julian. La beauté est rarement douce ou consolatrice. Plutôt le contraire. La véritable beauté est toujours très inquiétante. »

J'ai regardé Camilla, son visage inondé de soleil, et pensé à ce vers de *l'Iliade* que j'aime tant, à propos de Pallas Athénée et de l'éclat terrible de ses yeux.

« Et si la beauté est la terreur, a repris Julian, alors qu'est-ce que le désir ? Nous croyons avoir de nombreux désirs, mais en fait nous n'en avons qu'un. Lequel ? »

« Vivre », a dit Camilla.

« Vivre éternellement », a renchéri Bunny, le menton sur sa paume.

La théière s'est mise à siffler.

---

Une fois les tasses disposées et le thé servi par Henry, solennel comme un mandarin, nous avons commencé à parler des folies envoyées par les dieux : poétique, prophétique, et finalement dionysienne.

« Qui est de loin la plus mystérieuse, a dit Julian. On nous a habitués à penser l'extase religieuse comme n'appartenant qu'aux sociétés primitives, alors qu'elle se rencontre fréquemment chez les peuples les plus cultivés. Les Grecs, vous savez, n'étaient pas vraiment très différents de nous. C'était un peuple très formaliste, extraordinairement civilisé, plutôt réprimé. Et pourtant ils étaient souvent balayés *en masse* par des enthousiasmes déchaînés — danse, frénésie, massacres, visions — qui nous sembleraient, je suppose, des démences cliniques irréversibles. Pourtant les Grecs — certains d'entre eux, du moins — pouvaient y entrer et en sortir à leur gré. Nous ne pouvons pas simplement reléguer ces récits au niveau du mythe. Ils sont très bien documentés, quoique les anciens commentateurs aient été aussi déroutés que nous. Certains prétendent que c'était la conséquence des prières et du jeûne, d'autres que c'était provoqué par la boisson. Assurément, la nature collective de cette hystérie a quelque chose à y voir. Même ainsi, on a du mal à rendre compte de l'extrémisme de ce phénomène. Les célébrants étaient apparemment projetés dans un état non rationnel, pré-intellectuel, où la personnalité était remplacée par quelque chose d'entièrement différent — et par "différent" j'entends quelque chose de non mortel, selon toute apparence. D'inhumain.

« Nous n'aimons pas le reconnaître, mais l'idée de perdre contrôle est quelque chose qui fascine plus que tout, ou presque, les gens aussi contrôlés que nous le sommes. Tous les peuples vraiment civilisés — les anciens non moins que nous — se sont civilisés par la répression volontaire du soi archaïque, animal. Sommes-nous, aujourd'hui même, réellement très différents des Grecs ou des Romains ? Obsédés par le devoir, la piété, la loyauté, le sacrifice ? Toutes ces choses tellement glaçantes pour la sensibilité moderne ? »

J'ai regardé les six visages autour de la table. Pour la sensibilité moderne, ils étaient plutôt glaçants. J'imaginais que n'importe quel autre professeur aurait téléphoné au psychologue scolaire cinq minutes après avoir entendu Henry parler d'armer la classe de grec pour attaquer la ville de Hampden.

« Et toute personne intelligente — spécialement des perfectionnistes tels que les anciens et nous-mêmes — est tentée d'assassiner le soi primitif, émotif, appétissant. Mais c'est une erreur. »

« Pourquoi ? » a demandé Francis, en se penchant vers lui.

Julian a haussé un sourcil ; son long nez sagace poussait son profil en avant comme un bas-relief étrusque. « Parce qu'il est dangereux d'ignorer l'existence de l'irrationnel. Plus une personne est cultivée, intelligente, réprimée, plus elle a besoin d'une méthode pour canaliser les impulsions primitives qu'elle s'est efforcée d'éliminer. Sinon ces forces puissantes et archaïques vont s'amasser et grandir jusqu'à se libérer, d'autant plus violentes qu'elles ont été retardées, et souvent assez brutales pour anéantir complètement la volonté. Pour nous prévenir de ce qui arrive en l'absence d'une telle soupape de sécurité, nous avons l'exemple des Romains. Des empereurs. Pensez, par exemple, à Tibère, le beau-fils, très laid, essayant d'égaler l'autorité de son beaupère Auguste. Pensez à la tension prodigieuse, insupportable, qu'il a dû subir à suivre les traces d'un sauveur, d'un dieu. Le peuple le haïssait. Malgré tous ses efforts il n'était jamais assez bon, ne pouvait jamais se débarrasser de son soi haïssable, et finalement les écluses ont cédé. Il a été emporté par ses perversions et il est mort, vieux et fou, dans les jardins voluptueux de Capri, pas même heureux, comme on aurait pu croire, mais affreusement misérable. Avant de mourir il a envoyé une lettre au Sénat. "Puissent tous les dieux et déesses m'affliger d'une ruine plus totale encore que celle dont je souffre chaque jour." Pensez à ceux qui l'ont suivi. Caligula. Néron. »

Il a fait une pause. « Le génie romain, peut-être le vice romain, a été l'obsession de l'ordre. On le voit dans leur architecture, leur littérature, leurs lois — un déni farouche de l'obscurité, de la déraison, du chaos. » Il a ri. « Facile de voir pourquoi les Romains, habituellement si tolérants envers les religions étrangères, ont impitoyablement persécuté les chrétiens — quelle absurdité de penser qu'un criminel ordinaire s'était relevé d'entre les morts, quelle horreur à l'idée que ses fidèles le célébraient en buvant son sang. Cet illogisme les terrifiait et ils ont tout fait pour l'écraser. En fait, je crois qu'ils ont pris des mesures si extrêmes non seulement parce qu'ils avaient peur, mais aussi parce qu'ils étaient terriblement séduits. Souvent les pragmatistes sont étrangement superstitieux. Malgré toute leur logique, qui, à part les Romains, a vécu dans une telle terreur abjecte du surnaturel ?

« Les Grecs étaient différents. Ils avaient la passion de l'ordre et de la symétrie, comme les Romains, mais ils savaient l'idiotie de nier le monde invisible, les anciens dieux. L'émotion, les ténèbres, la barbarie. » Il a levé un moment les yeux au plafond, presque troublé. « Vous rappelez-vous de ce dont nous avons parlé tout à l'heure, comme quoi les choses terribles et sanglantes sont parfois les plus belles ? C'est une idée très grecque, et très profonde. La beauté, c'est la terreur. Ce que nous appelons beau nous fait frémir. Et que pouvait-il y avoir de plus terrifiant et de plus beau, pour des âmes comme celles des Grecs ou les nôtres, que de perdre tout contrôle ? Rejeter un instant les chaînes de l'existence, briser l'accident de notre être mortel ? Euripide parle des Ménades : la tête en arrière, la gorge vers les étoiles, "plutôt des biches que des humains". Être absolument libre ! On est parfaitement capable, bien sûr, d'assouvir ces passions destructrices de façon plus vulgaire et moins efficace. Mais quelle gloire de les déchaîner d'un coup ! De chanter, de crier, de danser pieds nus dans les bois au cœur de la nuit, sans plus avoir conscience de sa mortalité qu'un animal ! Ce sont là des mystères puissants. Le mugissement des taureaux. Les sources de miel qui bouillonnent dans le sol. Si nos âmes sont assez fortes, nous pouvons déchirer le voile et regarder en face cette beauté nue et terrible ; que Dieu nous consume, nous dévore, détache nos os de notre corps. Et nous recrache, nés à nouveau. »

Nous étions tous figés, penchés vers lui. J'avais la bouche ouverte, et je sentais chacune de mes respirations.

« Cela, pour moi, c'est la terrible séduction du rituel dionysiaque. Difficile à imaginer, pour nous. La flamme de l'être pur. »

---

Après le cours, j'ai descendu l'escalier dans un rêve. La tête me tournait, mais j'avais une conscience aiguë, douloureuse, d'être jeune et en vie par une journée magnifique ; le ciel était d'un bleu profond, intense, le vent éparpillait les feuilles jaunes et rouges dans un tourbillon de confettis.

*La beauté, c'est la terreur. Ce que nous appelons beau nous fait frémir.*

Ce soir-là j'ai écrit dans mon journal : « Maintenant les arbres sont schizophrènes et commencent à perdre contrôle, enragés par le choc de leurs couleurs nouvelles et ardentes. Quelqu'un — est-ce Van Gogh ? — a dit que l'orange est la couleur de la folie. *La beauté, c'est la terreur.* Nous voulons qu'elle nous dévore, et nous cacher dans ce feu qui nous purifie. »

---

Je suis allé à la poste (des étudiants blasés, les affaires courantes), encore pris dans mon délire absurde, et j'ai griffonné une carte postale pour ma mère — des érables flamboyants, un torrent de montagne. Au dos, une phrase en forme de conseil : « *Prévoyez de voir le feuillage d'automne du Vermont entre le 25 sept. et le 15 oct. quand les couleurs sont les plus belles.* »

En la glissant dans la fente, j'ai vu Bunny de l'autre côté de la pièce, me tournant le dos, en train d'inspecter les boîtes postales. Il s'est arrêté devant ce qui paraissait être la mienne et s'est penché pour y mettre quelque chose. Ensuite il s'est redressé, l'air de rien, et est sorti très vite, les mains dans les poches et les cheveux au vent.

J'ai attendu qu'il soit parti avant d'aller ouvrir ma boîte. A l'intérieur, j'ai trouvé une enveloppe en papier crème — du papier épais, raide et très cérémonieux — mais gribouillée au crayon comme par un élève de sixième. Le mot qu'elle contenait était également au crayon, d'une écriture minuscule, inégale et difficile à lire.

« Richard mon vieux,

Que dirais-tu de déjeuner samedi, disons vers 1 h ? Je connais un petit endroit génial. Cocktails, tout le flafla. J'invite. Te prie de venir.

Ton Bun. »

« P.S. met une cravate. Je suis sûr que tu l'aurais quand

même fait mais sinon ils te sortiront une horreur de derrière et te la feront (s.p.) mettre. »

J'ai lu le mot, l'ai mis dans ma poche et j'étais en train de partir quand j'ai failli me cogner au Dr Roland qui venait d'entrer. Sur le moment il a paru ne pas voir qui j'étais. Mais quand j'ai cru que j'allais m'en sortir, la machinerie rouillée de son visage s'est mise à grincer et une aube en carton-pâte est descendue par à-coups des cintres poussiéreux.

« Bonjour, docteur Roland », ai-je dit en perdant tout espoir.

« Comment elle marche, mon garçon ? »

Il parlait de ma voiture imaginaire. Chitty-Chitty-Bang-Bang. « Très bien. »

« Ennuis d'échappement ? »

« Oui », ai-je répondu avant de me souvenir que je lui avais parlé de la transmission. Mais le Dr Roland s'était déjà lancé dans un discours pédagogique concernant la fonction et l'entretien des joints d'échappement.

« Et ça, a-t-il conclu, c'est un des principaux problèmes d'une automobile étrangère. On peut gaspiller beaucoup d'essence avec ça. Les bidons de Penn State peuvent défiler. Et la Penn State ne pousse pas sur les arbres. »

Il m'a lancé un regard lourd de sens.

« Qui vous a dit que c'était le joint ? »

« Je ne m'en souviens pas », ai-je fait en oscillant sur place d'ennui et en me rapprochant imperceptiblement de la porte.

« C'est Bud ? »

« Je pense. »

« Qu'est-ce que vous avez pensé de ce vieux corbeau ? »

J'ignorais s'il faisait allusion à Bud, à un véritable corbeau, ou si nous avions pénétré dans le territoire de la démence sénile. Il était parfois difficile de croire que le

Dr Roland était professeur titulaire du département des Sciences sociales de cette université distinguée. On aurait plutôt dit un de ces vieux bonshommes bavards qui s'assoient à côté de vous dans un bus et s'efforcent de vous montrer des bouts de papier pliés en quatre dans leur portefeuille.

Il répétait les informations qu'il m'avait déjà données sur les joints d'échappement, et j'attendais le moment propice pour me rappeler brusquement que j'étais en retard pour un rendez-vous, quand son ami le Dr Blind entra péniblement avec un grand sourire, appuyé sur son déambulateur. Le Dr Blind avait dans les quatre-vingt dix ans et donnait depuis cinquante ans un cours intitulé « Sous-espaces invariants » connu pour sa monotonie et sa quasi totale inintelligibilité, aussi bien que pour le fait que l'examen final, pour autant que quiconque s'en souvienne, consistait, à une seule et même question, à répondre par oui ou par non. La question faisait trois pages mais la réponse était toujours « oui ». Il n'en fallait pas plus pour passer le cap des sous-espaces invariants.

Il était encore plus bavard, si possible, que le Dr Roland. Ensemble, on aurait dit une de ces alliances de super-héros dans les BD, une confédération invincible et insurmontable d'ennui et de confusion. J'ai balbutié une excuse et je me suis éclipsé en les laissant à leurs formidables machinations.

# CHAPITRE 2

J'avais espéré qu'il ferait froid pour mon déjeuner avec Bunny, parce que ma plus belle veste était en vieux tweed râpeux, mais quand je me suis réveillé, samedi, il faisait chaud et de plus en plus chaud.

« Va être la fournaise aujourd'hui », a dit le concierge quand je l'ai croisé dans le couloir. « L'été indien. »

La veste était magnifique — en laine irlandaise, d'un gris tacheté de vert mousseux ; je l'avais achetée à San Francisco avec presque toutes mes économies de l'été — mais beaucoup trop épaisse pour une belle journée ensoleillée. Je l'ai mise et je suis allé nouer ma cravate dans la salle de bains.

Je n'étais pas d'humeur à parler et j'ai eu la mauvaise surprise de trouver Judy Poovey en train de se laver les dents devant le lavabo. Elle habitait deux portes plus loin et avait l'air de penser, puisqu'elle était de Los Angeles, que nous avions beaucoup de choses en commun. Judy me coinçait dans les couloirs, voulait me faire danser dans les fêtes, avait dit à plusieurs filles qu'elle allait coucher avec moi — mais en termes plus crus. Elle s'habillait comme une folle, avait les cheveux givrés, une Corvette rouge avec des plaques de Californie : JUDY P. Elle parlait fort et poussait souvent des hurlements qui résonnaient dans la maison comme les cris terrifiants d'une sorte d'oiseau tropical.

« Salut, Richard », a-t-elle dit en crachant une gorgée de dentifrice. Elle portait un jean coupé aux genoux avec des motifs bizarres et frénétiques tracés au marker et un haut en lycra qui révélait son ventre intensément aérobicisé.

« Salut. » Je me suis attaqué à ma cravate.
« T'es mignon aujourd'hui. »
« Merci. »
« T'as rendez-vous ? »
Je l'ai regardée. « Quoi ? »
« Où tu vas ? »
J'avais pris l'habitude de ses questions. « Déjeuner dehors. »
« Avec qui ? »
« Bunny Corcoran. »
« Tu connais Bunny ? »
Je l'ai regardée une deuxième fois. « Un peu. Pas toi ? »
« Sûr. Il était dans ma classe d'histoire de l'art. Il est à mourir de rire. Mais je déteste son taré de copain, l'autre qui a des lunettes, comment il s'appelle ? »
« Henry ? »
« Ouais, celui-là. » Elle s'est penchée vers le miroir pour ébouriffer ses cheveux en secouant la tête dans tous les sens. Elle avait les ongles rouge Chanel, mais si longs qu'ils devaient avoir été achetés au Monoprix. « Je trouve que c'est un trouduc. »
« Je l'aime plutôt bien », ai-je dit, offensé.
« Pas moi. » Elle s'est fait une raie au milieu, se servant de la griffe de son index en guise de peigne. « Il a toujours été salaud avec moi. Je déteste aussi les jumeaux. »
« Pourquoi ? Ils sont gentils. »
« Ah ouais ? a-t-elle dit en roulant vers moi dans le miroir des yeux noircis au mascara. Écoute ça. J'étais à une fête le trimestre dernier, vraiment saoule, et je dansais du genre à rouler par terre, tu vois ? Tout le monde se cognait dans tout le monde, et je ne sais pourquoi cette fille s'est mise à traverser la piste et blam, je suis rentrée en plein dedans, vraiment fort. Alors elle dit quelque chose de grossier, vraiment qu'elle aurait pas dû, et aussi sec je lui flanque ma bière à la figure. C'était ce genre de fête. Moi même j'avais

déjà reçu six bières, alors ça m'a paru la chose à faire, tu vois ?

« Alors bon, elle se met à me crier dessus et en moins d'une seconde il y a l'autre jumeau et ce Henry qui se ramènent comme s'ils allaient me casser la figure. » Elle a relevé ses cheveux en queue de cheval et inspecté son profil dans le miroir. « Alors bon. Je suis saoule, et ces deux types se penchent sur moi genre menaçant, et tu sais qu'Henry il est vraiment costaud. De quoi avoir la trouille mais je suis trop saoule pour m'en faire alors je leur ai juste dit d'aller se faire enculer. » Elle s'est détournée du miroir avec un sourire radieux. « Je buvais des kamikazes ce soir-là. Il m'arrive toujours quelque chose de terrible quand je bois des kamikazes. Je bousille ma voiture, je déclenche des bagarres... »

« Qu'est-ce qui s'est passé ? »

Elle a haussé les épaules et s'est retournée vers le miroir. « Comme j'ai dit, je leur ai juste lancé d'aller se faire enculer. Et le jumeau, il se met à me *hurler* dessus. Comme s'il voulait vraiment me tuer, tu vois ? Et ce Henry il reste juste planté là, vrai, mais il me foutait encore plus la trouille que l'autre. Alors bon. Un ami à moi qui fréquentait cette boîte et qui est vraiment un dur, il était dans cette bande de motards, avec chaînes et tout — t'as entendu parler de Spike Romney ? »

En fait, oui. Je l'avais vu à ma première sortie du vendredi soir. Il était gigantesque, bien plus de cent kilos, avec des cicatrices sur les mains et des bouts en acier à ses bottes de moto.

« Bon, en tout cas, Spike arrive et voit ces gens me brutaliser, alors il pousse le jumeau par l'épaule et lui dit de se tirer, et aussi sec ils lui ont sauté dessus tous les deux. Des gens ont essayé de faire lâcher ce Henry, des tas de gens, et ils n'ont pas pu. A six ils n'ont pas réussi à le faire lâcher. Il a cassé la clavicule de Spike et deux côtes, et salement bousillé sa figure. J'ai dit à Spike qu'il aurait dû appeler les flics, mais il avait déjà eu des ennuis et il n'aurait pas dû être sur le campus. C'était une sale histoire, en tout cas. » Elle a laissé ses cheveux retomber sur son visage. « Je veux dire, Spike est un dur. Et un méchant. On aurait cru qu'il aurait pu faire bouffer leur merde à ces deux pédés en costume et cravate et tout. »

« Mmm », ai-je dit en m'empêchant de rire. C'était drôle d'imaginer Henry, avec ses petites lunettes rondes et ses bouquins en Pali, en train de briser la clavicule de Spike.

« C'est dingue, a dit Judy. Je suppose que des caves comme ceux-là, quand ils se mettent en rage, ils sont *vraiment* enragés. Comme mon père. »

« Ouais, je suppose. » J'ai regardé le miroir et fait mon nœud de cravate.

« Amuse-toi bien », a-t-elle dit d'un ton distrait en allant vers la porte. Mais elle s'est arrêtée. « Dis-moi, tu ne vas pas avoir trop chaud avec cette veste ? »

« C'est la seule que j'aie de convenable. »

« Tu veux en essayer une autre ? »

Je l'ai regardée. Elle était en troisième année de Design et avait donc toutes sortes de vêtements bizarres dans sa chambre. « Une qui est à toi ? »

« Je l'ai volée dans le placard du magasin des costumes. Je voulais la couper et en faire un genre de *bustier.* »

Génial, ai-je pensé, mais je l'ai tout de même suivie.

La veste, étonnamment, était magnifique — ancienne, de chez Brooks Brothers, en soie non doublée, ivoire avec des rayures vert paon — un peu grande, mais elle m'allait. « Judy, ai-je dit en inspectant les poignets, c'est merveilleux. Tu es sûre que cela ne t'ennuie pas ? »

« Tu peux la garder. Je n'ai pas le temps d'en faire quoi que ce soit. J'ai trop de boulot à coudre ces putains de costumes pour cette connerie de *Comme il vous plaira.* Ça commence dans trois semaines et je ne sais pas ce que je vais faire. Et ce trimestre, j'ai tous ces nouveaux qui bossent pour moi et qui ne font pas la différence entre une machine à coudre et un trou par terre. »

---

« A propos, j'adore cette veste, mon vieux », m'a dit Bunny en sortant du taxi. « En soie, c'est ça ? »

« Oui. Elle était à mon grand-père. »

Bunny a pincé un bout de la manche et a fait rouler entre ses doigts le tissu épais d'un jaune très pâle. « Un bel objet, a-t-il dit, l'air important. Pas vraiment de saison, pourtant. »

« Non ? »

« Nan. Ici, c'est la côte Est, mon gars. Je sais que dans votre trou perdu on est du genre *laissez faire* pour la façon de s'habiller, mais par ici on ne vous laisse pas vous balader en maillot de bain toute l'année. En noir ou en bleu, on sort pas de là, noir ou bleu... Tiens, que je t'ouvre la porte. Tu sais, je crois que tu vas aimer cet endroit. Pas vraiment le Salon Polo, mais pour le Vermont ce n'est pas trop mal, tu ne trouves pas ? »

C'était un restaurant minuscule, très joli, avec des nappes blanches et des baies vitrées donnant sur un jardin campagnard — des haies, des roses grimpantes, des allées en pierre bordées de capucines. La clientèle était plutôt âgée, prospère : des avocats de campagne au teint rouge portant, suivant la mode du Vermont, des caoutchoucs aux pieds et des costumes Hickey-Freeman ; des dames en corsage de crêpe au rouge à lèvres nacré, agréables à voir, genre discret et bien bronzé. Un couple nous a jeté un coup d'œil, à notre arrivée, et j'étais conscient de l'impression que nous faisions — deux étudiants bien bâtis, de famille riche, n'ayant aucun souci. Même si les dames étaient presque toutes assez âgées pour être ma mère, une ou deux étaient vraiment très séduisantes. Une bonne affaire si on y arrive, ai-je pensé, en imaginant une mère de famille encore jeune, désœuvrée, dans une grande maison avec un mari le plus souvent en voyage d'affaires. De bons dîners, un peu d'argent de poche, peut-être même un gros truc, comme une voiture...

Un serveur a glissé vers nous. « Vous avez réservé ? »

« La table Corcoran », a dit Bunny, les mains dans les poches, en se balançant sur ses talons. « Où Caspar est-il allé se fourrer aujourd'hui ? »

« En vacances. Il sera de retour dans quinze jours. »

« Bon, tant mieux pour lui », a dit Bunny, sincère.

« Je lui dirai que vous l'avez demandé. »

« Faites ça, vous voulez bien ? »

« Caspar est un type super », a dit Bunny en suivant le serveur jusqu'à la table. « Maître d'hôtel. Un gros vieux mec à moustache, autrichien ou je ne sais quoi. Et pas » — il s'est mis à chuchoter à haute voix — « pas un pédé non plus, crois-moi. Les tantes adorent travailler dans des restaurants, tu as déjà remarqué ? Je veux dire, le *moindre espèce de pédé* » — j'ai vu la nuque de notre serveur se raidir légèrement. — « que j'ai jamais connu est obsédé par la nourriture. Je me demande. Pourquoi ça ? Quelque chose de psychologique ? Il me semble que... »

J'ai posé un doigt sur mes lèvres en hochant la tête vers le dos du serveur, juste au moment où il s'est retourné en nous lançant un regard de haine innommable.

« Cette table vous convient-elle, *messieurs* ? »

« Bien sûr », a dit Bunny avec un large sourire.

Le serveur nous a présenté la carte avec une délicatesse affectée, sarcastique, et s'est éloigné à grands pas. Je me suis assis et j'ai ouvert la carte des vins, le visage en feu. Bunny s'est installé, a bu une gorgée d'eau et a regardé autour de lui, l'air heureux. « C'est un endroit génial. »

« C'est bien. »

« Mais ce n'est pas le Polo. » Il a posé un coude sur la table et ôté les cheveux de ses yeux. « Tu y vas souvent ? Au Polo, je veux dire. »

« Pas très. » Je n'en avais jamais entendu parler, ce qui pouvait se comprendre, sachant que c'était à six cents kilomètres de chez moi.

« M'paraît le genre d'endroit où on va avec son père, a dit Bunny, pensif. Pour des trucs genre d'homme à homme. Mon p'pa est comme ça avec le Oak Bar du Plaza. Il nous y a emmenés, moi et mes frères, boire notre premier verre le jour de nos dix-huit ans. »

Je suis fils unique ; les familles nombreuses m'intéressent. « Des frères ? ai-je dit. Combien ? »

« Quatre. Teddy, Hugh, Patrick et Brady. Il a ri. Ça a été terrible quand p'pa m'a emmené parce que je suis le petit dernier, et que c'était un tel truc, et il arrêtait pas, "Tiens, mon fils, bois ton premier verre", et "Ça ne sera pas long avant que tu sois assis à ma place", et "Je serais probablement mort dans pas longtemps" et tout ce genre de conneries. Et tout ce temps-là je crevais de trouille. A peu près un mois plus tôt, mon copain Cloke et moi on était venus de Saint-Jérôme pour la journée, travailler à un sujet d'histoire à la bibliothèque, on avait laissé une note salée au Oak Bar et on était partis sans payer. Tu sais, la jeunesse et tout ça, mais je me retrouvais là, et avec mon p'pa. »

« Ils t'ont reconnu ? »

« Ouais, a-t-il dit en faisant la grimace. J'savais qu'ils le feraient. Mais ils ont été plutôt corrects. N'ont rien dit, juste agrafé l'autre note sur celle de *p'pa*. »

J'ai essayé de me représenter la scène : le vieux père ivre, en costume trois pièces, faisant tourner son scotch ou Dieu sait ce qu'il buvait dans son verre. Et Bunny. Il avait l'air un peu mou, mais c'était la mollesse des muscles changés en graisse. Un garçon costaud, du genre de ceux qui jouent au foot au lycée. Et le genre de fils dont tous les pères ont secrètement envie : grand, de bonne humeur et pas tellement malin, aimant le sport, doué pour donner des tapes dans le dos et raconter des blagues idiotes. « Il s'en est rendu compte ? ai-je dit. Ton p'pa ? »

« Nan. Il était toutes voiles dehors. Si ça avait été moi le barman du Plaza il n'aurait rien remarqué. »

Le serveur revenait vers nous.

« Tiens, revoilà Patte de Velours », a dit Bunny en se plongeant dans la carte. « Tu sais ce dont tu as envie ? »

---

« Qu'est-ce qu'il y a là-dedans, dis-donc ? » ai-je demandé à Bunny en me penchant sur le verre qu'on lui avait servi. C'était grand comme un petit aquarium, rouge corail, avec des pailles de couleur, des parasols en papier et des morceaux de fruit qui dépassaient à des angles impossibles.

Bunny a sorti un parasol et en a léché le bout. « Des tas de trucs. Du rhum, du jus d'airelle, du lait de coco, du triple sec, de l'alcool de poire, de la crème de menthe, je ne sais plus quoi. Goûtes-y, c'est bon. »

« Non merci. »

« Allez. »

« Ça va. »

« Allez. »

« Non merci, je n'en veux pas. »

« La première fois que j'ai bu ce truc-là c'est quand j'étais en Jamaïque, il y a deux ans, a dit Bunny sur le ton de la réminiscence. Un barman qui s'appelait Sam l'a préparé pour moi. Bois-en trois comme ça, fiston, il m'a dit, et tu retrouveras pas la porte d'entrée, et voilà que j'ai pas pu. Jamais été en Jamaïque ? »

« Pas ces derniers temps, non. »

« T'as probablement l'habitude des palmiers et des cocotiers et tout ce genre de choses en Califormie. Moi j'ai trouvé ça merveilleux. Me suis acheté un maillot de bain rose à fleurs et tout. Essayé d'entraîner Henry avec moi mais il a dit qu'il n'y avait aucune culture, ce qui n'est pas vrai, je crois, il y avait une sorte de petit musée ou je ne sais quoi. »

« Tu t'entends avec Henry ? »

« Oh, c'est sûr, a-t-il dit en s'adossant à son siège. On était compagnons de chambre. La première année. »

« Et tu l'aimes bien ? »

« Sûrement, sûrement. Mais c'est pas un type facile à vivre. Déteste le bruit, déteste les visites, déteste le désordre. Pas question de ramener ta cavalière dans ta chambre pour écouter un ou deux airs de Art Pepper, si tu vois ce que je veux dire. »

« Je trouve qu'il est plutôt grossier. »

Bunny a haussé les épaules. « Il est comme ça. Tu vois, son esprit ne fonctionne pas pareil que toi ou moi. Il est toujours dans les nuages avec Platon ou je ne sais quoi. Travaille trop dur, se prend trop au sérieux, étudie le sanscrit et le copte et toutes ces langues de cinglés. Henry, je lui dis, si tu veux perdre ton temps à étudier autre chose que le grec — ça et l'anglais classique, je pense que c'est tout ce dont un homme a besoin, *personnellement* — pourquoi tu ne t'achètes pas des disques de chez Berlitz pour réviser ton français. Trouve-toi une petite danseuse de can-can ou je ne sais quoi. Voolay-voo coushay avec moi et tout ça. »

« Il connaît combien de langues ? »

« J'ai perdu le compte. Sept ou huit. Il sait lire les *hiéroglyphes*. »

« Eh beh. »

Bunny a secoué la tête avec affection. « C'est un génie, ce garçon. Il pourrait être traducteur à l'ONU s'il voulait. »

« D'où vient-il ? »

« Du Missouri. »

Il l'a dit d'un ton si neutre que j'ai cru qu'il plaisantait, et j'ai ri.

Bunny a levé un sourcil amusé. « Quoi ? Tu croyais qu'il sortait du palais de Buckingham ou quoi ? »

J'ai haussé les épaules, toujours en riant. Henry était si singulier qu'il était difficile de l'imaginer venant de quelque part.

« Ouais, a dit Bunny. L'État Moi-Je. Un gars de Saint Louis, comme le bon vieux Tom Eliot. Le père est une sorte de magnat de la construction — et pas vraiment clair, non plus, me disent mes cousins de Saint-Lou. Non pas qu'Henry lâche le moindre mot sur ce que fait son p'pa. Fait comme s'il n'en savait rien et sûr qu'il s'en moque. »

« Tu es déjà allé chez eux ? »

« Tu blagues ? Il est tellement secret, on dirait que c'est le projet Manhattan ou quoi. Mais j'ai rencontré une fois sa mère. Genre un peu par hasard. Elle s'est arrêtée à Hampden pour le voir en allant à New York et je suis tombé dessus alors qu'elle traînait en bas du pavillon Monmouth en demandant aux gens où était sa chambre. »

« A quoi elle ressemble ? »

« Jolie dame. Cheveux noirs et yeux bleus comme Henry, manteau de vison, trop de rouge à lèvres et de trucs à mon goût. Terriblement jeune. Henry est son seul poussin et elle l'*adore.* » Il s'est penché vers moi en baissant la voix. « La famille a du fric à n'y pas croire. Des millions et des millions. Sûr, on fait pas plus nouveaux riches, mais un sou est un sou, t'vois ce que j'veux dire ? » Il m'a fait un clin d'œil. « A propos. Je voulais te demander. Comment ton p'pa a-t-il gagné son luxe pourri ? »

« Le pétrole. » C'était en partie vrai.

Bunny est resté bouche bée, ses lèvres formant un petit o. « Vous avez des puits de pétrole ? »

« Bon, on en a un », ai-je dit modestement.

« Mais c'en est un bon ? »

« C'est ce qu'on dit. »
« Mon gars, a-t-il dit en secouant la tête. L'or de l'Ouest. »
« Ça ne nous a pas fait de mal. »
« Jésus. Mon p'pa n'est qu'un directeur de banque minable. »
J'ai préféré changer de sujet, si maladroitement que ce fût, car nous nous dirigions vers des eaux peu sûres. « Si Henry est de Saint Louis, comment a-t-il pu devenir aussi malin ? »
C'était une question innocente, mais Bunny a eu un sursaut inattendu. « Il a eu un grave accident quand il était petit. S'est fait heurter par une voiture ou autre et a failli mourir. Il a dû quitter l'école pendant deux ans, a eu des précepteurs et tout ça, mais pendant longtemps il a rien pu faire sauf rester au lit et lire. Je suppose que c'était un de ces gosses qui sont au niveau de la fac à l'âge de deux ans. »
« Heurter par une voiture ? »
« Je *crois* que c'est ça. Vois pas ce que ça pourrait être d'autre. Il n'aime pas en parler. » Bunny a baissé la voix. « Tu vois la façon dont il se coiffe, avec une mèche sur l'œil droit ? C'est parce qu'il a une cicatrice, là. Failli perdre son œil, et il n'y voit plus très bien. Et sa façon de marcher, tout raide, presque en boitant. Pas que ça le gêne, il est fort comme un bœuf. Je ne sais pas ce qu'il a fait, des haltères ou quoi, mais en tout cas il s'est refait un corps. Un vrai Teddy Roosevelt, surmonter les obstacles et tout. Pour ça, faut l'admirer. » Il a rejeté ses cheveux en arrière et fait signe au serveur de lui apporter un autre verre. « Je veux dire, prends quelqu'un comme Francis. Tu m'dirais, il est aussi malin qu'Henry. Un gars de la haute, des tonnes de fric. Lève pas un doigt après les cours sauf pour boire comme un trou et faire la fête. Alors qu'*Henry*. » Il a haussé un sourcil. « On lui ferait pas lâcher son grec à coups de bâton — Ah, merci, c'est ça, monsieur », a-t-il dit au serveur qui lui tendait à bout de bras un autre cocktail couleur corail. « Tu veux boire autre chose ? »

« Ça va bien. »

« Vas-y, mon vieux. Sur mon compte. »

« Un autre martini, peut-être. » Le serveur, qui nous tournait déjà le dos, m'a foudroyé du regard.

« Merci », ai-je dit d'une voix faible, en fuyant son éternel sourire haineux jusqu'à être sûr qu'il soit parti.

« Tu sais, il n'y a rien que je déteste autant qu'un pédé obséquieux, a dit Bunny d'un ton léger. Si on me le demande, je dirais qu'on devrait tous les ramasser et les rôtir sur un bûcher. »

J'ai connu des types qui haïssent l'homosexualité parce qu'elle les rend mal à l'aise, ayant peut-être des tendances de ce côté ; et j'ai connu des types qui haïssent vraiment l'homosexualité. Au début j'avais classé Bunny dans la première catégorie. Sa jovialité familière de collégien m'était parfaitement étrangère, et donc suspecte ; de plus il étudiait les classiques, ce qui est certes inoffensif mais peut faire hausser les sourcils dans certains cercles. (« Vous savez ce que c'est, les Classiques ? » m'avait dit lors d'une fête, deux ans plus tôt, un recteur de la fac complètement ivre. « Je vais vous le dire, ce que c'est. *Des guerres et des homos.* » Une affirmation pédante et vulgaire, sans doute, mais qui, comme de nombreux aphorismes tout aussi vulgaires, contient une parcelle de vérité.)

Par contre, plus j'écoutais Bunny parler, plus il était visible qu'il ne s'agissait pas d'un rire affecté, d'un désir de séduire. Plutôt la joyeuse inconscience d'un maniaque ancien combattant de la Grande Guerre — marié depuis des lustres, père d'une multitude — qui trouve le sujet infiniment drôle et répugnant.

« Mais ton ami Francis ? » ai-je demandé.

C'était assez sournois, dirais-je, à moins que j'aie seulement voulu voir comment il allait s'en tirer. Même si Francis pouvait être ou ne pas être homosexuel — et aurait tout aussi bien être un dangereux coureur de jupons — il était en tout cas le genre de type rusé, bien habillé, imperturbable qui, pour quelqu'un ayant le soi-disant flair de Bunny pour ces choses-là, devait inspirer quelques soupçons.

Bunny a haussé un sourcil. « C'est absurde, a-t-il dit sèchement. Qui t'a dit ça ? »

« Personne. Juste Judy Poovey », ai-je dit quand j'ai vu qu'il n'allait pas se contenter d'un non.

« Bon, je vois pourquoi elle a dit ça, mais de nos jours tout le monde est gay d'un côté ou de l'autre. Il y a encore des trucs aussi démodés qu'un fils à maman. Tout ce qui manque à Francis, c'est une petite amie. » Il m'a scruté à travers ses minuscules lunettes craquelées. « Et toi, alors ? » m'a-t-il dit d'un ton légèrement agressif.

« Quoi ? »

« T'es célibataire ? T'as une petite majorette qui t'attend chez toi, à Hollywood High ? »

« Oh, non. » J'avais pas envie d'expliquer mes problèmes de fille, pas à lui. Je venais seulement de réussir à m'extirper d'une longue relation claustrophobique avec une Californienne que j'appellerai Kathy. Je l'avais rencontrée en première année d'université, et elle m'avait d'abord attiré parce que je la croyais intelligente, maussade et insatisfaite, comme moi ; mais au bout d'un mois, alors qu'elle s'était déjà fermement collée à mes basques, j'ai commencé à me rendre compte, un peu horrifié, que ce n'était rien qu'une version débile et psychologie-pop de Sylvia Plath. Ça n'en finissait jamais, comme un téléfilm interminable et pleurard — sans cesse des lamentations, des confessions de parking sur son « insuffisance », sa « mauvaise image d'elle-même », des chagrins d'une parfaite banalité. C'était une des principales raisons pour lesquelles j'avais tant voulu partir ; et aussi une des raisons qui me rendaient si méfiant à l'égard de la troupe joyeuse et apparemment inoffensive des nouvelles filles que j'avais rencontrées au début du semestre.

De penser à elle m'avait assombri. Bunny s'est penché vers moi.

« C'est vrai que les filles sont plus jolies en Californie ? »

Je me suis mis à rire, si fort que j'ai failli recracher mon verre par le nez.

« Des beautés aquatiques ? » Il m'a fait un clin d'œil. « Des poupées de plage ? »

« Tu peux parier. »

Il était content. Tel un vieil oncle enjoué comme un gros chien, il s'est penché encore plus en travers de la table et s'est mis à me parler de sa propre petite amie, qui s'appelait Marion. « Je sais que tu l'as déjà vue. Une petite chose de rien. Blonde, les yeux bleus, haute comme ça ? »

En fait, cela me disait quelque chose. J'avais aperçu Bunny à la poste, au début des cours, en train de parler assez familièrement à une fille répondant à cette description.

« Ouais, a-t-il dit fièrement, en passant le doigt sur le bord de son verre. C'est ma poule. Me fait marcher droit, je peux te le dire. »

Cette fois, pris à mi-gorgée, j'ai ri si fort que j'ai manqué m'étouffer.

« Et elle fait un diplôme de puériculture, tu trouves pas ça super ? Je veux dire, c'est une fille *réelle.* » Il a écarté les mains comme pour indiquer une largeur conséquente. « Les cheveux longs, un peu de viande sur les os, a pas peur de se mettre en robe. J'aime ça. Dis que je suis à l'ancienne mode, mais j'aime pas trop les grosses têtes. Prends Camilla. Elle est marrante, et une brave fille et tout... »

« Allons, ai-je dit sans arrêter de rire, elle est vraiment jolie. »

« Ça c'est sûr, ça c'est sûr, a-t-il répliqué en levant une paume conciliatrice. Une fille adorable. Je l'ai toujours dit. A tout à fait l'allure d'une statue de Diane au club de mon père. Tout ce qui lui manque, c'est la main d'une mère à poigne, mais en tout cas, pour moi, c'est ce qu'on appelle une églantine par rapport à une rose thé. Elle se donne pas le mal qu'elle devrait, tu sais. Elle se balade la moitié du temps dans les vieilles fringues de son frère, et peut-être qu'il y a des filles à qui ça irait — en fait, franchement, je ne crois pas qu'il y en ait une *seule* à qui ça irait *vraiment*, mais pas elle, en tout cas. Ressemble trop à son frère. Je veux dire, Charles est un beau gars et un caractère en or, mais je n'aurais pas envie de l'épouser, pas vrai ? »

Bunny était lancé et allait continuer quand soudain, très brusquement, il s'est arrêté, le visage revêche, comme s'il lui était arrivé quelque chose de désagréable. J'étais perplexe, et en même temps un peu amusé : avait-il eu peur d'en avoir trop dit, de paraître ridicule ? J'ai voulu passer à un autre sujet très vite, pour le tranquilliser, mais il a changé de position et a regardé de l'autre côté de la pièce.

« Regarde ça, a-t-il dit. Tu crois que c'est pour nous ? Il serait temps. »

---

Malgré tout ce que nous avons englouti cet après-midi-là — soupes, homards, pâtés, mousses, en variété et en quantité ahurissantes —, nous avons bu encore plus : trois bouteilles de Taittinger après les cocktails et du cognac par-dessus tout, de sorte que notre table, peu à peu, est devenue l'unique centre d'activité de la salle, autour de quoi les choses tournoyaient et se brouillaient à une vitesse vertigineuse. Je continuais à boire des verres qui apparaissaient comme par magie, Bunny levait son verre à la santé de n'importe quoi, de l'université de Hampden à Benjamin Lowett ou à l'Athènes de Périclès, les toasts viraient au pourpre à mesure que le temps passait, et à l'heure du café tout devenait de plus en plus sombre. Bunny était tellement ivre qu'il a demandé au serveur deux cigares, ce qu'il nous a apporté avec l'addition, retournée sur un petit plateau.

La pièce indistincte tourbillonnait à une vitesse désormais invraisemblable, et le cigare, loin d'y porter remède, me faisait maintenant voir une série de taches lumineuses aux bords noirs qui me rappelait désagréablement les horribles créatures unicellulaires que j'avais dû épier à travers un microscope jusqu'à ce que la tête me tourne. Je l'ai écrasé dans le cendrier, ou plutôt dans ce que j'ai cru être le cendrier, mais qui était en fait mon assiette à dessert. Bunny a ôté ses lunettes cerclées d'or, les décrochant soigneusement de chaque oreille, et s'est mis à les frotter avec une serviette. Sans lunettes, il avait de petits yeux ternes, aimables, larmoyants à cause de la fumée, aux coins plissés par le rire.

« Ah ! C'était un sacré déjeuner, pas vrai, mon vieux ? » a-t-il dit autour du cigare serré entre ses dents et en tendant ses lunettes à la lumière pour les inspecter. Il avait l'air d'un très jeune Teddy Roosevelt sans moustache, prêt à lancer les Rough Riders en haut de la colline de San Juan ou bien d'aller traquer un gnou ou je ne sais quoi.

« C'était merveilleux. Merci. »

Il a soufflé un épais nuage de fumée bleue, nauséabonde. « Bonne cuisine, bonne compagnie, plein à boire, on peut pas demander beaucoup plus, pas vrai ? C'est quoi la chanson, déjà ? »

« Quelle chanson ? »

« *Je veux mon dîner*, a chanté Bunny, *de la conversation*, et... quelque chose, bam-ba-dam. »

« Sais pas. »

« Je sais pas non plus. C'est Ethel Merman qui la chante. »

La lumière baissait de plus en plus, et en m'efforçant de distinguer les objets à l'extérieur de notre petit cercle, j'ai vu que la salle était vide. Une forme pâle était suspendue dans un coin, très loin, qui devait être notre serveur, un être obscur d'aspect légèrement surnaturel mais sans cet air préoccupé qu'on prête aux fantômes ; nous étions le centre exclusif de son attention ; je le sentais concentrer sur nous ses rayons de haine spectrale.

« Euh », ai-je dit avec un mouvement qui a failli me faire perdre l'équilibre, « on devrait peut-être y aller. »

Bunny a fait un grand geste magnanime, retourné l'addition et fouillé dans sa poche en la lisant. Au bout d'un moment il a levé les yeux avec un sourire. « Dis-moi, vieille branche. »

« Oui ? »

« J'ai horreur de te faire ce coup-là, mais si tu me payais à déjeuner pour cette fois. »

J'ai arqué un sourcil d'ivrogne et je me suis mis à rire. « Je n'ai pas un sou sur moi. »

« Moi non plus. C'est drôle. Dirait que j'ai oublié mon portefeuille à la maison. »

« Oh, vas donc. Tu plaisantes. »

« Pas du tout, a-t-il dit d'un ton badin. Pas la moindre monnaie. Je retournerais bien mes poches, mais Patte de Velours nous verrait. »

J'ai pris conscience de notre serveur malveillant, tapi dans l'ombre, qui nous écoutait sans doute avec grand intérêt. « Combien ça fait ? »

Il a glissé un doigt mal assuré sur la colonne de chiffres. « Ça nous fait deux cent quatre-vingt-sept dollars et cinquante-neuf cents, a-t-il dit. Sans le pourboire. »

J'étais assommé par ce chiffre, et déconcerté par l'insouciance de Bunny. « C'est beaucoup. »

« Toute cette bibine, tu sais. »

« Qu'est-ce qu'on va faire ? »

« Tu ne peux pas faire un chèque ou quelque chose ? » a-t-il demandé tranquillement.

« Je n'ai pas de chèques. »

« Alors sers-toi de ta carte. »

« Je n'ai pas de carte. »
« Oh, allons donc. »
« Je n'en ai pas », ai-je dit, de plus en plus agacé.
Bunny a repoussé sa chaise, s'est levé et a inspecté le restaurant avec une fausse indifférence, comme un détective qui traverse un hall d'hôtel, et un instant, paniqué, j'ai cru qu'il allait se sauver en courant. Mais il m'a donné une tape sur l'épaule en chuchotant, « Bouge pas, mon vieux. Je vais donner un coup de fil. » Et il est parti les mains dans les poches, le blanc de ses chaussettes sautillant dans la pénombre.
Il s'est absenté un long moment. Je me demandais s'il allait vraiment revenir, s'il ne s'était pas simplement faufilé par une fenêtre en me laissant l'addition, quand une porte s'est refermée dans le lointain et il a retraversé la pièce.
« Te tracasse pas, te tracasse pas, a-t-il dit en se rasseyant. Tout va bien. »
« Qu'est-ce que tu as fait ? »
« Appelé Henry. »
« Il va venir ? »
« Il arrive. »
« Il est en rogne ? »
« Nan », a dit Bunny en écartant cette idée d'une pichenette. « Heureux de pouvoir le faire. De toi à moi, je crois qu'il est sacrément content de sortir de chez lui. »

---

Au bout d'une dizaine de minutes affreusement inconfortables, où nous avons fait semblant de boire le fond de nos cafés tièdes, Henry est entré, un livre sous le bras.
« Tu vois ? a chuchoté Bunny. J'savais qu'il viendrait. Oh, salut, a-t-il dit quand Henry s'est approché de nous. Mon gars, si je suis content... »

« Où est l'addition ? » a dit Henry d'une voix quelque peu menaçante.

« Voilà, voilà, mon vieux, a dit Bunny en farfouillant entre les verres et les tasses. Mille mercis. Je te dois vraiment... »

« Salut », a dit Henry froidement en se tournant vers moi.

« Salut. »

« Comment allez-vous ? » On aurait dit un robot.

« Très bien. »

« Parfait. »

« La voilà, mon vieux poteau. » Bunny a retrouvé l'addition.

Henry a regardé le total fixement.

« Eh bon », a dit Bunny d'un ton jovial, sa voix résonnant dans le silence tendu. « Je me serais excusé de t'avoir arraché à ton livre si tu ne l'avais pas emmené avec toi. Qu'est-ce que c'est ? Un bon bouquin ? »

Sans un mot, Henry le lui a tendu. Le titre était écrit dans une sorte d'alphabet oriental. Bunny l'a contemplé un moment et le lui a rendu. « C'est super », a-t-il dit d'une voix faible.

« Vous êtes prêts à partir ? » a demandé sèchement Henry.

« C'est sûr, c'est sûr », a fait Bunny très vite. Il s'est levé d'un bond et a failli renverser la table. « Tu n'as qu'un mot à dire. *Undele. Undele.* Quand tu veux. »

Henry a payé l'addition avec Bunny derrière lui comme un enfant puni. Le trajet de retour a été insupportable. Bunny, sur la banquette arrière, essayait de relancer la conversation par des boutades brillantes mais vouées au néant, qui crépitaient une à une avant de s'éteindre, tandis qu'Henry fixait la route et qu'assis à côté de lui je tripotais le cendrier de la voiture, l'ouvrant et le refermant sans cesse jusqu'à finir par me rendre compte que c'était exaspérant et me forcer, difficilement, à ne plus le faire.

Il s'est d'abord arrêté chez Bunny. En beuglant une série de blagues incohérentes, Bunny m'a tapé dans le dos et a sauté dehors. « Oui, eh bien, Henry, Richard, nous y voilà. Merveilleux. Parfait. Merci encore — superbe déjeuner — eh bien, youpie, oui, oui, au revoir... » La portière a claqué et il a remonté l'allée comme une flèche.

Une fois Bunny rentré, Henry s'est tourné vers moi. « Je suis vraiment désolé. »

« Oh, non, je vous en prie. J'étais affreusement gêné. Juste un malentendu. Je vous rembourserai. »

Il s'est passé la main dans les cheveux et j'ai été surpris de le voir trembler. « C'est tout à fait impensable, a-t-il dit sèchement. C'est sa faute. »

« Mais... »

« Il vous a dit qu'il vous invitait. N'est-ce pas ? »

Sa voix avait un ton légèrement accusateur. « Eh bien, oui. »

« Et il s'est *juste trouvé* qu'il a laissé son portefeuille chez lui ? »

« Ça va comme ça. »

« Ça ne va pas du tout, a lancé Henry. C'est un très sale tour. Comment l'auriez-vous su ? Il tient pour acquis que quiconque se trouve avec lui peut débourser d'énormes sommes d'argent à tout instant. Il ne pense jamais à ces choses-là, si désagréable que ce soit pour tout le monde. Et, en plus, si je n'avais pas été chez moi ? »

« Je suis sûr qu'il a tout simplement oublié. »

« Vous avez pris un taxi d'ici, a-t-il dit d'une voix brève. Qui a payé ? »

Automatiquement j'ai voulu protester, et me suis arrêté net. Bunny avait payé le taxi. Il en avait même fait tout une histoire.

« Vous voyez bien. Il ne s'y prend même pas de façon très maline, n'est-ce pas ? C'est déjà assez dur qu'il le fasse avec tout le monde, mais je n'aurais jamais cru qu'il essaie ce coup-là avec un parfait inconnu. »

Je ne savais plus que dire. Nous avons roulé en silence jusqu'au Monmouth.

« Vous êtes chez vous, a-t-il dit. Je regrette. »

« Tout va bien, vraiment. Merci, Henry. »

« Alors bonsoir. »

Je suis resté sous la lampe de l'entrée et je l'ai regardé s'éloigner. Ensuite je suis monté jusqu'à ma chambre et je me suis écroulé sur le lit, ivre mort.

---

« On a tous entendu parler de ton déjeuner avec Bunny », a dit Charles.

J'ai ri. C'était le lendemain, un dimanche, en fin d'après-midi, et j'avais passé presque toute la journée devant mon bureau à lire Parménide. Son grec était difficile, en plus de ma gueule de bois, et par-dessus le marché j'avais lu si longtemps que les lettres avaient l'air d'un rébus indéchiffrable, d'empreintes d'oiseau sur le sable. Je regardais par la fenêtre, dans une sorte de transe, la prairie tondue de frais comme du velours vert vif qui se gonflait comme un tapis sur les collines à l'horizon, quand j'avais aperçu les jumeaux, tout en bas, qui glissaient sur la pelouse comme deux fantômes.

Je m'étais penché par la fenêtre pour les appeler. Ils s'étaient arrêtés, s'étaient retournés, les mains à hauteur du front et les yeux plissés à cause du soleil couchant. « Salut », avaient-ils dit, et leurs voix lointaines, effilochées, semblaient n'en faire qu'une qui avait flotté jusqu'à moi. « Descends. »

De sorte que nous étions en train de marcher derrière le Collège, dans la futaie, au pied des montagnes, le long d'un petit bois de pins rabougris, et que j'avais un jumeau de chaque côté de moi.

Ils avaient l'air particulièrement angéliques avec leurs

cheveux blonds soulevés par le vent, leur sweaters blancs et leurs chaussures de tennis. Je ne savais pas bien pourquoi ils m'avaient fait descendre. Ils étaient polis, certes, mais sur la réserve et légèrement perplexes, comme si je venais d'un pays aux mœurs inhabituelles, excentriques, et qu'il leur fallait faire très attention pour ne pas me choquer ou m'offenser.

« Comment l'avez-vous appris ? ai-je dit. Le déjeuner ? »

« Bun a téléphoné ce matin. Et Henry nous l'a raconté hier soir. »

« Je crois qu'il était fou de rage. »

Charles a haussé les épaules. « Contre Bunny, peut-être. Pas contre toi. »

« Ils ne s'apprécient guère, pas vrai ? »

Ils ont paru stupéfaits de ce que je disais.

« Ce sont de vieux amis », a dit Camilla.

« Des amis intimes, je dirais même, a ajouté Charles. A une époque ils étaient inséparables. »

« Ils ont l'air de beaucoup se disputer. »

« Oh, bien sûr, a dit Camilla, mais cela ne veut tout de même pas dire qu'ils ne sont pas amis. Henry est tellement sérieux et Bun est tellement — bon, pas sérieux — qu'en fait ils s'entendent très bien. »

« Oui, a dit Charles, l'Allegro e Il Penseroso. Une paire bien assortie. Je crois que Bunny est peut-être la seule personne au monde qui puisse faire rire Henry. » Il s'est arrêté net et a tendu le bras devant lui. « Tu es déjà descendu là-bas ? Il y a un cimetière sur la colline. »

Je l'apercevais à peine à travers les pins — un alignement chaotique de tombes bancales et cariées, plantées de biais, ce qui donnait un étrange effet de mouvement frénétique, comme si une sorte de force hystérique, peut-être un esprit frappeur, venait juste de les éparpiller.

« C'est vieux, a dit Camilla. Des années 1700. Il y avait une ville aussi, ici, une église et un moulin. Ne reste rien que les fondations, mais on distingue encore les jardins qu'ils avaient plantés. Des pommes reinettes et des wintersweets, des roses moussues là où il y avait les maisons. Dieu sait ce qui s'est passé. Une épidémie, peut-être. Ou un incendie."

« Ou les Mohawks, a dit Charles. Tu devrais aller y voir un de ces jours. Surtout le cimetière. »

« C'est joli. Surtout sous la neige. »

Le soleil se couchait, enflammait d'or les feuillages et projetait devant nous des ombres longues et déformées. Nous avons marché longtemps sans rien dire. L'air était alourdi par de lointains feux de joie, rendu coupant par le froid du crépuscule. Il n'y avait pas d'autre bruit que le crissement de nos semelles sur le gravier du sentier, le sifflement du vent dans les pins ; j'avais sommeil, mal à la tête, et tout cela offrait quelque chose de pas vraiment réel, comme dans un rêve. J'avais l'impression qu'à chaque instant j'allais sursauter, ma tête sur le tas de bouquins de mon bureau, et me retrouver seul dans une pièce obscure.

Brusquement Camilla s'est arrêtée et a posé un doigt sur ses lèvres. Trois énormes oiseaux noirs, trop gros pour être des corneilles, étaient perchés au creux d'un arbre mort ouvert en deux par la foudre. Je n'avais jamais rien vu de tel.

« Des corbeaux », a dit Charles.

Nous sommes restés figés sur place à les regarder. L'un d'eux a sautillé maladroitement au bout d'une branche qui grinçait et oscillait sous son poids et s'est envolé avec un cri rauque. Les deux autres ont suivi dans un fracas de battements d'ailes. Ils ont survolé la prairie en formation triangulaire, trois ombres noires sur l'herbe rase.

Charles s'est mit à rire. « Trois d'entre eux pour nous trois. Je parie que c'est un augure. »

« Un présage. »

« De quoi ? » ai-je dit.

« Sais pas, a dit Charles. C'est Henry l'ornitomantiste. Le devin des oiseaux. »

« C'est un vrai Romain. Il doit savoir. »

Nous avions pris le chemin de la maison, et en haut d'une côte j'ai vu dans le lointain lès pignons austères de Monmouth. Le ciel était froid et vide. Un éclat de lune, blanc comme une rognure d'ongle, flottait dans la grisaille. J'étais peu habitué à ces crépuscules d'automne, à l'obscurité si proche et si froide ; la nuit tombait trop vite et le silence qui s'abattait le soir sur la prairie me remplissait d'une tristesse étrange et frissonnante. J'ai eu une vision mélancolique du pavillon : les couloirs vides, le vieil éclairage au gaz, la clef tournant dans la serrure de ma chambre.

« Bon, à bientôt », a dit Charles devant l'entrée de Monmouth, son visage pâli par la lampe du porche.

Plus loin, je voyais les lumières de la salle à manger, en face du Collège, des silhouettes sombres qui passaient devant les fenêtres.

« C'était bien, ai-je dit en enfonçant les mains dans mes poches. Vous voulez qu'on dîne ensemble ? »

« Je crains que non. On dois rentrer à la maison. »

« Oh, bon. » J'étais déçu, mais soulagé. « Une autre fois. »

« Eh bien, tu sais...? » a dit Camilla en se tournant vers son frère.

Il a froncé les sourcils. « Hmmm, tu as raison. »

« Viens donc dîner chez nous », a-t-elle dit impulsivement en se tournant vers moi.

« Oh non. »

« S'il te plaît. »

« Non, mais merci. C'est bien comme ça, en fait. »

« Oh, allons donc, a dit gentiment Charles. Nous n'avons pas grand-chose de bon, mais on a envie que tu viennes. »

J'ai senti un élan de gratitude envers lui. J'avais envie d'y aller, et même beaucoup. « Si vous êtes sûrs que ça ne vous gêne pas. »

« Pas la moindre gêne, a dit Camilla. Allons-y. »

---

Charles et Camilla louaient un appartement meublé au deuxième étage d'une maison au nord de Hampden. En entrant, on se retrouvait dans un petit salon sous les toits, aux fenêtres mansardées. Les fauteuils et le divan informe étaient tapissés de velours poussiéreux, usé sur les accoudoirs, avec des motifs roses et bruns, des épis et des feuilles de chêne sur fond vert mousse. Sur le manteau de la cheminée luisaient une paire de chandeliers en cristal et quelques objets en argent terni.

La pièce n'était pas vraiment négligée, mais avait tendance à l'être. Les livres étaient empilés sur toutes les surfaces disponibles, les tables étaient surchargées de papiers, de cendriers, de bouteilles de whisky, de boîtes de chocolat, des parapluies, et des caoutchoucs encombraient le passage dans l'étroit couloir. Dans la chambre de Charles, les vêtements étaient éparpillés sur le tapis et un amas de cravates colorées pendait à la porte de la penderie ; la table de nuit de Camilla était jonchée de tasses vides, de stylos qui fuyaient, avec des soucis fanés dans un verre d'eau et une partie entamée de solitaire au pied du lit. La disposition des lieux était singulière, avec des fenêtres inattendues, des couloirs ne menant nulle part, des portes basses où je devais baisser la tête pour passer, et partout je voyais de nouvelles étrangetés : un vieux stéréopticon (les avenues bordées de palmiers d'un Nice fantomatique, disparaissant dans un lointain sépia) ; des pointes de flèches dans une vitrine poussiéreuse ; une fougère épiphyte ; un squelette d'oiseau.

Charles est allé à la cuisine et s'est mis à ouvrir et fermer des placards. Une bouteille de whisky irlandais était posée sur une pile de *National Geographics*, et Camilla m'a servi à boire.

« Es-tu allé aux puits d'asphalte de La Brea ? » a-t-elle dit sur le ton de la conversation.

« Non. » Complètement désorienté, j'ai regardé mon verre.

« Imagine ça, Charles, a-t-elle dit en direction de la cuisine, il habite la Californie et il n'est jamais allé aux puits d'asphalte de La Brea. »

Charles a émergé, s'essuyant les mains avec un torchon. « *Vraiment ?* a-t-il dit avec une stupéfaction enfantine. Et pourquoi ? »

« Je ne sais pas. »

« Mais c'est tellement intéressant. Vraiment, tu devrais y penser. »

« Tu connais ici beaucoup de gens venus de Californie ? » a demandé Camilla.

« Non. »

« Tu connais Judy Poovey ? »

J'étais surpris : comment le savait-elle ? « Ce n'est pas une amie. »

« Ni pour moi. L'an dernier elle m'a jeté son verre à la figure. »

« On m'a dit ça », ai-je dit en riant, mais elle n'a pas souri. « Ne crois pas tout ce qu'on te raconte. » Elle a bu une gorgée de son verre. « Sais-tu qui est Cloke Rayburn ? »

J'avais entendu parler de lui. Il y avait à Hampden une petite clique de Californiens à la mode, très fermée, venant surtout de San Francisco et Los Angeles ; Cloke Rayburn en était le centre, tout en sourires blasés, cigarettes et regards endormis. Les filles de Los Angeles, Judy Poovey incluse, lui étaient fanatiquement dévouées. Il était du genre de ceux qu'on voit dans les toilettes des hommes, aux fêtes, sniffant de la coke au bord du lavabo.

« C'est un ami de Bunny. »

« Comment ça se fait ? » J'étais surpris.

« Ils étaient ensemble en prépa. A Saint-Jérôme, en Pennsylvanie. »

« Tu connais Hampden, a dit Charles en buvant une grande gorgée de son verre. Dans ces écoles progressistes, on adore l'élève à problème, le petit dernier. Cloke est venu d'une université quelconque dans le Colorado après sa première année. Il faisait du ski tous les jours et ratait tous ses contrôles. Hampden est le dernier endroit sur terre... »

« Pour les pires gens du monde », a fait Camilla en riant.

« Oh, allons donc. »

« Eh bien, en un sens, je crois que c'est vrai, a repris Charles. La moitié des gens sont ici parce qu'on ne les acceptait nulle part ailleurs. Non pas que Hampden ne soit pas un endroit merveilleux. D'ailleurs, c'est peut-être pour ça. Prends Henry, par exemple. S'il n'avait pas été pris à Hampden, il n'aurait probablement pu entrer dans aucune université. »

« Je n'arrive pas à y croire. »

« Bon, ça a l'air absurde, mais il n'a jamais dépassé la seconde, au lycée, et combien d'universités convenables vont accepter un type qui a lâché en seconde ? Ensuite il y a le système des tests standardisés. Henry a refusé de passer les tests — il aurait probablement crevé le plafond s'il l'avait fait — parce qu'il est contre pour des raisons esthétiques. Tu imagines l'effet que ça fait à un jury d'admission. » Il a bu une autre gorgée. « Alors, comment est-ce que tu t'es retrouvé ici ? »

L'expression de ses yeux était difficile à deviner. « J'ai bien aimé le catalogue », ai-je répondu.

« Et je suis sûr que le jury d'admission a trouvé que c'était une excellente raison pour t'accepter. »

J'aurais voulu un verre d'eau. Il faisait très chaud, j'avais la gorge sèche et le whisky m'avait laissé un arrière-goût infect, non que ce fût une mauvaise marque, c'était même du très bon whisky, mais j'avais la gueule de bois, je n'avais rien mangé de la journée et tout d'un coup j'avais la nausée.

On a frappé à la porte, puis on a tambouriné. Sans un mot, Charles a vidé son verre et s'est retiré dans la cuisine pendant que Camilla allait répondre.

Avant même que la porte soit grande ouverte je savais que je verrais un reflet de petites lunettes rondes. Il y a eu un chœur de salutations, et ils sont entrés : Henry, Bunny avec un sac en papier du supermarché, Francis, majestueux dans son long manteau noir, serrant de sa main gantée de noir le col d'une bouteille de champagne. Le dernier des trois, il s'est penché pour embrasser Camilla — non pas sur la joue, mais sur la bouche, avec un claquement satisfait. « Bonsoir, très chère. Quelle chance de nous être trompés. J'ai du champagne, et Bunny a pris de la bière brune, donc on peut faire des Black Velvets. Qu'est-ce qu'on mange ce soir ? »

Je me suis levé.

Ils sont restés muets une fraction de seconde. Puis Bunny a fourré son sac en papier dans les bras d'Henry et s'est avancé pour me serrer la main. « Eh bien, eh bien. Si ce n'est pas mon complice de hold-up. Ça ne nous empêche pas d'aller dîner en ville, hein ? »

Il m'a donné une claque dans le dos et s'est mis à jacasser. J'avais très chaud et mal au cœur. Mon regard vagabondait dans la pièce. Francis parlait avec Camilla. Henry m'a fait un léger signe de tête et un sourire quasiment imperceptible.

« Excuse-moi, ai-je dit à Bunny. Je reviens dans une minute. »

Je suis allé dans la cuisine. On aurait dit la cuisine d'un vieillard, avec un vieux linoléum rouge et râpé et — en accord avec la bizarrerie de l'endroit — une porte donnant sur le toit. J'ai rempli un verre au robinet et je l'ai avalé d'un coup. Trop bu, et trop vite. Charles avait ouvert le four et piquait des côtes d'agneau avec une fourchette.

Personnellement — surtout grâce à la visite éprouvante d'un abattoir industriel en sixième — je n'ai jamais été grand mangeur de viande. Déjà, dans le meilleur des cas, l'odeur de l'agneau ne m'aurait pas particulièrement plu, mais dans mon état actuel elle était surtout répugnante. La porte du toit était maintenue ouverte par une chaise posée en travers, et un courant d'air traversait le grillage rouillé de la moustiquaire. J'ai rempli à nouveau mon verre et je suis allé près de la porte. Respire à fond, me suis-je dit, de l'air frais, c'est ce qu'il te faut... Charles s'est brûlé le doigt, a lâché une injure et a refermé le four. En se retournant il a eu l'air étonné de me voir.

« Oh ! salut. Qu'est-ce qu'il y a ? Tu veux un autre verre ? »

« Non merci. »

Il a regardé le mien. « Qu'est-ce que c'est ? Du gin ? Où l'as-tu déniché ? »

Henry s'est encadré dans la porte. « Tu as de l'aspirine ? » a-t-il demandé à Charles.

« Là-bas. Prends un verre, pendant que tu y es. »

Henry a versé quelques comprimés au creux de sa main, ainsi que deux pilules mystérieuses sorties de sa poche, et les a fait passer avec le whisky que Charles lui a donné.

Il avait laissé le flacon d'aspirine sur le plan de travail. Je suis allé moi-même en catimini en prendre deux mais Henry m'a vu faire. « Tu es malade ? » m'a-t-il demandé, non sans gentillesse.

« Non, juste un mal de tête. »

« Cela ne t'arrive pas trop souvent, j'espère ? »

« Quoi, a dit Charles. Tout le monde est malade ? »

« Pourquoi tout le monde est là-dedans ? » La voix plaintive de Bunny a résonné dans le couloir. « Quand est-ce qu'on mange ? »

« Attends, Bunny, ça vient dans une minute. »

Bunny s'est faufilé, a regardé par-dessus l'épaule de Charles le plateau de côtelettes qu'il venait de sortir du four. « Ça m'a l'air cuit. » Il a tendu le bras, a saisi une petite côtelette par le bout et s'est mis à la ronger.

« Bunny, fais pas ça, vraiment, a dit Charles. Il n'y en aura pas assez pour tout le monde. »

« Je meurs de faim, a répondu Bunny la bouche pleine. Je vais m'évanouir. »

« On pourra peut-être te garder les os pour que tu les ronges », a dit grossièrement Henry.

« Oh ! la ferme. »

« Vraiment, Bun, je voudrais que tu attendes une minute. » Charles insistait.

« Okay. » Bunny a tout de même tendu le bras et volé une autre côtelette dès que Charles a eu le dos tourné. Un filet de jus rosâtre lui a coulé sur la main et s'est perdu sous sa manche.

---

Dire que le dîner s'est mal passé serait exagéré, mais il ne s'est pas tellement bien passé. Même si je n'ai rien fait de totalement stupide, à vrai dire, ou dit quelque chose que j'aurais dû taire, je me sentais déprimé, d'humeur aigre, j'ai parlé peu et mangé encore moins. La conversation s'est surtout orientée sur des événements dont je ne savais rien, et même les aimables parenthèses explicatives de Charles n'aidaient guère à la clarifier. Henry et Francis ont discuté interminablement de la distance qui séparait les soldats dans une légion romaine : épaule contre épaule, comme disait Francis, ou à trois ou quatre pieds d'écart, comme le soutenait Henry. Ce qui a mené à une discussion encore plus longue — difficile à suivre et, pour moi, d'un ennui extrême — pour déterminer si le chaos primordial d'Hésiode était simplement un espace vide ou le chaos au sens moderne de ce mot. Camilla a mis un disque de Joséphine Baker ; Bunny a mangé ma côtelette.

Je suis rentré tôt. Francis et Henry m'ont offert de me raccompagner, ce qui, je ne sais pourquoi, m'a fait me sentir encore plus mal. Je leur ai dit que je préférais marcher, merci, et je me suis extirpé de l'appartement en souriant, presque en plein délire, le visage brûlant sous un regard collectif empreint de sollicitude et de curiosité.

Je n'étais pas loin de l'université, à un quart d'heure de marche, mais il faisait froid, j'avais mal à la tête et cette soirée m'avait laissé une impression aiguë d'insuffisance et d'échec qui se renforçait à chaque pas. Je ressassais sans cesse le dîner dans tous les sens, m'efforçant de me souvenir des mots exacts, des inflexions significatives, des subtilités insultantes ou aimables qui auraient pu m'échapper, et mon esprit s'empressait de m'en fournir diverses déformations.

Quand je suis entré dans ma chambre argentée, transformée par le clair de lune, la fenêtre était restée ouverte et le Parménide était sur le bureau, ouvert à la même page, avec à côté un café à moitié vide venu de la cafétéria, qui avait refroidi dans sa tasse en plastique. La pièce était glacée mais je n'ai pas fermé la fenêtre, et je me suis allongé sur le lit sans ôter mes chaussures ni éteindre la lampe.

Couché sur le côté, fixant des yeux une flaque de lumière blanche sur le parquet, j'ai vu les rideaux soulevés par un coup de vent, longs et pâles comme des fantômes. Les pages du Parménide ont voleté de droite à gauche, comme feuilletées par une main invisible.

---

J'avais seulement voulu dormir quelques heures, mais je me suis réveillé en sursaut le lendemain matin avec le soleil qui entrait à flots et le réveil qui marquait neuf heures moins cinq. Sans prendre le temps de me raser, de me peigner ni même de changer de vêtements, j'ai attrapé mon livre de composition en prose grecque, mon Liddel & Scott, et j'ai couru au bureau de Julian.

Sauf pour lui, qui tenait toujours à arriver quelques minutes plus tard, tout le monde était là. Du couloir, je les entendais bavarder, mais quand j'ai ouvert la porte ils se sont tus et m'ont tous regardé.

Un moment, personne n'a ouvert la bouche. « Bonjour », a dit Henry.

« Bonjour », ai-je répondu. Dans la lumière limpide venue du nord ils avaient tous le visage frais, bien reposé, l'air surpris de mon apparence, et ils me regardaient fixement tandis que, gêné, je passais la main dans mes cheveux ébouriffés.

« On dirait que tu n'as pas rencontré ton rasoir ce matin, mon pote, a dit Bunny. On dirait que... »

La porte s'est ouverte et Julian est entré.

Il y a eu beaucoup de travail en classe ce matin-là, surtout pour moi, qui étais très en retard ; le mardi et le jeudi on avait le plaisir de s'asseoir pour discuter de littérature ou de philosophie, mais le reste de la semaine était pris par la grammaire grecque et la composition en prose, ce qui, la plupart du temps, était un labeur ardu, éreintant, tel qu'aujourd'hui — étant un peu plus âgé et un peu moins courageux — j'aurais le plus grand mal à m'y astreindre. J'avais donc assez de préoccupations, sans compter la froideur qui avait apparemment infecté une fois de plus mes condisciples, leur apparence de solidarité tranchante, l'indifférence de leurs regards qui traversaient mon corps. Il y avait eu une ouverture dans leurs rangs, mais elle s'était refermée ; j'étais revenu, semblait-il, au point exact d'où j'étais parti.

---

L'après-midi, je suis allé voir Julian sous le prétexte de parler d'un transfert de notes, mais avec bien autre chose en tête. Car il m'était apparu, d'un seul coup, que ma décision de tout abandonner en faveur du grec avait été hâtive, irréfléchie, et prise pour de mauvaises raisons. A quoi avais-je bien pu penser ? J'aimais bien le grec, ainsi que Julian, mais je n'étais pas sûr d'aimer ses élèves, et de toute façon, est-ce que je voulais vraiment passer ma carrière universitaire et subséquemment ma vie entière à regarder des images de *kouroi* brisés ou à m'absorber dans les particules grecques ? Deux ans plus tôt, j'avais pris une décision tout aussi imprudente, qui m'avait précipité pendant un an dans une série cauchemardesque de lapins chloroformés et de visites quotidiennes à la morgue, et j'avais failli ne pas en réchapper. Ici, ce n'était pas si terrible, de loin (je me suis souvenu avec un frisson de mon vieux labo de zoologie, à huit heures du matin, les bacs de fœtus de porc qui tremblotaient), de très loin, me suis-je répété. Mais cela me paraissait tout de même une grave erreur, et le trimestre était trop avancé pour que je puisse reprendre mes anciens cours ou changer à nouveau de conseiller.

Je suppose que j'allais voir Julian pour ranimer mon courage défaillant, dans l'espoir qu'il me rendrait l'assurance du premier jour. Et je suis presque sûr qu'il y serait parvenu si j'avais effectivement réussi à le joindre. Mais il s'est trouvé que je n'ai même pas pu lui parler. En arrivant sur le palier, à l'étage de son bureau, j'ai entendu des voix dans le couloir et je me suis arrêté.

C'était Julian et Henry. Ni l'un ni l'autre ne m'avaient entendu monter l'escalier. Henry s'en allait ; Julian était dans l'embrasure de la porte. Il avait les sourcils froncés et un air très sombre, comme s'il disait quelque chose d'une gravité extrême. La vanité, ou plutôt la paranoïa, m'a fait penser qu'ils parlaient peut-être de moi, j'ai fait un pas en avant et avancé la tête à l'angle du mur pour les épier.

Julian avait fini de parler. Il a détourné les yeux un moment, puis regardé Henry en se mordant la lèvre.

Henry lui a répondu, à voix basse, mais d'un ton ferme et assuré. « Dois-je faire le nécessaire ? »

A ma grande surprise, Julian a pris les deux mains de Henry dans les siennes. « Vous ne devriez jamais faire que ce qui est nécessaire. »

Bon Dieu, me suis-je dit, qu'est-ce qui se passe ? Figé en haut des marches, j'essayais de ne faire aucun bruit et je voulais partir avant qu'ils me voient, mais j'avais peur de bouger.

A ma surprise totale, absolue, Henry s'est penché et a donné à Julian un petit baiser rapide, précis, sur la joue. Ensuite il a fait demi-tour pour s'en aller, mais heureusement pour moi il a lancé une dernière phrase par dessus son épaule ; j'ai redescendu les marches sur la pointe des pieds aussi silencieusement que possible et arrivé au premier, hors de portée de voix, je me suis mis à courir.

---

La semaine qui a suivi a été solitaire et surréelle. Les feuilles viraient de couleur, il pleuvait beaucoup et il faisait nuit très tôt ; à Monmouth les gens se rassemblaient en chaussettes autour de la cheminée du rez-de-chaussée, faisaient brûler des bûches volées à l'administration sous couvert de la nuit, et buvaient du cidre tiède. Mais j'allais droit vers mes cours et droit vers ma chambre, laissant de côté toutes ces scènes domestiques éclairées par les flammes sans presque parler à âme qui vive, ni même à ceux, les plus amicaux, qui m'invitaient à me joindre à ces réjouissances de dortoir.

Je suppose que j'étais un peu déprimé, maintenant que la nouveauté s'était émoussée, par la totale étrangeté de l'endroit où j'étais : un pays inconnu aux coutumes inconnues, peuplé d'inconnus, au climat imprévisible. Je me croyais malade, bien que je ne pense pas vraiment l'avoir été ; mais j'avais constamment froid et je ne pouvais pas dormir, parfois pas plus d'une ou deux heures par nuit.

Rien ne désoriente et ne rend plus seul que l'insomnie. Je passais les nuits à lire du grec jusqu'à quatre heures du matin ; les yeux me brûlaient, la tête me tournait, et la seule lumière allumée de Monmouth était la mienne. Quand je ne pouvais plus me concentrer sur le grec et que l'alphabet commençait à se transformer en un chaos de fourchettes et de triangles, je lisais *Gatsby le magnifique*. C'est un de mes livres préférés et je l'avais pris à la bibliothèque dans l'espoir de me remonter le moral ; naturellement, je n'en allais que plus mal, puisque grâce à ma totale absence d'humour, je ne voyais rien que je ne puisse interpréter comme certaines similarités tragiques entre Gatsby et moi-même.

---

« Je suis une survivante », me disait la fille, à la fête où j'étais. Elle était blonde et trop grande — presque autant que moi — et je n'avais pas eu à lui demander si elle venait de Californie. Je suppose que c'était quelque chose dans sa voix, dans cette surface de peau rougie et parsemée de taches de rousseur, tendue sur une clavicule osseuse, un sternum encore plus osseux et une cage thoracique que ne soulageait pas le moindre embryon de sein — qui s'offrait à moi à travers les lacunes d'un corselet de chez Gaultier. C'était du Gaultier, je le savais, parce qu'elle avait lâché ce nom négligemment. A mes yeux, ce n'était qu'une combinaison de plongée grossièrement lacée sur le devant.

Elle criait pour couvrir la musique. « J'imagine que j'ai eu la vie dure, avec ma blessure et tout » (j'avais déjà entendu ça ; des tendons relâchés, une perte pour le monde de la danse, une aubaine pour le monde du performance-art) « mais je suppose que j'ai simplement un sens très fort de moi-même, de mes propres besoins. Les autres comptent pour moi, bien sûr, mais j'en obtiens toujours ce que je veux, tu sais. » Elle avait la voix hachée par le staccato qu'affectent parfois les Californiens quand ils cherchent trop à se faire passer pour des new-yorkais, mais on entendait aussi la vitalité tranchante et optimiste de la Porte d'Or. Une majorette pour les damnés. Le genre de jolie fille à l'esprit vide, dévasté, qui ne m'aurait pas même donné l'heure en Californie. Ici, je comprenais qu'elle essayait de me draguer. Je n'avais couché avec personne, dans le Vermont, sinon une petite rouquine rencontrée dans une fête à mon premier week-end. Quelqu'un m'a dit plus tard que c'était l'héritière d'une papeterie du Middle West. Maintenant, quand je la croisais, je regardais ailleurs. (Comme doit faire un gentleman, disaient mes camarades en blaguant.)

« Veux-tu une cigarette ? » lui ai-je crié.

« Je ne fume pas. »

« Moi non plus, sauf dans les fêtes. »

Elle a ri. « Bon, sûr, donne m'en une, m'a-t-elle hurlé à l'oreille. Tu ne sais pas où on peut trouver un peu d'herbe, non ? »

Pendant que je lui donnais du feu, quelqu'un m'a donné un coup de coude dans le dos et j'ai été projeté en avant. La musique hurlait de façon démente, les gens dansaient, il y avait des flaques de bière par terre et une foule tapageuse au bar. Je ne voyais guère qu'une masse dantesque de corps sur la piste et un nuage de fumée qui cachait le plafond, et j'apercevais, là où la lumière du couloir venait percer l'obscurité, le reflet d'un verre ou des lèvres rouges en train de rire. Pour une fête, celle-ci se passait mal, de plus en plus mal — déjà des nouveaux se mettaient à vomir, faisant tristement la queue devant les toilettes — mais on était vendredi, j'avais passé toute la semaine à lire et je m'en moquais. Je savais qu'aucun de mes condisciples en grec ne serait là. Après être allé à toutes les soirées du vendredi depuis le début des cours, je savais qu'ils les évitaient comme la peste.

« Merci », a dit la fille. Elle s'était faufilée sur un escalier, où les choses étaient un peu plus calmes. Il était maintenant possible de parler sans crier, mais j'avais bu six vodka-tonic, je n'avais pas la moindre idée de ce que je pourrais lui dire et je ne me souvenais même pas de son nom.

« Euh, c'est quoi ta dominante », ai-je fini par dire d'une voix avinée.

Elle a souri. « Art-performance. Tu me l'as déjà demandé. »

« Désolé. J'ai oublié. »

Elle m'a regardé d'un œil critique. « Tu devrais te relaxer. Regarde tes mains. Tu es trop tendu. »

« Je ne suis jamais plus relaxé que ça », ai-je dit, tout à fait sincère.

Elle m'a regardé et une lueur de reconnaissance est née dans son œil. « Je sais qui tu es. » Elle a regardé ma veste, et la cravate avec des motifs imprimés de chasseurs de daim. « Judy m'a tout raconté sur toi. Tu es le nouveau qui fait du grec avec ces dingos. »

« Judy ? Comment ça, Judy t'a parlé de moi ? »

Elle n'en a pas tenu compte. « Tu ferais mieux de faire gaffe. On m'a dit des drôles de trucs sur ces gens. »

« Quel genre ? »

« Genre, putain, que ce sont des adorateurs du Diable. »

« Les Grecs ignorent le Diable », ai-je dit d'un ton pédant.

« Bon, ce n'est pas ce qu'on m'a dit. »

« Bon, et alors. Tu te trompes. »

« Ce n'est pas tout. J'ai aussi entendu d'autres trucs. »

« Quoi d'autre ? »

Elle n'a pas voulu le dire.

« Qui t'a raconté ça ? Judy ? »

« Non. »

« Qui, alors ? »

« Seth Gartrell, » a-t-elle lancé comme si cela réglait la question.

Il se trouvait que je connaissais Gartrell. C'était un mauvais peintre et une mauvaise langue, avec un vocabulaire presque entièrement composé d'obscénités, d'exclamations gutturales et du mot « postmoderne ». « Ce porc, ai-je dit. Tu le connais ? »

Elle m'a regardé avec un éclair d'hostilité. « Seth Gartrell est un bon ami à moi. »

J'avais vraiment un peu trop bu. « Ah bon ? Dis-moi, alors. Comment est-ce que sa copine se retrouve avec les yeux au beurre noir ? Et est-ce qu'il pisse vraiment sur ses tableaux comme Jackson Pollock ? »

« Seth, a-t-elle dit froidement, est un génie. »

« Vraiment ? Alors c'est sûrement un maître du faux semblant, n'est-ce pas ? »

« C'est un merveilleux peintre. Conceptuellement, c'est-à-dire. Tout le monde le dit au département Art. »

« Bon, alors. Si *tout le monde* le dit, ça doit être vrai. »

« Il y a beaucoup de gens qui n'aiment pas Seth. » Maintenant elle était en colère. « Je crois que c'est tout simplement un tas de jaloux. »

Une main m'a tiré par la manche, près du coude. Je me suis dégagé d'un haussement d'épaules. Avec la chance que j'avais, ce ne pouvait être que Judy Poovey, qui essayait de me tomber dessus comme elle faisait tous les vendredis soir presque à la même heure. Mais il y a eu une autre secousse, plus forte et plus impatiente ; agacé, je me suis retourné, et j'ai failli trébucher en arrière sur la blonde.

C'était Camilla. Ses yeux bleu acier brillaient dans la pénombre du bar. « Salut », a-t-elle dit.

Je l'ai regardée fixement. « Salut », ai-je répondu d'un ton qui se voulait nonchalant, tout en étant ravi et en lui faisant un grand sourire. « Comment ça va ? Qu'est-ce que tu fais là ? Je peux t'apporter un verre ? »

« Tu es pris ? »

J'avais du mal à penser. Ses cheveux courts et dorés bouclaient sur ses tempes de façon très séduisante. « Non, non, je ne suis pas pris du tout. » Je ne regardais plus ses yeux, mais cette zone fascinante autour de son front.

« Si tu l'es, tu n'as qu'à le dire », a-t-elle fait à mi-voix en regardant par-dessus mon épaule. « Je ne veux pas t'arracher à quoi que ce soit. »

« Non, je ne faisais rien. »

« Tu as envie d'aller passer le week-end à la campagne ? »

« Quoi ? »

« On part maintenant. Francis et moi. Il a une maison à une heure d'ici. »

J'étais vraiment ivre, sans quoi je n'aurais pas hoché la tête en la suivant sans poser une seule question. Pour atteindre la porte nous avons dû nous frayer un chemin sur la piste : la sueur, la chaleur, les clignotements d'arbre de Noël, une effroyable cohue. Quand nous avons fini par émerger, ça a été comme de plonger dans un bassin d'eau calme et fraîche. Étouffés par les fenêtres fermées, les hurlements et la musique dépravée continuaient à pulser.

« Mon Dieu, a dit Camilla. C'est infernal. Il y a des gens qui vomissent partout. »

Le gravier de l'allée s'argentait au clair de lune. Francis était debout à l'ombre des arbres. Quand il nous a vus venir il s'est avancé brusquement sous la lumière. « Bouh ! »

Nous avons fait un bond en arrière. Francis a eu un mince sourire ; son pince-nez frauduleux jetait des reflets d'acier, des volutes de fumée lui sortaient des narines. « Salut, m'a-t-il dit avant de jeter un coup d'œil à Camilla. Je croyais que tu t'étais enfuie, lui a-t-il lancé. »

« Tu aurais dû venir avec moi. »

« Je suis content de ne pas l'avoir fait, parce que j'ai vu des choses intéressantes dans le coin. »

« Comme quoi ? »

« Comme des gardiens qui emportaient une fille sur une civière et un chien noir qui attaquait des hippies. » Il a ri, jeté son trousseau de clefs en l'air et l'a rattrapé avec un cliquetis. « Vous êtes prêts ? »

---

Il avait une décapotable, une vieille Mustang, et nous avons fait le trajet capote baissée, tous les trois sur la banquette avant. Par extraordinaire, je n'étais jamais monté dans un cabriolet, et il est encore plus extraordinaire que j'aie réussi à m'endormir alors que le mouvement et mes nerfs auraient dû m'en empêcher, mais c'est ce que j'ai fait, je me suis endormi la joue appuyée au cuir capitonné de la portière, assommé aussi efficacement que par une piqûre grâce à ma nuit d'insomnie et aux six vodka-tonic de la soirée.

Je me souviens très peu du voyage. Francis conduisait à une allure raisonnable — c'était un chauffeur prudent, pas comme Henry, qui conduisait trop vite, parfois dangereusement, et de plus en y voyant mal. Le vent nocturne dans mes cheveux, leur conversation indistincte et la musique de la radio se mêlaient et se brouillaient dans mes rêves. Il me semblait n'avoir roulé que quelques minutes, quand soudain je me suis rendu compte du silence et de la main de Camilla sur mon épaule. « Réveille-toi. On est arrivés. »

Ahuri, à moitié dans mon rêve, sachant à peine où j'étais, j'ai secoué la tête et je me suis redressé. Ma joue était mouillée de bave, et je me suis essuyé d'un revers de main.

« Tu es réveillé ? »

« Oui. » Mais c'était faux. Il faisait noir et je n'y voyais rien. Mes doigts ont fini par trouver la poignée, et c'est seulement quand je suis descendu de voiture que la lune est sortie des nuages et que j'ai aperçu la maison. Elle était gigantesque. J'ai vu se découper sur le ciel, en ombre chinoise, des tourelles, des clochetons, une tour de guet.

« Jésus », ai-je dit.

Francis était debout à côté de moi, mais j'en avais à peine conscience avant qu'il ne se mette à parler, et j'ai sursauté de l'entendre si proche. « On ne peut pas bien s'en faire une idée de nuit. »

« Elle t'appartient ? »

Il a ri. « Non. C'est à ma tante. Bien trop grande pour elle, mais elle ne veut pas vendre. Elle et mes cousins y viennent l'été, et il n'y a qu'un gardien le restant de l'année. »

Le hall d'entrée, qui sentait légèrement le moisi, était aussi mal éclairé qu'avec un éclairage au gaz ; les palmiers en pot projetaient des ombres en toile d'araignée sur les murs, et on voyait planer au plafond, si haut que la tête me tournait, le reflet déformé de nos propres ombres. Au fond de la maison, quelqu'un jouait du piano. Des photographies et des portraits ténébreux, dans des cadres dorés, s'alignaient sur les murs.

« Il y a une odeur terrible, a dit Francis. Demain, s'il fait beau, on aérera, Bunny a de l'asthme avec toute cette poussière... C'est mon arrière-grand-mère, a-t-il ajouté en voyant qu'une photographie avait retenu mon attention. Et à côté c'est son frère — il a coulé avec le *Titanic*, le pauvre. On a trouvé sa raquette de tennis qui flottait dans l'Atlantique Nord environ trois semaines après. »

« Viens voir la bibliothèque », a dit Camilla.

Francis sur nos talons, nous avons traversé l'entrée et plusieurs autres pièces — un salon jaune citron avec des appliques et des miroirs dorés, une salle à manger obscure en acajou, d'autres, à peine entraperçues, où j'aurais voulu m'attarder.

En arrivant dans la bibliothèque, j'ai eu le souffle coupé

et je me suis figé sur place : des rayonnages vitrés, des boiseries gothiques rejoignant cinq mètres plus haut un plafond avec fresques et médaillons. Au fond de la pièce, une cheminée en marbre vaste comme un tombeau, et un lustre à gaz, sous globe, où étincelait un ruissellement de prismes et de perles de cristal.

Il y avait aussi un piano à queue et Charles était en train de jouer, son whisky posé à côté de lui sur la banquette. Il était légèrement ivre, son Chopin était fluide et un peu brouillé, les notes alanguies se fondaient l'une dans l'autre. Un courant d'air a fait frémir les épais rideaux de velours mité et lui a soulevé les cheveux.

« Fichtre », ai-je dit.

Le piano s'est arrêté net, Charles a levé les yeux. « Eh bien vous voilà. Vous êtes terriblement en retard. Bunny est allé dormir. »

« Où est Henry ? » a dit Francis.

« Il travaille. Il descendra peut-être avant de se coucher. »

Camilla s'est approchée du piano et a bu une gorgée dans le verre de Charles. « Tu devrais jeter un coup d'œil aux livres, m'a-t-elle dit. Il y a même une édition originale d'*Ivanhoe*. »

« En fait, je crois qu'ils l'ont vendue », a précisé Francis qui s'est installé dans un fauteuil en cuir pour allumer une cigarette. « Il y a un ou deux trucs intéressants, mais c'est surtout Marie Corelli et les vieux *Rover Boys*. »

Je me suis approché des rayonnages. Quelque chose intitulé *London* par un certain Pennant, six volumes reliés en cuir rouge — des volumes massifs, de deux pieds de haut. A côté, *The Club History of London*, tout aussi massifs, reliés en veau presque blanc. Le livret des *Pirates of Penzance*. D'innombrables *Bobbsey Twins*. Le *Marino Faliero* de Byron, relié en cuir noir, avec au dos la date 1821 en chiffres dorés.

« Hé, sers-toi un verre si tu veux boire », a dit Charles à Camilla.

« Je ne veux pas un verre. Je veux un peu du tien. »

Il lui a tendu son verre d'une main tandis que de l'autre il boulait une gamme particulièrement difficile.

« Joue quelque chose », ai-je demandé.

Il a levé les yeux au ciel.

« Oh ! vas-y », a dit Camilla.

« Non. »

« Naturellement, il ne sait pas jouer vraiment quoi que ce soit », a dit Francis à mi-voix d'un ton compatissant.

Charles a bu une gorgée de whisky et grimpé encore d'un octave, faisant des trilles au hasard de la main droite. Puis il a tendu son verre à Camilla pour libérer sa main gauche, et les trilles sont devenus l'ouverture d'un air de Scott Joplin.

Il jouait avec entrain, les manches retroussées, sautillant du grave à l'aigu avec les syncopes acrobatiques d'un danseur de claquettes montant l'escalier des Ziegfeld Follies. Camilla, à côté de lui sur la banquette, m'a souri. Je lui ai rendu son sourire, un peu médusé. Le plafond renvoyait un écho fantomatique, donnant à toute cette gaieté désespérée la qualité d'un souvenir — alors même que j'étais en train de l'écouter — le souvenir de choses que je n'aurais jamais connues.

Des charlestons dans le ciel sur les ailes d'un biplan. Des fêtes sur des navires qui sombrent, l'eau glacée bouillonnant à mi-hauteur de l'orchestre qui joue courageusement *Auld Lang Syne* une dernière fois. En fait, ce n'est pas *Auld Lang Syne* qu'on a chanté sur le *Titanic*, le soir du naufrage, mais des hymnes. Beaucoup d'hymnes, avec le curé disant des *Je vous salue Marie*, et le salon des premières qui devait beaucoup ressembler à cette pièce : le bois sombre, les palmiers en pot, les abat-jour en soie rose avec leur frange qui oscillait. J'avais vraiment un peu trop bu. J'étais assis de côté sur mon fauteuil, cramponné aux accoudoirs (*Sainte Marie, Mère de Dieu*), le plancher lui-même se mettait à pencher, comme le pont d'un navire en perdition, et nous allions glisser à l'autre bout avec un *Ouiii* hystérique, piano et tout.

Il y a eu des pas dans l'escalier et Bunny, en pyjama, les yeux plissés et les cheveux dressés, est entré en titubant. « Bon Dieu, vous m'avez réveillé. » Mais personne n'a fait attention à lui ; il a fini par se servir à boire et remonter les marches en vacillant, pieds nus, jusqu'à son lit.

---

Le classement chronologique de la mémoire est un exercice intéressant. Avant ce premier week-end à la campagne, mes souvenirs de cet automne sont lointains et brumeux ; après, ils ont une précision aiguë, délicieuse. C'est là que les mannequins guindés de la première rencontre commencent à bâiller, à s'étirer et à prendre vie. Il a fallu des mois pour que le mystère et le vernis de la nouveauté, qui m'empêchaient de les voir avec une objectivité quelconque, s'effacent complètement — bien que leur réalité fût beaucoup plus intéressante que n'importe quelle version idéalisée aurait pu l'être — mais c'est là, dans mon souvenir, qu'ils cessent de m'être complètement étrangers et commencent à prendre pour la première fois une forme très proche de leur être véritable.

Moi-même, j'apparais dans ces premiers souvenirs un peu comme un étranger : aux aguets, réticent, curieusement silencieux. Toute ma vie, devant ma timidité, les gens m'ont cru maussade, ou snob, ou de mauvais caractère. « Ne prends pas ton air supérieur ! » me criait parfois mon père quand je mangeais, que je regardais la télévision ou qu'en tout cas je m'occupais de mes affaires. Mais la structure de mon visage (c'est en fait ce dont il s'agit, je crois, la façon dont les coins de ma bouche s'abaissent sans grand rapport avec mon humeur) a tourné aussi souvent à mon avantage qu'en ma défaveur. Plusieurs mois après les avoir rencontrés tous les cinq, j'ai été surpris d'apprendre qu'au début ils avaient été presque aussi déconcertés par moi que moi par eux. Jamais il ne m'était venu à l'idée que mon comportement pût leur paraître autre que gauche et provincial, et sûrement pas qu'il leur ait semblé aussi énigmatique qu'ils me l'ont dit ; pourquoi, ont-ils fini par me demander, n'avais-je rien dit de moi à personne ? Pourquoi avais-je fait de tels efforts pour les éviter ? (Surpris, j'ai compris que mon habitude de me cacher sous les porches n'était pas aussi clandestine que je l'avais cru.) Et pourquoi n'avais-je rendu aucune de leurs invitations ? Alors que j'avais cru qu'ils me snobaient, je me rendais compte maintenant qu'ils ne faisaient qu'attendre, aussi poliment que des vieilles filles, que je fasse un geste à mon tour.

De toute façon, c'est le week-end où les choses ont commencé à changer, où les gouffres obscurs entre chaque lampadaire sont devenus plus étroits et plus rares, premier signe que le train où on se trouve approche d'un territoire familier et va bientôt traverser les quartiers mieux connus et mieux éclairés de la ville. La maison, c'était leur atout, leur trésor le plus précieux, et au cours du week-end ils me l'ont dévoilé sournoisement, par degrés — les petites chambres vertigineuses des tourelles, la haute charpente du grenier, le vieux traîneau dans la cave, enguirlandé de clochettes, si grand qu'on lui attelait jadis quatre chevaux. La remise des voitures était la maison du gardien. (« Voilà Mme Hatch, dans la cour. Elle est gentille mais son mari est un Adventiste du Septième jour ou autre, très strict. Il faut qu'on cache toutes les bouteilles quand il entre dans la maison. »

« Ou alors ? »

« Ou alors il devient déprimé et se met à laisser des tracts un peu partout. »)

L'après-midi nous sommes allés jusqu'au lac, qui était discrètement partagé entre plusieurs propriétés adjacentes. Sur le chemin, on m'a montré le court de tennis et l'ancien chalet d'été — imitation *tholos*, dorique revu par Pompéi, Stanford White et aussi (a dit Francis, qui méprisait cette aspiration victorienne au classicisme) par D.W. Griffith et Cecil B. De Mille. La chose était en plâtre, m'a-t-il dit, et était venue en pièces détachées de Sears & Roebuck. Les jardins, par endroits, gardaient des traces de la netteté géométrique victorienne, du dessin original : les basssins asséchés, les longues colonnades blanches des pergolas squelettiques, les parterres bordés de rocaille où ne poussait plus aucune fleur. Mais la plupart de ces traces étaient oblitérées, les haies redevenaient sauvages et les arbres du cru — ormes des marais et mélèzes d'Amérique — étaient plus nombreux que les cognassiers et les araucarias.

Le lac, entouré de bouleaux, était lumineux et tranquille. Nichée dans les joncs, il y avait une petite barque en bois, peinte en blanc à l'extérieur, en bleu à l'intérieur.

« On peut la prendre ? » ai-je demandé, curieux.

« Bien sûr. Mais on ne peut pas tous monter, on coulerait. »

Je n'étais jamais monté en barque de ma vie. Henry et Camilla sont venus avec moi — Henry a pris les rames, les manches relevées jusqu'aux coudes, sa veste noire posée à côté de lui. Il avait l'habitude, comme je devais le découvrir plus tard, de se lancer dans des monologues didactiques, intenses et entièrement autonomes, à propos de ce qui l'intéressait à tel ou tel moment — les Catuvellauni, la peinture de la fin de l'empire byzantin ou les chasseurs de tête des îles Salomon. Ce jour-là il a parlé d'Élisabeth et de Leicester, je m'en souviens : l'épouse assassinée, la barge royale, la reine sur un cheval blanc qui s'adresse aux soldats au Fort de Tilbury, Leicester et le comte d'Essex tenant la bride royale... Le remous des rames et le bourdonnement hypnotique des libellules se fondaient à son discours érudit. Camilla, les joues rouges, ensommeillée, laissait traîner sa main dans l'eau. Les feuilles jaunies des bouleaux tombaient des arbres et flottaient jusqu'au lac. C'est bien des années plus tard, et très loin de là, que je suis tombé sur ce passage de *The Waste Land* :

Elisabeth et Leicester
Battant des rames
La proue était formée
Une coquille dorée
Rouge et or
La forte houle
Ride les deux rives
Le vent du sud-ouest
Emporte en aval
Le son des cloches
Tours blanches
Weialala leia
Wallala leilala

Nous avons traversé le lac et nous sommes revenus, à moitié aveuglés par le soleil, pour trouver Bunny et Charles sur la véranda en train de manger des sandwichs au jambon et de jouer aux cartes.

« Un peu de champagne, vite, a dit Bunny. Il va être éventé. »

« Où est-il ? »

« Dans la théière. »

« M. Hatch serait hors de lui s'il voyait une bouteille sur la véranda », a précisé Charles.

Ils jouaient à la bataille ; c'était le seul jeu de cartes que connaissait Bunny.

---

Dimanche, je me suis réveillé dans le silence. Francis avait donné mes vêtements à Mme Hatch pour les laver ; enfilant la robe de chambre qu'il m'avait prêtée, je suis allé m'asseoir quelques minutes sur la véranda en attendant le réveil des autres.

Dehors, l'air était frais, immobile, le ciel avait cette blancheur voilée propre aux matins d'automne, et les chaises en osier étaient trempées par la rosée. Les haies et les hectares de pelouse étaient couverts d'un réseau de toiles d'araignée emperlées de rosée qui brillait comme du givre. Sur les gouttières, les hirondelles s'agitaient et battaient des ailes en préparant leur migration, et derrière le tapis de brouillard qui recouvrait le lac, j'entendais le cri rauque et solitaire des canards sauvages.

« Bonjour », a dit derrière moi une voix neutre.

Surpris, je me suis retourné et j'ai vu Henry assis à l'autre bout de la véranda. Il était sans veste mais parfaitement immaculé malgré l'heure matinale : le pantalon fraîchement repassé, la chemise blanche amidonnée. Devant lui, sur la table, des livres et des papiers, une cafetière fumante, une tasse minuscule et — à ma grande surprise — une cigarette sans filtre qui se consumait dans un cendrier.

« Tu te lèves tôt », ai-je dit.

« Je me lève toujours tôt. Le matin, pour moi, c'est le meilleur moment pour travailler. »

J'ai jeté un coup d'œil à ses livres. « Qu'est-ce que tu fais ? Du grec ? »

Il a reposé la tasse sur la soucoupe. « Une traduction du *Paradis perdu*. »

« En quelle langue ? »

« En latin », a-t-il dit d'un ton solennel.

« Hmmm. Pourquoi ? »

« Ce que ça va donner m'intéresse. Milton est selon moi notre plus grand poète anglais, plus grand que Shakespeare, mais je pense qu'en un sens il est regrettable qu'il ait choisi d'écrire en anglais — bien sûr, il a écrit une quantité non négligeable de poésie latine, mais c'était au début, alors qu'il était étudiant ; alors que je me réfère à ses œuvres plus tardives. Dans le *Paradis perdu* il pousse l'anglais à ses limites extrêmes, mais je crois qu'aucun langage sans déclinaisons ne pourra jamais supporter l'ordre structural qu'il essaie d'imposer. » Il a reposé sa cigarette dans le cendrier. Je l'ai regardée brûler. « Veux-tu un peu de café ? »

« Non, merci. »

« J'espère que tu as bien dormi. »

« Oui, merci. »

« Je dors mieux ici que d'habitude ailleurs », a dit Henry en remontant ses lunettes et en se penchant à nouveau sur son dictionnaire. Il y avait dans l'angle de ses épaules une légère indication de fatigue et d'effort que moi-même, vétéran de nombreuses nuits sans sommeil, j'ai immédiatement reconnue. Je me suis brusquement rendu compte que ce labeur ingrat n'était probablement rien d'autre qu'un moyen de tromper les petites heures du matin, de même que certains insomniaques font des mots croisés.

« Tu te lèves toujours aussi tôt ? »

« Presque toujours, a-t-il répondu sans lever la tête. C'est très beau, ici, mais la lumière du matin peut rendre tolérables les choses les plus vulgaires. »

« Je sais ce que tu veux dire. » C'était vrai. La seule heure du jour, ou presque, que j'avais supportée à Plano, c'était le début de la matinée, presque à l'aube, quand les rues étaient vides, la lumière douce et dorée sur l'herbe sèche, les barrières en grillage, les chênes nains solitaires.

Henry a levé les yeux, presque avec curiosité. « Tu n'étais pas très heureux là d'où tu es venu, n'est-ce pas ? »

J'ai été stupéfait de cette deduction à la Sherlock Holmes. Il a souri de me voir si déconfit.

« Ne t'inquiète pas. Tu le caches de façon très astucieuse », a-t-il dit en revenant à son livre. Puis il m'a regardé à nouveau. « Les autres ne comprennent pas vraiment ce genre de choses, vois-tu. »

Il a dit cela sans malice, sans se mettre à ma place, sans même y attacher beaucoup d'intérêt. Je n'étais pas vraiment sûr de ce qu'il voulait dire, mais pour la première fois, j'ai entraperçu quelque chose que je n'avais pas encore compris : pourquoi les autres avaient tant d'affection pour lui. Les grands enfants (un oxymoron, je le sais bien) tendent instinctivement aux extrêmes ; le jeune lettré est beaucoup plus pédant que son collègue plus âgé. Et moi-même, encore jeune, je prenais ces affirmations de Henry très au sérieux. Je doute que Milton en personne eût pu m'impressionner autant.

---

Je suppose qu'il y a certain moment crucial dans la vie de chacun où le caractère est à jamais fixé ; pour moi, c'est ce premier automne que j'ai passé à Hampden. Il me reste tant de choses de cette époque, même aujourd'hui : mes goûts en matière de vêtements, de livres et même de cuisine — largement acquis, je dois le reconnaître, dans l'émulation adolescente de ma classe de grec — sont restés les mêmes au cours des années. Il m'est facile, même maintenant, de me rappeler leur routine quotidienne, qui est ensuite devenue la mienne. Quelles que fussent les circonstances, leur vie était réglée comme du papier à musique, avec étonnamment peu de ce chaos qui m'avait toujours paru faire partie intégrante de la vie d'étudiant — alimentation irrégulière, horaires capricieux, expéditions à la laverie à une heure du matin. Il y avait certains moments du jour ou de la nuit, même lorsque le monde s'écroulait, où on était certain de trouver Henry dans la salle de nuit de la bibliothèque, et où on savait qu'il était inutile de chercher Bunny, parce qu'il avait son rendez-vous du mercredi avec Marion ou sa promenade du dimanche. (Plutôt à la façon dont l'Empire romain a continué à se gouverner seul, même lorsqu'il n'y avait plus personne pour gouverner et que les raisons pour ce faire avaient disparu depuis longtemps, une grande partie de cette routine est restée intacte même pendant les terribles journées après la mort de Bunny. Jusqu'au bout il y a toujours eu, toujours, le dîner du dimanche soir chez Charles et Camilla, sauf le soir du meurtre, car personne n'avait envie de manger et il a été reporté au lundi.)

J'étais étonné de la facilité avec laquelle ils m'incorporaient à leur mode de vie cyclique, byzantin. Ils étaient tous tellement habitués l'un à l'autre que je crois qu'ils me trouvaient rafraîchissant, et ils étaient intrigués par mes habitudes les plus banales, comme d'employer des rasoirs jetables du supermarché et de me couper les cheveux moi-même au lieu d'aller chez le coiffeur ; même par le fait que je lisais les journaux et que je regardais les informations à la télévision de temps en temps (ce qui leur paraissait une scandaleuse excentricité, à mon seul usage ; aucun d'eux ne s'intéressait en rien à ce qui se passait dans le reste du monde, et leur ignorance des événements actuels et même de l'histoire récente était plutôt ahurissante. Une fois, à dîner, Henry a été très surpris d'apprendre de moi que des hommes avaient marché sur la lune. « Non », a-t-il dit en posant sa fourchette.

« C'est vrai », ont dit en chœur les autres, qui avaient je ne sais comment réussi à glaner ce détail.

« Je n'y crois pas. »

« Je l'ai vu, a dit Bunny. C'était à la télévision. »
*« Comment sont-ils arrivés là-bas ? Quand est-ce arrivé ? »*)

En groupe, ils étaient toujours intimidants, et c'est individuellement que j'ai vraiment pu les connaître. Sachant que je dormais très tard, comme lui, Henry passait quelquefois me voir dans la nuit, en rentrant de la bibliothèque. Francis, qui était terriblement hypocondriaque et refusait d'aller seul chez le médecin, me traînait souvent avec lui, et c'est au cours de ces trajets vers Manchester pour aller voir l'allergologue, ou vers Keene pour l'oto-rhino-laryngologiste, que nous sommes devenus amis. Cet automne-là, il a dû se faire enlever le nerf d'une dent, pendant quatre ou cinq semaines. Tous les mercredis après-midi il arrivait dans ma chambre, blême et silencieux, on allait ensemble dans un bar de la ville et on buvait jusqu'à trois heures, l'heure de son rendez-vous. Le but ostensible de ma présence était de le raccompagner ensuite, encore étourdi par l'anesthésie, mais comme je l'attendais au bar pendant qu'il traversait la rue pour aller chez le dentiste, je n'étais généralement pas plus que lui en état de conduire.

Ceux que je préférais, c'étaient les jumeaux. Ils se montraient avec moi d'une gaieté spontanée, impliquant que nous nous connaissions en fait depuis longtemps. Camilla était ma favorite, mais quel que soit le plaisir de sa compagnie j'étais toujours un peu embarrassé en sa présence, non qu'elle manquât de charme ou de gentillesse envers moi, mais par ma faute, à cause d'un trop grand désir de lui faire bonne impression. Alors que j'attendais de la voir avec impatience, que je pensais souvent à elle avec sollicitude, je me sentais plus à l'aise avec Charles. Il ressemblait beaucoup à sa sœur, impulsif, généreux, mais d'humeur plus changeante, avec parfois de longues périodes de morosité, en dehors desquelles il était très bavard. Dans les deux cas, je m'entendais très bien avec lui. On empruntait la voiture d'Henry pour aller dans le Maine, où il pouvait prendre un sandwich-club dans un bar qu'il aimait bien, ou à Bennington, à Manchester, aux courses de lévriers de Pownal, d'où il a fini par ramener à la maison un chien trop vieux pour courir afin de lui éviter d'être piqué. Le chien s'appelait Frost. Il adorait Camilla et la suivait partout : Henry citait de longs passages sur Madame Bovary et sa chienne : « *Sa pensée, sans but d'abord, vagabondait au hasard, comme sa levrette, qui faisait des cercles dans la campagne...* » Mais l'animal était affaibli, hypertendu, et il eut une crise cardiaque à la campagne un beau matin de décembre, alors qu'il sautait joyeusement de la véranda à la poursuite d'un écureuil. Cela n'avait rien d'inattendu ; au champ de course, on avait prévenu Charles que le chien pourrait mourir dans la semaine, mais les jumeaux en ont été bouleversés, et nous avons passé un triste après-midi à l'enterrer dans le jardin derrière la maison, là où une des tantes de Francis avait un cimetière pour chats très élaboré, avec des pierres tombales.

Et le chien aimait bien Bunny. Il nous accompagnait, Bunny et moi, dans de longues balades éreintantes à la campagne tous les dimanches, à travers prés et marais, barrières et torrents. Bunny aussi adorait se promener — on aurait dit un vieil épagneul, et ses balades étaient si épuisantes qu'il avait du mal à trouver des compagnons, à part moi et le chien —, et c'est à cause de ces expéditions que j'ai appris à connaître le pays environnant, les layons des bûcherons comme les sentiers des chasseurs, les cascades invisibles et les trous d'eau secrets.

Marion, la petite amie de Bunny, était étonnamment peu présente ; en partie, je crois, parce qu'il n'en avait pas envie, mais peut-être aussi parce qu'elle s'intéressait encore moins à nous que nous à elle. (« Elle aime beaucoup passer du temps avec ses copines, se vantait Bunny devant Charles et moi. Elles discutent de fringues et de mecs et ce genre de conneries. Vous savez bien. ») C'était une blonde petite et vive du Connecticut, jolie à la façon banale dont Bunny était beau garçon, avec un visage rond et une manière de s'habiller à la fois comme une petite fille et une mère de famille — des jupes à fleurs, des pulls à ses initiales avec sacs et chaussures assorties. De temps en temps, en allant prendre mes cours, je la voyais de loin dans la cour du Centre de puériculture. Cela faisait partie du département d'éducation élémentaire de Hampden ; des enfants de la ville venaient à la crèche et au jardin d'enfants, et elle était avec eux, dans ses pulls à monogramme, donnant des coups de sifflet pour essayer de les faire taire et se mettre en rangs.

Personne n'en parlait beaucoup, mais j'ai compris que les premières tentatives, bientôt avortées, d'inclure Marion dans les activités du groupe, avaient été désastreuses. Elle aimait bien Charles, qui était généralement poli avec tout le monde et capable de soutenir une conversation avec n'importe qui, que ce soit un petit garçon ou une serveuse de la cafétéria, et elle regardait Henry, de même que la plupart des gens qui le connaissaient, avec une sorte de respect craintif, mais elle détestait Camilla, et il y avait eu entre elle et Francis je ne sais quel incident catastrophique et terrifiant au point que personne ne voulait même en dire un mot. Bunny et elle avaient une relation dont j'avais rarement vu la pareille sauf chez des couples mariés depuis vingt ans et plus, une relation qui oscillait entre le touchant et l'horripilant. Avec lui elle était très autoritaire, femme d'affaires, et le traitait comme ses gosses du jardin d'enfants ; il réagissait de la même manière en alternant les cajoleries, l'affection et les bouderies. La plupart du temps il supportait ses piques avec patience, mais sinon il s'ensuivait des disputes terribles. Parfois il frappait chez moi en fin de soirée, hagard, les yeux fous, plus fripé que d'habitude, et marmonnait : « Laisse-moi entrer, mon vieux, faut que tu m'aides, Marion est sur le sentier de la guerre... »

Quelques minutes plus tard il y avait une rafale de coups secs et précis sur la porte, *rat-a-tat-tat*. C'était Marion, sa petite bouche pincée, l'air d'une minuscule poupée en colère.

« Bunny est là ? » disait-elle sur la pointe des pieds et en tendant le cou pour voir à l'intérieur.

« Il n'est pas là. »

« Tu es sûr ? »

« Il n'est pas là, Marion. »

« Bunny ! » criait-elle d'un ton menaçant.

Pas de réponse.

« *Bunny !* »

Et alors, à ma grande honte, Bunny émergeait, tout penaud. « Hello, ma douce. »

« Où étais-tu ? »

Bunny faisait des euh et des ah.

« Bon, je crois qu'il faut qu'on parle. »

« Je suis occupé, mon chou. »

« Bon » — elle regardait sa petite montre Cartier très chic — « je rentre chez moi. Je resterai debout environ une demi-heure avant de me coucher. »

« Parfait. »

« Donc on se voit dans une vingtaine de minutes. »

« Hé, attends une seconde. Je n'ai jamais dit que j'allais... »

« A tout de suite », et elle s'en allait.

« Je n'y vais pas », disait Bunny.

« A ta place, moi non plus. »

« Je veux dire, pour qui elle se prend. »

« N'y vas pas. »

« Je veux dire, faut lui donner une bonne leçon, un jour. Je suis un type occupé. Actif. Mon temps m'appartient. »

« Exactement. »

Un silence embarrassé. Finalement Bunny se levait. « Vaut mieux que j'y aille, j'imagine. »

« Très bien, Bun. »

« Je veux dire, je vais pas aller chez Marion, si c'est ça que tu penses », protestait-il, sur la défensive.

« Bien sûr que non. »

« Oui, oui », disait-il, déjà ailleurs, l'air fanfaron.

Le lendemain, Marion et lui déjeunaient ensemble où passaient près du terrain de jeux. « Alors c'est arrangé entre Marion et toi, hein ? » disait l'un de nous quand on le trouvait seul.

« Oh, ouais », répondait-il, gêné.

---

Les week-ends chez Francis étaient les moments les plus heureux. Les arbres ont jauni très tôt, cet automne-là, mais il a fait assez chaud jusqu'en octobre et nous passions la plus grande partie du temps dehors. A part une vague partie de tennis de temps en temps (les volées sortaient du court, on cherchait mollement la balle dans l'herbe du bout de la raquette), nous ne faisions rien de très athlétique. Cet endroit nous inspirait une paresse merveilleuse, que je n'avais plus connue depuis l'enfance.

Maintenant que j'y pense, il me semble qu'à la campagne nous buvions presque constamment — pas énormément d'un coup, mais le mince filet alcoolisé qui commençait aux Bloody Mary du petit déjeuner coulait jusqu'au soir, et c'est probablement ce qui expliquait, plus qu'autre chose, notre torpeur. Je sortais avec un livre et je m'endormais presque aussitôt dans mon fauteuil ; si je prenais la barque, j'étais bientôt fatigué de ramer et je me laissais dériver tout l'après-midi. (Cette barque ! Parfois, même encore aujourd'hui, quand j'ai du mal à dormir, j'essaie d'imaginer que je suis allongé au fond de la barque, la tête appuyée sur les membrures de la proue, avec le clapotement sourd de l'eau contre la coque et les feuilles de bouleau jaunies qui viennent m'effleurer le visage en tombant.) A l'occasion, on essayait quelque chose d'un peu plus ambitieux. Un jour, quand Francis a trouvé un Beretta et des cartouches dans la table de nuit de sa tante, nous avons eu un bref accès de tir à la cible (le lévrier, rendu nerveux par des années de starting-gun, a dû être enfermé à la cave), et tiré sur des bocaux alignés sur une table en osier que nous avons traînée dans la cour. Mais ça s'est arrêté très vite quand Henry, très myope, a tué un canard par erreur. Il en a été très affecté et nous avons remis le pistolet à sa place.

Les autres aimaient jouer au croquet, mais pas Bunny ni moi ; nous n'avions pas le coup de main, et nous nous escrimions à grands coups comme pour jouer au golf. De temps en temps, nous avions assez d'énergie pour faire un pique-nique. Au départ, notre ambition chaque fois trop grande — un menu compliqué, un lieu lointain et inconnu — nous retrouvait invariablement rouges et endormis, un peu ivres, peu disposés à nous traîner le long du chemin avec toutes nos affaires. D'habitude on restait couchés dans l'herbe tout l'après-midi, en buvant des martinis à la bouteille thermos et en regardant les fourmis dessiner un fil noir et luisant sur l'assiette du gâteau, jusqu'à ce qu'il n'y ait plus rien à boire, que le soleil se couche, et on devait rentrer en clopinant dans l'obscurité.

C'était chaque fois une occasion exceptionnelle quand Julian acceptait une invitation à dîner à la campagne. Francis commandait toutes sortes de choses à l'épicerie, feuilletait des livres de cuisine et passait des jours à se demander quel plat préparer, quel vin pour l'accompagner, quelles assiettes, et ce qu'il fallait garder en réserve au cas où le soufflé serait raté. Les smokings allaient chez le teinturier, des fleurs nous venaient de chez le fleuriste. Bunny lâchait *La Fiancée de Fu Manchu* et se promenait avec un volume d'Homère sous le bras.

Je ne sais pourquoi nous tenions à faire une telle cérémonie de ces dîners, parce qu'à l'arrivée de Julian nous étions toujours épuisés et à bout de nerfs. C'était une tension terrible pour tout un chacun, y compris l'invité, j'en suis sûr — bien qu'il fît invariablement preuve de la meilleure humeur, se montrât plein de grâce et de charme, absolument ravi de tout et de tout le monde — malgré le fait qu'il n'acceptait en moyenne qu'une invitation sur trois. Je me découvrais moins à même de cacher les signes de ma gêne dans mon smoking d'emprunt, inconfortable, et avec ma connnaissance rudimentaire de l'étiquette de ces dîners. Les autres étaient plus experts à ce genre de camouflage. Cinq minutes avant l'arrivée de Julian, ils pouvaient être vautrés dans le salon — les rideaux tirés, le dîner en train de mijoter à la cuisine sur des chauffe-plats, tous ayant les yeux éteints par la fatigue, occupés à tirer sur leurs faux-cols —, mais au coup de sonnette leurs dos se redressaient, la conversation reprenait vie et même leurs habits se défroissaient.

Même si, à l'époque, ces dîners me semblaient ennuyeux et lassants, je trouve aujourd'hui à leur souvenir quelque chose de merveilleux : la pièce sombre et caverneuse au plafond voûté, le feu qui crépite dans la cheminée, nos visages illuminés, pâles comme des spectres. Les flammes magnifiaient nos ombres, se reflétaient sur l'argenterie, en haut des murs, et une lueur orange incendiait les vitres comme si dehors une ville brûlait. Le grondement du feu évoquait une volée d'oiseaux pris au piège qui auraient tourbillonné près du plafond. Et je n'aurais pas été surpris de voir la longue table de banquet en acajou, avec sa nappe en lin chargée de porcelaine, de bougies, de fruits et de fleurs, disparaître d'un instant à l'autre comme le panier magique d'un conte de fées.

Une scène récurrente d'un de ces dîners refait régulièrement surface, comme la lame de fond d'un rêve obsessionnel. Julian, à la tête de la grande table, se met debout et lève son verre. « A la vie éternelle. »

Nous nous levons aussi, et nous entrechoquons nos verres au travers de la table, comme un régiment de cavalerie croiserait le sabre : Henry et Bunny, Charles et Francis, Camilla et moi. « A la vie éternelle », disons-nous en chœur en vidant nos verres à l'unisson.

Et chaque fois, chaque fois, ce même toast. La vie éternelle.

---

Maintenant je m'étonne d'avoir été si souvent avec eux et d'en avoir su si peu sur ce qui se passait en cette fin de trimestre. Concrètement, presque rien n'indiquait qu'il se passait quoi que ce soit — ils étaient trop malins pour ça — mais j'accueillais avec une sorte d'aveuglement volontaire les infimes contradictions, les grincements ténus qui leur échappaient. Autrement dit, je voulais maintenir l'illusion qu'ils étaient d'une parfaite franchise avec moi, que nous étions amis, qu'il n'y avait pas de secrets entre nous, alors qu'en vérité il existait beaucoup de choses dont ils ne me parlaient pas et ne me parleraient pas de longtemps. Et en même temps que je m'efforçais de l'ignorer, j'en étais conscient. Je savais, par exemple, qu'ils faisaient parfois tous les cinq des choses — quoi, exactement, je n'en savais rien — sans m'y inviter, et mis au pied du mur ils étaient solidaires dans le mensonge, d'une façon désinvolte et très convaincante. Si convaincante, en fait, si parfaitement orchestrée dans les variations et les contrepoints de leurs falsifications (le regard direct et insouciant des jumeaux sonnant clair et juste par rapport aux clowneries de Bunny, ou l'ennui agacé de Henry à devoir ressasser une série de faits triviaux) qu'habituellement j'en venais à les croire, malgré l'abondance de preuves du contraire.

Naturellement, je peux voir après coup les traces de ce qui se passait — des traces presque imperceptibles, il faut l'admettre : à la façon dont il leur arrivait de disparaître, en grand mystère, et de rester dans le vague sur leurs activités quelques heures plus tard ; à leurs plaisanteries entre eux, leurs apartés faits en grec ou même en latin, je m'en rendais bien compte, pour me passer au-dessus de la tête. Cela ne me plaisait pas, bien sûr, mais cela n'avait rien d'insolite ou d'alarmant, bien que certaines de ces remarques et plaisanteries aient pris beaucoup plus tard une signification horrifiante. Vers la fin de ce trimestre, par exemple, Bunny a pris l'habitude exaspérante de chanter le refrain du *Paysan dans la vallée* ; j'en étais simplement agacé et je ne comprenais pas les réactions violentes que cela provoquait chez les autres, ne sachant pas alors qu'ils devaient en être glacés jusqu'aux os.

Naturellement, j'ai remarqué certaines choses, le contraire aurait été impossible, je suppose, à être si souvent avec eux. Par exemple : tous les cinq paraissaient être particulièrement sujets aux accidents. Ils se faisaient toujours griffer par des chats, se coupaient en se rasant, se cognaient à des tabourets dans le noir — des explications raisonnables, certes, mais pour des sédentaires ils avaient une bizarre accumulation de bleus et autres écorchures. Il y avait aussi leur curieuse préoccupation du temps qu'il faisait ; curieuse, à mes yeux, puisqu'aucun ne paraissait avoir une activité pouvant être facilitée ou empêchée par un climat quelconque. Et pourtant cela les obsédait, surtout Henry. Il s'inquiétait avant tout des chutes rapides de température ; parfois, dans la voiture, il pianotait frénétiquement sur la radio comme un capitaine de marine avant la tempête, en quête d'indications barométriques, de prévisions à long terme, d'informations en tous genres. Une chute de la colonne de mercure le plongeait dans une humeur noire aussi soudaine qu'inexplicable. Je me demandais ce qu'il ferait à la venue de l'hiver, mais dès les premières neiges cette préoccupation a disparu sans retour.

Des petites choses. Je me souviens de m'être réveillé un jour à six heures du matin, alors que personne n'était levé, et d'avoir trouvé en descendant le sol de la cuisine venant d'être lavé, encore mouillé, immaculé sauf pour les empreintes nues et mystérieuses d'un Vendredi sur le banc de sable vierge séparant le chauffe-eau de la véranda. Quelquefois je passais la nuit tout éveillé, à moitié dans un rêve, vaguement conscient de quelque chose ; des voix étouffées, du mouvement, le lévrier qui gémissait tout bas et grattait à la porte de ma chambre... Une fois j'ai entendu les jumeaux marmonner à propos de certains draps de lit. « Idiot », chuchotait Camilla — et j'ai entraperçu un tissu déchiré, boueux, qui voletait — « Tu n'as pas pris les bons. On ne peut pas les rapporter comme ça. »

« On les changera pour les autres. »

« Mais ça se verra. Ceux du service de blanchisserie ont un cachet. Il faut dire qu'on les a perdus. »

Même si ce dialogue ne m'est pas resté longtemps en tête, j'étais intrigué, et encore plus par les réactions peu convaincantes des jumeaux quand je leur ai posé la question. Une autre bizarrerie, un après-midi, a été de découvrir une grande casserole en cuivre en train de bouillir sur la cuisinière, d'où sortait une odeur spéciale. J'ai soulevé le couvercle et un nuage de vapeur âcre et amère m'a giflé le visage. La casserole était remplie de feuilles ramollies, en forme d'amandes, qui cuisaient dans deux litres d'eau noirâtre. Que diable ça peut-il être, me suis-je dit, à la fois perplexe et amusé, et quand j'ai posé la question à Francis il a répondu sèchement : « Pour mon bain. »

Il est facile de voir ces choses, rétroactivement. Mais à l'époque j'ignorais tout sauf mon propre bonheur, et je ne sais que dire d'autre sinon qu'en ce temps-là la vie elle-même paraissait magique : réseau de symboles, coïncidences, présages et prémonitions. Tout, en un sens, se combinait ; une sorte de Providence bienveillante et rusée se dévoilait par degrés et je me sentais frémir au seuil d'une découverte fabuleuse, comme si un beau matin tout allait se rassembler — mon avenir, mon passé, ma vie entière — et que j'allais m'asseoir dans mon lit en un éclair et dire *oh! oh! oh!*

---

Nous avons eu tellement de jours de bonheur à la campagne, cet automne-là, que, vus de si loin, ils se fondent dans un brouillard agréable et flou. Vers Halloween, les dernières fleurs sauvages qui s'accrochaient ont disparu et le vent s'est fait âpre et coupant, soufflant des torrents de feuilles jaunes sur la surface grise et ridée du lac. Lors de ces après-midi glacés où les nuages couraient sous un ciel de plomb, nous restions dans la bibliothèque en faisant d'énormes flambées pour nous réchauffer. Les saules dénudés venaient claquer les vitres comme des mains squelettiques. Tandis que les jumeaux jouaient aux cartes à un bout de la table, et qu'Henry travaillait à l'autre bout, Francis était recroquevillé sur la banquette de la fenêtre, une assiette de petits sandwichs sur les genoux, et lisait en français les *Mémoires* du duc de Saint-Simon, qu'il était je ne sais pourquoi décidé à finir. Il avait étudié dans plusieurs écoles européennes et parlait un excellent français, quoique avec le même accent snob et paresseux qu'en anglais ; parfois j'obtenais son aide pour mes leçons en première année de français, des petites histoires ennuyeuses à propos de Marie et Jean-Claude allant au tabac, qu'il lisait à haute voix avec un accent langoureux et comique (« *Marie a apporté des légumes à son frère* ») qui donnait le fou rire à tout le monde. Bunny était allongé sur le tapis de la cheminée pour faire ses devoirs ; quelquefois il volait un des sandwichs de Francis ou posait d'un air peiné une question. Même si le grec lui donnait beaucoup de mal, il l'étudiait en fait depuis l'âge de douze ans, beaucoup plus longtemps que n'importe lequel d'entre nous, une particularité dont il se vantait constamment. Bunny laissait subtilement entendre que ce n'avait été pour lui qu'un caprice d'enfant, la manifestation d'un génie précoce à la Alexander Pope ; mais la réalité des faits (que j'ai apprise d'Henry) était qu'il souffrait d'une sévère dyslexie et que le grec avait été une thérapie obligatoire, son école ayant théorisé que les élèves dyslexiques avaient intérêt à étudier des langues comme le grec, l'hébreu et le russe, qui n'emploient pas l'alphabet romain. En tout cas, son talent de linguiste était très inférieur à ce qu'il réussissait à faire croire, et il était incapable de patauger dans les exercices les plus simples sans des plaintes et des questions perpétuelles, ajoutées à une ingestion continue de nourriture. Vers la fin du trimestre, il a eu une crise d'asthme et a déambulé en pyjama et robe de chambre dans toute la maison en respirant bruyamment, les cheveux hérissés, hoquetant de façon dramatique dans son bock à inhalation. Les pilules qu'il prenait (m'a-t-on dit derrière son dos) le rendaient irritable, insomniaque et le faisaient grossir. Et j'ai accepté cette explication d'une bonne part de son humeur revêche à la fin du trimestre, due en fait, je l'apprendrais plus tard, à de tout autres raisons.

De quoi faut-il vous parler ? Du samedi de décembre où Bunny a fait le tour de la maison en courant à cinq heures du matin pour crier « La première neige ! » en tapant sur nos lits ? Ou du jour où Camilla a essayé de m'apprendre à danser le box step ; de celui où Bunny a fait chavirer la barque — où étaient aussi Henry et Francis — parce qu'il avait cru voir un serpent d'eau ? De la fête d'anniversaire d'Henry, où des deux fois où la mère de Francis — cheveux rouges, émeraudes et souliers en crocodile — est passée en allant à New York, traînant son terrier du Yorkshire et son deuxième mari ? (C'était une donnée imprévisible, cette mère ; et Chris, son nouvel époux, à peine plus âgé que Francis, jouait des petits rôles dans des feuilletons. Elle s'appelait Olivia. La première fois que je l'ai vue, elle venait de sortir du Centre Betty Ford, guérie de son alcoolisme et d'une toxicomanie non précisée, et se précipitait à nouveau gaiement sur le sentier du vice. Charles m'a dit à l'époque qu'elle avait frappé à sa porte au milieu de la nuit et lui avait demandé s'il voulait les rejoindre au lit, Chris et elle. Elle m'envoie toujours des cartes de Noël.)

Un jour, néanmoins, reste marqué d'une pierre blanche, un beau samedi d'octobre, un des derniers jours d'été de l'année. La nuit précédente — qui avait été plutôt fraîche — nous étions restés à bavarder et à boire presque jusqu'à l'aube, et je me suis réveillé tard, avec la fièvre et une vague nausée, mes couvertures rejetées au pied du lit et le soleil entrant à flots par la fenêtre. Je suis resté un long moment sans bouger. Une lumière rouge vif, trop forte, traversait mes paupières, la chaleur picotait mes jambes humides de sueur. Plus bas, la maison frémissait dans un silence étouffant.

Les marches ont craqué quand je suis descendu. Tout paraissait vide, immobile. Finalement j'ai trouvé Francis et Bunny à l'ombre de la véranda. Bunny était en teeshirt et bermuda, Francis, des taches rose albinos sur le visage, les paupières fermées et tressaillant de douleur, portait une robe de chambre en velours râpé volée dans un hôtel.

Ils buvaient des laits de poule. Francis a poussé le sien vers moi sans le regarder. « Tiens, bois ça. Je vais vomir si je le vois une seconde de plus. »

Le jaune tremblotait doucement dans son bain sanglant de ketchup et de sauce Worcester. « Moi, je n'en veux pas », ai-je dit en le repoussant.

Il a croisé les jambes et s'est pincé le nez entre le pouce et l'index. « Je ne sais pas pourquoi je fais ces trucs. Ça ne marche jamais. Il faut que je prenne un peu d'Alka-Seltzer. »

Charles a refermé la porte en grillage, apathique, et a fait quelques pas sur la véranda dans son peignoir de bain à rayures rouges. « Ce qu'il te faut, c'est un ice-cream soda. »

« Toi et tes ice-creams. »

« Ça marche, je te dis. C'est très scientifique. Les trucs glacés sont bons pour la nausée et... »

« Tu dis toujours ça, Charles, mais je ne crois pas que ce soit vrai. »

« Tu veux bien m'écouter une seconde ? La glace ralentit ta digestion. Le coca calme ton estomac et la caféine guérit ton mal de tête. Le sucre te donne de l'énergie. Et en plus, ça te fait métaboliser l'alcool plus vite. C'est l'aliment idéal. »

« Vas m'en faire un, tu veux ? » a demandé Bunny.

« Vas le faire toi-même », a répondu Charles, tout d'un coup agacé.

« En fait, a dit Francis, je crois qu'il me faut juste un Alka-Seltzer. »

Henry, levé et habillé depuis les premières lueurs de l'aube, est alors descendu, suivi par une Camilla ensommeillée, sortant de sa douche, rouge et mouillée, le chrysanthème doré de sa chevelure chaotique et frisé. Il était presque deux heures de l'après-midi. Le lévrier était couché sur le flanc, à demi endormi, ouvrant à peine un œil marron qui roulait dans son orbite de façon grotesque.

Il n'y avait pas d'Alka-Seltzer, alors Francis est allé chercher une bouteille de ginger-ale avec des verres et de la glace, et nous sommes restés là tandis que le soleil devenait de plus en plus chaud. Camilla, qui supportait rarement de rester immobile et cherchait toujours quelque chose à faire, n'importe quoi, jouer aux cartes, aller en pique-nique, se promener en voiture — s'ennuyait, ne tenait pas en place et n'essayait pas de le cacher. Elle avait un livre, qu'elle ne lisait pas, les jambes sur le bras de son fauteuil, et elle tapait de son pied nu sur un rythme obstiné, léthargique, contre le siège en osier. En fin de compte, plus pour la calmer qu'autre chose, Francis a proposé une promenade vers le lac. Instantanément, sa bonne humeur est revenue. Comme il n'y avait rien d'autre à faire, Henry et moi avons décidé d'y aller. Charles et Bunny dormaient et ronflaient dans leurs fauteuils.

Le ciel était d'un bleu ardent, intense, les arbres étaient rouges et jaunes, féroces. Francis, pieds nus et toujours en peignoir, enjambait précautionneusement les branches et les rochers, tenant son verre à bout de bras. Une fois arrivé au lac il y est entré jusqu'aux genoux et a pris une pose théâtrale à la saint Jean-Baptiste.

Nous avons ôté chaussures et chaussettes. L'eau où j'avais les pieds, près de la rive, était fraîche, vert pâle, et les cailloux du fond étaient éclaboussés de soleil. Henry, avec manteau et cravate, est allé rejoindre Francis, le pantalon relevé jusqu'aux genoux, tel un banquier de jadis dans un tableau surréaliste. Une brise a fait bruire les bouleaux, soulevé le dessous plus pâle des feuilles et gonflé la robe blanche de Camilla comme un ballon. Elle a ri, l'a rabaissée très vite, et elle s'est aussitôt relevée.

Tous les deux, nous avons longé la rive, l'eau nous couvrant à peine les pieds. Le soleil se reflétait sur le lac en vagues éblouissantes — on n'aurait pas dit un véritable lac, plutôt un mirage au Sahara. Henry et Francis étaient plus loin : Francis parlait, gesticulait violemment dans son peignoir blanc, et Henry avait les mains derrière le dos, tel Satan écoutant patiemment le délire de quelque prophète du désert.

Nous avons fait presque le tour du lac, elle et moi, avant de rebrousser chemin. Camilla, abritant d'une main ses yeux éblouis, me racontait longuement quelque chose que le chien avait fait — mâché un tapis en peau de mouton appartenant au propriétaire, et leurs efforts pour dissimuler et finalement détruire le corps du délit — mais je ne lui prêtais qu'une oreille distraite : elle ressemblait énormément à son frère, et pourtant cette beauté directe, sans compromis, devenait chez elle presque magique en se répétant avec d'infimes variations. Pour moi, c'était une rêverie vivante : la voir faisait jaillir un éventail de fantasmes presque infini, du grec au gothique, du vulgaire au divin.

Je regardais son profil, j'écoutais le rythme doux et grave de sa voix, quand ma contemplation a été interrompue par une vive exclamation. Elle s'est arrêtée.

« Qu'est-ce qu'il y a ? »

Elle regardait dans l'eau. « Regarde. »

Au fond, une volute de sang noir s'épanouissait près de son pied ; j'ai cligné des yeux et une mince tentacule rouge s'est enroulé en spirale sur la blancheur de ses orteils, ondulant sous l'eau comme un filet de fumée cramoisie.

« Jésus, qu'est-ce que tu as fait ? »

« Je ne sais pas. J'ai marché sur quelque chose de pointu. » Elle a mis une main sur mon épaule et je l'ai prise par la taille. Il y avait un éclat de verre sombre, d'environ dix centimètres, planté juste avant la cambrure. Le sang jaillissait par à-coups et l'éclat de verre, rouge et poisseux, brillait d'un éclat maléfique.

« Qu'est-ce que c'est ? » a-t-elle dit en se penchant pour voir. « C'est grave ? »

L'artère était atteinte. Le sang giclait à gros bouillons.

« Francis ? » J'ai crié. « Henry ? »

« Mère de Dieu », s'est exclamé Francis quand il a été assez près pour voir, et il a couru avec force éclaboussures, soulevant d'une main le bas de son peignoir. « Qu'est-ce que tu t'es fait ? Tu peux marcher ? Laisse-moi regarder », a-t-il dit, essoufflé.

Camilla m'a serré le bras un peu plus fort. Le dessous de son pied était rouge de sang. Des grosses gouttes en tombaient, s'élargissaient et se diluaient comme de l'encre dans l'eau limpide.

« Oh mon Dieu ! a fait Francis en fermant les yeux. Ça fait mal ? »

« Non », a-t-elle dit très vite, mais je savais que si ; je la sentais trembler et elle était toute blanche.

Brusquement Henry était là, penché sur elle. « Passe ton bras autour de mon cou. » Il l'a soulevée d'un geste, comme une botte de paille, un bras sous la tête et l'autre sous les genoux. « Francis, cours chercher la trousse de secours dans ta voiture. On te retrouve à mi-chemin. »

« Très bien. » Francis, content qu'on lui dise quoi faire, a pataugé vers le rivage.

« Henry, *pose-moi par terre.* Je te mets du sang partout. »

Il n'en a pas tenu compte. « Tiens, Richard, prends cette chaussette et attache-la autour de sa cheville. »

Je n'avais même pas encore eu l'idée d'un tourniquet ; quel drôle de médecin j'aurais fait. « Trop serré ? » ai-je demandé.

« C'est parfait. Henry, je voudrais que tu me reposes. Je suis trop lourde pour toi. »

Il lui a souri. Une de ses dents de devant était un peu ébréchée, ce que je n'avais jamais remarqué, et lui donnait un sourire très attachant. « Tu es légère comme une plume », lui a-t-il dit.

Quelquefois, quand il y a eu un accident, que la réalité est trop étrange et brutale pour la comprendre, le surréel l'emporte. L'action se ralentit, glisse comme en rêve, image par image ; le geste d'une main, le son d'une phrase, durent une éternité. Des détails — un criquet sur une brindille, les veinules d'une feuille — sont agrandis, mis au premier plan, précisés de façon aiguë. C'est ce qui s'est passé quand nous avons traversé le pré vers la maison. C'était comme un tableau trop net pour être vrai — chaque caillou, chaque brin d'herbe parfaitement dessiné, le ciel si bleu qu'il me faisait mal aux yeux, Camilla toute molle dans les bras d'Henry, la tête rejetée en arrière comme une noyée, la courbe de sa gorge magnifique et sans vie. Le bas de sa robe voletait abstraitement dans la brise. Le pantalon d'Henry était éclaboussé de gouttes grandes comme des pièces de monnaie, trop rouges pour être du sang, comme faites à coups de pinceau. Dans ce silence envahissant, entre chacun de nos pas sans écho, un pouls battait à mes oreilles, trop faible et trop rapide.

Charles a dérapé au bas de la pente, toujours pieds nus, en robe de chambre, Francis sur ses talons. Henry s'est mis à genoux et a posé Camilla dans l'herbe. Elle s'est redressée sur ses coudes.

« Camilla, tu es morte ? » Charles, à bout de souffle, est tombé près d'elle pour examiner sa blessure.

« Quelqu'un, a dit Francis en déroulant une bande de gaze, va devoir sortir ce morceau de verre de son pied. »

« Tu veux que j'essaie ? » a demandé Charles en la regardant.

« Fais attention. »

Il a pris son talon dans une main, saisi l'éclat de verre entre le pouce et l'index et a tiré doucement. Camilla a retenu son souffle en sursautant sans un bruit.

Charles a reculé, comme échaudé. Il a voulu reprendre le pied, mais n'a pas pu s'y résoudre. Ses doigts étaient tachés de sang.

« Eh bien, vas-y. » Camilla avait la voix plutôt ferme.

« Je ne peux pas, j'ai peur de te faire mal. »

« Ça fait mal de toute façon. »

« Je ne peux pas », a-t-il dit, malheureux, en la regardant.

« Pousse-toi de là », a ordonné Henry, impatient. Il s'est agenouillé calmement et a pris le pied de Camilla.

Charles a tourné la tête, presque aussi pâle que sa sœur,

et je me suis demandé si la légende avait quelque chose de vrai, si un jumeau avait mal quand l'autre était blessé.

Camilla a sursauté, ouvert les yeux tout grand ; Henry tenait l'éclat de verre courbe dans sa main ensanglantée. « *Consummatum est* », a-t-il dit.

Francis s'est mis au travail avec la teinture d'iode et les pansements.

« Mon Dieu. » J'ai ramassé l'éclat de verre que j'ai tendu à la lumière.

« Courageuse fille », a dit Francis en entourant la bande autour du pied de Camilla. Comme la plupart des hypocondriaques, il était bizarrement rassurant au chevet d'un malade. « Regarde-toi. Tu n'as même pas pleuré. »

« Ça n'a pas fait tellement mal. »

« Bon Dieu que si. Tu as été vraiment courageuse. »

Henry s'est levé. « Très courageuse. »

---

Plus tard dans l'après-midi, Charles et moi étions assis sur la véranda. Le temps s'était brusquement refroidi ; le ciel était toujours ensoleillé mais le vent s'était levé. Mme Hatch était venue allumer un feu, et je sentais une légere odeur de fumée. Francis était rentré, lui aussi, préparer le dîner ; il chantait et sa voix haute et claire, légèrement fausse, s'échappait par la fenêtre de la cuisine.

La blessure de Camilla n'était pas grave. Francis l'avait conduite aux urgences — Bunny y était allé, lui-aussi, contrarié d'avoir dormi pendant tous ces événements — et une heure après elle était de retour avec six agrafes au pied, un pansement et un flacon de Tylenol à la codéine. Maintenant Bunny et Henry jouaient au criquet et elle les accompagnait, clopinant sur son pied valide et sur l'extrémité de l'autre avec une démarche sautillante qui, vue de la véranda, paraissait curieusement désinvolte.

Charles et moi buvions des *whisky-coca*. Il avait essayé de m'apprendre à jouer au piquet (« parce que c'est à ça que joue Rawdon Crawley dans *La Foire aux vanités* ») mais j'étais trop lent et nous avions mis les cartes de côté.

Charles a bu une gorgée. Il n'avait toujours pas pris la peine de s'habiller. « Je voudrais qu'on n'ait pas besoin de rentrer à Hampden demain. »

« Je voudrais qu'on n'aie jamais besoin de rentrer, ai-je dit. Je voudrais qu'on habite ici. »

« Eh bien, c'est peut-être possible. »

« Quoi ? »

« Je ne dis pas maintenant. Mais on pourra peut-être. Après la fac. »

« Comment ça ? »

Il a haussé les épaules. « Eh bien, la tante de Francis refuse de vendre la maison parce qu'elle ne veut pas qu'elle sorte de la famille. Francis pourra l'avoir pour presque rien quand il aura vingt et un ans. Et même s'il ne pouvait pas, Henry a tellement d'argent qu'il ne sait pas quoi en faire. Ils pourront se mettre à deux pour l'acheter. Facilement. »

J'ai été surpris par cette réponse terre à terre.

« Je veux dire, tout ce que veut faire Henry après avoir terminé l'école, si même il va jusqu'au bout, c'est trouver un endroit où il pourra écrire ses livres et étudier les Douze Grandes Cultures. »

« Qu'est-ce que tu veux dire, s'il va jusqu'au bout ? »

« Oh, peut-être qu'il n'en aura pas envie. Qu'il va s'ennuyer. Il a déjà parlé de s'en aller. Il n'y a pas de raison pour qu'il y reste, et c'est sûr qu'il ne va jamais prendre un emploi. »

« Tu crois ? » ai-je dit, étonné ; je m'étais toujours imaginé Henry enseigner le grec dans une université.

Charles a reniflé. « Sûrement pas. Pourquoi le ferait-il ? Il n'a pas besoin d'argent, et il ferait un professeur exécrable. Et Francis n'a jamais travaillé de sa vie. J'imagine qu'il pourrait vivre avec sa mère, sauf qu'il ne supporte pas son mari. Il préfère être ici. Et Julian ne serait pas loin, en plus. »

J'ai bu une gorgée de mon verre en regardant les silhouettes au loin sur la pelouse. Bunny, les cheveux dans les yeux, s'apprêtait à frapper la boule ; il balançait son maillet et oscillait d'un pied sur l'autre.

« Julian a-t-il de la famille ? »

« Non, a dit Charles, la bouche pleine de glace. Il a des neveux, mais il les déteste. Regarde-moi ça, tu veux. » Il s'est à moitié levé.

J'ai regardé. De l'autre côté de la pelouse, Bunny avait fini par jouer son coup ; la boule a manqué les sixième et septième arceaux, mais par extraordinaire elle a touché le tourniquet.

« Regarde, ai-je dit, je parie qu'il essaie de rejouer. »

« Ça ne marchera pas. Charles s'est rassis sans les quitter des yeux. Regarde Henry. Il arrête tout. »

Henry montrait les arceaux manqués, et même à cette distance je savais qu'il citait les règles du manuel. On entendait à peine les protestations indignées de Bunny.

« Ma gueule de bois a presque disparu », a dit Charles.

« La mienne aussi. » La lumière dorée projetait de longues ombres veloutées sur la pelouse et le ciel radieux, ennuagé, sortait tout droit d'un tableau de Constable ; je ne voulais pas l'admettre, mais j'étais à moitié ivre.

Nous sommes restés quelque temps à regarder sans rien dire. J'entendais les légers *pocs* des maillets sur la boule de croquet ; à la fenêtre, par-dessus le vacarme des casseroles et les portes des placards qui claquaient, Francis chantait, comme si c'était l'air le plus joyeux du monde : « Nous sommes des petits moutons noirs qui nous sommes perdus... Bêê bêê bêê... »

« Et si Francis achète la maison ? ai-je fini par dire. Tu crois qu'il nous laissera vivre ici ? »

« Bien sûr. Il s'ennuierait à mort tout seul avec Henry. Je suppose que Bunny devrait aller travailler à la banque mais il pourrait toujours venir le week-end, en laissant Marion et les gosses à la maison. »

J'ai ri. Bunny avait dit la veille au soir qu'il voulait huit enfants, quatre garçons et quatre filles, ce qui avait lancé Henry dans un long discours dépourvu d'humour sur le fait que l'accomplissement du cycle reproductif était invariablement, dans la nature, le signe avant-coureur du déclin et de la mort.

« C'est terrible, a dit Charles. Vraiment, c'est comme si je le voyais. Debout dans une cour avec une sorte de tablier ridicule. »

« Faisant cuire des hamburgers sur le grill. »

« Avec autour de lui une vingtaine de gosses en train de courir et de hurler. »

« Des chaises longues en plastique. »

« Jésus. »

Un coup de vent a fait frissonner les bouleaux, une bouffée de feuilles jaunes s'est abattue en rafale. J'ai bu une gorgée de mon verre. Je n'aurais pas aimé davantage cette maison si j'y avais grandi, je n'aurais pas mieux connu le grincement de la balancelle, le motif des clématites sur leur treillis, la houle veloutée des collines qui viraient au gris à l'horizon ou le ruban de route visible — à peine — dans les hauteurs, au-delà des arbres. Jusqu'aux couleurs de cet endroit qui étaient entrées dans mon sang ; de même que Hampden, des années plus tard, se présenterait d'abord à mon esprit comme un tourbillon confus, blanc, vert et rouge, de même cette demeure apparaîtrait en premier comme un splendide mélange d'aquarelles, blanc ivoire et lapis-lazuli, marron, rouge et or et terre de sienne, ne se résolvant que peu à peu dans les contours d'objets individuels : la maison, le ciel, les érables. Et même ce jour-là, avec Charles à côté de moi et l'odeur du feu de bois dans l'air, avait déjà la qualité du souvenir ; c'était là, sous mes yeux, trop beau pour y croire.

Il faisait plus sombre ; ce serait bientôt l'heure de dîner. J'ai fini mon verre d'un coup. L'idée d'habiter là, de ne jamais devoir retourner à l'asphalte, aux centres commerciaux et au mobilier modulaire ; de vivre avec Charles, Camilla, Henry et Francis et peut-être même Bunny ; qu'aucun ne se marie ni ne rentre chez ses parents ni n'aille travailler dans une ville à mille kilomètres de là ni ne commette aucune de ces trahisons que se font les amis après l'université ; que tout reste exactement comme c'était à cet instant — cette idée était tellement paradisiaque que je ne suis pas sûr d'avoir vraiment pensé, même alors, que cela pourrait arriver, mais j'aime à croire que si.

Francis parvenait au grand final de sa chanson. « Nobles chanteurs partis *en* bordée... Damnés jusqu'à l'*éter*nité... »

Charles m'a jeté un coup d'œil en biais. « Alors, et toi ? »

« Qu'est-ce que tu veux dire ? »

« Je veux dire, tu as des projets ? » Il a ri. « Qu'est-ce que tu vas faire les quarante ou cinquante prochaines années de ta vie ? »

Sur la pelouse, Bunny venait de projeter la boule d'Henry à vingt ou trente mètres du terrain. Il y eut des éclats d'un rire lointain, très clair, qui flottèrent dans l'air du soir. Ce rire me hante encore aujourd'hui.

## CHAPITRE 3

Dès mon premier jour à Hampden, j'avais vécu dans la crainte de la fin du trimestre, où je devrais retrouver Plano, le plat pays, les stations-service et la poussière. A mesure que le temps passait, que la neige se faisait plus profonde et les matinées plus sombres, chaque jour me rapprochait d'une date sur le polycopié taché collé sur la porte de ma penderie (7 décembre — remise des compositions) et ma mélancolie se changeait en une sorte de terreur. Je ne me voyais pas supporter un Noël chez mes parents, avec un arbre en plastique, pas de neige et la télé en permanence. Non pas que mes parents eussent une telle envie de me voir, eux non plus. Ces dernières années ils s'étaient mis à fréquenter un couple de bavards sans enfants, plus âgés qu'eux, les MacNatt. M. MacNatt vendait des pièces détachées d'automobiles ; Mme MacNatt avait la forme d'un pigeon et vendait les produits Avon. Ils poussaient mes parents à des choses du genre prendre le bus pour une vente à l'usine, faire des parties de *bunko* — un jeu de dés — ou traîner au piano-bar de l'hôtel Ramada. Ces activités s'intensifiaient considérablement à l'époque des vacances et ma présence, si brève et irrégulière qu'elle fût, était ressentie comme un inconvénient et un peu comme un reproche.

Mais il n'y avait pas que les vacances. Puisque Hampden était très au nord, que les bâtiments étaient vieux et coûtaient cher à chauffer, l'école était fermée en janvier et février. J'entendais déjà mon père, plein de bière, se plaindre de moi à M. MacNatt, lequel le pousserait, mine de rien, avec des remarques insinuant que j'étais un enfant gâté et que *lui* ne permettrait pas à son fils, s'il en avait un, de le piétiner ainsi. Ce qui mettrait mon père en rage, et il finirait par se précipiter dans ma chambre pour me chasser de chez lui, l'index tremblant, roulant des yeux comme Othello. Il l'avait fait plusieurs fois quand j'étais au lycée et à l'université en Californie, sans vraie raison sinon celle d'exercer son autorité en face de ma mère et de ses collègues. J'étais toujours le bienvenu dès qu'il se lassait de cette préoccupation et permettait à ma mère de lui parler « avec bon sens », mais maintenant ? Je n'avais même plus une chambre à moi ; en octobre, ma mère m'avait écrit pour dire qu'elle avait vendu les meubles et l'avait transformée en atelier de couture.

Henry et Bunny allaient en Italie pour les vacances d'hiver, à Rome. J'avais été étonné d'entendre Bunny l'annoncer début décembre, d'autant qu'ils étaient en froid depuis près d'un mois, surtout Henry. Bunny, je le savais, lui avait soutiré beaucoup d'argent depuis quelques semaines, et si Henry s'en plaignait, il paraissait bizarrement incapable de rien lui refuser. J'étais presque certain que ce n'était pas l'argent en soi, mais le principe ; j'étais sûr, également, que Bunny ne se rendait pas compte de la tension qui régnait.

Il ne parlait plus que de ce voyage. Il avait acheté des vêtements, des guides, un disque *Parliamo italiano* qui promettait à l'auditeur de lui apprendre l'italien en quinze jours à peine (« Même à ceux qui n'ont pas eu de chance avec les cours de langues ! » prétendait la couverture) et la traduction de l'*Inferno* par Dorothy Sayers. Bunny savait que je n'avais nulle part où aller pour les vacances et se plaisait à retourner le couteau dans la plaie. « Je penserai à toi quand je boirai des campari en gondole », disait-il en clignant de l'œil. Henry n'avait pas grand-chose à dire sur ce voyage. Il fumait à grandes bouffées volontaires, assis pendant que Bunny jacassait, et prétendait ne pas comprendre son italien bidon.

Francis a dit qu'il serait content de m'emmener à Boston pour Noël et ensuite d'aller à New York avec moi ; les jumeaux ont téléphoné à leur grand-mère en Virginie et elle s'est déclarée heureuse de me recevoir, elle aussi, pendant les vacances d'hiver. Mais il y avait la question d'argent. Pendant quelques mois, avant la reprise des cours, il fallait que je trouve du travail. Si je voulais continuer l'université au printemps, j'avais besoin d'argent, et je ne pourrais pas en gagner si j'allais courir à droite et à gauche avec Francis. Les jumeaux seraient employés chez leur oncle avocat, comme toujours pendant les vacances, mais ils avaient du mal à y trouver de quoi s'occuper : Charles conduisait de temps en temps l'oncle Orman à une vente où chez le marchand de vins, et Camilla restait au bureau pour répondre à un téléphone qui ne sonnait jamais. Je suis sûr qu'il ne leur est jamais venu à l'esprit que je pourrais vouloir travailler, moi-aussi — toutes mes histoires de richesse californienne avaient fait plus d'effet que prévu. « Qu'est-ce que je ferais pendant que vous serez au travail ? » leur ai-je demandé, en espérant qu'ils comprendraient mes sous-entendus, ce qui, bien sûr, ne s'est pas produit. « Pas grand-chose, je crains, a dit Charles en s'excusant. Lire, parler avec Nana, jouer avec le chien. »

Mon seul choix, semblait-il, était de rester à Hampden. Le Dr Roland voulait bien me garder, mais à un salaire qui ne couvrirait pas un loyer décent. Charles et Camilla sous-louaient leur appartement et Francis avait un jeune cousin qui venait habiter chez lui. Celui d'Henry, pour ce que j'en savais, restait vide, mais il ne m'a pas proposé d'y vivre et j'étais trop fier pour le lui demander. La maison de campagne était vide, elle aussi, mais elle était à une heure de Hampden et je n'avais pas de voiture. C'est alors que j'ai entendu parler d'un vieux hippie, ancien élève de Hampden, qui tenait un atelier d'instruments de musique dans un entrepôt abandonné. Il vous laissait habiter là-bas gratuitement si, de temps en temps, on lui polissait une mandoline ou on lui sculptait des clefs.

En partie parce que je ne voulais pas m'encombrer de la pitié ou du mépris de quiconque, j'ai caché les vraies raisons de ma décision. N'étant pas le bienvenu chez mes parents prestigieux et bons à rien, j'ai décidé de rester seul à Hampden (à une adresse non précisée) pour travailler mon grec et de dédaigner, par orgueil, leurs lâches propositions d'aide financière.

Ce stoïcisme, cette abnégation à la Henry en faveur de mes études ainsi qu'un mépris plus général pour les choses de ce monde, m'ont valu l'admiration de tous, et surtout celle d'Henry. « Cela ne me gênerait pas de rester ici cet hiver », m'a-t-il dit une morne soirée de novembre, alors que nous rentrions de chez Charles et Camilla, enfonçant jusqu'aux chevilles dans les feuilles boueuses qui recouvraient l'allée. « L'école est close et les boutiques de la ville ferment à trois heures de l'après-midi. Tout est blanc et vide, le seul bruit c'est le vent. Jadis la neige montait jusqu'aux toits des maisons, et des gens se trouvaient enfermés chez eux et mouraient de faim. On ne les retrouvait qu'au printemps. » Il parlait d'une voix calme, rêveuse, mais j'étais extrêmement troublé ; pendant les hivers que j'avais connus depuis toujours, il n'avait jamais neigé.

La dernière semaine de cours a été une frénésie de bagages, de lettres, de billets d'avion et de coups de fil aux parents, pour tout le monde sauf pour moi. Je n'avais pas à terminer mes exposés en avance puisque je n'avais nulle part où aller. Je pourrais faire mes bagages tranquillement, quand les dortoirs seraient vides.

Bunny allait être le premier à partir. Et brusquement il m'a demandé, puisque je n'avais rien à faire, si je ne voulais pas l'aider à faire ses bagages. J'ai accepté, et je l'ai trouvé en train de vider des tiroirs entiers dans des valises, avec des vêtements partout. J'ai tendu le bras et décroché prudemment du mur une estampe japonaise que j'ai posée sur son bureau : « Ne touche pas à ça », a-t-il crié en laissant tomber bruyamment par terre le tiroir de la table de nuit et en se précipitant pour m'arracher l'estampe. « Ce truc a au moins deux siècles. » En fait, je savais qu'il n'en était rien, car il se trouvait que je l'avais surpris quelque temps plus tôt en train de la découper soigneusement dans un livre de la bibliothèque ; je n'ai rien dit, mais j'étais tellement en colère que je suis parti aussitôt, malgré les excuses revêches que son orgueil l'a laissé offrir. Plus tard, après son départ, j'ai trouvé dans ma boîte à lettres un mot d'excuses maladroites, enveloppant une édition en livre de poche des poèmes de Rupert Brooke et une boîte de bonbons à la menthe.

Henry s'en est allé vite et sans bruit. Un soir il nous a dit qu'il partait et le lendemain il n'était plus là. ( Saint Louis ? Déjà l'Italie ? Personne n'en savait rien.) Francis est parti le lendemain, salué par des adieux nombreux et compliqués — Charles, Camilla et moi debout au bord de la route, le nez rouge et les oreilles à moitié gelées, avec Francis qui criait, vitre baissée, pour couvrir le bruit du moteur, et des gros nuages de fumée blanche tout autour de la Mustang, pendant au moins trois bons quarts d'heure.

Peut-être parce qu'ils ont été les derniers à partir, c'est le départ des jumeaux qui m'a le plus touché. Après que les coups de klaxon de Francis se furent fondus dans la neige, au loin, sans échos, nous sommes rentrés chez eux sans dire grand-chose, en passant par le chemin de la forêt. Quand Charles a allumé la lumière, j'ai vu que l'endroit était d'une propreté déchirante — l'évier vide, les parquets cirés, une rangée de valises près de la porte.

Les réfectoires avaient fermé à midi ce jour-là ; il neigeait abondamment, la nuit tombait et nous n'avions pas de voiture ; le réfrigérateur était vide, lavé de frais et sentait le Lysol. Autour de la table de la cuisine, nous avons improvisé un petit repas lugubre avec une boîte de soupe aux champignons, des biscuits apéritifs et du thé sans sucre ni lait. La conversation a tourné autour de l'itinéraire de Charles et de Camilla — comment ils allaient faire avec les bagages, à quelle heure appeler un taxi pour être au train de six heures trente. J'ai participé à ces propos de voyage, mais une profonde mélancolie qui ne me quitterait pas de plusieurs semaines avait déjà commencé à s'abattre sur moi ; j'avais encore dans les oreilles le bruit de la voiture de Francis, s'éloignant avant de disparaître dans un lointain neigeux, étouffé, et pour la première fois je me rendais compte de ce que serait la solitude des deux mois suivants, avec l'université fermée, la neige épaisse et plus personne en ville.

Ils m'ont dit de ne pas prendre la peine de leur dire au revoir le matin, puisqu'ils partaient si tôt, mais je suis tout de même venu à cinq heures pour les saluer. Un matin clair et sombre, incrusté d'étoiles ; sous le porche du Collège le thermomètre était tombé à moins quinze. Le taxi, dans un nuage de fumée, attendait déjà devant l'entrée. Le chauffeur venait de refermer un coffre plein de valises et Charles et Camilla fermaient la porte à clef. Ils étaient trop inquiets et préoccupés pour prendre plaisir à ma présence. Tous deux avaient peur de voyager : leurs parents étaient morts dans un accident de voiture, un week-end, en allant à Washington, et ils étaient eux-mêmes sur les nerfs plusieurs jours avant d'aller où que ce soit.

De plus ils se mettaient en retard. Charles a posé sa valise pour me serrer la main. « Joyeux Noël, Richard. Tu nous écris, n'est-ce pas ? » Ensuite il a couru jusqu'au taxi. Camilla — se débattant avec deux énormes sacs — les a laissés tomber dans la neige. « Bon Dieu, on ne mettra jamais tout ça dans le train. »

Elle était essoufflée, et des plaques rouge vif lui brûlaient les joues ; de ma vie je n'avais vu de beauté aussi affolante que la sienne à ce moment. Je suis resté devant elle, ahuri, clignant des yeux, le sang battant dans mes veines, ayant oublié tous mes plans soigneusement préparés en vue d'un baiser, quand soudain elle s'est jetée dans mes bras. J'ai eu son souffle rauque dans l'oreille et quand elle l'a posée contre la mienne, un instant plus tard, sa joue était glacée ; quand j'ai pris sa main gantée, j'ai senti sous mon pouce le pouls accéléré de son poignet fragile.

Le taxi a klaxonné et Charles a sorti la tête par la portière pour crier. « Viens donc. »

J'ai porté ses sacs au bas de l'allée et je suis resté sous le lampadaire quand ils ont démarré. Ils se sont retournés sur la banquette arrière pour me faire des signes par la lunette et je les ai regardés sans bouger. Le fantôme de mon reflet déformé s'est éloigné dans le verre noir et arrondi, puis le taxi a tourné au coin de la rue et a disparu.

Je suis resté dans la rue déserte jusqu'à ne plus entendre le bruit de leur moteur, mais seulement le sifflement de la neige poudreuse soulevée par le vent en petits tourbillons. Ensuite je suis reparti vers le campus, les mains dans les poches, chacun de mes pas faisant un crissement insupportable. Les dortoirs étaient obscurs, silencieux, et le grand parking derrière le court de tennis entièrement vide, à part quelques voitures de l'administration et un camion vert de l'entretien. Dans mon pavillon les couloirs étaient jonchés de cartons à chaussures et de cintres, les portes bâillaient, tout était noir et muet comme une tombe. J'étais plus déprimé que je ne l'avais jamais été de ma vie. J'ai baissé les stores, je me suis allongé sur mon lit défait et je me suis rendormi.

---

Je possédais si peu de choses qu'un seul voyage me suffisait pour les emporter. Quand je me suis réveillé à nouveau, vers midi, j'ai bouclé mes deux valises, rendu ma clef au guichet de la sécurité, et je les ai traînées en ville sur les routes désertes et enneigées, jusqu'à l'adresse que m'avait donnée le hippie au téléphone.

C'était un trajet plus long que prévu, qui m'a bientôt fait quitter la grand route pour une campagne particulièrement désolée vers le mont Cataract. Mon chemin suivait le cours d'une rivière peu profonde, rapide — la Battenkill — franchie ici et là par des ponts couverts. Il y avait peu de maisons, et même les sinistres et terrifiantes remorques habitées qu'on voit souvent dans les coins reculés du Vermont, avec à côté d'énormes tas de bois et une fumée noire sortant d'un tuyau de poêle, étaient rares et très espacées. Il n'y avait pas une seule voiture, à part de temps en temps une épave sur des parpaings dans la cour de quelqu'un.

Cela aurait été une promenade agréable, quoique fatigante, en été, mais en décembre, avec deux pieds de neige et deux lourdes valises à porter, je me suis surpris à me demander si j'allais y arriver. J'avais les doigts et les orteils raidis par le froid, et j'ai dû plus d'une fois m'arrêter pour me reposer, mais graduellement le paysage a paru de moins en moins désert et finalement la route a débouché à l'endroit qu'on m'avait indiqué : à l'est de Hampden, sur Prospect Street.

C'était un quartier de la ville où je n'étais jamais venu, à mille lieues de tout ce que je connaissais — des érables, des boutiques en bardeaux, la place du village et l'horloge du tribunal. Ce Hampden-là était un espace dévasté avec des châteaux d'eau, des voies de chemin de fer rouillées, des entrepôts branlants, des usines murées aux fenêtres défoncées. Tout semblait avoir été abandonné depuis la Dépression, à part un petit bar minable au bout de la rue, lequel, à en juger par l'encombrement de camions sur le devant, devait faire d'excellentes affaires, même en début d'après-midi. Des guirlandes de Noël et de gui en plastique pendaient au-dessus des réclames de bière au néon ; en jetant un coup d'œil à l'intérieur, j'ai vu au bar une rangée d'hommes en chemises de flanelle, tous avec de l'alcool ou des chopes devant eux, et puis — vers le fond — un groupe plus jeune, plutôt porté sur la graisse et les casquettes de baseball, agglutiné autour d'un billard. Fallait-il entrer pour demander mon chemin, boire un verre, me réchauffer ? J'ai décidé d'y aller, et j'avais la main sur la poignée en cuivre graisseux quand j'ai vu le nom du bar sur la vitrine : le Boulder Tap. Or j'avais entendu parler du Boulder Tap par les journaux locaux : c'était l'épicentre des rares crimes commis à Hampden — des coups de couteau, des viols, jamais un seul témoin. Ce n'était pas le genre d'endroit où s'arrêter tout seul pour boire un verre quand on était un étudiant en détresse venu du haut de la ville.

Mais il n'était pas si difficile de trouver l'adresse du hippie, après tout. Un des entrepôts, au bord de la rivière, était peint en violet.

Le hippie m'a paru en colère, comme si je l'avais réveillé, quand il a fini par ouvrir. « La prochaine fois, mec, entre tout seul », a-t-il dit d'une voix maussade. C'était un petit gros avec un teeshirt taché de sueur et une barbe rousse, qui avait l'air d'avoir passé nombre d'excellentes soirées entre amis autour du billard du Boulder Tap. Il m'a désigné la pièce où j'allais vivre, en haut d'un escalier en fer (dépourvu de rampe, bien sûr), et a disparu sans un mot.

Je me suis retrouvé dans une pièce caverneuse et poussiéreuse avec un sol en planches et une charpente apparente, dépourvue de plafond. A part une commode brisée et une chaise dans un coin, il n'y avait aucun meuble hormis une tondeuse, un bidon d'essence rouillé, et une table sur tréteaux jonchée de papier de verre et d'outils de menuisier avec quelques morceaux de bois qui étaient peut-être des exosquelettes de mandolines. Par terre des scies, des clous, des emballages de nourriture et des mégots, des Playboy des années soixante-dix ; les fenêtres à petits carreaux étaient couvertes de givre et de crasse.

J'ai laissé tomber de mes doigts gourds une valise après l'autre ; l'espace d'un instant mon esprit est resté engourdi, lui aussi, enregistrant complaisamment toutes ces impressions sans faire de commentaire. Et puis, d'un seul coup, je me suis rendu compte d'un bruit torrentiel, envahissant. Je suis allé regarder par les fenêtres obscures, derrière la table à tréteaux, et j'ai eu la surprise de voir une surface liquide à moins d'un mètre en contrebas. Plus loin, je voyais l'eau pilonner un barrage avec des jaillissements d'écume. En essayant de nettoyer la vitre avec un geste arrondi de la main pour mieux voir, j'ai remarqué que ma respiration faisait toujours de la buée, même à l'intérieur.

Soudain, ce que je ne peux décrire que comme une rafale glacée m'a balayé, et j'ai levé les yeux. Il y avait un grand trou dans le toit ; j'ai vu le ciel bleu, un nuage qui courait de gauche à droite, une déchirure obscure. En dessous du trou il y avait sur le plancher une mince tache de neige poudreuse, un décalque parfait du trou qui la surplombait, totalement immaculé sauf pour la forme très nette d'une empreinte unique, celle de mon pied.

---

Plus tard, bien des gens m'ont demandé si je m'étais rendu compte à quel point c'était dangereux, de vouloir passer les mois les plus froids de l'année au nord du Vermont dans une maison sans chauffage, et à vrai dire, non. J'avais derrière la tête les histoires qu'on m'avait racontées, des vieux ou des ivrognes ou des skieurs imprudents morts de froid, mais je ne sais pourquoi rien de tout cela ne s'appliquait à moi. Mon logement était inconfortable, certes, horriblement sale et affreusement froid, mais il ne m'est jamais venu à l'esprit que je pourrais être en danger. D'autres étudiants y avaient vécu, le hippie habitait là lui-même, une réceptionniste de l'Office du logement étudiant m'en avait parlé. Ce que j'ignorais, c'était que le logement personnel du hippie était convenablement chauffé, et que les étudiants ayant habité ici dans le passé s'étaient équipés de radiateurs électriques et de couvertures chauffantes. Le trou du toit, néanmoins, était un additif récent, ignoré de l'Office du logement. Je suppose que quiconque sachant la vérité m'aurait prévenu, mais personne n'était au courant. J'avais tellement honte d'habiter un tel endroit que je n'avais dit à personne où je vivais, pas même au Dr Roland ; le seul à tout savoir était le hippie, et il éprouvait une parfaite indifférence pour le bien-être de quiconque excepté lui-même.

Tôt le matin, alors qu'il faisait encore nuit, je me réveillais par terre sous mes couvertures (je mettais deux ou trois pull-overs pour dormir, un caleçon long, un pantalon en laine et un manteau) et je me rendais tout droit au bureau du Dr Roland. C'était un long trajet, et quand il neigeait ou que le vent soufflait, parfois de façon cuisante, j'arrivais au Collège, épuisé et gelé, au moment où le concierge ouvrait le bâtiment. Je descendais alors au sous-sol prendre une douche et me raser, dans un réduit désaffecté, plutôt sinistre — carrelage blanc, tuyaux apparents, une vidange au milieu de la pièce — qui avait fait partie d'une infirmerie de fortune datant de la Seconde Guerre mondiale. Les employés se servaient des robinets pour remplir leurs seaux, de sorte que l'eau n'était pas coupée et qu'il y avait même un chauffe-eau à gaz ; j'avais mis un rasoir, du savon et une serviette discrètement pliée au fond d'un des placards vitrés et inutilisés. Ensuite j'allais me faire chauffer une boîte de soupe et du café en poudre sur la plaque chauffante du Bureau des sciences sociales, et à l'arrivée du Dr Roland et des secrétaires j'avais déjà bien entamé le travail de la journée.

Le Dr Roland, habitué qu'il était à mes absences fréquentes et mon incapacité à terminer mes tâches à la date donnée, s'est montré étonné et plutôt méfiant devant cette crise inattendue d'assiduité. Il m'a félicité, interrogé de près, et à plusieurs occasions je l'ai entendu discuter de ma métamorphose avec le Dr Cabrini, le chef du département de psychologie, le seul autre professeur à ne pas avoir déserté le bâtiment pendant l'hiver. Mais, au fil des semaines, alors que chaque jour de labeur enthousiaste ajoutait une étoile d'or à mon tableau d'honneur, il a commencé à y croire, d'abord avec timidité, et enfin triomphalement. Vers le 1er février il m'a même accordé une augmentation. Peut-être espérait-il, à sa façon behaviouriste, que j'en serais éperonné vers de nouveaux sommets de motivation. Il a dû regretter cette erreur, néanmoins, quand, le trimestre d'hiver achevé, j'ai retrouvé ma chambre confortable au Monmouth et mes anciennes habitudes d'incompétence.

Je travaillais pour lui aussi tard qu'il était décemment possible et j'allais dîner à la cafétéria du Collège. Certains soirs, par bonheur, il y avait même des endroits où aller ensuite, et j'examinais avidement les panneaux d'affichage pour les réunions des Alcooliques anonymes ou les représentations de *Brigadoon* par la troupe du lycée de la ville. Mais d'habitude il n'y avait rien, le Collège fermait à sept heures, et il ne me restait que le long trajet de retour dans la neige et dans le noir.

Le froid de cet entrepôt ne ressemblait à rien de ce que j'ai connu avant ou après. Je suppose que si j'avais eu le moindre bon sens j'aurais été m'acheter un radiateur électrique, mais j'étais venu à peine quatre mois plus tôt d'un des climats les plus chauds des États-Unis et je n'avais qu'une très vague notion de l'existence de ces appareils. Il ne m'est jamais venu à l'esprit que la moitié des habitants du Vermont n'enduraient pas le genre d'épreuve à laquelle je me soumettais chaque nuit — un froid à vous fendre les os qui me faisait mal aux articulations, un froid si féroce que je le sentais dans mes rêves : banquises, expéditions disparues, les projecteurs des avions oscillant sur les icebergs tandis que je dérivais sur la noirceur des océans arctiques. Le matin, au réveil, j'étais aussi raide et endolori que si on m'avait battu. Je croyais que cela venait d'avoir dormi par terre. J'ai compris seulement plus tard que que la véritable origine de ce symptôme était d'avoir grelotté sans arrêt, durement, les muscles contractés de façon mécanique comme sous l'effet d'une décharge électrique, à longueur de nuit, et toutes les nuits.

A ma stupéfaction le hippie, qui s'appelait Leo, était très en colère que je ne passe pas plus de temps à sculpter des manches de mandoline, à cintrer des planches ou à faire ce que j'étais supposé faire là-haut. « Tu profites de moi, mec », disait-il d'un ton menaçant chaque fois qu'il me voyait. « Personne n'arnaque Leo de cette façon. Personne. » Il avait la vague idée que j'avais étudié la lutherie et que j'étais en fait capable d'exécuter toutes sortes de tâches complexes, techniques, alors que je ne lui avais jamais rien dit de tel. « Si, tu l'as dit », répondait-il quand je plaidais l'ignorance. « Tu l'as dit. Tu as dit que tu as passé un été dans les monts Blue Ridge à construire des cymbalum. Dans le Kentucky. »

A cela je n'avais rien à répondre. Je ne suis pas désarmé lorsqu'on me confronte à mes propres mensonges, mais ceux des autres me prennent chaque fois au dépourvu. Je ne pouvais que nier et dire, très sincèrement, que je ne savais même pas ce qu'était un cymbalum. « Taille des chevilles, disait-il avec insolence. Balaie. » A quoi je répondais, sans détours, que je ne pouvais guère tailler des chevilles là où il faisait trop froid pour que j'enlève mes gants. « Coupe le bout des doigts, mec », disait Leo tranquillement. Ces empoignades occasionnelles dans l'entrée étaient mon seul contact avec lui. Il m'est alors devenu évident que Leo, malgré l'amour qu'il professait pour les mandolines, ne mettait jamais le pied dans l'atelier et n'avait pas dû le faire pendant des mois avant que je vienne m'y installer. Je me suis demandé si même il était au courant du trou dans le toit ; un jour j'ai même eu l'audace de le mentionner devant lui. « Je croyais que c'était un des trucs que tu pourrais arranger », a-t-il dit. Il restera en témoignage de ma souffrance qu'un certain dimanche j'ai même entrepris de le faire, avec quelques débris de planches de mandolines trouvés par terre, et que cette tentative a failli me coûter la vie ; le toit était en pente raide, j'ai perdu l'équilibre et je suis tombé vers le barrage, me rattrapant au dernier moment à une descente de gouttière qui, grâce au ciel, n'a pas cédé. J'ai réussi péniblement à sauver ma peau — les mains tailladées par la tôle rouillée, et j'ai dû me faire piquer contre le tétanos — mais le marteau de Leo, la scie et les morceaux de bois ont dégringolé dans le torrent. Les outils ont sombré et Leo doit ignorer aujourd'hui encore qu'ils ont disparu, mais malheureusement les débris de mandoline ont flotté et sont allés s'agglutiner en haut du barrage, juste devant la fenêtre de la chambre du hippie. Naturellement, il a eu beaucoup à en dire, ainsi que sur les étudiants qui ne se soucient pas des biens d'autrui, et sur tout le monde qui essayait tout le temps de le rouler.

Noël est venu et s'est passé sans autre forme de procès, sinon que tout étant fermé, sans travail, je ne pouvais me réchauffer nulle part sauf dans l'église, et ce pendant quelques heures. Ensuite je rentrais m'enrouler dans ma couverture et je me balançais sur place, gelé jusqu'aux os, en pensant à tous les Noëls ensoleillés de mon enfance — des oranges, des vélos et des hula-hoops, les paillettes vertes qui étincelaient dans la chaleur.

Il m'arrivait parfois du courrier, adressé à l'université de Hampden. Francis m'a envoyé une lettre de six pages pour dire combien il s'ennuyait, comme il était malade, et décrire pratiquement tout ce qu'il avait mangé depuis que je l'avais vu. Les jumeaux, qu'ils soient bénis, ont envoyé des boîtes de gâteaux faits par leur grand-mère, et des lettres écrites alternativement avec des encres différentes — noire pour Charles, rouge pour Camilla. Vers la deuxième semaine de janvier j'ai reçu une carte postale de Rome, sans adresse d'expéditeur. C'était une photo de la Primaporta Augustus ; à côté, Bunny avait dessiné avec une étonnante habileté lui-même et Henry en costume romain (toges et petites lunettes rondes), jetant un regard curieux dans la direction indiquée par le bras tendu de la statue. (Caesar Augustus était l'idole de Bunny ; il nous avait tous fait honte en acclamant son nom au cours d'une lecture de l'histoire de Bethléem, dans saint Luc, à la fête de Noël du département de littérature. « Bon, et puis quoi, avait-il dit quand nous avions voulu le faire taire. Le monde entier aurait dû être taxé. »)

J'ai toujours cette carte postale. Écrite au crayon, bien sûr ; au fil des ans elle s'est un peu effacée, mais elle est encore lisible. Pas de signature, mais on ne peut pas se tromper sur l'auteur :

« Richard mon Vieux
est-ce que tu gèles , il fait
très chaud ici. Nous sommes dans une Pensione
(s.p.). J'ai commandé du Conche par erreur
hier au restaurant c'était infect
mais Henry l'a mangé. Il n'y a ici que des
foutus catholiques. Arrivederci à bientôt. »

Francis et les jumeaux me demandaient, avec assez d'insistance, mon adresse à Hampden. « Où habites-tu ? » écrivait Charles à l'encre noire. « Oui, où ? » insistait

Camilla en rouge. (Elle avait une encre d'une teinte spéciale, marocaine, qui pour moi, alors qu'elle me manquait terriblement, avait fait remonter dans un flot de couleurs toute la gaieté fragile de sa voix rauque.) Comme je n'avais pas d'adresse à leur donner, j'avais passé leurs questions sous silence et bourré mes réponses de neige, de solitude et de beauté. Je me suis souvent dit que mon existence devait sembler fort singulière à qui lisait ces lettres, très loin de là. La vie qu'elles décrivaient était impersonnelle, détachée, incluant tout sans rien de défini, avec de grands blancs qui se dressaient à chaque virage pour arrêter le lecteur ; en changeant quelques dates ou circonstances elles auraient aussi bien pu être du Gautama que de moi.

J'écrivais ces lettres le matin, avant d'aller travailler, dans la bibliothèque, pendant mes longues flâneries au Collège, où je passais la soirée jusqu'à ce que le concierge me dise de partir. Il me semblait que ma vie entière se composait de ces fractions temporelles disjointes, à traîner dans un endroit public après l'autre, comme si j'attendais des trains qui n'arrivaient jamais. Et aussi, tel un de ces fantômes dont on dit qu'ils s'attardent autour des gares en fin de nuit, et demandent aux voyageurs l'horaire d'un Midnight Express ayant déraillé vingt ans plus tôt, j'errais de lumière en lumière jusqu'à l'heure redoutée où toutes les portes se fermaient et où, quittant le monde chaleureux des gens et des conversations entendues au passage, je sentais le froid familier s'enrouler à nouveau dans mes os ; et là tout était oublié, la chaleur, les lumières ; je n'avais jamais eu chaud de ma vie, jamais.

Je suis devenu expert à me rendre invisible. Je pouvais passer deux heures sur un café, quatre sur un repas, sans presque être remarqué par la serveuse. Bien que les employés du Collège m'aient chassé tous les soirs à la fermeture, je doute qu'ils se soient jamais rendu compte qu'ils s'adressaient au même garçon deux fois de suite. Le dimanche après-midi, mon manteau d'invisibilité sur les épaules, je m'asseyais à l'infirmerie parfois six heures d'affilée, lisant paisiblement des magazines comme *Yankee* (« La pêche aux clams à Cuttyhunk »), ou le *Reader's Digest* (« Les dix façons d'aider ce dos qui vous fait mal ! »), restant inaperçu aussi bien du réceptionniste, du médecin que de mes compagnons de souffrance.

Mais, comme l'Homme invisible de H.G. Wells, j'ai découvert que ce don avait un prix, lequel prenait la forme, dans mon cas comme dans le sien, d'une sorte d'obscurité mentale. C'était comme si les gens n'arrivaient plus à croiser mon regard, manquaient de me passer au travers du corps, et mes superstitions se sont peu à peu transformées en manies. Je me suis persuadé que ce n'était qu'une question de temps avant qu'une des marches métalliques branlantes qui menaient à ma chambre ne cède et me fasse briser le cou, ou pire, une jambe ; je serais gelé ou mort de faim avant que Leo ne me vienne en aide. Comme, un jour que j'avais grimpé les marches sans peur et sans incident, j'avais eu dans la tête une vieille chanson de Brian Eno (« A New Delhi / Et Hong Kong / Ils savent tous que ce ne sera pas long... ») il fallait maintenant que je me la chante chaque fois que je les montais ou que je les descendais.

Et chaque fois que je franchissais la passerelle de la rivière, deux fois par jour, il fallait que je m'arrête et que je fouille dans la neige couleur café du bord de la route jusqu'à trouver une pierre de taille respectable. Ensuite je devais me pencher sur la rambarde glacée pour la laisser tomber dans le courant qui bouillonnait au-dessus des œufs de dinosaure tachetés composant son lit — une offrande peut-être, au dieu de la rivière, pour une traversée sans péril, ou peut-être encore une façon d'essayer de prouver que moi aussi, même invisible, j'existais. L'eau était par endroits si claire et si peu profonde que parfois j'entendais la pierre claquer contre le fond. Les deux mains sur la rambarde, le regard fixé sur l'eau blanchie qui se précipitait sur les rochers, mince écume sur les pierres polies, je me demandais ce que ce serait de tomber et de m'ouvrir le crâne sur un de ces rochers brillants : une affreuse fracture, une mollesse soudaine, puis des veines rouges qui marbreraient l'eau vitreuse.

Si je me jetais du pont, pensais-je, qui me retrouverait dans ce grand silence blanc ? La rivière me traînerait-elle sur les rochers pour me recracher plus bas dans les eaux calmes, après l'usine de teinture, ou quelque dame me prendrait-elle dans le faisceau de ses phares en sortant du parking à cinq heures de l'après-midi ? Ou bien irais-je, comme les morceaux de mandoline de Leo, me loger obstinément dans un endroit calme à l'abri d'un rocher, mes vêtements flottant autour de moi, pour attendre le printemps ?

Nous en étions, dirais-je, à la troisième semaine de janvier. Le thermomètre tombait ; ma vie, qui n'était encore que solitaire et misérable, est devenue insupportable. Chaque jour, pris de stupeur, j'allais travailler et j'en revenais, parfois par moins vingt ou moins trente, ou dans des tempêtes de neige si épaisse que je n'y voyais que du blanc, et le seul moyen de retrouver mon chemin était de longer les glissières au bord de la route. Une fois rentré, je m'enroulais dans mes couvertures sales et je tombais sur le sol comme un mort. Tous les instants qui n'étaient pas consumés par l'effort d'échapper au froid étaient absorbés par des rêveries morbides à la Edgar Poe. Une nuit, en rêve, j'ai vu mon propre cadavre, les cheveux raidis par la glace et les yeux grands ouverts.

J'arrivais au bureau du Dr Roland tous les matins comme une horloge. Lui-même, un soi-disant psychologue, n'a pas remarqué un seul des dix signes avertisseurs de la dépression nerveuse ou autre qu'il était supposé voir et censé enseigner. Au lieu de quoi il prenait avantage de mon silence pour parler de son football et des chiens qu'il avait eus dans son enfance. Les rares remarques qu'il m'adressait étaient énigmatiques et incompréhensibles. Il me demandait, par exemple, puisque j'étais au département théâtre, pourquoi je ne jouais dans aucune pièce. « Qu'est-ce qui ne va pas ? Êtes-vous timide, mon garçon ? Montrez-leur de quoi vous êtes fait. » Une autre fois il m'a dit, négligemment, que lorsqu'il était à Brown il avait partagé une chambre avec un garçon qui logeait au bout du couloir. Un jour il a dit qu'il ne savait pas que mon ami était resté passer l'hiver à Hampden.

« Je n'ai pas d'amis ici pendant l'hiver », ai-je répondu, ce qui était le cas.

« Vous ne devriez pas éloigner vos amis de cette manière. Les meilleurs amis que vous aurez jamais sont ceux que vous vous faites en ce moment. Je sais que vous ne me croyez pas, mais c'est à mon âge qu'ils commencent à disparaître. »

Quand je rentrais, le soir, les contours des choses blanchissaient et il me semblait que j'étais sans passé, sans mémoire, que j'étais depuis toujours sur ce même tronçon de route lumineuse et sifflante.

Je ne sais pas exactement ce qui n'allait pas. Les médecins parlent maintenant d'une hypothermie chronique, alliée à la sous-alimentation et à un début de pneumonie, mais je ne crois pas que cela rende compte de mes hallucinations ni de ma confusion mentale. A l'époque, j'ignorais même que j'étais malade : chaque symptôme, chaque fièvre et chaque douleur était noyée par les vociférations de mes malheurs les plus pressants.

Car je traversais une mauvaise passe. C'était le mois de janvier le plus froid depuis vingt-cinq ans. J'étais terrifié à l'idée de mourir de froid mais je n'avais absolument nulle part où aller. Je suppose que j'aurais pu demander au Dr Roland d'habiter l'appartement qu'il partageait avec sa petite amie, mais j'aurais eu tellement honte que la mort, à tout prendre, me paraissait préférable. Je ne connaissais personne d'autre, même de loin, et hormis frapper à la porte d'inconnus il ne me restait pas grand-chose à faire. Une nuit terrible j'ai voulu appeler mes parents de la cabine à l'extérieur du Boulder Tap ; il tombait de la neige fondue et je tremblais si violemment que j'avais du mal à glisser les pièces dans la fente. Même si j'avais, en désespoir de cause, l'espoir insensé qu'ils puissent m'envoyer de l'argent ou un billet d'avion, j'ignorais ce que j'avais envie qu'ils me disent ; je crois avoir eu vaguement l'idée, alors que j'étais debout dans la neige et le vent de Prospect Street, que je me sentirais mieux à simplement entendre les voix de gens bien au chaud, très loin de là. Mais quand mon père a décroché l'appareil, à la sixième ou septième sonnerie, sa voix irritée, sentant la bière, m'a serré la gorge au point que j'ai raccroché.

Le Dr Roland a encore mentionné mon ami imaginaire. Il l'avait vu en ville, cette fois, tard la nuit, en train de traverser la place alors que lui-même rentrait chez lui en voiture.

« Je vous ai dit que je n'ai pas d'amis ici. »

« Vous savez bien de qui je parle. Un grand gars costaud. Avec des lunettes. »

Quelqu'un qui ressemblait à Henry ? A Bunny ? « Vous avez dû vous tromper. »

La température a plongé si bas que j'ai dû passer quelques nuits au motel Catamount. J'étais la seule personne présente, à part le vieillard édenté qui tenait l'hôtel ; il occupait la chambre voisine de la mienne et sa toux sèche et ses crachotements m'empêchaient de dormir. Ma porte n'avait pas de verrou, juste une de ces serrures antiques qu'on peut ouvrir avec une épingle à cheveux ; le troisième soir j'ai été réveillé par un mauvais rêve ( un escalier de cauchemar, des marches de toutes tailles et de toutes les hauteurs, un homme qui descend devant moi, très vite) et j'ai entendu un léger cliquetis. Je me suis assis dans mon lit et, horreur, j'ai vu le bouton de la porte tourner sans bruit au clair de lune. « Qui est là ? » ai-je crié. Il n'a plus bougé. Je suis resté longtemps éveillé dans le noir. Le lendemain matin, je suis parti, préférant l'idée de mourir tranquillement chez Leo plutôt que celle de me faire assassiner dans mon lit.

Une tempête féroce s'est abattue début mars, avec lignes électriques coupées, automobilistes bloqués, et pour moi un épisode hallucinatoire. Des voix me parlaient dans le rugissement du torrent, le sifflement de la neige : « *Couche-toi* », murmuraient-elles, ou « *Tourne à gauche. Sinon tu le regretteras.* » Ma machine à écrire était près de la fenêtre, dans le bureau du Dr Roland. Une fois, en fin d'après-midi, alors que le jour tombait, j'ai baissé les yeux sur la cour déserte et j'ai eu la surprise de voir qu'une silhouette noire et immobile s'était matérialisée sous le lampadaire, les mains dans les poches de son grand manteau, le regard levé vers ma fenêtre. Elle était dans l'ombre et il neigeait beaucoup. « Henry ? » ai-je dit en appuyant sur mes yeux jusqu'à voir des étoiles. Quand je les ai rouverts, je n'ai rien vu que la neige qui tournoyait dans le cône lumineux du lampadaire.

La nuit je grelottais, allongé par terre, en regardant la colonne de flocons illuminés qui tombait par le trou de la toiture. Aux marges de la stupéfaction, alors que je glissais au bas du toit pentu de l'inconscience, quelque chose me disait au dernier moment que si je m'endormais je ne me réveillerais jamais : je me débattais pour garder les yeux ouverts, et tout d'un coup la colonne de neige brillante qui se dressait dans un coin obscur m'apparaissait, dans son vrai chuchotement, comme une menace souriante, un ange aérien de la mort. Mais j'étais trop fatigué pour m'en soucier ; même en la regardant je sentais ma prise se relâcher, et avant de m'en rendre compte j'avais basculé par-dessus bord, dans l'abîme ténébreux du sommeil.

Mes repères temporels se brouillaient. Je me traînais toujours au bureau, mais seulement parce qu'il y faisait chaud, et j'exécutais plus ou moins les tâches simples qui me revenaient, mais franchement je ne sais pas combien de temps j'aurais pu continuer si quelque chose de très surprenant ne s'était alors passé.

Je n'oublierais jamais cette nuit, aussi longtemps que je vivrais. C'était un vendredi, et le Dr Roland partait en voyage jusqu'au mercredi suivant. Pour moi, cela signifiait quatre jours à l'entrepôt, et même pour mon esprit embrumé il était clair que cette fois je pourrais bien mourir gelé.

A la fermeture du Collège je suis reparti vers chez moi. La neige était profonde, et bientôt j'ai eu les jambes engourdies jusqu'aux genoux, pleines de picotements. En passant par l'est de la ville, je me suis sérieusement demandé si j'arriverais jusqu'à l'entrepôt, et ce que j'y ferais quand j'y serais. Tout était noir et désert, même le Boulder Tap ; la seule lumière à des kilomètres à la ronde semblait être l'ampoule tremblotante de la cabine téléphonique. Je suis allé vers cette lumière comme vers un mirage en plein désert. J'avais environ trente dollars en poche ; plus qu'assez pour appeler un taxi qui m'emmènerait à l'hôtel Catamount, vers une petite chambre minable avec une porte sans serrure et Dieu sait ce qui pouvait m'attendre.

Je bredouillais et la standardiste ne voulait pas me donner le numéro d'une compagnie de taxis. « Vous devez m'indiquer le nom d'une compagnie précise. Nous n'avons pas le droit de... »

« Je ne connais pas le nom précis d'une compagnie, ai-je dit, la voix épaisse. Il n'y a pas d'annuaire ici. »

« Je regrette, monsieur, mais nous n'avons pas le droit de... »

« Red Top ? » ai-je dit, désespéré, essayant de deviner un nom, d'en inventer un, n'importe quoi. « Yellow Top ? Town Taxi ? Checker ? »

Finalement je crois en avoir trouvé un, à moins qu'elle n'ait eu pitié de moi. Il y a eu un déclic, et une voix mécanique m'a donné un numéro. Je l'ai fait très vite pour ne pas l'oublier, si vite que je me suis trompé et que j'ai perdu ma pièce.

Il y en avait une autre dans ma poche, et c'était ma dernière. J'ai ôté mon gant et fouillé la poche de mes doigts gourds. Finalement je l'ai trouvée, je l'avais dans la main et j'allais la mettre dans la fente, quand soudain elle m'a glissé des doigts. Je me suis penché pour la rattraper et je me suis cogné le front sur le bord métallique de la tablette.

Je suis resté quelques minutes dans la neige, couché sur le ventre. Il y avait un grondement dans mes oreilles ; en tombant, j'avais arraché l'appareil de son socle, et la tonalité occupée qui sortait de l'écouteur se balançant au bout du fil me semblait venir de très loin.

J'ai réussi à me remettre à quatre pattes. Les yeux braqués sur l'endroit où avait été ma tête, j'ai vu une tache sombre sur la neige. En me touchant le front de ma main dégantée, j'ai eu les doigts rouges de sang. La pièce avait disparu, et de plus j'avais oublié le numéro. Il faudrait que je revienne plus tard, quand le Boulder Tap serait ouvert, pour faire de la monnaie. J'ai pu me remettre sur pieds, laissant l'écouteur pendre à son fil.

J'ai gravi les marches moitié debout, moitié sur les genoux. Un filet de sang coulait de mon front. Sur le palier, j'ai repris mon souffle, et autour de moi tout est devenu flou — des parasites entre les stations : tout était neigeux une seconde ou deux puis les traits noirs ondulaient et l'image se reformait. Une caméra sautillante, une pub de cauchemar. L'Entrepôt à Mandolines de Leo. Dernier arrêt au bord de la rivière. Prix sacrifiés. Pensez à nous aussi, pour vos congélateurs.

J'ai poussé la porte d'un coup d'épaule et cherché l'interrupteur à tâtons, quand soudain j'ai vu près de la fenêtre quelque chose qui m'a fait chanceler sous le choc. Une silhouette en long manteau noir était immobile de l'autre côté de la pièce, près de la fenêtre, les mains derrière le dos. Près d'une main j'ai vu la petite lueur rouge d'une cigarette.

La lumière s'est allumée avec un claquement et un bourdonnement. La silhouette sombre, maintenant concrète et visible, s'est retournée. C'était Henry. Il semblait sur le point de faire une sorte de plaisanterie, mais quand il m'a vu ses yeux se sont ouverts tout grand et sa bouche s'est arrondie en un petit o.

Nous sommes restés l'un en face de l'autre un bon moment.

« Henry ? » ai-je fini par dire, à peine capable de chuchoter.

Il a laissé la cigarette tomber de ses doigts et a fait un pas vers moi. C'était réellement lui — les joues humides et rouges, de la neige sur les épaules de son manteau. « Bon Dieu , Richard, qu'est-ce qui t'arrive ? »

Jamais je ne l'ai vu exprimer une telle surprise. Je suis resté sur place, le regard fixe, déséquilibré. Les choses étaient devenues trop brillantes, bordées de blanc. J'ai tendu le bras vers la porte, et l'instant d'après je tombais et Henry avait bondi pour me rattraper.

Il m'a allongé doucement par terre, a enlevé son manteau et l'a posé sur moi comme une couverture. J'ai cligné des yeux vers lui et me suis essuyé la bouche du dos de la main. « D'où est-ce que tu sors ? »

« Je suis parti plus tôt d'Italie. » Il a écarté les cheveux de mon front, pour mieux voir la coupure. J'ai vu du sang sur ses doigts.

« Un sacré petit endroit que je me suis trouvé, hein ? » ai-je dit en riant.

Il a jeté un coup d'œil au trou du plafond. « Oui, a-t-il fait d'un ton brusque. Un peu comme le Panthéon. » Et il a de nouveau regardé ma tête.

---

Je me souviens d'être monté dans la voiture d'Henry, de lumières et de gens penchés sur moi, d'avoir eu à m'asseoir quand je n'en avais pas envie, je me souviens aussi de quelqu'un essayant de me faire une prise de sang, de moi qui me plaignais faiblement, mais la première chose dont je me souviens à peu près clairement c'est de m'asseoir et de me retrouver dans une pièce blanche, mal éclairée, installé sur un lit d'hôpital avec une perfusion dans le bras.

Henry était assis sur une chaise à côté de mon lit, et lisait à la lumière d'une lampe. Il a posé son livre en me voyant me redresser. « Ta coupure n'était pas grave. C'était propre et peu profond. On t'a posé quelques agrafes. »

« Je suis à l'infirmerie ? »

« Tu es à Montpelier. Je t'ai amené à l'hôpital. »

« C'est pour quoi faire, la transfusion ? »

« Ils disent que tu as une pneumonie. Tu veux quelque chose à lire ? » a-t-il dit poliment.

« Non merci. Quelle heure est-il ? »

« Une heure du matin. »

« Mais je croyais que tu étais à Rome. »

« Je suis rentré il y a environ quinze jours. Si tu veux dormir, je vais rappeler l'infirmière pour qu'elle te fasse une piqûre. »

« Non merci. Pourquoi est-ce que je ne t'ai pas vu plus tôt ? »

« Parce que je ne savais pas où tu habitais. La seule adresse que j'avais, c'était celle du Collège. Cet après-midi j'ai été demander dans les bureaux. A propos, comment s'appelle la ville où habitent tes parents ? »

« Plano. Pourquoi ? »

« Je pensais que tu aurais peut-être envie que je les appelle. »

« Ne prends pas cette peine », ai-je dit en retombant sur mon lit. La perfusion me faisait comme de la glace dans les veines. « Parle-moi de Rome. »

« Très bien. » Il s'est mis à parler tout doucement des adorables terres cuites étrusques de la Villa Giulia, des nénuphars et des fontaines dans le nympheum tout proche ; de la Villa Borghèse et du Colisée, de la vue en haut du Palatin au petit matin, de la splendeur qu'avaient dû avoir les Thermes de Caracalla à l'époque romaine, leurs marbres, leurs bibliothèques, le grand caldarium circulaire et le frigidarium avec son vaste bassin vide, resté intact de nos jours, et probablement d'un tas d'autres choses dont je ne me rappelle pas parce que je me suis endormi.

---

J'ai passé quatre nuits à l'hôpital. Henry est resté avec moi presque tout le temps, m'apportant des sodas quand j'en demandais, ainsi qu'un rasoir, une brosse à dents et un de ses pyjamas — en coton égyptien crème, soyeux et d'une douceur merveilleuse, avec HMW (M pour Marchbanks) brodé en petites lettres écarlates sur la poche de poitrine. Il m'a aussi apporté des crayons et du papier, ce dont je n'avais guère l'usage, mais sans quoi je suppose que lui-même se serait senti perdu, et une grande quantité de livres, la moitié dans des langues que j'ignorais et l'autre qui aurait tout aussi bien pu l'être. Un soir — Hegel me donnait la migraine — je lui ai demandé un magazine ; il a paru très surpris, et il est revenu avec une revue professionnelle *(Actualité pharmacologique)* trouvée dans la salle d'attente. Nous parlions très peu. La plupart du temps, il lisait, avec une concentration ahurissante ; six heures d'affilée sans presque lever les yeux. Il ne m'accordait quasiment aucune attention. Mais il restait à mon chevet les mauvaises nuits où j'avais de la peine à respirer, quand j'avais si mal aux poumons que je ne pouvais pas dormir ; et une fois, quand l'infirmière de service a eu trois heures de retard pour mon traitement, il l'a suivie dans le couloir, impassible, et là lui a fait, de sa voix monotone et retenue, une réprimande si éloquente et si dure que cette femme, sévère et méprisante, avec les cheveux teints d'une serveuse sur le retour, en a été quelque peu adoucie, et que désormais — elle qui arrachait les pansements de ma perfusion sans aucune pitié, et me faisait des bleus à force de chercher maladroitement une veine — elle m'a traité avec une certaine douceur et qu'une fois, en prenant ma température, elle m'a même appelé « mon chou ».

Le médecin des urgences m'a dit qu'Henry m'avait sauvé la vie. C'était là quelque chose d'à la fois spectaculaire et gratifiant — et que j'ai répété à beaucoup de gens — mais secrètement je trouvais que c'était exagéré. Les années passant, néanmoins, je ne me suis mis à penser qu'il avait bien pu avoir raison. Quand j'étais jeune, je me croyais immortel. Et bien que je me sois rétabli très vite, à l'époque, en un sens je ne me suis jamais vraiment remis de cet hiver. Depuis je n'ai pas arrêté d'avoir des problèmes pulmonaires, mes os me font mal au moindre refroidissement, et je m'enrhume facilement, alors que cela ne m'arrivait jamais.

J'ai répété à Henry ce qu'avait dit le médecin. Cela lui a déplu. Il a froncé les sourcils et fait une brève remarque — à vrai dire, je suis étonné de l'avoir oubliée, tellement j'ai eu honte — et je ne l'ai plus jamais mentionné. Pourtant je crois vraiment qu'il m'a sauvé. Et quelque part, s'il existe un endroit où on tient des listes, et où le mérite est attribué, je suis sûr qu'il y a une étoile d'or à côté de son nom.

Mais je deviens sentimental. Cela m'arrive, parfois, quand je pense à ces choses.

---

Lundi matin j'ai enfin pu sortir, avec un flacon d'antibiotiques et le bras percé comme une passoire. Ils ont insisté pour m'amener en fauteuil roulant à la voiture d'Henry, même si j'étais parfaitement capable de marcher, et humilié de me faire trimbaler comme un paquet.

Conduis-moi à l'hôtel Catamount, ai-je dit en arrivant à Hampden.

« Non. Tu viens loger chez moi. »

Henry habitait au rez-de-chaussée d'une vieille maison de Water Street, au nord de la ville, à une rue de chez Charles et Camilla et plus près de la rivière. Il n'aimait pas les visites et je n'y étais entré qu'une fois, seulement pour une minute ou deux. C'était nettement plus grand que chez les jumeaux, et beaucoup plus vide. Les pièces étaient vastes, anonymes, avec des planchers à larges lames, des murs en plâtre peints en blanc et pas de rideaux. Les meubles, quoique de bonne qualité, étaient simples, usés, et il n'y en avait guère. L'endroit avait un air inoccupé, spectral, et certaines pièces étaient complètement vides. Les jumeaux m'avaient dit qu'Henry n'aimait pas la lumière électrique, et ici et là, sur les appuis de fenêtre, il y avait des lampes à pétrole.

Sa chambre, où j'allais m'installer, était restée fermée, de manière assez explicite, lors de ma précédente visite. Elle contenait ses livres — pas autant qu'on aurait cru — un lit étroit et c'était à peu près tout, sauf pour un placard fermé avec un gros cadenas. Une affiche en noir et blanc tirée d'un vieux magazine, *un Life*, de 1945, était agrafée à la porte du placard. C'était une photo de Vivien Leigh accompagnée d'un Julian étonnamment jeune. Ils étaient à un cocktail, le verre à la main ; il lui murmurait quelque chose à l'oreille et elle riait.

« Où a été prise cette photo ? » ai-je demandé.

« Je ne sais pas. Julian dit qu'il a oublié. De temps en temps on tombe sur une photo de lui dans un vieux magazine. »

« Pourquoi ? »

« Il connaissait beaucoup de gens. »

« Qui ? »

« La plupart sont morts, aujourd'hui. »

« Qui ? »

« Vraiment, je ne sais pas, Richard. » Puis il a cédé. « J'ai vu des photos de lui avec les Sitwell. Et T.S. Eliot. Et aussi — une drôle de photo avec cette actrice — j'ai oublié son nom. Elle est morte. » Il a réfléchi un moment. « Elle était blonde. Je crois qu'elle avait épousé un joueur de baseball. »

« Marilyn Monroe ? »

« Peut-être. Ce n'était pas une très bonne photo. Tirée d'un journal. »

Au cours des trois derniers jours, Henry avait rapporté mes affaires de l'entrepôt. Mes valises étaient au pied du lit.

« Je ne vais pas prendre ton lit, Henry. Où vas-tu dormir ? »

« Une des chambres du fond a un lit qui se replie contre le mur. Je ne sais pas comment on appelle ça. Je n'ai jamais dormi là-dedans. »

« Alors pourquoi ce n'est pas moi qui irais ? »

« Non. Je suis assez curieux de voir ce que c'est. En plus, je pense qu'il vaut mieux changer de temps en temps d'endroit où dormir. Je crois que ça rend nos rêves plus intéressants. »

---

Je prévoyais de passer tout juste quelques jours chez Henry — et j'ai repris mon travail le lundi suivant — mais j'ai fini par y rester jusqu'à la reprise des cours. Je ne comprenais pas pourquoi Bunny m'avait dit qu'il était si difficile à vivre. C'est le meilleur colocataire que j'ai jamais eu, propre et silencieux, le plus souvent seul de son côté de l'appartement. La plupart du temps, quand je rentrais du travail, il était sorti, sans jamais me dire où il allait, pas plus que je ne le lui demandais. Mais parfois, à mon arrivée, il avait préparé à dîner — pas de la cuisine compliquée, comme Francis : il ne faisait que des plats ordinaires, poulet rôti et pommes de terre bouillies, de la cuisine de célibataire — et on s'installait dans la cuisine, devant la table de bridge, pour manger en bavardant.

J'avais appris à ne jamais me mêler de ses affaires, mais un soir, poussé par la curiosité, je lui ai demandé : « Bunny est toujours à Rome ? »

Il a attendu quelques instants avant de répondre. « Je suppose. » Il a reposé sa fourchette. « Il y était quand je suis parti. »

« Pourquoi n'est-il pas rentré avec toi ? »

« Je pense qu'il avait envie de rester. J'ai payé le loyer jusqu'à février. »

« Il t'a laissé le loyer à payer ? »

Henry a repris une bouchée dans son assiette. « Franchement, a-t-il dit après avoir mâché puis avalé, bien que Bunny puisse te raconter le contraire, il n'a pas un sou, pas plus que son père. »

« Je croyais que ses parents étaient riches. » J'étais secoué.

« Je ne dirais pas ça, a fait Henry calmement. Ils ont dû avoir de l'argent, jadis, mais alors ils l'ont dépensé depuis longtemps. Leur affreuse maison a dû coûter une fortune, et ils font grand étalage de yacht clubs et de country clubs et d'envoyer leur fils dans les écoles les plus chères, mais pour ça ils sont endettés jusqu'au cou. On les croit riches, mais ils n'ont pas le sou. J'imagine que M. Corcoran est au bord de la faillite. »

« Bunny a l'air de vivre plutôt bien. »

« Bunny n'a jamais eu un centime d'argent de poche depuis que je le connais, a dit Henry d'un ton aigre. Et il a des goûts de luxe. C'est regrettable. »

Nous avons mangé en silence.

« Si j'étais M. Corcoran, a repris Henry au bout d'un long moment, j'aurais mis Bunny dans les affaires ou je lui aurais fait apprendre un métier à la sortie du lycée. Bunny n'a rien à faire à l'université. Il n'a même pas su lire avant d'avoir dix ans. »

« Il dessine bien. »

« Je trouve, moi aussi. Il n'a certainement aucun don pour les études. On aurait dû le mettre en apprentissage chez un peintre quand il était petit au lieu de l'envoyer dans toutes ces écoles hors de prix pour enfants retardés. »

« Il m'a envoyé un très bon dessin où vous êtes tous les deux à côté d'une statue de Caesar Augustus. »

Henry a lâché un son bref, exaspéré. « C'était au Vatican. Toute la journée il a fait des remarques à haute voix sur les Ritals et les cathos. »

« Au moins, il ne parle pas italien. »

« Suffisamment pour commander ce qu'il y avait de plus cher sur le menu chaque fois qu'on allait au restaurant », a-t-il dit sèchement. J'ai jugé bon de changer de sujet, ce que j'ai fait.

---

Le samedi avant la reprise des cours, j'étais en train de lire au lit. Quand je m'étais réveillé, Henry était déjà sorti. Soudain on a frappé à grands coups sur la porte d'entrée. Croyant qu'Henry avait oublié sa clef, je suis allé ouvrir.

C'était Bunny. Il avait des lunettes noires, un élégant costume italien, tout neuf — contrastant avec les loques informes qu'il mettait d'habitude — et aussi cinq ou dix kilos de plus. Il a eu l'air surpris de me voir.

« Eh bien, salut, Richard », m'a-t-il dit en me serrant cordialement la main. « *Buenos días*. Content de te voir. Où est l'homme de la maison ? »

« Il n'est pas là. »

« Alors qu'est-ce que tu fais là? Entré par effraction ? »

« J'habite là depuis quelque temps. J'ai reçu ta carte postale. »

« Tu habites là ? » Il m'a regardé d'une drôle de façon. « Pourquoi ? »

J'étais étonné qu'il ne soit pas au courant. « J'étais malade », ai-je dit avant d'expliquer un peu ce qui s'était passé.

« Hmnpf », a fait Bunny.

« Tu veux du café ? »

Nous avons traversé la chambre pour aller dans la cuisine. « On dirait que tu t'es fait un petit chez-toi », a-t-il dit d'un ton brusque en voyant mes affaires sur la table de nuit et mes valises par terre. « Tu n'as que du café américain ? »

« Qu'est-ce que tu veux dire ? Du Folger ? »

« Pas d'espresso, je veux dire ? »

« Oh ! Non. Désolé. »

« Moi, je ne bois que de l'espresso, a-t-il proclamé. J'en buvais tout le temps en Italie. Il y a toutes sortes de petits endroits où on s'assied pour en boire, tu sais. »

« Je l'ai entendu dire. »

Il a enlevé ses lunettes noires et s'est mis à table. « Tu n'as rien de bon à manger, par hasard ? » Il a louché sur le réfrigérateur que j'avais ouvert pour y prendre la crème. « Je n'ai pas encore déjeuné. »

J'ai ouvert plus grand pour qu'il puisse voir.

« Ce fromage-là, ça va aller. »

J'ai coupé du pain et je lui a fait un sandwich au fromage,

car il ne donnait pas le moindre signe de se lever pour faire quoi que ce soit. Ensuite je lui ai servi du café et je me suis assis. « Parle-moi de Rome. »

« Splendide, a-t-il dit à travers son sandwich. Cité éternelle. Beaucoup d'art. Des églises dans tous les coins. »

« Qu'est-ce que tu as vu ? »

« Des tonnes de choses. Difficile de me rappeler tous ces noms, maintenant, tu sais. Au moment de partir, je parlais leur baragouin comme un Italien. »

« Dis quelque chose. »

Il l'a fait, en serrant le pouce et l'index pour les secouer en l'air avec emphase, comme un chef français dans une pub à la télé.

« Ça sonne bien, ai-je dit. Qu'est-ce que ça veut dire ? »

« Ça veut dire : Garçon, servez-moi vos spécialités locales », et il est retourné à son sandwich.

J'ai entendu le léger bruit d'une clef dans la serrure et la porte qui se refermait. Des pas se sont dirigés sans bruit vers le fond de l'appartement.

« Henry ? a beuglé Bunny. C'est toi ? »

Les pas se sont arrêtés. Puis ils se sont approchés très vite de la cuisine. Quand il est arrivé à la porte il est resté à regarder Bunny, le visage inexpressif. « Je pensais que c'était toi. »

« Eh bien, bonjour quand même. » Bunny, la bouche pleine, s'est adossé à son siège. « Comment va mon gars ? »

« Très bien. Et toi ? »

« On me dit que tu héberges les malades, a lancé Bunny en me faisant un clin d'œil. Ta conscience te démange ? T'as pensé que tu devrais te faire une ou deux BA ? »

Henry n'a rien dit, et je suis sûr qu'à cet instant il aurait paru absolument impassible à quiconque ne le connaissait pas, mais je savais qu'il bouillait intérieurement. Il a tiré une chaise pour s'asseoir. Ensuite il s'est relevé et s'est servi une tasse de café.

« J'en reprendrai un peu, merci, si ça ne t'ennuie pas, a dit Bunny. C'est bon d'être rentré aux bons vieux States. Les hamburgers qui grillent en plein vent et tout ça. Le Pays des Opportunités. Qu'il flotte à jamais. »

« Tu es là depuis combien de temps ? »

« Arrivé à New York tard hier soir. »

« Je regrette de n'avoir pu t'accueillir. »

« Où étais-tu ? » a demandé Bunny, soupçonneux.

« Au marché. » C'était un mensonge. Je ne savais pas où il était allé, mais il n'avait sûrement pas passé quatre heures à faire le marché.

« Où sont les provisions ? Je vais t'aider à les ranger. »

« Je les fais livrer. »

« Le Food King fait les livraisons ? » a dit Bunny, surpris

« Je ne suis pas allé au Food King. »

Mal à l'aise, je suis reparti en direction de la chambre.

« Non, non, ne t'en vas pas. » Henry a bu une grande gorgée de café avant de poser la tasse dans l'évier. « Bunny, j'aurais aimé savoir que tu rentrais. Mais nous devons sortir, Richard et moi, d'une minute à l'autre. »

« Pourquoi ? »

« J'ai un rendez-vous en ville. »

« Chez un avocat ? » Bunny s'est esclaffé bruyamment.

« Non. Chez l'ophtalmologiste. C'est pour ça que je suis passé, m'a-t-il dit. J'espère que cela ne t'ennuie pas. On va me mettre des gouttes dans les yeux et je ne pourrai pas conduire. »

« Non, bien sûr. »

« Je ne serai pas long. Tu n'as pas à m'attendre, juste à me déposer et à revenir me chercher. »

Bunny nous a accompagnés à la voiture. Nos pas crissaient dans la neige. « Ah, le Vermont. » Il a respiré à fond et en se frappant la poitrine, comme Olivier Douglas dans la première scène de *Verts Pâturages*. « L'air me fait du bien. Alors quand crois-tu que tu seras là, Henry ? »

« Je ne sais pas. » Henry m'a donné les clefs et a fait le tour de la voiture.

« Bon, j'aimerais bien bavarder un peu avec toi. »

« Eh bien, c'est parfait, mais vraiment je suis un peu en retard, Bun. »

« Ce soir, alors ? »

« Si tu veux », a dit Henry avant de monter et de claquer la portière.

---

Une fois dans la voiture, Henry a allumé une cigarette et n'a plus dit un mot. Il fumait beaucoup depuis qu'il était revenu d'Italie, presque un paquet par jour, ce qui lui arrivait rarement. Nous avons démarré, et ce n'est que devant chez le médecin qu'il a secoué la tête en me regardant d'un air vide. « Qu'y a-t-il ? »

« A quelle heure je dois revenir te prendre ? »

Il a regardé la rue, le bâtiment gris d'un seul étage, l'enseigne qui disait Centre d'ophtalmologie de Hampden.

« Bonté divine », a-t-il dit en reniflant, avec un petit rire amer, étonné. « Continue à rouler. »

---

Je me suis couché tôt, ce soir-là, vers onze heures ; à minuit j'ai été réveillé par des coups violents et insistants sur la porte d'entrée. J'ai attendu une minute, au lit, puis je me suis levé pour voir ce que c'était.

Dans le couloir obscur, j'ai rencontré Henry en robe de chambre, qui mettait ses lunettes à tâtons, avec une de ses lampes à pétrole qui jetait des ombres folles et démesurées sur les murs. En me voyant, il a posé un doigt sur ses lèvres. Nous sommes restés dans l'entrée pour écouter. L'éclairage était étrange. A me trouver là, debout en robe de chambre, encore endormi, avec des ombres qui papillotaient tout autour, j'ai eu l'impression de tomber d'un rêve dans un autre encore plus bizarre, un étrange abri souterrain de l'inconscient en cas de bombardement.

Nous sommes restés longtemps, m'a-t-il semblé, bien après que les coups se furent arrêtés et que nous eûmes entendu des pas s'éloigner dans la neige. Henry m'a regardé, et nous n'avons encore rien dit. « Tout va bien maintenant », a-t-il fini par décréter, et il s'est retourné de façon abrupte, la lumière oscillant follement autour de lui pendant qu'il rentrait dans sa chambre. J'ai attendu un moment dans le noir, et je suis allé retrouver ma chambre et mon lit.

---

Le lendemain matin, je repassais une chemise dans la cuisine quand on a frappé à la porte. Je suis allé dans l'entrée où j'ai trouvé Henry.

« A ton avis, ça ressemble à Bunny ? » m'a-t-il dit à voix basse.

« Non. » On avait frappé doucement, et Bunny donnait toujours de grands coups comme pour enfoncer la porte.

« Va regarder à la fenêtre de côté si tu peux voir qui c'est. »

Je suis allé dans la pièce du devant et j'ai avancé prudemment sur la gauche ; il n'y avait pas de rideaux et il était difficile d'accéder aux fenêtres du fond sans risquer de se faire voir. L'angle était biscornu, et je ne voyais que l'épaule d'un manteau noir, avec derrière une écharpe en soie gonflée par le vent. J'ai retraversé la cuisine en rampant. « Je n'ai pas vraiment vu, mais ça doit être Francis. »

« Oh, tu peux le laisser entrer, je suppose. » Henry s'est retourné et a regagné sa partie de l'appartement.

Je suis allé dans l'entrée et j'ai ouvert. Francis regardait derrière lui, se demandant visiblement s'il devait s'en aller. « Salut. »

Il s'est retourné et m'a vu. « Salut ! » Son visage avait minci et s'était beaucoup affiné depuis que je ne l'avais vu. « Je croyais qu'il n'y avait personne. Comment vas-tu ? »

« Très bien. »

« Tu m'as l'air plutôt en mauvais état. »

« Tu n'as pas si bonne mine, toi-même », ai-je dit en riant.

« J'ai trop bu hier soir et j'ai mal à l'estomac. Je voudrais bien voir ta prodigieuse blessure à la tête. Tu vas garder une cicatrice ? »

Je l'ai conduit dans la cuisine et j'ai repoussé la planche à repasser pour qu'il puisse s'asseoir. « Où est Henry ? » Il a ôté ses gants.

« Dans le fond. »

Il a commencé à dénouer son écharpe. « Je cours juste lui dire bonjour et je reviens », a-t-il dit avec entrain avant de s'éclipser.

Il est resté longtemps. Je m'ennuyais et j'avais presque fini de repasser ma chemise quand j'ai entendu la voix de Francis s'enfler dans une rage hystérique. Je me suis levé et je suis allé dans la salle de bains pour mieux entendre ce qu'il disait.

« ... quoi tu pensais ? Mon Dieu, mais il est dans un état ! Tu ne me diras pas que tu sais ce qu'il pourrait... »

Il y eut un long murmure, puis la voix d'Henry et celle de Francis sont revenues.

« Je m'en moque, a-t-il dit violemment. Jésus, ce coup-ci, tu l'as fait. Je suis en ville depuis deux heures et déjà — je m'en moque », a-t-il répondu à un nouveau murmure d'Henry. « En plus, c'est un peu tard pour ça, pas vrai ? »

Silence. Puis Henry s'est mis à parler, de façon trop indistincte pour que je comprenne.

« Tu n'aimes pas ça ? Toi ? a dit Francis. Et moi, alors ? »

Sa voix a baissé brusquement et a repris trop bas pour que j'entende.

Je suis revenu sans bruit dans la cuisine et j'ai mis de l'eau à chauffer pour le thé. Je réfléchissais encore à ce que j'avais entendu, plusieurs minutes plus tard, quand il y a eu des pas et que Francis est rentré dans la cuisine, faisant le tour de la planche à repasser pour prendre ses gants et son écharpe.

« Désolé de me sauver. Il faut que je vide la voiture et que je commence à nettoyer l'appartement. Mon espèce de cousin a tout mis en pièces. Je ne pense pas qu'il ait vidé la poubelle une seule fois tout le temps qu'il est resté là. Montre-moi ta blessure à la tête. »

J'ai relevé mes cheveux pour lui montrer mon front. On m'avait enlevé les agrafes depuis longtemps et c'était presque fini.

Il s'est penché pour m'examiner à travers son pince-nez. « Bonté divine, je dois être aveugle, je ne vois rien. C'est quand, les cours ? Mercredi ? »

« Jeudi, je crois. »

« On se verra là-bas », a-t-il dit en s'en allant.

J'ai pendu ma chemise à un cintre et je suis allé faire mes bagages dans la chambre. Le Collège ouvrait l'après-midi même ; peut-être qu'Henry pourrait m'emmener un peu plus tard à Monmouth avec mes valises.

J'avais presque fini quand il m'a appelé du fond de l'appartement. « Richard ? »

« Oui ? »

« Tu veux bien venir un instant, s'il te plaît ? »

Je suis allé dans sa chambre. Il était assis au bord du lit pliant, les manches de sa chemise roulées jusqu'au coude et une réussite étalée sur la couverture au pied du lit. Ses cheveux tombaient du mauvais côté, et je voyais la longue cicatrice au ras des cheveux, irrégulière et boursouflée, avec des crêtes de peau blanche qui traversaient le front.

Il a levé les yeux sur moi. « Tu peux me rendre un service ? »

« Bien sûr. »

Il a respiré profondément, par les narines, et repousse ses lunettes au bout de son nez. « Veux-tu appeler Bunny et lui demander s'il ne voudrait pas passer ici quelques minutes ? »

J'ai été si surpris que je n'ai rien dit pendant une demi-seconde. Et puis : « Bien sûr. Naturellement. Content de le faire. »

Il a baissé les paupières et s'est frotté les tempes du bout des doigts avant de cligner les yeux vers moi. « Merci. »

« De rien, vraiment. »

« Si tu veux ramener une partie de tes affaires chez toi dans l'après-midi, la voiture est plus qu'à ta disposition », a-t-il dit d'un ton égal.

J'ai compris. « Bien sûr. » Et ce n'est qu'après avoir chargé mes valises dans la voiture, l'avoir conduite jusqu'à Monmouth et demandé à la sécurité d'ouvrir ma chambre, que j'ai appelé Bunny de la cabine du rez-de-chaussée, une bonne demi-heure plus tard.

# CHAPITRE 4

En un sens je croyais qu'après le retour des jumeaux, une fois réinstallés, replongés dans nos Liddell & Scott, et après avoir subi ensemble deux ou trois compositions de prose grecque, nous serions retombés dans le confortable train-train du premier trimestre et que tout redeviendrait comme avant. Mais là-dessus je me trompais.

Charles et Camilla avaient écrit pour dire qu'ils arriveraient à Hampden par le dernier train, dimanche vers minuit, et lundi après-midi, alors que les étudiants se traînaient vers Monmouth avec leurs skis, leurs chaînes hi-fi et leurs caisses en carton, je me suis dit qu'ils allaient venir me voir, mais ils ne l'ont pas fait. Mardi, je n'ai pas eu non plus de leurs nouvelles, ni d'Henry ou de quiconque sauf Julian, qui a laissé un petit mot amical dans ma boîte postale pour me souhaiter la bienvenue et me demander de traduire une ode de Pindare pour notre premier cours.

Mercredi, je suis allé au bureau de Julian lui demander de signer mes formulaires d'inscription. Il a paru content de me voir. « Vous avez l'air en forme, mais pas tant que vous le devriez. Henry m'a tenu au courant de votre rétablissement. »

« Oh ? »

« C'est une bonne chose, j'imagine, qu'il soit revenu plus tôt », a-t-il dit en jetant un coup d'œil aux formulaires, « et moi aussi j'ai été surpris de le voir. Il est arrivé chez moi, directement de l'aéroport, au milieu de la nuit et d'une tempête de neige. »

Voilà qui m'intéressait. « Il est resté chez vous ? »

« Oui, mais seulement quelques jours. Lui-même avait été malade, vous savez. En Italie. »

« Qu'est-ce qu'il a eu ? »

« Henry n'est pas aussi solide qu'il en a l'air. Il a des problèmes avec ses yeux, des migraines terribles, et quelquefois il traverse des mauvaises passes... Je ne crois pas qu'il était en état de voyager, mais heureusement qu'il n'est pas resté, car il ne vous aurait pas trouvé. Dites-moi. Comment vous êtes-vous retrouvé dans un endroit aussi épouvantable ? Vos parents ne vous donnaient pas d'argent, ou n'avez-vous pas voulu leur en demander ? »

« Je n'ai pas voulu demander. »

« Alors vous êtes encore plus stoïque que moi, a-t-il dit en riant. Mais vos parents ne semblent pas déborder d'affection pour vous, n'est-ce pas ? »

« Ils ne sont pas vraiment fous de moi, non. »

« Pourquoi cela, à votre avis ? Ou est-ce grossier de ma part de poser la question ? J'aurais pensé qu'ils seraient plutôt fiers, or vous ressemblez à un orphelin, plus vrai que nature. Dites-moi », il a levé les yeux vers moi, « comment se fait-il que les jumeaux ne sont pas venus me voir ? »

« Je ne les ai pas vus non plus. »

« Où peuvent-ils être ? Je n'ai même pas vu Henry. Seulement Edmund et vous-même. Francis a téléphoné, mais je ne lui ai parlé qu'une minute. Il était pressé, m'a dit qu'il passerait plus tard, mais il ne l'a pas fait... Je ne pense pas qu'Edmund ait appris un seul mot d'italien, n'est-ce pas ? »

« Je ne connais pas l'italien. »

« Moi non plus, plus aujourd'hui. Je le parlais plutôt bien, jadis. J'ai vécu quelque temps à Florence mais il y a près de trente ans. Vous pensez voir un des autres cet après-midi ? »

« Peut-être. »

« Bien sûr, c'est une question de peu d'importance, mais les formulaires d'inscription doivent être remis cet après-midi au bureau du doyen et il m'en voudra si je ne les lui envoie pas. Non que je m'en soucie, mais il est bien placé pour vous rendre à tous les choses désagréables, si ça lui chante. »

---

J'étais un peu perplexe. Les jumeaux étaient rentrés depuis trois jours et ne m'avaient pas fait signe. En sortant de chez Julian je suis passé chez eux, mais ils n'étaient pas là.

Ils n'y étaient pas non plus pour dîner. Personne, nulle part. Comme j'avais pensé voir au moins Bunny, je suis passé par sa chambre en allant à la salle à manger et j'ai trouvé Marion en train de fermer sa porte à clef. Elle s'est empressée de me dire qu'ils avaient des projets et rentreraient très tard.

J'ai dîné seul et je suis reparti vers ma chambre dans le crépuscule enneigé, de mauvaise humeur, avec l'impression d'être la victime d'une mauvaise plaisanterie. A sept heures j'ai appelé Francis, mais personne n'a répondu. Même chose chez Henry.

J'ai lu du grec jusqu'à minuit. Après m'être brossé les dents et lavé la figure, presque prêt à me coucher, je suis redescendu téléphoner. Toujours pas de réponse, nulle part. J'ai récupéré ma pièce au troisième appel et je l'ai lancée en l'air. Et alors, impulsivement, j'ai fait le numéro de Francis à la campagne.

Il n'y a pas eu de réponse, là non plus, mais quelque chose m'a fait insister plus longtemps que je n'aurais dû, et enfin, au bout d'une trentaine de sonneries, j'ai entendu un déclic et la voix bourrue de Francis. « Allô ? » Il parlait d'un ton grave pour déguiser sa voix, mais je ne m'y suis pas trompé ; Francis ne supportait pas de ne pas répondre au téléphone, et je l'avais plus d'une fois entendu prendre cette voix idiote.

« Allô ? » a-t-il répété, et le ton forcé de sa voix la faisait dérailler à la dernière syllabe. J'ai raccroché avec le doigt et la ligne a été coupée.

---

Bien que fatigué, je ne pouvais pas dormir ; mon agacement et ma perplexité grandissaient, entretenus par une sorte d'inquiétude ridicule. J'ai rallumé la lumière et cherché dans mes livres jusqu'à trouver un roman de Raymond Chandler rapporté de Califormie. Je l'avais déjà lu, et je me suis dit qu'une ou deux pages suffiraient à m'endormir, mais j'avais oublié la plus grande partie de l'intrigue et avant de m'en rendre compte j'en ai lu cinquante pages, puis cent.

Au bout de plusieurs heures j'étais toujours bien réveillé. Les radiateurs étaient mis à fond, l'air de la chambre était sec et brûlant. J'ai commencé à avoir soif. Arrivé au bout du chapitre, je me suis levé, j'ai passé mon manteau par-dessus mon pyjama et je suis allé me chercher un coca.

Le Collège était désert, immaculé. Tout sentait la peinture fraîche. J'ai traversé la blanchisserie — les murs nus, bien éclairés, couleur crème, étranges sans l'embrouillamini de graffitis qui s'étaient accumulés au premier trimestre — et j'ai pris une boîte de coca à la rangée de machines phosphorescentes qui bourdonnaient au fond du couloir. En faisant le tour pour remonter, j'ai sursauté en entendant les grincements ténus d'une musique sortir de la salle commune. La télévision était allumée ; Laurel et Hardy, estompés par un blizzard de neige électronique, essayaient de hisser un piano à queue en haut d'un grand escalier. Au début j'ai cru qu'ils jouaient devant une salle vide, puis j'ai aperçu le haut d'une chevelure blonde, emmêlée, qui dodelinait contre le dossier de l'unique canapé en face du poste.

Je suis allé m'asseoir à côté. « Bunny, comment vas-tu ? » Il m'a regardé, l'œil vitreux, et il lui a fallu une seconde ou deux pour me reconnaître. Il empestait l'alcool. « Le p'tit Dickie. Oui ? »

« Qu'est-ce que tu fais ? »

Il a roté. « Me sens plutôt malade, pour dire la vérité vraie du Bon Dieu. »

« Trop bu ? »

« Nan, a-t-il dit pâteusement. Grippe intestinale. »

Pauvre Bunny. Jamais il n'avouait son ivresse ; il prétendait toujours avoir une migraine, ou qu'il fallait faire refaire les verres de ses lunettes. De même sur beaucoup d'autres sujets, en fait. Un matin, au lendemain d'un rendez-vous avec Marion, il est arrivé au petit déjeuner avec un plateau chargé de lait et de gâteaux sucrés ; quand il s'est assis, j'ai vu qu'il avait un gros suçon violet sur le cou, au-dessus du col. « Comment as-tu attrapé ça, Bun ? » ai-je demandé. Je ne faisais que blaguer, mais il s'est senti très offensé. « Suis tombé dans l'escalier », a-t-il dit sèchement avant de manger ses gâteaux en silence.

J'ai fait mine d'accepter sa fable de grippe intestinale. « C'est peut-être un truc que tu as ramassé en Europe. »

« Peut-être. »

« T'es allé à l'infirmerie ? »

« Non. Rien qu'ils puissent y faire. Faut que ça suive son cours. Mieux vaut pas t'asseoir trop près, mon vieux. »

Alors que j'étais déjà à l'autre bout du canapé, je me suis poussé encore plus loin. Nous avons regardé un moment la télévision sans dire un mot. L'image était terrible. Ollie venait d'enfoncer le chapeau de Stan sur ses yeux ; Stan tournait en rond, se cognait partout, tirait désespérément à deux mains sur le chapeau. Il a heurté Ollie qui lui a donné une grande gifle sur le haut de la tête. En jetant un coup d'œil à Bunny, j'ai vu qu'il était fasciné, le regard fixe et la bouche entrouverte.

« Bunny. »

« Ouais ? » Il n'a même pas tourné les yeux.

« Où est tout le monde ? »

« Au lit, probablement », a-t-il dit, agacé.

« Sais-tu si les jumeaux sont dans le coin ? »

« Je suppose. »

« Tu les as vus ? »

« Non. »

« Qu'est-ce qui ne va pas avec tout le monde ? Tu es en colère après Henry ou quoi ? »

Il n'a pas répondu. De profil, son visage était absolument vide d'expression. Sur le moment je me suis énervé et j'ai regardé l'écran. « A Rome, vous vous êtes bagarrés, ou quoi ? »

Soudain, il s'est bruyamment raclé la gorge, et j'ai cru qu'il allait me dire de me mêler de mes affaires, mais à la place il a désigné quelque chose et s'est à nouveau raclé la gorge. « Tu vas le boire, ce coca ? »

Je l'avais complètement oublié. La boîte était sur le canapé, couverte de gouttelettes. Je la lui ai donnée, il l'a ouverte, a bu une grande goulée avide et a roté.

« La pause qui rafraîchit. » Puis : « Laisse-moi te donner un tuyau sur Henry, mon vieux. »

« Quoi ? »

Il a pris une autre gorgée et s'est tourné vers la télé. « Il n'est pas ce que tu crois qu'il est. »

« Qu'est-ce que ça veut dire ? » ai-je demandé au bout d'un long moment.

« Je veux dire, il est pas ce que tu crois, a-t-il répété plus fort. Ni ce que croit Julian ni personne. » Il a repris une lampée de coca. « Pendant un bout de temps je me suis bien fait avoir. »

« Ouais », ai-je dit vaguement, encore au bout d'un long moment. Je commençais à me dire avec la plus grande gêne que tout ceci n'était peut-être qu'une affaire en rapport avec le sexe et qu'il valait mieux que je continue à l'ignorer. J'ai observé son profil : susceptible, irritable, les lunettes au bout de son petit nez pointu et un début de bajoues le long de la mâchoire. Est-ce qu'Henry, à Rome, aurait pu essayer de le draguer ? Invraisemblable, mais une hypothèse possible. S'il l'avait fait, en tout cas, la bagarre avait dû être terrible. Je n'arrivais pas à imaginer autre chose qui aurait pu entraîner tant de secrets et de chuchotements, ou qui aurait eu un tel effet sur Bunny. C'était le seul d'entre nous qui avait une petite amie, et j'étais presque sûr qu'ils couchaient ensemble, mais en même temps il était d'une pruderie incroyable — ombrageux, facilement offensé, et au fond hypocrite. En plus, il y avait quelque chose d'inexplicablement bizarre à la façon dont Henry n'arrêtait pas de casquer pour lui : de payer ses factures, ses additions, de le couvrir de fric comme fait un mari avec une femme dépensière. Peut-être Bunny s'était-il laissé emporter par son avidité, puis mis en rage à découvrir que les largesses d'Henry étaient liées à un piège.

Mais était-ce le cas ? Il y avait sûrement un piège quelque part, mais même si c'était simple, à première vue, je n'étais pas si sûr de voir où il se trouvait. Il y avait certes l'épisode avec Julian dans le couloir ; pourtant, c'était très différent. J'avais vécu un mois avec Henry, et il n'y avait pas eu la moindre trace de ce genre de tension, alors que moi-même, plus rebuté que porté à ces penchants, j'y suis particulièrement sensible. J'en avais saisi une forte bouffée chez Francis, parfois un soupçon chez Julian ; et même Charles, dont je savais qu'il s'intéressait aux femmes, avait avec elles une sorte de timidité naïve, prépubère, qu'un homme comme mon père aurait interprétée de façon alarmante — mais chez Henry, néant. Compteur Geiger à zéro.

En fait c'était Camilla qu'il semblait préférer, Camilla vers qui il se penchait attentivement quand elle parlait, Camilla qui était le plus souvent la destinataire de ses rares sourires.

Et même s'il existait une facette de son être dont je ne me doutais pas (ce qui était possible), se pouvait-il qu'il soit séduit par Bunny ? La réponse, indubitablement, paraissait être non. Non seulement il se conduisait comme s'il n'était pas attiré par lui, mais on aurait dit qu'il pouvait à peine le supporter. Et il était probable qu'éprouvant du dégoût envers Bunny dans pratiquement tous les domaines, il en éprouverait bien davantage dans celui-ci, plus encore que moi-même. J'étais capable d'admettre, d'une façon générale, que Bunny avait une certaine beauté, mais si je rapprochais l'objectif en essayant de le voir sous un jour sexuel, je n'en recevais que des miasmes répugnants de chemises sales, de muscles changés en graisse et de chaussettes puantes. Il semblait que ce genre de choses ne gênait pas les filles, mais pour moi il était aussi érotique qu'un vieil entraîneur de foot.

D'un seul coup je me suis senti très fatigué. Je me suis levé. Bunny m'a regardé fixement, bouche bée.

« Je m'endors, Bun. A demain, peut-être. »

Il a cligné des yeux. « J'espère que tu n'as pas attrapé cette foutue bestiole, mon vieux », a-t-il dit sèchement.

« Moi aussi. » Sans raison, j'éprouvais pour lui une sorte de pitié. « Bonne nuit. »

---

Je me suis réveillé à six heures le jeudi matin, dans l'intention de faire du grec, mais mon Liddell & Scott avait disparu. J'ai cherché, j'ai cherché, et la mort dans l'âme, je me suis souvenu : il était resté chez Henry. J'avais remarqué son absence en faisant mes bagages : pour quelque raison, il n'était pas avec mes livres. J'avais effectué une recherche rapide mais approfondie avant d'abandonner en me disant que j'y reviendrais plus tard. Cela me mettait sérieusement dans le pétrin. Mon premier cours de grec n'était pas avant lundi, mais Julian m'avait donné beaucoup de travail et la bibliothèque n'avait pas encore ouvert.

Je suis descendu appeler Henry et, comme prévu, il n'y avait personne. Les radiateurs cognaient et sifflaient dans le couloir plein de courants d'air. En écoutant le téléphone sonner pour la trentième fois, une idée m'est venue en tête : pourquoi ne pas faire un saut au nord de Hampden pour prendre mon livre ? Henry n'était pas chez lui — du moins je ne le pensais pas — et j'avais la clef. Il lui faudrait longtemps pour revenir de chez Francis. En me dépêchant je pourrais y être en un quart d'heure. J'ai raccroché et je suis sorti en courant.

Dans la lumière glacée du matin, l'appartement d'Henry paraissait désert, et sa voiture n'était pas dans l'allée ni à aucun des endroits de la rue où il préférait se garer quand il ne voulait pas qu'on le sache chez lui. Mais, juste pour être certain, j'ai frappé. *Pas de réponse*. En espérant ne pas le trouver debout dans l'entrée en robe de chambre, m'épiant de l'autre côté de la porte, j'ai tourné la clef dans la serrure et je suis entré.

Il n'y avait personne, mais l'appartement était dans un grand désordre — des livres, des papiers, des tasses et des verres vides, tout était couvert d'une mince couche de poussière, et le vin avait séché en laissant une tache poisseuse et violette au fond des verres. La cuisine était pleine de vaisselle sale, on n'avait pas mis le lait au réfrigérateur et il avait tourné. Henry, d'habitude, était aussi propre qu'un matou, et je ne l'avais jamais vu ôter son manteau sans l'accrocher aussitôt à une patère. Une mouche morte flottait au fond d'une tasse à café.

Nerveux, avec l'impression d'être arrivé sur la scène

d'un crime, je suis passé très vite d'une pièce à l'autre, et mes pas résonnaient dans le silence. J'ai bientôt vu mon livre sur la table de l'entrée, un des endroits évidents où j'avais pu l'avoir laissé. Comment avais-je pu ne pas le voir ? me suis-je demandé. J'avais regardé partout le jour où j'étais parti ; est-ce qu'Henry l'avait trouvé, l'avait posé là pour moi ? Je l'ai attrapé en vitesse et j'allais repartir quand mon regard a été accroché par un bout de papier sur la même table.

C'était l'écriture d'Henry :

TWA219
795 x 4

Un numéro de téléphone avec le préfixe 617 avait été ajouté en bas de la main de Francis. J'ai ramassé le papier pour l'examiner. On avait griffonné au dos d'une lettre de rappel de la bibliothèque datant tout juste de trois jours.

Sans vraiment savoir pourquoi, j'ai posé mon Liddell & Scott et emporté le papier dans la pièce du devant où était le téléphone. Le préfixe indiquait le Massachusetts, probablement Boston ; j'ai consulté ma montre avant de faire le numéro, en le mettant au compte du bureau du Dr Roland.

Une pause, deux sonneries, un déclic. « Vous êtes au cabinet d'avocat de Robeson Taft sur Federal Street », m'a appris un répondeur. « A cette heure-ci notre standard est fermé. Vous êtes prié de rappeler de neuf heures à... »

J'ai raccroché, les yeux fixés sur le papier. Je me suis rappelé, un peu mal à l'aise, la blague de Bunny sur Henry ayant besoin d'un avocat. Ensuite j'ai repris l'appareil et appelé les renseignements pour avoir le numéro de la TWA.

« Je m'appelle Henry Winter, ai-je dit à la standardiste. Je rappelle, euh, pour confirmer ma réservation. »

« Juste un instant, monsieur Winter. Votre numéro de réservation ? »

« Euh », ai-je dit en essayant de réfléchir très vite et en marchant de long en large. « Il semble que je n'ai pas ces renseignements sous la main, peut-être pourriez-vous... » Ensuite j'ai aperçu le numéro en haut et à droite du bout de papier. « Attendez. C'est peut-être ça. 219 ? »

Il y a eu un bruit de touches enfoncées sur un ordinateur. J'ai tapé du pied, impatient, et j'ai guetté par la fenêtre la voiture d'Henry. Alors je me suis souvenu, avec un choc, qu'Henry n'avait pas sa voiture. Je ne la lui avais pas rendue après l'avoir empruntée le dimanche d'avant, et elle était toujours garée derrière les courts de tennis, là où je l'avais laissée.

Dans un réflexe de panique, j'ai failli raccrocher — si Henry n'était pas en voiture je ne l'entendrais pas, il était peut-être déjà au milieu de l'allée — mais à ce moment la standardiste est revenue. « Tout est réglé, monsieur Winter, a-t-elle dit d'un ton décidé. L'agence qui vous a vendu le billet ne vous a pas dit qu'il est inutile de confirmer un billet acheté moins de trois jours d'avance ? »

« Non », ai-je dit, impatient et sur le point de raccrocher quand j'ai repensé à ce qu'elle avait dit. « Trois jours ? »

« Eh bien, habituellement vos réservations sont confirmées le jour de l'achat, surtout pour des billets non remboursables comme ceux-ci. L'agent aurait dû vous en informer mardi, le jour de votre achat. »

Date d'achat ? Non remboursables ? J'ai arrêté de faire les cent pas. « Je voudrais être sûr d'avoir les bons renseignements. »

« Certainement, monsieur Winter, a-t-elle dit sèchement. Vol TWA 401, départ de Boston demain à 8h45 à l'aérogare Logan, porte 12, arrivée à Buenos Aires, en Argentine, à 18h01. Avec une escale à Dallas. Quatre passagers à sept cent quatre-vingt-quinze dollars l'aller simple, voyons voir... » — elle a frappé d'autres touches sur son ordinateur — « ... cela donne un total de trois mille cent quatre-vingts dollars plus les taxes, que vous avez choisi de payer avec votre carte American Express, c'est exact ? »

La tête me tournait. Buenos Aires ? Quatre billets ? Aller simple ? Demain ?

« J'espère que votre famille et vous-même ferez bon voyage à bord de la TWA, monsieur Winter », a dit gaiement la standardiste avant de raccrocher. Je suis resté là, l'écouteur à la main, jusqu'à ce qu'une tonalité lancinante revienne sur la ligne.

Une idée m'est venue d'un seul coup. J'ai reposé l'appareil, je suis allé vers la chambre et j'ai ouvert la porte en grand. Les livres n'étaient plus sur l'étagère ; la penderie cadenassée était béante et vide, le cadenas pendait à son crochet. Le regard fixe, j'ai contemplé un moment les majuscules romaines du mot YALE, en bas, et je suis allé dans l'autre chambre. Là aussi les placards étaient vides, avec seulement des cintres qui cliquetaient sur leur tringle. J'ai fait demi-tour et failli tomber sur deux gigantesques valises en peau de porc, sanglées de cuir noir, posées devant la porte. J'en ai soulevé une, et le poids a manqué me renverser.

Mon Dieu, me suis-je dit, qu'est-ce qu'ils font ? Je suis revenu dans l'entrée reposer le bout de papier et je suis sorti en courant avec mon livre.

---

Après avoir quitté le quartier, j'ai marché lentement, extrêmement intrigué, chacune de mes pensées teintée d'une angoisse sous-jacente. J'avais l'impression qu'il fallait que je fasse quelque chose, mais sans savoir quoi. Bunny était-il au courant ? En fait, je pensais que non, et je sentais aussi qu'il valait mieux ne rien lui demander.

L'Argentine. Qu'est-ce qu'il y a en Argentine ? Des pâturages, des chevaux, des espèce de cowboys qui portent des chapeaux à bords plats avec des pompons accrochés tout autour. Borges, l'écrivain. Butch Cassidy, disait-on, était allé se cacher là-bas, ainsi que le Dr Mengele, Martin Bormann et une foule de personnages encore moins sympathiques.

Il me semblait me souvenir qu'Henry avait raconté une histoire, un soir chez Francis, à propos d'un pays d'Amérique latine — peut-être l'Argentine, je n'en étais pas sûr. J'ai essayé de réfléchir. Quelque chose au sujet d'un voyage avec son père, un voyage d'affaires, une île au large de la côte... Mais le père d'Henry voyageait beaucoup ; de plus, si cela pouvait avoir un rapport, lequel ? Quatre billets ? Aller simple ? Et si Julian était au courant — or il semblait tout savoir sur Henry, plus même que les autres — pourquoi avait-il demandé des nouvelles de tout le monde la veille encore ?

J'avais mal à la tête. En sortant des bois, non loin de la ville, dans une vaste prairie enneigée qui étincelait au soleil, j'ai vu deux minces colonnes de fumée sortir des cheminées noircies par le temps aux deux extrémités du Collège. Tout était froid et silencieux, sauf pour un camion de laitier qui tournait au ralenti derrière le bâtiment pendant que deux hommes à l'air endormi déchargeaient les caisses sans mot dire et les laissaient tomber avec fracas sur l'asphalte.

Les réfectoires étaient ouverts, quoique à cette heure-là il ne s'y trouvât pas d'étudiants, seulement des employés de la cafétéria et de l'entretien qui déjeunaient avant d'aller travailler. Je suis monté prendre une tasse de café et deux œufs durs que j'ai mangés seul à une table de la grande salle déserte, près d'une fenêtre.

Les cours commençaient le jour même, jeudi, mais je n'avais mon premier cours avec Julian que le lundi suivant.

Après déjeuner je suis remonté dans ma chambre et je me suis attaqué aux seconds aoristes irréguliers. Ce n'est que vers quatre heures de l'après-midi que j'ai fini par refermer mes livres, et quand j'ai regardé par la fenêtre en direction du pré, du jour qui déclinait à l'est et des ifs qui jetaient des ombres allongées sur la neige, c'était comme si je venais de me réveiller, plein de sommeil et désorienté, pour découvrir qu'il allait faire nuit et que j'avais dormi toute la journée.

C'était le grand dîner de rentrée ce soir-là — rosbif, haricots verts aux amandes, soufflé au fromage et un plat de lentilles sophistiqué pour les végétariens. J'ai dîné seul, à la même table qu'au déjeuner. Les salles étaient bondées, tout le monde riait, fumait, on rajoutait des chaises aux tables déjà pleines, des gens allaient de groupe en groupe avec leur assiette pour dire bonjour. A côté de moi il y avait une tablée d'étudiants en art, désignés comme tels par leurs ongles pleins d'encre et les taches de peinture bien en évidence sur leurs vêtements ; l'un d'eux dessinait au feutre sur une serviette en tissu, un autre mangeait un bol de riz avec le manche de ses pinceaux en guise de baguettes. Je ne les avais jamais vus. En buvant mon café et en contemplant la salle à manger, j'ai été frappé de ce que Georges Laforgue avait eu raison, après tout : j'étais réellement isolé du reste de la fac — non que j'eusse désiré, loin de là, une quelconque intimité avec des gens qui prenaient des pinceaux à la place de couverts.

Près de ma table deux Néandertals essayaient, genre question de vie ou de mort, de ramasser de l'argent pour une orgie à la bière à l'atelier de sculpture. Ces deux-là, en fait, je les connaissais ; impossible d'être à Hampden et de ne pas les voir. L'un était le fils d'un célèbre chef du racket de la côte Ouest, l'autre celui d'un producteur de cinéma. Ils étaient respectivement président et vice-président du Conseil étudiant, charges qui leur servaient surtout à organiser des championnats de buveurs, des concours de teeshirts mouillés et des tournois de catch féminin dans la boue. Ils faisaient tous les deux plus d'un mètre quatre-vingts — le menton mou, mal rasés, l'air totalement abruti, le style de ceux qui ne mettaient jamais le pied dans la fac de jour dès le printemps et restaient vautrés du matin au soir torse nu sur la pelouse avec une glacière en polystyrène et un minicassette. On disait que c'étaient des braves types, et ils étaient peut-être relativement convenables si on leur prêtait sa voiture pour aller chercher de la bière ou si on leur vendait de l'herbe ou autre chose ; mais tous les deux — surtout le fils du producteur — avaient une lueur porcine et schizophrénique dans les yeux qui me déplaisait infiniment. Les gens l'appelaient Party Pig, et pas vraiment par amitié, mais il aimait son surnom et mettait une sorte d'orgueil imbécile à le mériter. Il se saoulait constamment, mettait le feu n'importe où, enfournait des bizuts dans une cheminée, jetait des tonnelets de bière dans des vitrines.

Party Pig (alias Jud) et Franck sont arrivés à ma table. Frank m'a tendu une boîte de peinture pleine de pièces et de billets froissés. « Salut, mec, fête du tonneau à l'atelier sculpture, ce soir. Tu veux participer ? »

J'ai posé ma tasse, fouillé dans ma poche, trouvé quelques pièces de monnaie.

« Oh, allons, mec », a fait Jud, plutôt menaçant, à mon avis. « Tu peux faire mieux que ça. »

*Hoi polloi. Barbaroi.* « Désolé », ai-je dit en repoussant ma chaise. J'ai pris ma veste et je suis parti.

Je suis remonté dans ma chambre, je me suis installé au bureau et j'ai ouvert mon dictionnaire, mais sans y jeter les yeux. « L'Argentine ? » ai-je dit au mur d'en face.

---

Vendredi matin je suis allé à mon cours de français. Plusieurs étudiants sommeillaient au fond de la classe, sans doute dépassés par les festivités de la veille au soir. L'odeur de désinfectant et de nettoyant pour tableau, combinée aux néons vibrants et au chant monotone des verbes conditionnels, tout cela m'a plongé moi aussi dans une sorte de transe ; l'ennui et la fatigue me faisaient osciller légèrement sur ma chaise sans presque me rendre compte du temps qui passait.

En sortant je suis descendu à la cabine, j'ai fait le numéro de Francis à la campagne et j'ai laissé sonner peut-être cinquante fois. Pas de réponse.

Je suis revenu à Monmouth dans la neige, j'ai retrouvé ma chambre et j'ai pensé, ou plutôt je n'ai pensé à rien, assis sur mon lit, les yeux fixés sur les ifs ourlés de neige au bas de ma fenêtre. Après quelque temps je me suis levé pour m'installer au bureau, mais je n'ai pas pu travailler non plus. Des aller simple, avait dit la standardiste. Non remboursables.

Il était onze heures du matin en Californie. Mes parents devaient travailler tous les deux. Je suis descendu voir ma vieille amie, la cabine téléphonique, et j'ai appelé chez la mère de Francis à Boston, en mettant l'appel au compte de mon père.

« Eh bien, Richard, a-t-elle dit quand elle a fini par retrouver qui j'étais. Très cher. Comme c'est gentil de nous appeler. Je croyais que vous deviez venir passer Noël avec nous à New York. Où êtes-vous, très cher ? Puis-je envoyer quelqu'un vous chercher ? »

« Non, merci, je suis à Hampden. Francis est là ? »

« Très cher, il est à son école, n'est-il pas vrai ? »

« Excusez-moi. » J'étais soudain déconcerté ; je n'aurais pas dû appeler comme ça, sans avoir rien préparé. « Je suis désolé. Je crois que je me suis trompé. »

« Je vous demande pardon ? »

« J'ai cru qu'il avait parlé d'aller à Boston aujourd'hui. »

« Eh bien, s'il est là, mon chou, je ne l'ai pas vu. Où avez-vous dit que vous étiez ? Vous êtes sûr que vous ne voulez pas que je vous envoie chercher par Chris ? »

« Non, merci. Je ne suis pas à Boston. Je suis... »

« Vous m'appelez de là-bas, de l'*université ?* a-t-elle dit, alarmée. Il y a quelque chose qui ne va pas, très cher ? »

« Non, madame, bien sûr que non. » Un instant j'ai failli raccrocher, comme à mon habitude, mais il était déjà trop tard. « Il est venu hier soir quand j'étais presque endormi, et j'aurais juré qu'il m'a dit qu'il allait à Boston — oh ! *Le voilà qui arrive !* » ai-je dit bêtement, en espérant qu'elle ne me prendrait pas au mot.

« Où cela, très cher ? Il est là ? »

« Je le vois qui traverse la pelouse. Merci beaucoup, madame, euh, Abernathy », ai-je dit, complètement troublé et incapable de me rappeler le nom de son mari actuel.

« Appelez-moi Olivia, très cher. Donnez un baiser de ma part à ce méchant garçon et dites-lui de m'appeler dimanche. »

Je l'ai saluée très vite, couvert de sueur, et j'allais remonter l'escalier quand Bunny est arrivé à grands pas du fond du pavillon, portant un de ses beaux costumes neufs et mâchant énergiquement un gros chewing-gum. C'était la dernière personne à qui j'avais envie de parler, mais pas moyen de m'en aller. « Salut, vieux. Où est donc passé Henry ? »

« Je ne sais pas », ai-je dit après un silence hésitant.

« Moi non plus, a-t-il lancé agressivement. Ne l'ai pas vu depuis lundi. Pas plus que Francis et les jumeaux. Dis-moi, qui c'était au téléphone ? »

Je ne savais pas quoi dire. « Francis. Je parlais avec Francis. »

« Hmm. » Il s'est penché en arrière, les mains dans les poches. « D'où il appelait ? »

« De Hampden, je suppose. »

« Pas par l'interurbain ? »

Ma nuque s'est hérissée. Qu'est-ce qu'il savait de tout cela ? « Non, pas que je sache. »

« Henry ne t'a pas parlé de faire un voyage, par hasard ? »

« Non. Pourquoi ? »

Il est resté muet, puis il a repris : « Il n'y a pas eu la moindre lumière chez lui ces derniers soirs. Et sa voiture n'est plus là. Elle n'est nulle part sur Water Street. »

Je ne sais pourquoi, je me suis mis à rire et je suis allé à la porte de derrière, à moitié vitrée, celle qui donnait sur le parking à côté des courts de tennis. La voiture d'Henry était là où je l'avais laissée, visible comme le nez au milieu du visage. J'ai tendu le bras. « La voilà, justement. Tu la vois ? »

La mâchoire de Bunny a ralenti son labeur, et l'effort de penser l'a fait se rembrunir. « Ça, c'est drôle. »

« Pourquoi ? »

Une vague bulle rosâtre a émergé de ses lèvres, grossi lentement puis éclaté avec un *plop*. « Comme ça. » Il s'est remis très vite à mâcher.

« Pourquoi seraient-ils partis en voyage ? »

Il a levé le bras pour écarter une mèche de ses yeux. « Tu serais étonné, a-t-il dit gaiement. Qu'est-ce que tu comptais faire, mon vieux ? »

Nous sommes montés dans ma chambre. Au passage il a ouvert le réfrigérateur commun et regardé à l'intérieur, y plongeant ses yeux myopes pour en inspecter le contenu. « Quelque chose à toi, vieille branche ? »

« Non. »

Il a tendu les bras et pris un gâteau au fromage glacé. Scotché à la boîte, il y avait une supplique : « S'il vous plaît, ne le volez pas. Je suis boursière. Jenny Drexler. »

« Ça fera l'affaire, pour l'instant », a-t-il dit en jetant un coup d'œil dans le couloir. « Quelqu'un vient ? »

« Non. »

Il a glissé la boîte sous sa veste et est allé dans ma chambre en sifflotant. Une fois à l'intérieur, il a recraché son chewing-gum et l'a collé sur le bord intérieur de ma poubelle d'un geste rapide et furtif, comme s'il espérait que je ne le verrais pas, avant de s'asseoir et de se mettre à dévorer le gâteau au fromage à même la boîte avec une cuiller trouvée sur ma commode. « Phew, c'est infect. Tu en veux ? »

« Non merci. »

Il a léché pensivement la cuiller. « Trop de citron, c'est ça le problème. Et pas assez de crème de fromage. » Il a fait une pause pour réfléchir, m'a-t-il semblé, à ce handicap, puis a lancé brusquement : « Dis-moi. Henry et toi avez passé pas mal de temps ensemble le mois dernier, hein ? »

J'étais soudain sur mes gardes. « Je suppose. »

« Beaucoup parlé ? »

« Un peu. »

« Il t'a beaucoup parlé de quand nous étions à Rome ? » a-t-il dit en me fixant du regard.

« Pas tant que ça. »

« Il a parlé d'être parti plus tôt ? »

Enfin, ai-je dit, soulagé. Enfin nous allions en venir au fond de cette histoire. « Non. Non, il ne m'a pas vraiment dit grand-chose, ai-je fait, ce qui était vrai. J'ai su qu'il était parti plus tôt quand je l'ai vu arriver ici. Mais je ne savais pas que tu étais toujours là-bas. J'ai fini par le lui demander, un soir, et il m'a dit que oui. C'est tout. »

Bunny a pris une bouchée de gâteau, déjà lassé. « Il a dit pourquoi il était parti ? »

« Non. » Et puis, comme il ne disait rien : « Ça avait à voir avec une question d'argent, n'est-ce pas ? »

« C'est ça qu'il t'a dit ? »

« Non. » Comme il restait muet, là aussi, j'ai ajouté : « Mais il a dit que tu étais à court, qu'il a dû payer le loyer et des trucs. C'est vrai ? »

Bunny, la bouche pleine, a fait de la main un vague geste de rejet.

« C'est tout Henry, a-t-il dit. Je l'adore, et tu l'adores, mais juste entre nous je crois qu'il a un peu de sang juif. »

« Quoi ? » J'étais stupéfait.

Il venait de reprendre une grosse bouchée de gâteau, et il lui a fallu un moment pour me répondre.

« Je n'ai jamais vu personne se plaindre autant d'avoir à aider un copain. Je vais te dire ce que c'est. Il a peur qu'on cherche à profiter de lui. »

« Qu'est-ce que tu veux dire ? »

Il a avalé. « Je veux dire, quelqu'un lui a probablement dit quand il était petit : "Fiston, tu as un tas d'argent et un jour des gens vont essayer de te soutirer ton fric." Ses cheveux lui cachaient un œil, genre vieux loup de mer, et de l'autre il louchait vers moi d'un air malin. C'est pas une question d'argent, tu vois. Lui-même, il en a pas besoin. C'est le principe de la chose. Il veut savoir qu'on l'aime pour lui-même, tu vois, et pas pour son argent. »

J'ai été étonné par cette exégèse, qui ne coïncidait pas avec ce que je savais des accès de générosité d'Henry, à mon avis fréquents et même extravagants.

« Alors ce n'est pas pour l'argent ? » ai-je fini par dire.

« Que dalle. »

« Alors c'est pourquoi, si cette question ne te gêne pas ? »

Bunny s'est penché vers moi, le visage pensif, et l'espace d'un instant d'une franchise gênante. Quand il a rouvert la bouche j'ai cru qu'il allait cracher le morceau et dire ce qu'il pensait ; au lieu de quoi il s'est raclé la gorge et m'a demandé, si cela ne m'ennuyait pas, d'aller lui faire du café.

---

Cette nuit-là, alors que j'étais sur mon lit en train de lire du grec, j'ai été saisi par un souvenir éclair, presque comme si un projecteur caché avait été braqué sans prévenir sur mon visage. *L'Argentine*. Le mot lui-même n'avait presque rien perdu de son pouvoir de surprendre, et avait aussi, dû à mon ignorance de sa localisation physique sur le globe terrestre, acquis une vie singulière et autonome. Il y avait au début la dureté du *Ar*, qui évoquait l'or, les idoles, les cités perdues dans la jungle, lequel conduisait à la salle muette et sinistre du *Gen*, suivi de la vive interrogation terminale, *Tine* — des absurdités, bien sûr, mais il me semblait que de façon confuse le mot lui-même, un des rares faits concrets à ma disposition, était peut-être un indice ou un code. Or ce n'est pas cela qui m'a fait sauter en l'air, mais de comprendre brusquement l'heure qu'il devait être — neuf heures vingt, ai-je vu en regardant ma montre. Ainsi donc ils étaient tous en avion (était-ce vrai ?), se précipitant vers cette bizarre Argentine imaginaire à travers les cieux obscurs.

J'ai posé mon livre, je suis allé m'asseoir sur une chaise à côté de la fenêtre, et ce soir-là je n'ai plus rien fait.

---

Le week-end est passé, comme ils passent tous, et pour moi il s'est passé en grec, en repas solitaires au réfectoire, avec retour à ma solitude perplexe dans ma chambre. Je me sentais blessé, et ils me manquaient plus que je ne l'aurais avoué. Par ailleurs, Bunny avait un comportement étrange. Je l'ai aperçu deux fois, ce week-end, avec Marion et ses amies, en train de pérorer d'un air important tandis qu'elles le fixaient avec une admiration béate (c'étaient la plupart des étudiantes en éducation élémentaire, qui devaient le croire terriblement érudit puisqu'il faisait du grec et portait des petites lunettes en acier). Une fois je l'ai vu avec son vieux copain Cloke Rayburn. Mais je connaissais mal Cloke, et je n'ai pas osé m'arrêter pour les saluer.

J'attendais le cours de grec du lundi avec une curiosité aiguë. Ce matin-là, je me suis réveillé à six heures. Pour ne pas arriver avec une avance insensée, j'ai attendu dans ma chambre, tout habillé, et c'est avec une sorte de frisson que j'ai regardé ma montre et vu que, si je ne me pressais pas, je serais en retard. J'ai attrapé mes livres et filé ; à mi-chemin du Lyceum, je me suis rendu compte que je courais, et je me suis obligé à marcher calmement.

Au moment d'ouvrir la porte de derrière, j'avais repris mon souffle. Lentement, j'ai monté les marches, les pieds en mouvement et la tête étrangement vide — la sensation que j'avais, enfant, le matin de Noël, quand, après une nuit d'excitation intense, je suivais le couloir vers la porte fermée derrière laquelle se trouvaient mes cadeaux, comme si cette journée n'avait rien de spécial, brusquement vidé de tout désir.

Ils étaient tous là : les jumeaux légèrement perchés sur les appuis de fenêtre ; Francis, me tournant le dos ; Henry à côté de lui et Bunny de l'autre côté de la table, adossé à son siège. Racontant une sorte d'histoire. « Alors écoutez ça », a-t-il dit à Henry et Francis, tournant le visage pour apercevoir les jumeaux. Tous les yeux étaient fixés sur lui, personne ne m'avait vu entrer. « Le gardien dit : "Fiston, ta grâce n'est pas venue de chez le gouverneur et l'heure est passée de cinq minutes. Tes dernières paroles ?" Alors le type réfléchit une minute, et quand on le conduit dans la Chambre » — il a approché son crayon de ses yeux et l'a examiné un instant — « il regarde en arrière et dit : "En tout cas, le gouverneur Untel a perdu ma voix pour la prochaine élection !" » En riant, Bunny s'est renversé encore plus sur sa chaise, puis il a levé les yeux et m'a vu debout comme un idiot dans l'embrasure de la porte. « Oh ! entre donc, entre », a-t-il dit en reposant par terre avec un bruit sourd les pieds de sa chaise.

Les jumeaux ont levé la tête, surpris comme un couple de daims. A part une certaine raideur de la mâchoire, Henry avait la sérénité d'un bouddha, mais Francis était si pâle qu'il paraissait presque vert.

« On fait que se raconter des blagues avant la classe », a dit Bunny d'un ton aimable, faisant à nouveau basculer sa chaise. Il a ôté sa mèche de son œil.

Quand il a recommencé (« Et il y a celle sur le vieux Far West — quand on pendait encore les gens... ») Camilla s'est avancée sur son appui de fenêtre pour me faire un sourire inquiet.

Je suis allé m'asseoir entre elle et Charles. Elle m'a planté un petit baiser sur la joue. « Comment vas-tu ? Tu t'es demandé où on était ? »

« Je trouve incroyable qu'on ne t'ait pas vu », a dit Charles à voix basse, se tournant vers moi en croisant les jambes. Son pied tremblait violemment, comme s'il avait une vie propre, et il a posé une main dessus pour l'immobiliser. « Il y a eu un terrible contretemps avec l'appartement. »

Je ne savais pas ce que j'attendais qu'ils me disent, mais pas ça. « Quoi ? »

« Nous avons oublié la clef en Virginie. »

« Tante Mary-Gray a dû prendre la voiture jusqu'à Roanoke pour l'envoyer en express. »

« Je croyais que vous aviez sous-loué », ai-je dit, soupçonneux.

« Il était parti une semaine plus tôt. Comme des idiots, on lui a dit de nous envoyer la clef. La propriétaire est en Floride. On est restés tout ce temps-là chez Francis, à la campagne. »

« Piégés comme des rats. »

« Francis nous a conduits là-bas et à trois kilomètres de la maison il est arrivé quelque chose de terrible à la voiture, a dit Charles. De la fumée noire et des bruits d'engrenages. »

« La direction a lâché. On est allés dans le fossé. »

Ils parlaient tous les deux très vite. Un instant, la voix de Bunny, stridente, a couvert la leur. « ... Mais ce juge avait un système spécial qu'il tenait à suivre. Il pendait un voleur de bétail le lundi, un tricheur au jeu le mardi, un meurtrier le mercredi... »

« ... et après ça, disait Charles, on a dû marcher jusqu'à la maison et on appelé Henry des jours entiers pour qu'il vienne nous chercher. Mais il ne répondait pas au téléphone — tu sais ce que c'est d'essayer de le joindre... »

« Il n'y avait rien à manger chez Francis à part des boîtes d'olives noires et un paquet de Bisquick. »

« Oui. On a mangé des olives et du Bisquick. »

Cela pouvait-il être vrai ? me suis-je demandé tout d'un coup. Sur le moment, j'en ai été réconforté — mon Dieu, quel idiot j'avais fait — mais je me suis rappelé l'aspect de l'appartement d'Henry, les valises près de la porte.

Bunny arrivait à un sommet. « Alors le juge dit : "Fiston, on est vendredi, et j'aimerais bien te pendre aujourd'hui même, mais je vais devoir attendre mardi parce que..." »

« Il n'y avait même pas de lait, a dit Camilla. On a dû se faire du Bisquick à l'eau. »

Quelqu'un s'est légèrement éclairci la voix. J'ai levé les yeux et vu Julian qui refermait la porte.

« Bonté divine, vous êtes bavards comme des pies, a-t-il dit dans le silence abrupt qui s'est abattu. Où étiez-vous tous passés ? »

Charles a toussé, le regard fixé de l'autre côté de la pièce, et s'est mis à raconter un peu mécaniquement l'histoire de la clef, de la voiture dans le fossé, des olives et du Bisquick. Le soleil d'hiver, qui entrait de biais par la fenêtre, donnait à la scène un aspect figé, trop détaillé ; rien ne semblait réel, et j'avais l'impression d'être entré au milieu d'un film compliqué dont je n'arrivais pas à saisir le fil. Les blagues carcérales de Bunny, je ne sais pourquoi, m'avaient troublé, bien que je me souvienne l'avoir entendu raconter à l'automne un tas de plaisanteries du même genre. Elles tombaient alors, comme maintenant, dans un silence gêné, mais c'étaient des blagues idiotes, stupides. J'avais toujours pensé qu'il le faisait uniquement parce qu'il devait avoir dans sa chambre un vieux recueil ringard d'histoires drôles, sur la même étagère que l'autobiographie de Bob Hope, les romans de Fu Manchu, et *Men of Thought and Deed*. (Ce qui, plus tard, se révéla exact.)

« Pourquoi ne m'avez-vous pas téléphoné ? » a demandé Julian, perplexe et peut-être un peu vexé, quand Charles a terminé son récit.

Les jumeaux l'ont fixé d'un regard vide.

« Nous n'y avons jamais pensé », a dit Camilla.

Julian a ri et cité un aphorisme de Xénophon, littéralement à propos de tentes, de soldats, de l'approche de l'ennemi, mais qui impliquait qu'en une époque troublée il valait mieux aller chercher de l'aide chez les siens.

---

Je suis revenu seul, à pied, la tête à l'envers. Mes pensées étaient désormais tellement contradictoires et troublantes que je n'arrivais plus à réfléchir, seulement à me demander bêtement ce qui pouvait bien se passer autour de moi ; je n'avais plus de cours, ce jour-là, et l'idée de rentrer dans ma chambre était insupportable. Je suis allé au Collège et je suis resté environ trois quarts d'heure dans un fauteuil près d'une fenêtre. Irais-je à la bibliothèque ? Prendrais-je la voiture d'Henry, que j'avais encore, pour aller me promener, ou même voir s'il n'y avait pas une matinée au cinéma de la ville ? Devais-je demander un Valium à Judy Poovey ?

J'ai décidé, finalement, que cette dernière proposition était nécessaire et préalable aux deux autres. De retour au Monmouth, je suis monté à la chambre de Judy où j'ai trouvé sur la porte un mot au marker doré : « Beth — Tu viens déjeuner à Manchester avec Tracy et moi ? Je suis dans l'atelier de costumes jusqu'à onze heures. J. »

Je suis resté planté devant cette porte, décorée avec des photos d'accidents de voiture, des manchettes criardes découpées dans *Weekly World News*, et une poupée Barbie nue accrochée à la poignée par un nœud coulant. Il était maintenant une heure. J'ai retrouvé ma porte d'un blanc immaculé au bout du couloir, la seule de l'étage à ne pas être noircie de propagande religieuse, d'affiches des Fleshtones ou d'apostrophes suicidaires à la Artaud, en me demandant comment les gens arrivaient à mettre aussi vite toutes ces conneries sur leurs portes et d'abord pourquoi ils le faisaient.

Allongé sur mon lit, j'ai regardé le plafond, en supputant le retour de Judy et en essayant d'imaginer ce que je pourrais faire entre-temps, quand on a frappé à ma porte.

C'était Henry. J'ai ouvert un peu plus grand et je l'ai regardé sans rien dire.

Il m'a fixé à son tour, impassible et patient, le regard calme, indifférent, un livre sous le bras.

« Salut. »

Il y a eu un deuxième silence, plus long que le premier. « Salut », ai-je fini par dire.

« Comment vas-tu ? »

« En forme. »

« Très bien. »

Encore un long silence.

« Tu fais quelque chose cet après-midi ? » m'a-t-il demandé poliment.

« Non. » J'étais interloqué.

« Veux-tu venir te promener en voiture avec moi ? »

J'ai pris mon manteau.

---

Une fois sortis de la ville, nous avons quitté la grande route pour un chemin en gravier que je n'avais jamais vu. « Où allons-nous ? » ai-je dit, un peu mal à l'aise.

« J'ai pensé que nous pourrions aller jeter un coup d'œil à une vente de succession sur la route de l'Ancienne Carrière », a répondu Henry, imperturbable.

---

Je n'ai jamais été aussi surpris de ma vie que lorsque la route nous a finalement menés, environ une heure plus tard, devant une grande maison avec une pancarte : VENTE APRÈS DÉCÈS.

Si la maison elle-même était magnifique, il n'y avait en fait pas grand-chose à vendre : un piano à queue sur lequel on avait disposé de l'argenterie et des verres en cristal ébréchés ; une horloge de grand-mère ; plusieurs cartons remplis de disques, d'ustensiles de cuisine et de jouets ; quelques meubles capitonnés abondamment griffés par des chats, le tout dans le garage.

J'ai feuilleté une pile de vieilles partitions, tout en guettant Henry du coin de l'œil. Il a fouillé négligemment dans l'argenterie ; joué nonchalamment d'une main sur le piano une mesure de *Traümerei*, ouvert la porte de l'horloge et jeté un coup d'œil au mécanisme, longuement bavardé avec la nièce du propriétaire qui venait de sortir de la grande maison, à propos du meilleur moment pour planter des oignons de tulipes. Après avoir parcouru les partitions deux fois de suite, je suis passé à l'argenterie et aux disques ; Henry a acheté une binette de jardin pour vingt-cinq cents.

---

« Je suis désolé de t'avoir traîné jusque là-bas », a-t-il dit pendant le trajet du retour.

« Ça ne fait rien », ai-je répondu, affalé sur la banquette tout près de la portière.

« J'ai un peu faim. Tu n'as pas faim ? Tu ne voudrais pas qu'on aille manger un morceau ? »

---

Aux environs de Hampden, en début de soirée, nous avons fait halte devant un restaurant quasiment désert. Henry a commandé un énorme repas — soupe aux pois, rosbif, salade, purée de pommes de terre en sauce, café, tarte — qu'il a mangé en silence, avec grand appétit et beaucoup de méthode, tandis que je picorais vaguement mon omelette en ayant du mal à ne pas le regarder manger. J'avais l'impression d'être dans un wagon restaurant et d'avoir été placé par le steward en face d'un autre voyageur solitaire, un inconnu sympathique, quelqu'un qui ne parlait peut-être même pas la même langue que moi, mais qui se plaisait néanmoins à dîner en ma compagnie, et paraissait m'accepter tranquillement comme si nous nous connaissions depuis toujours.

Après avoir fini il a sorti ses cigarettes de sa poche de chemise (il fumait des Lucky Strike ; chaque fois que je pense à lui je revois cette petite cible rouge juste à la place du cœur) et m'en a offert une en la faisant sortir du paquet d'une secousse avec un haussement de sourcils. J'ai secoué la tête.

Il en a fumé une, puis une deuxième, et à notre seconde tasse de café il a levé les yeux. « Pourquoi as-tu été tellement silencieux cet après-midi ? »

J'ai haussé les épaules.

« Tu as envie que je te parle de notre voyage en Argentine ? »

J'ai posé ma tasse sur la soucoupe, je l'ai regardé fixement et j'ai éclaté de rire.

« Oui, ai-je dit. Oui, j'en ai envie. Dis-moi. »

« Tu ne te demandes pas comment je le sais ? Que tu le sais, je veux dire ? »

Cela ne m'était pas venu à l'esprit, et j'imagine qu'il l'a vu sur mon visage parce qu'il s'est mis à rire. « Il n'y a pas de mystère. Quand j'ai appelé pour annuler les réservations — ils n'ont pas voulu le faire, bien sûr, billets non remboursables et tout, mais je crois qu'on va y arriver — en tout cas, quand j'ai appelé la compagnie ils ont été plutôt surpris, et m'ont dit que j'avais appelé la veille pour confirmer. »

« Comment as-tu su que c'était moi ? »

« Qui d'autre cela aurait-il pu être ? Tu avais la clef. Je sais, je sais », a-t-il dit quand j'ai voulu l'interrompre. « Je t'ai laissé cette clef exprès. Cela devait faciliter les choses plus tard, pour diverses raisons, mais par le plus grand des hasards tu es venu juste au mauvais moment. J'étais seulement sorti pour quelques heures, tu vois, et je n'aurais jamais imaginé que tu viendrais entre minuit et sept heures du matin. J'ai dû te manquer de quelques minutes à peine. Si tu n'étais arrivé qu'une heure plus tard, tout aurait été enlevé. »

Il a bu une gorgée de café. J'avais tellement de questions à poser qu'il était inutile de vouloir les mettre dans un ordre quelconque. « Pourquoi m'as-tu laissé la clef ? » ai-je fini par dire.

Il a haussé les épaules. « Parce que j'étais quasiment sûr que tu ne t'en servirais pas sans nécessité. Si nous étions vraiment partis, quelqu'un aurait dû finir par ouvrir la porte à la propriétaire, et je t'aurais envoyé des instructions pour la contacter et disposer des affaires que j'avais laissées, mais j'ai complètement oublié ce foutu Liddell & Scott. Bon, pas exactement. Je savais que tu l'avais laissé, mais j'étais pressé et je n'ai jamais pensé que tu viendrais le chercher *bei Nacht und Nebel*, pour ainsi dire. Idiot de ma part. Tu dors aussi mal que moi. »

« Mettons les choses au point. Vous n'êtes pas allés en Argentine du tout ? »

Il a reniflé, fait signe pour l'addition. « Bien sûr que non. Est-ce que je serais là ? »

Après avoir payé il m'a demandé si j'avais envie d'aller chez Francis. « Je ne pense pas qu'il y soit », a-t-il dit.

« Alors pourquoi y aller ? »

« Parce que mon appartement est un vrai gâchis et que j'habite chez lui tant que je n'ai pas trouvé quelqu'un pour faire le ménage. Connaîtrais-tu par hasard une bonne entreprise de nettoiement ? Francis dit que la dernière fois qu'il a pris quelqu'un au bureau de placement de la ville, on lui a volé deux bouteilles de vin et cinquante dollars dans le tiroir de sa commode. »

---

En roulant vers le nord de la ville, je pouvais à peine m'empêcher de le bombarder de questions, mais j'ai réussi à me taire jusqu'au bout.

« Il n'est pas là, j'en suis sûr », a-t-il dit en tournant la clef dans la serrure.

« Où est-il ? »

« Avec Bunny. Il l'a emmené à Manchester pour dîner et ensuite, je crois, au cinéma pour un film que Bunny voulait voir. Tu veux un peu de café ? »

L'appartement de Francis était situé dans un immeuble affreux des années soixante-dix, propriété de l'université. C'était plus vaste et plus indépendant que nos chambres à parquet de chêne sur le campus, et par conséquent très demandé ; en échange il y avait du linoléum par terre, des couloirs mal éclairés et des meubles modernes, bon marché, comme dans un Holiday Inn. Cela ne semblait pas trop gêner Francis. Il avait ses propres meubles, apportés de la maison de campagne, mais il les avait choisis à la va-vite et c'était un atroce mélange de styles, de tissus, de bois clairs et foncés.

En cherchant nous avons découvert que Francis n'avait ni thé ni café (« Il faut qu'il aille faire des courses », a dit Henry, en regardant par-dessus mon épaule un autre placard vide), mais quelques bouteilles de scotch et de l'eau de Vichy. J'ai pris de la glace, deux verres, et nous avons emporté une bouteille de Famous Grouse dans le salon peuplé d'ombres, nos souliers claquant sur un affreux désert de linoléum blanc.

« Alors vous n'êtes pas partis », ai-je dit une fois qu'Henry nous a servi.

« Non. »

« Pourquoi non ? »

Il a soupiré, repris une cigarette dans sa poche de poitrine. « L'argent », a-t-il dit quand l'allumette a jeté un éclair dans la pénombre. « Je n'ai pas une fondation comme Francis, vois-tu, uniquement une pension mensuelle. C'est beaucoup plus que ce dont j'ai habituellement besoin pour vivre, et pendant des années j'en ai versé la plus grande partie sur un compte d'épargne. Mais Bunny a quasiment tout nettoyé. Je n'avais aucun moyen de dénicher plus de trente mille dollars, même en vendant ma voiture. »

« Trente mille dollars, c'est beaucoup. »

« Oui. »

« Pourquoi aviez-vous besoin de tant d'argent ? »

Il a lâché un rond de fumée à moitié dans le cercle jaunâtre de la lampe, à moitié dans l'obscurité environnante. « Parce qu'on n'allait pas revenir. Aucun de nous n'avait de permis de travail. Ce qu'on pouvait emporter devait nous durer un bon bout de temps. En outre », il a haussé la voix comme si j'allais l'interrompre — alors que ce n'était pas le cas, je n'avais fait qu'émettre une sorte de bruit inarticulé marquant ma stupéfaction — « il se trouve que Buenos Aires n'était pas du tout notre destination. Ce n'était qu'une étape. »

« Quoi ? »

« Si nous avions eu de quoi, je suppose que nous aurions pris l'avion pour Paris ou Londres, une capitale très passante, de là pour Amsterdam et l'Amérique du Sud. De cette façon on aurait eu plus de mal à nous suivre, tu vois. Mais nous n'avions pas de quoi, alors l'autre choix était d'aller en Argentine et ensuite, par des chemins détournés, en Uruguay — un pays dangereux et instable, à mon avis, mais qui répond à nos exigences. Là-bas, mon père a des intérêts dans une sorte de lotissement. Nous n'aurions pas eu de mal à trouver un endroit où habiter. »

« Était-il au courant, ton père ? »

« Il l'aurait été. En fait je comptais te demander de le joindre après notre arrivée. En cas d'événement imprévu il aurait été en mesure de nous aider, même de nous faire quitter le pays si nécessaire. Il a des relations sur place, des gens du gouvernement. Autrement, personne n'aurait rien su. »

« Il aurait fait ça pour toi ? »

« Nous ne sommes pas très proches, mais je suis son seul enfant. » Il a bu le reste de son scotch et fait cliqueter les glaçons dans son verre. « Mais bon. Même si je n'avais pas beaucoup de liquide sous la main, mes cartes de crédit suffisaient largement, ne laissant que le problème de trouver assez d'argent pour vivre quelque temps. C'est là que Francis intervient. Sa mère et lui vivent des revenus d'une fondation, comme tu dois savoir, mais ils ont aussi le droit de retirer jusqu'à trois pour cent du capital chaque année, ce qui donne une somme d'environ cent cinquante mille dollars. En général ils n'y touchent pas, au moment de l'échéance, mais théoriquement l'un ou l'autre peuvent le retirer quand ils veulent. Un cabinet juridique de Boston administre la fondation, et un jeudi matin nous avons quitté la maison de campagne, nous sommes passés quelques minutes à Hampden pour que les jumeaux et moi puissions prendre nos affaires, et nous sommes tous allés à

Boston loger au Parker House. C'est un hôtel adorable, tu le connais ? Non ? Dickens habitait là quand il est venu en Amérique.

« En tout cas, Francis avait rendez-vous avec ses avocats, et les jumeaux avaient quelque chose à régler au service des passeports. Il faut plus de préparatifs que tu ne pourrais croire pour tout régler et quitter le pays, mais on avait à peu près terminé ; nous devions partir le lendemain soir et il n'y avait apparemment aucune chance pour que ça tourne mal. On était un peu inquiets à cause des jumeaux, mais il n'y aurait naturellement eu aucun problème, même s'ils avaient dû attendre une dizaine de jours pour nous rejoindre. J'avais des choses à faire, de mon côté, mais peu, et Francis m'avait assuré qu'il s'agissait simplement d'aller signer quelques papiers en ville pour obtenir l'argent. Sa mère s'apercevrait qu'il l'avait pris, mais que pourrait-elle faire après son départ ?

« Or il n'est pas rentré à l'heure dite. Trois heures ont passé, puis quatre. Les jumeaux sont revenus, et nous venions de commander à dîner quand Francis est entré en trombe, à moitié hystérique. L'argent de cette année avait complètement disparu, vois-tu. Sa mère avait raclé le principal jusqu'au dernier cent sans lui en dire un mot. C'était une mauvaise surprise, et encore plus mauvaise étant donné les circonstances. Il avait tout essayé — emprunter de l'argent à la fondation elle-même, voire céder ses intérêts, ce qui est, quand on connaît quelque chose aux fondations, la mesure la plus désespérée qu'on puisse envisager. Les jumeaux étaient d'avis d'aller de l'avant et de risquer le coup. Mais... La situation était difficile Une fois partis nous ne pouvions plus revenir, et ensuite, qu'allions-nous faire une fois sur place ? Vivre dans un arbre comme Wendy et les Enfants perdus ? » Il a soupiré. « Voilà où nous en étions : nos valises faites et nos passeports prêts, mais sans argent. Littéralement, je veux dire. A nous quatre nous avions à peine cinq mille dollars. Il y a eu une sérieuse discussion, mais en fin de compte nous avons décidé que notre seul choix était de rentrer à Hampden. Pour l'instant, du moins. »

Il a dit tout cela très calmement, mais j'ai senti, en l'écoutant, une boule grossir au creux de mon estomac. Le tableau était encore très obscur, mais je n'aimais pas du tout le peu que je voyais. Je n'ai rien dit un long moment, et contemplé les ombres projetées au plafond par la lampe.

« Henry, mon Dieu », ai-je fini par dire, d'une voix plate et bizarre, même à mes propres oreilles.

Il a haussé un sourcil sans rien dire, son verre vide à la main, le visage à moitié dans l'ombre.

Je l'ai regardé. « Mon Dieu. Qu'est-ce que vous avez fait ? »

Il a eu un sourire sans joie, et s'est penché hors du cône de lumière pour se servir un scotch. « Je crois que tu en as déjà une assez bonne idée. Maintenant, laisse-moi te poser une question. Pourquoi nous as-tu couverts ? »

« Quoi ? »

« Tu savais que nous allions quitter le pays. Tu l'as toujours su et tu n'as rien dit à personne. Pourquoi ça ? »

Les murs s'étaient évanouis et la pièce était obscure. Le visage d'Henry, sous la lumière crue de la lampe, se détachait sur un fond noir. De rares éclats lumineux scintillaient sur le bord de ses lunettes, brillaient dans les profondeurs ambrées de son whisky, se reflétaient en bleu dans ses yeux.

« Je ne sais pas. »

Il a souri. « Non ? »

Je l'ai contemplé sans rien dire.

« Après tout, nous ne t'avions pas mis dans le secret. » Son regard intense ne me quittait pas. « Tu aurais pu nous arrêter à n'importe quel moment et tu ne l'as pas fait. Pourquoi ? »

« Henry, au nom de Dieu, qu'avez-vous fait ? »
Il a souri. « Toi, dis-le-moi. »
Et le plus horrible était que d'une certaine façon je le savais. « Vous avez tué quelqu'un, n'est-ce pas ? »
Il m'a regardé un bref instant et alors, à ma surprise totale, absolue, il s'est adossé à sa chaise et s'est mis à rire. « Un bon point pour toi. Tu es aussi malin que je le pensais. Je savais que tu le devinerais, tôt ou tard, et c'est toujours ce que j'ai dit aux autres. »
L'obscurité planait autour de notre petit cercle lumineux, aussi épaisse et tangible qu'un rideau. Avec une bouffée de ce qui était presque le mal de mer, j'ai eu à la fois la sensation claustrophobique que les murs se précipitaient vers nous et celle, vertigineuse, qu'ils s'éloignaient à l'infini, nous laissant suspendus dans un espace ténébreux, illimité. J'ai avalé ma salive et regardé Henry. « Qui était-ce ? »
Il a haussé les épaules. « Un incident mineur, en fait. Un accident. »
« Pas volontaire ? »
« Ciel, non. » Il a eu l'air surpris.
« Qu'est-ce qui s'est passé ? »
« Je ne sais pas par où commencer. » Il a fait une pause, repris un verre. « Tu te rappelles à l'automne dernier, au cours de Julian, quand nous avons étudié ce que Platon appelle la démence télestique? La Bakcheia ? La folie dionysiaque ? »
« Oui. » Je m'impatientais. C'était tout lui, sortir un truc de ce genre à ce moment-là.
« Eh bien, nous avons décidé d'essayer d'en faire une. »
Un moment j'ai cru que je n'avais pas compris. « Quoi ? »
« Je dis que nous avons décidé d'essayer de faire une bacchanale. »
« Allons donc. »
« Nous l'avons fait. »
Je l'ai regardé. « Tu plaisantes. »

« Non. »

« C'est ce que j'ai jamais entendu de plus bizarre. »

Il a haussé les épaules.

« Pourquoi vouliez-vous faire une chose pareille ? »

« Cette idée m'obsédait. »

« Pourquoi ? »

« Eh bien, pour ce que j'en sais, personne n'avait fait ça depuis deux mille ans. » Il a fait une pause, et vu qu'il ne m'avait pas convaincu. « Après tout, l'attrait de ne plus être soi-même, fût-ce pour peu de temps, est très puissant. Échapper au mode cognitif de l'expérience, transcender l'accident de son propre moment d'existence. Il y a d'autres avantages, dont il est plus difficile de parler, des choses à quoi font seulement allusion des sources anciennes et que je n'ai moi-même comprises qu'après coup. »

« Comme quoi ? »

« Eh bien, ce n'est pas pour rien qu'on l'appelle un mystère, a-t-il dit, un peu amer. Crois-moi sur parole. Mais on ne doit pas sous-estimer le désir primal — perdre son soi, le perdre totalement. Et ce faisant naître au principe de la vie continue, libéré de la mortalité, de la prison du temps. C'est ce qui m'a attiré dès le début, alors que j'en ignorais tout et que je l'approchais plus en anthropologue qu'en *mystes* potentiel. Les anciens commentateurs restent très circonspects à propos de toute cette affaire. Il a été possible, avec beaucoup de travail, de reconstituer quelques-uns des rites sacrés — les hymnes, les objets rituels, comment s'habiller, que faire et que dire. Le plus difficile, c'était le mystère lui-même : comment se propulser dans un état semblable, quel était le catalyste ? » Il parlait d'un ton rêveur, amusé. « Nous avons *tout* essayé. L'alcool, les drogues, la prière, même des petites doses de poison. Le soir de notre première tentative, nous avons trop bu, tout bêtement, et nous nous sommes écroulés en tunique dans la forêt près de chez Francis. »

« Vous portiez des tuniques ? »

« Oui, a-t-il dit, agacé. C'était dans l'intérêt de la science. On les a faites avec des draps de lit dans le grenier de chez Francis. Bon. Le premier soir il ne s'est rien passé du tout, à part une gueule de bois et des courbatures pour avoir dormi par terre. Alors la fois suivante nous avons moins bu, mais nous nous sommes tous retrouvés au milieu de la nuit sur la colline derrière la maison, ivres et vêtus de nos tuniques, en train de chanter des hymnes grecs comme à l'initiation d'une fraternité, et tout d'un coup Bunny s'est mis à rire si fort qu'il est tombé comme une quille et a roulé au bas de la pente.

« Il devenait évident que l'alcool seul n'allait pas suffire. Bonté divine. Je ne peux pas te raconter tout ce qu'on a essayé. Les veilles. Les jeûnes. Les libations. Je suis déprimé rien que d'y penser. Nous avons brûlé des branches de ciguë et respiré la fumée. Je savais que la Pythie mâchait des feuilles de laurier, mais ça n'a pas marché non plus. Tu les a trouvées, ces feuilles, si tu te souviens bien, sur la cuisinière, dans la cuisine de chez Francis. »

J'ai fait les yeux ronds. « Pourquoi n'ai-je rien su de tout cela ? »

Il a pris une cigarette dans sa poche. « Enfin, vraiment, cela me paraît évident. »

« Qu'est-ce que tu veux dire ? »

« Bien sûr qu'on n'allait pas te mettre au courant. On te connaissait à peine. Tu nous aurais pris pour des cinglés. » Il a laissé passer un moment. « Tu vois, nous n'avions presque rien comme point de départ. Je crois qu'en un sens j'ai été induit en erreur par les récits sur la Pythie, le *pneuma enthusiastikon*, les vapeurs empoisonnées et ainsi de suite. Ces processus, quoique schématiques, sont bien mieux documentés que les méthodes bacchiques, et j'ai pensé un moment qu'il devait y avoir une parenté. Ce n'est qu'après une longue période d'essais qu'il est devenu évident qu'ils ne l'étaient pas, et que ce qui nous manquait était probablement quelque chose de très simple. Ce qui s'est révélé exact. »

« Et de quoi s'agissait-il ? »

« Voilà. Pour accueillir la divinité, dans ce mystère comme dans tout autre, on doit être dans un état d'*euphemia*, de pureté cultuelle. C'est au cœur même du mystère bachique. Même Platon en parle. Avant que le Divin puisse l'envahir, l'être mortel — notre part de poussière, ce qui est voué à dépérir — doit autant que possible se purifier. »

« Comment ça ? »

« Par des actes symboliques, la plupart omniprésents dans le monde grec. De l'eau versée sur la tête, des bains, des jeûnes — Bunny n'était pas très doué pour le jeûne, ni pour les bains, si tu veux savoir, mais nous avons accompli tous ces gestes. Plus nous le faisions, néanmoins, plus cela nous paraissait absurde, jusqu'à ce qu'un jour je sois frappé par quelque chose de presque évident — à savoir que tout rituel religieux est arbitraire si on n'est pas capable d'y voir un sens plus profond. » Il a fait une pause. « Sais-tu ce que dit Julian de *La Divine Comédie ?* »

« Non, Henry. »

« Que c'est incompréhensible pour qui n'est pas chrétien. Que pour lire Dante et le comprendre, on doit se faire chrétien, fût-ce pour quelques heures. C'était la même chose, dans ce cas. Il fallait l'approcher sur son propre terrain, pas à la façon d'un voyeur ou même d'un chercheur. Au début, je suppose qu'il était impossible de le considérer autrement, n'en voyant que des fragments à travers les siècles. La vitalité de cet acte est entièrement éclipsée, la beauté, la terreur, le sacrifice. » Il a pris une dernière bouffée de sa cigarette avant de l'éteindre. « Tout simplement, nous n'y croyions pas. Et la croyance était la seule condition absolument nécessaire. La croyance, et un abandon total. »

J'ai attendu qu'il continue.

« A ce point, il faut que tu comprennes que nous étions sur le point d'abandonner. L'entreprise avait été intéressante, mais pas tant que ça ; de plus, il y avait trop de problèmes. Tu n'imagines pas le nombre de fois où tu as failli nous tomber dessus. »

« Non ? »

« Non. » Il a bu une gorgée de whisky. « Je suppose que tu ne te souviens pas d'être descendu en pleine nuit, à la campagne, vers trois heures du matin. Prendre un livre à la bibliothèque. On t'a entendu dans l'escalier. J'étais caché derrière les rideaux ; j'aurais pu te toucher en tendant le bras si j'avais voulu. Une autre fois tu t'es réveillé avant même qu'on soit rentrés. Nous avons dû faire le tour par derrière, nous glisser en haut des marches comme des rats d'hôtel — très fastidieux, d'avoir à ramper pieds nus dans le noir. Et puis il commençait à faire froid. On prétend que l'*oreibasia* se passait au milieu de l'hiver, mais j'oserais dire qu'à cette époque de l'année il fait nettement plus doux dans le Péloponnèse que dans le Vermont.

« Mais on y travaillait depuis si longtemps qu'il nous a paru absurde, au vu de notre révélation, de ne pas faire une dernière tentative avant le mauvais temps. Tout est devenu sérieux, d'un seul coup. Nous avons jeûné trois jours, plus longtemps que les autres fois. En rêve, un messager est venu me trouver. Tout se passait à merveille, nous étions au bord de l'envol, et j'avais une sensation que je n'avais jamais eue, comme si la réalité elle-même se transformait autour de nous d'une façon magnifique et dangereuse, et que nous étions poussés par une force que nous ne comprenions pas vers un but que j'ignorais. » Il a repris son verre. « Le seul problème, c'était Bunny. Au fond, il ne saisissait pas en quoi les choses avaient changé de façon significative. Nous étions plus proches du but que jamais, et chaque jour comptait ; déjà il faisait terriblement froid, et si la neige tombait, ce qui pouvait arriver d'un jour à l'autre, nous devrions attendre jusqu'au printemps. Je ne supportais pas l'idée qu'après ce que nous avions fait il allait tout casser à la dernière minute. Et je savais qu'il le ferait. Au moment crucial il allait raconter une blague stupide et tout démolir. Dès le second jour j'avais des doutes, et l'après-midi du soir prévu, Charles l'a vu au Collège en train de manger un sandwich au fromage avec un milkshake. C'était trop. Nous avons décidé de partir en cachette, sans lui. Y aller le week-end était trop risqué, puisque tu avais déjà failli nous surprendre plusieurs fois, de sorte qu'on partait le jeudi soir, tard, et qu'on rentrait vers trois ou quatre heures du matin. Mais cette fois nous sommes partis plus tôt, avant le dîner, sans lui dire un mot. »

Il a allumé une cigarette. Le silence s'est installé.

« Alors ? Qu'est-ce qui s'est passé ? »

Il a ri. « Je ne sais pas quoi dire. »

« Qu'est-ce que ça signifie ? »

« Je veux dire que ça a marché. »

« Ça a marché ? »

« Absolument. »

« Mais comment peux... »

« Ça a marché. »

« Je ne crois pas comprendre ce que tu veux dire en disant que ça a marché. »

« Je le dis au sens le plus littéral. »

« Mais comment ? »

« C'était bouleversant. Splendide. Les torches, le vertige, les chants. Des loups hurlant autour de nous et un taureau qui beuglait dans la nuit. La rivière était blanche. C'était comme un film en accéléré, la lune croissait et déclinait, des nuages couraient dans le ciel. Des lianes sortaient de terre si vite qu'elles s'enroulaient le long des troncs comme des serpents ; les saisons passaient en un clin d'œil, des années entières pour ce que j'en sais... Je veux dire que nous prenons le changement phénoménal pour l'essence même du temps, alors que ce n'est pas ça du tout. Le temps est quelque chose qui défie indifféremment printemps et hiver, naissance et déclin, le bien et le mal. Quelque chose d'inchangé, de joyeux, d'absolument indestructible. La dualité cesse d'exister ; il n'y a plus d'ego, de "Je", et pourtant cela n'a rien à voir avec les affreuses comparaisons qu'on entend parfois dans les religions orientales, le moi comme une goutte d'eau diluée dans l'océan de l'univers. C'est plutôt comme si l'univers se dilatait pour remplir les limites du soi. Après une telle extase, tu n'imagines pas à quel point peut être insipide l'existence ordinaire dans ses limites quotidiennes. C'était comme d'être un bébé. Je ne me souvenais plus de mon nom. J'avais la plante des pieds en lambeaux et je ne le sentais même pas. »

« Mais ce sont fondamentalement des rituels sexuels, n'est-ce pas ? »

C'est sorti de ma bouche non sous forme de question, mais d'affirmation. Il n'a pas cillé, et a attendu que je continue.

« Eh bien ? N'est-ce pas ? »

Il s'est penché pour poser sa cigarette dans le cendrier. « Bien sûr », a-t-il dit aimablement. Son costume noir et ses lunettes d'ascète lui donnaient l'air d'un prêtre. « Tu le sais aussi bien que moi. »

Nous nous sommes regardés sans rien dire.

« Qu'avez-vous fait, précisément ? »

« Oh, vraiment, je ne pense pas qu'il soit nécessaire d'en parler. Il y a un certain élément charnel dans la procédure, mais le phénomène est de nature fondamentalement spirituelle. »

« Vous avez vu Dionysos, je suppose ? »

Je n'avais pas posé cette question sérieusement, et j'ai sursauté en le voyant hocher la tête avec autant de naturel que si je lui avais demandé s'il avait fait ses devoirs.

« Vous l'avez-vu, corporellement ? Sa peau de chèvre ? Son thyrse ? »

« Comment sais-tu à quoi il ressemble ? a-t-il dit un peu sèchement. Que crois-tu que nous avons vu ? Un dessin ? Une figurine gravée sur un vase ? »

« Je n'en crois pas mes oreilles quand tu me dis avoir *réellement* vu... »

« Et si tu n'avais jamais vu la mer de ta vie ? Et si la seule chose que tu en connaisses était un dessin d'enfant — avec des vagues au crayon bleu ? Reconnaîtrais-tu la mer si tu n'avais vu que cette image ? Serais-tu capable de reconnaître la réalité même en l'ayant sous les yeux ? Tu ne sais pas à quoi ressemble Dionysos. Nous sommes en train de parler de Dieu. Dieu, c'est sérieux. » Il s'est adossé à son siège et m'a observé attentivement. « Tu n'as pas à me croire sur parole, tu sais. Nous étions quatre. Charles a trouvé la trace d'une morsure sur son bras sans savoir où il l'avait reçue, et ne correspondant pas à une morsure humaine. Trop grande. Avec des pointes étranges à la place des dents. Camilla dit que pendant un temps elle a cru qu'elle était une biche ; étrange, aussi, parce que nous nous souvenons d'avoir chassé une biche dans les bois, tous les trois, pendant des kilomètres, semblait-il. En fait, c'était effectivement des kilomètres. Je le sais. Il semble que nous ayons couru, couru sans arrêt, parce qu'en reprenant conscience nous ne savions pas où nous étions. Plus tard nous nous sommes rendu compte que nous avions franchi au moins quatre barrières de barbelés, je ne sais comment, et que nous étions très loin de chez Francis, à douze ou quinze kilomètres en pleine campagne. C'est là que se place le passage plutôt regrettable de mon récit.

« Je n'en ai qu'un souvenir extrêmement vague. J'ai entendu quelque chose derrière moi, ou quelqu'un, j'ai pivoté sur place, failli perdre l'équilibre et voulu frapper ce que c'était — une chose jaune, indistincte et volumineuse — de mon poing fermé, le gauche, qui n'est pas ma bonne main. J'ai senti une douleur terrible dans les phalanges, et puis, presque instantanément, j'ai eu le souffle coupé. Il faisait noir, tu comprends, je n'y voyais presque rien. J'ai encore frappé de ma droite, aussi fort que possible, avec tout mon poids derrière, et cette fois j'ai entendu un craquement et un cri.

« Nous ne savons pas trop ce qui s'est passé ensuite. Camilla avait pas mal d'avance, mais Charles et Francis n'étaient pas loin et m'ont bientôt rattrapé. Je me souviens distinctement d'être debout et de les voir se précipiter à travers les broussailles — Dieu. Je les revois. Ils ont les cheveux pleins de boue et de feuilles et les vêtements presque en loques. Ils sont devant moi, essoufflés, l'œil fixe et le regard hostile — je ne les reconnais pas, et je crois que nous aurions commencé à nous battre si la lune n'était pas sortie des nuages. Nous nous sommes regardés. Les choses ont commencé à nous revenir. J'ai regardé ma main, j'ai vu qu'elle était couverte de sang, et pire que du sang. Charles a fait un pas et s'est agenouillé devant quelque chose, à mes pieds. Je me suis baissé, moi aussi, et j'ai vu que c'était un homme. Il était mort. Il avait une quarantaine d'années, avec une chemise tissée jaune — tu vois, les chemises en laine qu'on porte par ici — le cou brisé, et, c'est horrible à dire, le visage couvert de cervelle. Vraiment, je ne sais pas comment c'est arrivé. C'était un spectacle affreux. J'étais couvert de sang, il y en avait même sur mes lunettes.

« Charles fait un récit différent. Il se souvient de m'avoir vu près du corps. Mais il se souvient aussi de s'être battu avec quelque chose, d'avoir tiré de toutes ses forces et de s'être soudain rendu compte qu'il tirait sur le bras d'un homme, en poussant du pied sous l'aisselle. Francis — eh bien, je ne saurais dire. Chaque fois qu'on lui parle, il se rappelle quelque chose d'autre. »

« Et Camilla ? »

Henry a poussé un soupir. « Je suppose que nous ne saurons jamais ce qui s'est vraiment passé. Nous ne l'avons retrouvée que beaucoup plus tard. Elle était tranquillement assise au bord d'un ruisseau, les pieds dans l'eau, sa robe blanche sans une seule tache, aucune trace de sang sauf dans les cheveux. Ils étaient complètement trempés, coagulés, comme si elle avait essayé de les teindre en rouge. »

« Comment est-ce possible ? »

« On n'en sait rien. » Il a allumé une autre cigarette. « En tout cas, l'homme était mort. Et nous étions au milieu de la forêt, à demi-nus et couverts de boue, avec ce cadavre sous les yeux. Nous étions tous abasourdis. Je me sentais vaciller au bord du sommeil quand Francis s'est rapproché pour mieux voir et a été secoué par de violents vomissements, l'estomac vide. D'une certaine façon, cela m'a remis les idées en place. J'ai dit à Charles de retrouver Camilla, puis je me suis agenouillé pour fouiller les poches de l'homme. Il n'y avait pas grand-chose — j'ai trouvé un ou deux trucs avec son nom dessus — et bien sûr tout cela était inutile.

« Je ne savais absolument pas quoi faire. Il faut te rappeler qu'il faisait de plus en plus froid, que je n'avais pas mangé ni dormi depuis longtemps, et que je n'avais pas l'esprit très clair. Pendant quelques minutes — bonté divine, comme tout était confus — j'ai pensé creuser une tombe avant de comprendre que ce serait de la folie. Nous ne savions pas où nous étions, qui pouvait survenir, ni même l'heure qu'il était. En plus, nous n'avions rien pour creuser la moindre tombe. L'espace d'un instant j'ai failli paniquer — on ne pouvait pas simplement laisser ce cadavre à l'air libre, n'est-ce pas ? — et puis je me suis rendu compte que c'était la seule chose à faire. Nous ne savions même pas où était la voiture. Je ne nous voyais pas traîner ce cadavre Dieu sait combien de temps dans les ravins et les rochers ; et même si on arrivait jusqu'à la voiture, où l'emporter ?

« Alors, quand Charles est revenu avec Camilla, nous sommes partis, c'est tout. Ce qui, après coup, était ce qu'il y avait de mieux à faire. Ce n'est pas comme si des équipes de détectives experts allaient grouiller au nord du Vermont. C'est un endroit primitif. Des gens y meurent sans cesse de mort violente et naturelle. Nous ne savions même pas qui c'était, et rien ne nous reliait à lui. Notre seul problème était de retrouver la voiture et de rentrer chez nous sans que personne nous voie. » Il s'est penché pour se servir un peu de whisky. « Ce qui est exactement ce que nous avons fait. »

Je me suis resservi, moi aussi, et nous sommes restés sans rien dire une minute ou deux.

« Henry, ai-je fini par dire. Bonté divine. »

Il a haussé un sourcil. « En vérité, c'était plus troublant que tu ne peux l'imaginer. Une fois j'ai heurté un cerf avec ma voiture. C'était une créature magnifique, et de la voir se débattre, avec du sang partout, les pattes brisées... Or ceci était encore plus affligeant, mais je croyais du moins que c'était terminé. Je pensais qu'on n'en entendrait plus jamais parler. » Il a bu une gorgée. « Malheureusement, ce n'est pas le cas. Bunny s'en est chargé. »

« Qu'est-ce que tu veux dire ? »

« Tu l'as vu ce matin. Il nous a rendu à moitié fous avec ça. Je suis quasiment au bout du rouleau. »

Il y a eu le bruit d'une clef qui tournait dans la serrure. Henry a levé son verre et l'a vidé d'un trait. « Ça doit être Francis », a-t-il dit en allumant le plafonnier.

## CHAPITRE 5

Quand la lumière est revenue, que le cercle obscur a repris d'un bond les limites familières et banales du salon — le bureau encombré, le canapé bas et bosselé, les rideaux fantaisie poussiéreux échus à Francis après une des purges décoratives de sa mère — ce fut comme de rallumer la lampe après un mauvais rêve ; en clignant des yeux, j'ai été étonné de voir que les portes et fenêtres étaient toujours à la même place et que les meubles ne s'étaient pas déplacés, grâce à quelque magie diabolique, à la faveur de l'obscurité.

Le verrou a joué. Francis est entré, le souffle court, tirant d'un air découragé sur le bout de ses gants.

« Jésus, Henry, quelle nuit. »

J'étais hors de son champ de vision. Henry m'a jeté un coup d'œil en se raclant discrètement la gorge. Francis a tourné sur ses talons.

J'ai cru l'avoir regardé avec assez de nonchalance, mais apparemment cela n'a pas suffi. Tout devait être inscrit sur mon visage.

Il m'a fixé un long moment ; le gant à moitié mis, à moitié ôté, pendait mollement au bout de ses doigts.

« Oh non », a-t-il fini par lâcher sans me quitter des yeux. « Henry. Tu n'as pas fait ça. »

« Je crains que si. »

Francis a fermé les yeux très fort, les a rouverts. Il avait pâli d'un seul coup, la peau blanche et talquée comme un dessin à la craie sur du papier à gros grain. Un instant j'ai cru qu'il allait s'évanouir.

« Allons, Francis, a dit Henry, avec un peu de mauvaise humeur, tout va bien. Assieds-toi. »

En respirant bruyamment, il a traversé la pièce et s'est laissé tomber dans un fauteuil avant de fouiller dans sa poche pour prendre une cigarette.

« Il le savait. Je te l'avais dit. »

Francis m'a regardé, la cigarette tremblant au bout de ses doigts. « C'est vrai ? »

Je n'ai pas répondu. Un instant je me suis demandé si tout cela n'était pas une monstrueuse plaisanterie. Francis s'est passé une main sur le visage.

« Je suppose que tout le monde le sait, maintenant. Je ne comprends même pas pourquoi je me sens si mal. »

Henry était allé chercher un verre dans la cuisine. Il a servi un whisky et l'a donné à Francis. « *Deprendi miserum est.* »

Curieusement, Francis a ri, un espèce de reniflement sans joie.

« Bon Dieu. » Il a bu une grande gorgée de scotch. « Quel cauchemar. Je n'arrive pas à deviner ce que tu penses de nous, Richard. »

« Peu importe. » J'ai parlé sans réfléchir, mais aussitôt j'ai compris, un peu choqué, que c'était vrai ; cela n'avait pas vraiment grande importance, du moins de la façon préconçue à laquelle on s'y attendrait.

« Eh bien, j'imagine qu'on peut dire qu'on est dans le pétrin », a dit Francis en se frottant les yeux du pouce et de l'index. « Je ne sais pas ce qu'on va faire de Bunny. J'avais envie de le gifler pendant qu'on faisait la queue pour ce foutu film. »

« Tu l'as emmené à Manchester ? » a demandé Henry.

« Oui. Mais les gens adorent fouiner, et on ne sait jamais qui va s'asseoir derrière soi, pas vrai ? Ce n'était même pas un bon film. »

« C'était quoi ? »

« Une stupidité à propos d'une fête de célibataires. Je vais juste prendre un somnifère et me coucher. » Il a bu le reste de son scotch et s'en est versé deux doigts avant de s'adresser à moi. « Jésus, tu es tellement chouette avec tout ça. Toute cette histoire me fait plutôt honte. »

Il y eut un long silence.

Finalement, c'est moi qui ai parlé. « Qu'est-ce que vous allez faire ? »

Francis a soupiré. « Nous avions l'intention de ne rien faire. Je sais que ça paraît un peu idiot, mais qu'est-ce qu'on y peut, maintenant ? »

J'ai été à la fois agacé et attristé par le ton résigné de sa voix. « Je ne sais pas. Pourquoi, pour l'amour de Dieu, ne vous êtes-vous pas adressé à la police ? »

« Tu dois plaisanter », a dit sèchement Henry.

« Leur dire que vous ne savez pas ce qui s'est passé ? Que vous l'avez trouvé en pleine forêt ? Où, Dieu, je ne sais pas, que vous l'avez renversé avec la voiture, qu'il a traversé juste en face, quelque chose ? »

« Ce qui aurait été une parfaite idiotie. Il s'agit d'un incident regrettable et j'en suis désolé, mais franchement je ne vois pas que les intérêts des contribuables ou les miens aient avantage à ce que je passe soixante ou soixante-dix ans dans une prison du Vermont. »

« Mais c'était un *accident*. Tu l'as dit toi-même. »

Il a haussé les épaules.

« Si tu y étais allé tout de suite, tu aurais pu t'en tirer avec un délit mineur. Peut-être même ne se serait-il rien passé. »

« Peut-être, a-t-il aquiescé aimablement. Mais souviens-toi, nous sommes dans le Vermont. »

« Bon Dieu, quelle différence ça fait ? »

« Une très grande différence, malheureusement. Si on en arrivait à un procès, nous serions jugés ici. Et pas, j'ajouterais, par un jury de nos pairs. »

« Alors ? »

« Tu diras ce que tu veux, mais tu ne me persuaderas pas qu'un jury de pauvres gens du Vermont aura le moindre atome de pitié pour quatre étudiants jugés pour avoir assassiné un de leurs voisins. »

« Il y a des années que les gens de Hampden attendent une affaire comme celle-ci », a dit Francis en allumant une cigarette au mégot de la première. « On ne s'en tirerait pas avec un homicide involontaire. Et on aurait de la chance d'échapper à la chaise électrique. »

« Imagine l'allure que ça aurait, a ajouté Henry. Nous sommes tous jeunes, bien élevés, financièrement à l'aise ; et, avant tout, peut-être, étrangers au Vermont. Je suppose qu'un magistrat équitable tiendrait compte de notre jeunesse, du fait que c'était un accident et ainsi de suite, Mais ... »

« Quatre fils de riches à l'université ? a dit Francis. Ivres ? Drogués ? Sur la propriété de ce type au milieu de la nuit ? »

« Vous étiez chez lui ? »

« Oh, il semblerait. C'est là qu'on a trouvé son corps, d'après les journaux. »

Je n'étais pas dans le Vermont depuis longtemps, mais assez pour savoir que n'importe quel Vermontois pur jus penserait à ça. Pénétrer sur la terre d'autrui, c'était pour eux comme une violation de domicile. « Oh ! mon Dieu. »

« Et ce n'est pas tout, a repris Francis. Pour l'amour du ciel, on était vêtus de draps de lit. Pieds nus. Couverts de sang. Saouls comme des bourriques. Tu nous vois nous traîner jusqu'au bureau du shérif pour lui expliquer tout ? »

« Et ce n'est pas comme si nous étions en mesure d'expliquer quoi que ce soit, a dit Henry, rêveur. Loin de là. Je me demande si tu comprends dans quel état nous étions. A peine une heure avant, nous étions tous vraiment, totalement, *hors de nous*. C'est peut-être un effort surhumain de se perdre à ce point, mais ce n'est rien comparé à l'effort de se *retrouver* soi-même. »

« En tout cas pas comme s'il y avait eu un déclic et qu'on ait retrouvé notre chère vieille enveloppe, a ajouté Francis. Crois-moi. On aurait aussi bien pu nous faire des électrochocs. »

« Je ne sais vraiment pas comment on est rentrés sans se faire voir. »

« On n'avait pas les moyens de bricoler une histoire plausible. Seigneur Dieu. Il m'a fallu des semaines pour m'en remettre. Camilla n'a pas pu dire un mot pendant trois jours. »

Avec un léger frisson, je me suis souvenu de Camilla, la gorge prise dans une écharpe rouge, incapable de parler. Une laryngite, avaient-ils dit.

« Oui, c'était très étrange, a repris Henry. Elle avait les idées relativement claires, mais les mots ne lui venaient pas. Comme si elle avait eu une attaque. Quand elle s'est remise à parler, son français appris au lycée est revenu avant le grec ou même l'anglais. Des mots de bébé. Je me rappelle, assis au pied de son lit, l'avoir écoutée compter jusqu'à dix, l'avoir vue tendre le doigt en disant *la fenêtre, la chaise...* »

Francis a ri. « Elle était trop drôle. Quand je lui ai demandé comment elle allait, elle a répondu, *"Je me sens comme Hélène Keller, mon vieux."* »

« Elle est allée voir un médecin ? »

« Tu plaisantes ? »

« Et si elle n'en était pas sortie ? »

« Oh, il nous est tous arrivé la même chose, a dit Henry. Seulement ça s'est passé en deux heures. »

« Vous ne pouviez pas parler ? »

« Mordus, écorchés de partout ? a lancé Francis. Muets ? A moitié fous ? Si nous étions allés voir la police ils nous auraient accusés de tous les meurtres non résolus depuis cinq ans. » Il a brandi un journal imaginaire. « Hippies Fanatiques Inculpés de Meurtre Gratuit ». « Massacre Cultuel du Vieil Abe Untel. »

« De Jeunes Satanistes Assassinent un Vieux Résident du Vermont. » Henry a allumé une cigarette.

Francis s'est mis à rire.

« Et encore, si nous avions la chance d'un procès décent, a dit Henry. Mais sûrement pas. »

« Personnellement, je n'imagine pas ce qui serait pire qu'un procès avec un juge ambulant et un jury plein de standardistes. »

« La situation n'est pas sublime, mais elle pourrait sûrement être pire. Le grand problème, maintenant, c'est Bunny. »

« Pourquoi lui ? »

« Il est incapable de se taire, c'est tout. »

« Vous n'en avez pas parlé avec lui ? »

« Pas plus de dix millions de fois », a lancé Francis.

« Il a voulu aller voir la police ? »

« S'il continue comme ça, a dit Henry, ce ne sera pas la peine. Ils vont venir tout seuls. Raisonner avec lui ne sert à rien. Il n'arrive pas à saisir que c'est vraiment sérieux. »

« Il ne veut tout de même pas vous envoyer tous en prison ? »

« Si ça lui venait à l'esprit, je suis sûr que non. » La voix d'Henry restait très calme. « Et je suis sûr qu'il se rend compte qu'il n'a pas spécialement envie d'aller lui-même en prison. »

« Bunny ? Mais pourquoi... »

« Parce qu'il est au courant depuis novembre et qu'il n'a rien dit à la police », a précisé Francis.

« Mais c'est à côté de la question. Même s'il a assez de jugeote pour ne pas nous dénoncer. Il n'a pas grand-chose comme alibi pour la nuit du meurtre, et si jamais nous devions aller en prison je pense qu'il doit savoir que moi, en tout cas, je ferai tout mon possible pour qu'il nous accompagne. » Henry a écrasé sa cigarette. « Le problème, c'est qu'il n'est qu'un imbécile, et que tôt ou tard il va dire ce qu'il ne faut pas à qui il ne faut pas. Peut-être pas volontairement, mais je ne prétends pas, à ce point, m'attacher outre mesure à ses mobiles. Tu l'as entendu, ce matin. Lui-même serait en mauvaise situation si la police avait vent de tout ça, mais naturellement il trouve ses abominables plaisanteries on ne peut plus subtiles, intelligentes, devant passer par-dessus la tête de tout un chacun.

« Il est juste assez malin pour comprendre que nous dénoncer serait une erreur. » Francis s'est arrêté le temps de se servir un autre verre. « Mais on n'arrive pas à lui faire entrer dans la tête qu'il a le plus grand intérêt à ne pas bavarder dans tous les coins comme il le fait. Et, en fait, je ne suis pas vraiment sûr qu'il ne va pas simplement tout raconter à quelqu'un, quand il est d'humeur à se confesser... ce qui lui arrive. »

« Comment l'a-t-il découvert ? Il n'était pas avec vous, n'est-ce pas ? »

« A vrai dire, a dit Francis, il était avec *toi.* » Il a jeté un coup d'œil vers Henry, et à ma grande surprise ils se sont mis à rire.

« Quoi ? Qu'est-ce qu'il y a de si drôle ? »

Ils ont ri de plus belle. « Rien », a fini par dire Francis.

« Vraiment rien », a lâché Henry avec un petit soupir d'ivresse. « Les trucs les plus bizarres me font rire, ces temps-ci. » Il a allumé une autre cigarette. « Il était avec toi ce soir-là, tout au moins en début de soirée. Tu te souviens ? Vous êtes allés au cinéma. »

« Voir *Les Trente-Neuf Marches* », a précisé Francis.

Avec un sursaut, je m'en suis souvenu : un soir venteux d'automne, une pleine lune masquée par les lambeaux de nuages poussiéreux. J'avais travaillé tard à la bibliothèque, sans aller dîner. En rentrant chez moi, un sandwich pris au snack-bar au fond de ma poche, avec les feuilles mortes du chemin qui dansaient dans tous les sens, j'étais tombé sur Bunny qui allait au festival Hitchcock présenté par le ciné-club à l'auditorium.

Nous étions en retard, il n'y avait plus de place, et nous nous sommes assis sur les marches, Bunny accoudé sur la moquette, jambes allongées, faisant craquer pensivement sous ses molaires une petite boule de Dum-Dum. Le vent secouait les minces cloisons, une porte claquait sans arrêt, quelqu'un l'a maintenue ouverte avec une brique. Sur l'écran, des locomotives hurlaient sur un cauchemar en noir et blanc de pont d'acier franchissant des précipices.

« Après, ai-je dit, on a bu un verre. Et il est rentré dans sa chambre. »

Henry a soupiré. « J'aurais bien voulu. »

« Il n'arrêtait pas de demander si je savais où vous étiez. »

« Il le savait très bien lui-même. On l'avait menacé une demi-douzaine de fois de le laisser tout seul s'il ne savait pas se conduire. »

« Alors il a eu l'idée lumineuse d'aller chez Henry pour lui faire peur. » Francis s'est versé encore un verre.

« Ça m'a mis tellement en colère, a dit Henry d'un ton abrupt. Même s'il n'était rien arrivé, c'était vraiment quelque chose de sournois. Il savait où était la clef de secours, et il est tout simplement entré. »

« Même alors, il aurait pu ne rien se passer. C'est juste une affreuse série de coïncidences. Si nous nous étions arrêtés en pleine campagne pour nous débarrasser de nos vêtements, si nous étions venus ici ou chez les jumeaux, si seulement Bunny ne s'était pas endormi... »

« Il dormait ? »

« Oui, autrement il se serait découragé et serait parti. Nous ne sommes pas rentrés à Hampden avant six heures du matin. C'est un miracle si nous avons retrouvé le chemin de la voiture, à travers tous ces champs et ces choses dans le noir... Bon, c'était idiot de rentrer en ville habillés comme ça. La police aurait pu nous contrôler, on aurait pu avoir un accident, je ne sais pas quoi. Mais je me sentais malade, je n'avais pas les idées claires, et je suppose que j'ai conduit jusqu'à chez moi par instinct. »

« Il est parti de ma chambre vers minuit. »

« Eh bien, alors, il est resté seul dans mon appartement de minuit et demi à six heures. Et le coroner a estimé que l'homme était mort entre minuit et demi et quatre heures. De toute cette partie, c'est une des rares cartes convenables que le sort nous ait distribué. Bunny n'était pas avec nous, mais il aurait du mal à le prouver. Malheureusement, nous ne pouvons jouer cette carte que dans les pires circonstances. » Il a haussé les épaules. « Si seulement il avait laissé une lumière, n'importe quoi pour nous prévenir. »

« Mais ça devait être la grande surprise, tu vois. Nous sauter dessus dans le noir. »

« On est entrés, on a allumé, et il était trop tard. Il s'est réveillé instantanément. Et nous étions... »

« ... tous en robe blanche avec du sang partout comme des créatures d'Edgar Poe », a dit Francis d'un ton lugubre.

« Jésus, qu'est-ce qu'il a fait ? »

« Qu'est-ce que tu crois ? Il a failli mourir de peur. »

« C'était bien fait », a lancé Henry.

« Raconte-lui le coup de la glace »

« Ça, vraiment, c'était la dernière goutte. » Henry parlait d'une voix dure. « Il avait sorti un litre de glace de mon freezer en nous attendant — sans prendre la peine de remplir une coupe, bien sûr, il lui fallait tout le paquet — et quand il s'était endormi tout s'était renversé en fondant sur lui, sur *ma* chaise et sur mon joli petit tapis d'Orient. Voilà. C'était une véritable antiquité, ce tapis, mais le teinturier m'a dit qu'il n'y avait rien à faire. Il est revenu en loques. Et ma chaise. » Il a pris une cigarette. « Il a hurlé comme une bête en nous voyant... »

« ... et il n'a pas voulu la fermer. Souviens-toi, il était six heures du matin, les voisins dormaient... » Il a secoué la tête. « Je me rappelle que Charles a fait un pas vers lui, pour essayer de lui parler, et que Bunny a crié au meurtre. Au bout d'une ou deux minutes... »

« ... seulement quelques secondes », a précisé Henry.

« ... au bout d'une minute, Camilla a pris un cendrier en verre et le lui a lancé en pleine poitrine. »

« Pas vraiment fort, a dit Henry, méditatif, mais juste au bon moment. Il s'est arrêté instantanément, le regard braqué sur elle, et je lui ai dit, Bunny, ferme-là. Tu vas réveiller les voisins. On a heurté un cerf sur la route en rentrant. »

« Alors il s'est essuyé le front et nous a fait tout son numéro à la Bunny — les gars oh les mecs quelle trouille vous m'avez faite je devais dormir à moitié et ainsi de suite... »

« Et pendant ce temps on était tous les quatre debout dans nos draps pleins de sang, avec les lumières allumées, pas de rideaux, bien en vue de tous ceux qui auraient pu passer par là. Il parlait tellement fort, et la lumière était si vive, et je me sentais tellement faible à cause de la fatigue et du choc que je pouvais seulement le regarder. Mon Dieu — nous étions couverts du sang de cet homme, on en avait laissé des traces jusqu'à la maison, le soleil se levait et par-dessus le marché il y avait Bunny. Je n'arrivais pas à savoir que faire. Alors Camilla, pleine de bon sens, a éteint la lumière. et d'un seul coup j'ai compris que n'importe comment, devant n'importe qui, il fallait nous déshabiller et nous laver sans perdre un instant. »

« J'ai dû pratiquement arracher mon drap, a dit Francis. Le sang avait séché et il s'était collé à moi. Quand j'ai fini par y arriver, Henry et les autres étaient déjà dans la salle de bains. Il y avait de la mousse partout, des taches brunes sur le carrelage, du rouge dans l'eau de la baignoire. Un vrai cauchemar. »

« Je ne saurais te dire la malchance qu'a été la présence de Bunny. » Henry a secoué la tête. « Mais, pour l'amour de Dieu, on ne pouvait pas rester là en attendant qu'il s'en aille. Il y avait du sang partout, les voisins allaient bientôt se lever, pour ce que j'en savais la police allait tambouriner à la porte d'une seconde... »

« Eh bien, dommage de lui avoir fait peur, a dit Francis, mais bon, ce n'était pas non plus comme si on était en face de J. Edgar Hoover. »

« Exactement. Je ne veux pas donner l'impression que la présence de Bunny nous paraissait à ce point une *menace* extraordinaire. C'était juste embêtant, parce que je savais qu'il se demandait ce qui se passait, mais sur le moment c'était le cadet de nos soucis. Si on avait eu le temps, je l'aurais fait asseoir pour lui expliquer les choses dès notre arrivée. Mais on n'avait pas le temps. »

« Bon Dieu. » Francis a frissonné. « Je ne peux toujours pas entrer dans cette salle de bains. Du sang sur l'émail. Le rasoir d'Henry qui se balançait à son crochet. On était moulus, écorchés de partout. »

« Le pire, de loin, c'était Charles. »

« Oh, mon Dieu. Des épines plantées sur tout le corps. »

« Et cette *morsure.* »

« On n'a jamais rien vu de tel. Un rond de quinze centimètres avec des trous à la place des dents. Tu te rappelles ce qu'a dit Bunny ? »

Henry a ri. « Oui. Raconte-lui. »

« Bon, alors on était tous là, et Charles se retournait pour prendre le savon — je ne savais même pas que Bunny était présent, je suppose qu'il nous regardait par la porte — quand tout d'un coup je l'ai entendu dire, de son ton étrangement ordinaire : "On dirait que ce cerf a emporté un morceau de ton bras, Charles." »

« Il était souvent dans nos jambes, à faire toutes sortes de commentaires, a continué Henry, et puis j'ai vu qu'il n'y était plus. La brusquerie de son départ m'a inquiété mais j'étais content qu'il ne soit plus là. Nous avions beaucoup de choses à faire, et pas trop de temps pour les faire. »

« Vous n'aviez pas peur qu'il en parle à quelqu'un ? »

Henry m'a regardé, le visage vide. « A qui ? »

« Moi. Marion. N'importe qui. »

« Non. A ce stade je n'avais pas de raison de penser qu'il ferait quoi que ce soit de ce genre. Il nous avait accompagnés lors des essais précédents, tu comprends, alors on avait l'air moins extraordinaire à ses yeux qu'on l'aurait eu aux tiens. Tout le truc était un secret absolu. Il y était mêlé comme nous depuis des mois. Comment aurait-il pu en parler sans tout expliquer et avoir l'air d'un imbécile ? Julian savait ce qu'on essayait de faire, mais j'étais encore quasiment sûr que Bunny ne lui dirait jamais rien avant de nous en parler. Et il s'est trouvé que j'avais raison. »

Il s'est interrompu pour allumer une cigarette. « C'était presque le lever du jour, et tout était encore dans un état impossible — des empreintes sanglantes sur le porche, les tuniques par terre là où on les avait laissé tomber. Les jumeaux ont mis des vieux vêtements à moi et sont sortis s'occuper de la voiture et des empreintes. Je savais qu'il fallait brûler les tuniques, mais je ne voulais pas faire un grand feu dans la cour, ni les brûler à l'intérieur au risque de déclencher le système d'alarme. Ma propriétaire me disait souvent de ne pas me servir de la cheminée, mais j'ai toujours cru qu'elle fonctionnait. J'ai tenté le coup, et par chance, c'était vrai. »

« Je n'ai pas aidé à grand-chose », a dit Francis.

« Non, certainement pas. »

« Je n'y pouvais rien. J'étais sur le point de vomir. Je suis allé dans la chambre d'Henry et je me suis endormi. »

« Je pense que nous aurions tous aimé dormir, mais il fallait bien que quelqu'un s'occupe de nettoyer. Les jumeaux sont revenus vers sept heures. J'étais encore en train de m'acharner sur la salle de bains. Charles avait le dos plein d'épines, comme une pelote d'épingles. J'ai aidé un peu Camilla à le soigner avec une pince à épiler, et je me suis remis à la salle de bains. Le plus gros était fait, mais j'étais fatigué au point de ne plus pouvoir garder les yeux ouverts. Les serviettes n'étaient pas si mal — on avait évité au maximum de s'en servir — mais quelques-unes étaient tachées, et je les ai mises à la machine avec un peu de lessive. Les jumeaux dormaient sur le lit pliant, dans la pièce de derrière, alors j'ai poussé Charles et je suis tombé comme une masse. »

« Quatorze heures, a dit Francis. Je n'ai jamais dormi autant de ma vie. »

« Moi non plus. Un sommeil de mort. Sans un rêve. »

« Impossible de dire à quel point j'étais désorienté. Le soleil se levait quand je m'étais endormi, j'avais l'impression d'avoir à peine fermé les yeux et tout d'un coup il faisait noir, le téléphone sonnait, et je ne savais plus où j'étais. La sonnerie continuait sans arrêt, j'ai fini par me lever et tituber dans le couloir. Quelqu'un a dit ne réponds pas mais... »

« Je n'ai jamais vu personne répondre au téléphone aussi vite que toi. Même chez quelqu'un d'autre. »

« Eh bien, qu'est-ce que je devais faire ? Le laisser sonner ? En tout cas j'ai décroché, et c'était Bunny, gai comme un pinson. Oh mec, dans quel état il nous avait trouvés, et est-ce qu'on devenait une bande de nudistes ou quoi, et si on allait tous manger quelque chose à la Brasserie ? »

Je me suis redressé sur ma chaise. « Attends. C'était le soir où...? »

Henry a hoché la tête. « Tu es venu, toi aussi. Tu te souviens ? »

« Bien sûr. » J'étais incroyablement excité de voir que cette histoire commençait enfin à recouper ma propre expérience. « Bien sûr. J'ai rencontré Bunny en allant chez toi. »

« Sans vouloir te froisser, nous avons tous été un peu surpris de le voir arriver avec toi », a dit Francis.

« Oh, je suppose qu'il avait l'intention de nous voir seuls à un moment ou à un autre pour savoir ce qui s'était passé, a ajouté Henry, mais ça pouvait attendre. Souviens-toi qu'on avait l'air moins bizarre à ses yeux qu'aux tiens. Il était déjà venu avec nous, tu sais, pour des nuits presque aussi... quel est le mot qu'il me faudrait ? »

« ... des nuits où on avait vomi dans tous les coins, a continué Francis, où on était tombés dans la boue, où on n'était rentrés qu'à l'aube. Il y avait bien le sang — il avait pu se demander comment au juste on avait tué ce cerf — mais bon. »

Mal à l'aise, j'ai repensé aux bacchanales : les sabots, les torses sanglants, des lambeaux accrochés aux sapins. Il y avait un mot pour ça en grec : *omophagia*. Brusquement tout m'est revenu : mon arrivée chez Henry, les visages fatigués, le salut ironique de Bunny : « *Khairete*, tueurs de cerfs ! »

Ils étaient restés silencieux, ce soir-là, pâles et silencieux, mais pas plus qu'on n'ait pu l'attribuer à une mauvaise gueule de bois. La laryngite de Camilla était la seule note inhabituelle. Ils s'étaient saoulés la veille au soir, m'avaient-ils dit, saoulés comme des bourriques ; Camilla avait oublié son pull à la maison et avait pris froid pendant le trajet du retour. Dehors, il faisait froid et il pleuvait à verse. Henry m'avait donné les clefs de la voiture et demandé de conduire.

C'était un vendredi soir, mais la Brasserie était presque déserte à cause du mauvais temps. Nous avions mangé de la fondue en écoutant les rafales de pluie s'abattre sur le toit. Bunny et moi avions bu du whisky avec de l'eau chaude, les autres du thé.

« Mal au cœur, les *bakchoi* ? » avait insinué Bunny quand le serveur avait pris nos commandes.

Camilla lui avait fait la grimace.

Quand nous avions repris la voiture après le dîner, Bunny en avait fait le tour, avait examiné les phares, donné des coups de pied dans les pneus. « C'est celle-là que vous aviez hier soir ? » Il clignait des yeux sous la pluie.

« Oui. »

Il avait écarté les cheveux mouillés de ses yeux et s'était penché pour inspecter le pare-chocs. « Les voitures allemandes. Horreur de dire ça, mais je crois que les boches font du meilleur acier qu'à Detroit. Je ne vois pas une rayure. »

Je lui avais demandé ce qu'il voulait dire.

« Oh, ils étaient saouls et se baladaient en voiture. Troublaient l'ordre public sur les routes. Ont heurté un cerf. Vous l'avez tué ? » avait-il demandé à Henry.

En passant du côté passager, Henry l'avait regardé « Qu'y a-t-il ? »

« Le cerf. L'avez tué ? »

Henry avait ouvert la portière. « Il m'avait l'air tout à fait mort. »

---

Il y a eu un long silence. Toute cette fumée me piquait les yeux. Un épais matelas gris s'amassait au plafond.

« Alors quel est le problème ? » ai-je demandé

« Que veux-tu dire ? »

« Que s'est-il passé ? Vous lui en avez parlé ou non ? »

Henry a respiré profondément. « Non. On aurait pu, mais de toute évidence moins de gens étaient au courant, mieux cela valait. Quand je l'ai revu seul à seul, j'ai prudemment tâté le terrain, mais il semblait se satisfaire de l'histoire du cerf et j'ai laissé couler. S'il n'avait rien deviné de lui-même, il n'y avait aucune raison de le lui dire. Le corps du type a été découvert, il y a eu un article dans le *Hampden Examiner*, pas de problème. Mais ensuite — une sacrée malchance — j'imagine qu'il n'arrive pas souvent des trucs pareils à Hampden — ils ont fait un deuxième article quinze jours plus tard. "Mort Mystérieuse dans le Comté de Battenkill." Et c'est celui que Bunny a lu."

« Une imbécillité totale, a dit Francis. Il ne lit *jamais* le journal. Rien ne se serait passé sans cette foutue Marion. »

« Elle a un abonnement, quelque chose à voir avec le Centre de puériculture. » Henry s'est frotté les yeux. « Bunny était avec elle au Collège avant le déjeuner. Elle bavardait avec une amie — je parle de Marion — et je suppose que Bunny s'ennuyait et s'est mis à lire le journal. Les jumeaux et moi sommes venus leur dire bonjour, et la première chose qu'il a dite, pratiquement de l'autre côté de la pièce, c'est : "Regardez, les gars, un genre d'éleveur de poulets s'est fait tuer près de chez Francis." Ensuite il a lu quelques passages à voix haute. Fracture du crâne, pas d'arme du crime, pas de mobile, aucun indice. J'essayais de trouver un moyen de changer de sujet quand il s'est écrié : "Hé. Le *dix* novembre ? Les gars, c'est le soir où vous êtes allés chez Francis. La nuit où vous avez écrasé un cerf." »

« Je ne vois pas », ai-je dit, « comment ça peut être le même jour.

"C'était le dix. Je m'en souviens parce que c'est la veille de l'anniversaire de ma mère. C'est un sacré truc, hein ?"

"Oh oui, certainement."

"Si j'avais l'esprit mal tourné, a-t-il dit, je penserais que c'est toi, Henry, et que t'es rentré de Battenkill ce soir-là couvert de sang de la tête aux pieds." »

Il a allumé une autre cigarette. « Tu dois te rappeler que c'était l'heure du déjeuner, le Collège était bondé, Marion et son amie écoutaient tout ce qu'on disait, et en plus, tu sais que sa voix porte loin... On a ri, bien sûr, et Charles a dit quelque chose de drôle, et on avait fini par le faire changer de sujet quand il a repris le journal. "Je n'arrive pas à y croire, les gars. Un vrai meurtre garanti sur facture, dans les bois, à pas cinq kilomètres de là où vous étiez. Vous savez, si les flics vous avaient ramassés ce soir-là, vous seriez probablement toujours en prison. Il y a un numéro qu'on peut appeler pour donner des renseignements. Si je voulais, les gars, je parie que je pourrais vous mettre dans un sacré pétrin..." et cetera, et cetera.

« Naturellement, je ne savais pas quoi en penser. Est-ce qu'il plaisantait, est-ce qu'il nous soupçonnait vraiment ? Finalement j'ai réussi à ce qu'il laisse tomber, mais j'avais l'horrible impression qu'il avait senti mon inquiétude. Il me connaît très bien — il a un sixième sens pour ce genre de choses. Et j'étais vraiment inquiet. Bonté divine. C'était juste avant le déjeuner, tous les types de la sécurité étaient dans les parages, la moitié sont en cheville avec la police de la ville... Je veux dire, notre histoire n'aurait pas résisté cinq minutes à un interrogatoire, même superficiel, et je le savais. Bien sûr qu'on n'avait pas tué un cerf. Les deux voitures n'avaient pas une égratignure. Et si quelqu'un faisait le moindre rapport entre nous et le mort... Donc, comme je disais, j'étais content qu'il change de sujet. Mais, même alors, j'avais le sentiment que je n'avais pas fini d'en entendre parler. Il n'a pas arrêté de nous asticoter avec ça pendant tout le trimestre — de façon plutôt innocente, me semble-t-il, mais en public comme en privé. Tu sais comment il est. Une fois qu'il a un truc pareil en tête, il ne lâche pas le morceau. »

Je savais, effectivement. Bunny avait un talent incroyable pour dénicher les sujets qui mettaient l'autre mal à l'aise et s'acharner dessus avec un appétit féroce. Depuis les quelques mois que je le connaissais, par exemple, il n'avait pas arrêté de me provoquer à propos de la veste que j'avais mise pour déjeuner avec lui la première fois, et de ce qu'il considérait comme un mauvais goût californien dans ma façon de m'habiller. Pour un œil impartial, en fait, mes vêtements n'étaient pas si différents des siens, mais ses remarques sournoises étaient à ce point inépuisables et incessantes, me semble-t-il, qu'il avait dû être vaguement conscient de toucher un point faible, malgré mes rires et ma bonne humeur, car j'étais en réalité incroyablement préoccupé par ces différences quasi imperceptibles de tenues et ces différences moins imperceptibles de manières et de comportement entre eux et moi. J'ai le don de me fondre dans n'importe quel milieu — jamais vous n'auriez vu un adolescent californien plus typique que je ne l'étais, ni étudiant en médecine plus cynique et dissolu —, mais malgré tout, malgré mes efforts, je n'arrive jamais à m'y fondre entièrement et je reste par certains côtés très différent de mon entourage, de même qu'un caméléon est une entité distincte de la feuille où il s'est installé, quelle que soit sa perfection à imiter telle ou telle nuance de vert. Chaque fois que Bunny, grossièrement et en public, m'accusait de porter une chemise en tissu partiellement synthétique, ou critiquait mon pantalon, totalement ordinaire et semblable au sien, parce qu'il le voyait déclassé par une touche de ce qu'il appelait le « style Western », une grande partie du plaisir que lui procurait ce sport venait de son flair infaillible de chien de meute lui indiquant que de tous les sujets, c'était celui qui me gênait le plus. Il n'avait pu manquer d'observer que l'histoire du meurtre avait touché un endroit sensible chez Henry ; et une fois au courant de son existence il n'aurait pu s'empêcher d'y porter ses pointes.

« Bien sûr, il ne savait rien du tout », a dit Francis. « Vraiment rien. Pour lui, c'était une grosse plaisanterie. Il adorait lancer des allusions à propos du paysan qu'on était allé assassiner, juste pour me voir sursauter. Un jour il m'a dit qu'il avait vu un policier devant chez moi, en train de poser des questions à ma propriétaire. »

« Il m'a fait le coup, à moi aussi, a ajouté Henry. Il parlait toujours en blaguant d'appeler le numéro donné par le journal, et de partager la récompense entre nous cinq. Il décrochait l'appareil. Faisait semblant de faire le numéro. »

« Tu imagines comme c'est devenu usant, au bout de quelque temps. Mon Dieu. De ces trucs qu'il vous sortait en pleine figure... Le plus terrible, c'est qu'on ne savait jamais quand ça pouvait venir. Juste avant la fin des cours il a collé un exemplaire de l'article sous l'essuie-glace de ma voiture. "Mort Mystérieuse dans le Comté de Battenkill." Horrible de savoir qu'il avait gardé ce journal, et aussi qu'il l'avait conservé aussi longtemps. »

« Le pire, c'est que nous ne pouvions absolument rien faire. Pendant un moment nous avons même pensé tout lui raconter, nous mettre en quelque sorte à sa merci, mais nous nous sommes dit qu'à ce point il était impossible de savoir comment il réagirait. Il était maussade, malade, il s'inquiétait pour ses notes. Et c'était presque la fin du trimestre. Il nous a semblé qu'il valait mieux rester dans ses bonnes grâces jusqu'aux vacances de Noël — le sortir, lui acheter des choses, lui consacrer beaucoup d'attention — en espérant que ça s'envolerait avec l'hiver. » Henry a poussé un soupir. « Pratiquement à la fin de chaque trimestre que j'avais passé avec Bunny, il avait suggéré qu'on parte en voyage tous les deux, ceci voulant dire qu'on irait où il voudrait et que ce serait moi qui paierais. Il n'avait pas même de quoi aller jusqu'à Manchester. Et quand le sujet a refait surface, comme prévu, une ou deux semaines avant la fin des cours, je me suis dit, pourquoi pas ? Comme ça, au moins, l'un de nous pourrait garder l'œil sur lui pendant l'hiver ; et peut-être qu'un changement de décor améliorerait les choses. Je devrais aussi mentionner qu'il ne me paraissait pas mauvais qu'il se sente un peu mon obligé. Il avait envie d'aller en Italie ou à la Jamaïque. Je savais que je ne supporterais pas la Jamaïque, alors j'ai pris deux billets pour Rome et réservé des chambres pas loin de la Place d'Espagne. »

« Et tu lui as donné de quoi s'acheter des vêtements et un tas de livres italiens inutiles. »

« Oui. Tout compte fait, c'était une somme d'argent considérable, mais cela me paraissait un bon investissement. J'ai même pensé que cela pourrait être quelque peu amusant. Mais jamais, même dans mes rêves les plus fous... Vraiment, je ne sais pas par où commencer. Je me souviens du moment où il a vu nos chambres — plutôt charmantes, en fait, avec des fresques au plafond, un vieux balcon magnifique, une vue splendide. J'étais assez fier de les avoir trouvées — il s'est mis en rage, a commencé à se plaindre, à dire que c'était miteux, qu'il faisait froid, que les sanitaires ne valaient rien ; en bref, que cet endroit n'allait pas du tout et qu'il se demandait comment j'avais pu me faire avoir à ce point. Il m'aurait cru assez malin pour ne pas tomber dans un minable piège à touristes, mais il avait dû se tromper. Il a insinué qu'on nous couperait la gorge dès la nuit tombée. A ce point, j'étais encore sensible à ses caprices. Je lui ai demandé, puisqu'il n'aimait pas ces chambres, où il préférait aller, et il m'a répondu : "Pourquoi n'irions-nous pas louer une suite — pas une chambre, tu entends bien, une suite — au Grand Hôtel ?"

« Il a insisté, et finalement je lui ai dit que nous ne ferions rien de ce genre. D'un côté, le taux de change était défavorable et les chambres — d'autant qu'elles étaient payées d'avance, et avec mon argent — coûtaient déjà plus cher que je ne pouvais me le permettre. Il a boudé des jours entiers, simulé des crises d'asthme, s'est traîné en reniflant dans son inhalateur et en m'asticotant sans arrêt — il m'accusait d'être radin, et ainsi de suite, que quand il voyageait, lui, il aimait faire bien les choses — et finalement j'ai craqué. Je lui ai dit que si ces chambres me convenaient, elles valaient sûrement mieux que ce dont il avait l'habitude — je veux dire, bon Dieu, c'était un *palazzo*, qui appartenait à une *contessa*, je l'avais payé une fortune — et qu'en bref il n'était pas question que je paye cinq cent mille lires par nuit pour le plaisir d'être avec des touristes américains et d'avoir des draps monogrammés.

« Nous sommes donc restés Place d'Espagne, qu'il a entrepris de transformer en un simulacre de l'Enfer. Il me harcelait constamment — à propos du tapis, des tuyaux, de son argent de poche qu'il trouvait insuffisant. Nous étions à quelques pas de la Via Condotti, la rue des boutiques les plus chères de Rome. J'avais de la chance, m'a-t-il dit. Pas étonnant que moi, je me donne du bon temps, puisque je pouvais acheter tout ce qui me plaisait alors qu'il en était réduit à haleter dans un galetas comme un pauvre orphelin. Je faisais ce que je pouvais pour le calmer, mais plus je lui en donnais, plus il en voulait. De plus, il tenait à m'avoir sous les yeux. Il se plaignait dès que je le laissais seul, même quelques minutes, mais si je lui demandais de m'accompagner à un musée ou une église — mon Dieu, nous étions à Rome — il s'ennuyait terriblement et me pressait sans arrêt de partir. C'en est venu au point que je ne pouvais même plus lire un livre sans qu'il s'amène. Bonté divine. Il restait à jacasser derrière la porte pendant que je prenais mon bain. Je l'ai surpris à fouiller mes valises. Je veux dire... » Il a fait une légère pause. « ... c'est un peu agaçant d'avoir une telle promiscuité, même avec quelqu'un de discret. J'avais peut-être oublié la première année où nous avions habité ensemble, à moins que j'aie pris l'habitude de vivre seul, mais au bout d'une semaine ou deux j'avais les nerfs à vif. Je pouvais à peine supporter de le voir. Et j'avais aussi d'autres sujets d'inquiétude. Tu sais probablement, m'a-t-il dit d'un ton abrupt, que j'ai parfois des migraines, plutôt graves ? »

Je le savais. Bunny — ravi de raconter ses maladies et celles des autres — me les avait décrites dans un murmure craintif : Henry, allongé sur le dos dans une pièce obscure, des paquets de glace sur la tête et un mouchoir attaché devant les yeux.

« Cela ne m'arrive plus aussi souvent qu'avant. Quand j'avais treize ou quatorze ans, cela n'arrêtait pas. Mais maintenant on dirait que lorsqu'elles viennent — cela peut n'être qu'une fois par an — elles sont bien pires. Au bout de quelques semaines, en Italie, j'en ai senti une qui venait. Impossible de s'y tromper. Les bruits sont plus forts, les objets se mettent à luire, ma vision périphérique s'assombrit et je vois toutes sortes de choses désagréables qui me guettent sur les bords. Il y a dans l'air une pression terrible. Je regarde un panneau de rue et je suis incapable de le lire, ou de comprendre la phrase la plus simple. Il n'y a pas grand-chose à faire, à ce point, mais j'ai fait ce que je pouvais — je suis resté dans ma chambre, les volets fermés, j'ai pris mon traitement, essayé de rester calme. Finalement je me suis rendu compte que je devais télégraphier à mon médecin, aux États-Unis. Les médicaments qu'il me donne sont trop forts pour être vendus sans ordonnance ; en général je vais me faire faire une piqûre aux urgences. Je ne savais ce que ferait un médecin italien en voyant un touriste américain se traîner jusqu'à son cabinet pour lui demander une piqûre de phénobarbital.

« Mais il était déjà trop tard. La migraine m'est tombée dessus en quelques heures, et ensuite j'étais tout aussi incapable d'aller chez un médecin que de m'en faire comprendre si j'y étais arrivé. J'ignore si Bunny a essayé ou non d'en trouver un. Il parle si mal italien que lorsqu'il essaie de s'adresser à quelqu'un il finit généralement par l'insulter. Le bureau de l'American Express n'était pas loin, et je suis sûr qu'on lui aurait donné le nom d'un médecin parlant anglais, mais ce n'est bien sûr pas le genre de choses qui lui viendraient à l'esprit.

« Je ne sais presque rien de ce qui s'est passé les jours suivants. J'étais couché dans ma chambre, les volets fermés et des journaux scotchés sur les volets. Il était impossible de se faire monter de la glace — on ne pouvait avoir que des carafes d'*aqua simplice*, tiède — mais j'avais déjà du mal à parler anglais, encore plus italien. Dieu sait où Bunny pouvait être. Je ne me souviens pas de l'avoir vu, ni grand-chose d'autre.

« Passons. Pendant quelques jours je suis resté allongé sur le dos, à peine capable de cligner des yeux sans avoir l'impression qu'on me fendait le crâne, plongé dans le noir et la maladie. J'oscillais entre conscience et inconscience et j'ai fini par percevoir un mince rai de lumière qui brillait en bordure de l'ombre. J'ignore combien de temps je l'ai regardé, mais je me suis graduellement rendu compte que c'était le matin, que la douleur avait quelque peu diminué, et que je pouvais me déplacer sans difficultés insurmontables. J'ai aussi senti que j'avais une soif extraordinaire. Il n'y avait pas d'eau dans la carafe, alors je me suis levé, j'ai enfilé ma robe de chambre et je suis allé chercher de quoi boire.

« Ma chambre et celle de Bunny donnaient à chaque extrémité d'une pièce centrale assez grande — cinq mètres sous plafond, avec une fresque à la manière de Caracci ; de splendides moulures en plâtre sculpté ; des portes-fenêtres ouvrant sur le balcon. J'étais presque aveuglé par la lumière du matin, mais j'ai deviné une forme que j'ai cru être Bunny, à mon bureau, penché sur des livres et des papiers. J'ai attendu que ma vision s'éclaircisse, m'appuyant d'une main au bouton de la porte, et puis j'ai dit : "Bonjour, Bun."

« Eh bien, il a sauté en l'air, comme échaudé, s'est précipité sur les papiers, l'air de cacher quelque chose, et tout d'un coup j'ai compris ce que c'était. J'ai fait deux pas et je les lui ai arrachés des mains. C'était mon journal. Il n'arrêtait pas de fouiner et d'essayer d'y jeter un coup d'œil ; je l'avais caché derrière un radiateur mais j'imagine qu'il était venu fouiller ma chambre pendant ma maladie. Il l'avait déjà trouvé une fois, mais comme j'écrivais en latin je ne pense pas qu'il ait pu y comprendre grand-chose. Je n'employais même pas son vrai nom. *Cuniculus molestus*, à mon avis, lui convenait parfaitement. Et ça, il ne le trouverait jamais sans un dictionnaire.

« Malheureusement, pendant que j'étais malade, il avait eu amplement le temps de s'en procurer un. Un dictionnaire, veux-je dire. Je sais qu'on se moque de Bunny parce qu'il est affreusement mauvais latiniste, mais il avait réussi à bricoler une petite traduction assez convenable des passages les plus récents. Jamais je n'aurais rêvé, je dois dire, qu'il était capable d'une chose pareille. Il avait dû y passer des jours entiers.

« Je n'étais même pas en colère, tellement j'étais abasourdi. J'ai regardé fixement la traduction — juste sous mes yeux — et puis Bunny, et alors, brusquement, il a reculé sa chaise et s'est mis à me hurler dessus. On avait tué ce type, criait-il, on l'avait tué de sang-froid et on n'avait même pas pris la peine de le lui dire, à lui, mais il savait depuis le début qu'il y avait quelque chose de louche, et qu'est-ce qui me prenait de le traiter de Lapin, et il avait presque envie d'aller directement au consulat américain pour qu'ils m'envoient la police... Là, c'est une bêtise de ma part, je l'ai giflé en pleine figure, le plus fort que j'ai pu. » Il a soupiré. « Je n'aurais pas dû faire ça. Ce n'était même pas sous le coup de la colère, mais de la frustration. J'étais malade, épuisé, j'avais peur que quelqu'un l'entende, je ne croyais pas pouvoir le supporter une seconde de plus.

« Et je l'ai giflé plus fort que je n'aurais voulu. Il a gardé la bouche ouverte. Ma main avait laissé une grande marque blanche sur sa joue. Tout d'un coup le sang s'y est précipité, rouge vif. Il s'est mis à me crier dessus, à m'injurier de façon hystérique, à me donner des coups de poing dans tous les sens. On a entendu des pas qui couraient sur les marches, puis des grands coups à la porte et une tirade délirante en italien. J'ai attrapé le journal et la traduction et je les ai lancés dans le poêle — Bunny s'est jeté dessus mais je l'ai retenu jusqu'à ce qu'ils prennent feu — puis j'ai crié qu'on pouvait entrer. C'était la femme de chambre. Elle est entrée en coup de vent, hurlant si vite en italien que je ne comprenais pas un mot. Au début je croyais que le bruit l'avait mise en colère. Et puis j'ai compris qu'il ne s'agissait pas du tout de ça. Elle avait su que j'étais malade ; on n'avait quasiment entendu aucun bruit dans la chambre depuis des jours jusqu'au moment, dit-elle tout excitée, où elle avait entendu crier ; elle avait pensé que j'étais mort dans la nuit, peut-être, et que l'autre jeune signor m'avait trouvé, mais comme j'étais debout en face d'elle, ce n'était évidemment pas le cas. Est-ce que j'avais besoin d'un médecin ? D'une ambulance ? *Bicarbonato di soda* ?

« Je l'ai remerciée, lui ai dit que non, je me portais à merveille, et ensuite je me suis un peu gratté la tête en cherchant une explication plausible pour ce tumulte, mais elle avait l'air parfaitement satisfaite et elle est allée chercher notre petit déjeuner. Bunny était plutôt choqué. Il n'avait aucune idée de ce dont il s'agissait, bien sûr. Je suppose que ça lui avait paru inexplicable, voire menaçant. Il m'a demandé où elle allait, qu'est-ce qu'elle avait dit, mais j'étais trop malade et trop en colère pour lui répondre. Je suis rentré dans ma chambre, j'ai fermé la porte et j'y suis resté jusqu'à ce qu'elle revienne avec le déjeuner. Elle l'a servi sur la terrasse, et nous sommes allés manger.

« Chose curieuse, Bunny n'avait pas grand-chose à dire. Après un petit silence tendu, il s'est enquis de ma santé, m'a raconté ce qu'il avait fait pendant ma maladie et n'a rien dit de ce qui venait de se passer. J'ai pris mon petit déjeuner, et compris que tout ce que je pouvais faire c'était d'essayer de garder la tête claire. Je l'avais blessé, je le savais — en fait, il y avait des choses très désobligeantes dans le journal — et j'ai donc décidé d'être aussi aimable que possible avec lui, en espérant qu'il n'y aurait pas d'autres problèmes. »

Il s'est arrêté pour boire une gorgée de whisky. Je l'ai regardé.

« Tu veux dire, tu croyais vraiment qu'il n'y en aurait pas d'autres ? »

« Je connais Bunny mieux que toi », a-t-il dit avec humeur.

« Si c'était seulement la question du mort, les choses se seraient passées autrement, tu ne vois pas ? » a glissé Francis en se penchant vers moi. « Ce n'est pas que sa conscience le tourmente, ni qu'il sente aucune sorte de compulsion morale. Il pense que dans toute cette histoire, d'une certaine manière, il a été *lésé.* »

« Bon, franchement, je croyais lui rendre service en ne lui disant rien, a continué Henry. Mais il était — il est, je dois dire — en colère parce qu'on l'a tenu à l'écart. Il se sent blessé. Exclu. Et le mieux que j'avais à faire était d'essayer de le dédommager. Nous sommes de vieux amis, lui et moi. »

« Dis-lui ce que Bunny s'est acheté avec tes cartes de crédit pendant que tu étais malade. »

« Je ne l'ai appris que plus tard, a répondu Henry d'un ton morne. Maintenant ça ne fait pas grande différence. » Il a allumé une autre cigarette. « Je suppose que juste après sa découverte il était en état de choc. En plus il se trouvait à l'étranger, incapable de parler italien, sans un sou en poche. Il s'est à peu près bien conduit pendant un certain temps. Mais dès qu'il s'est rendu compte — ce qui n'a pas tardé — que, malgré ces circonstances, j'étais en fait pratiquement à sa merci, tu n'imagines pas les tortures qu'il m'a infligées. Il en parlait *tout le temps.* Dans les restaurants, dans les boutiques, dans les taxis. Bien sûr, nous étions hors saison, il n'y avait pas trop d'Anglais dans les parages, mais pour ce que j'en sais il y a des familles entières d'Américains rentrés en Ohio qui se demandent si... Oh Dieu. Ses monologues épuisants à l'Hosteria dell'Orso. Une dispute dans la Via dei Cestari. Une *reconstitution* avortée dans le hall du Grand Hôtel.

« Un après-midi, dans un café, il parlait sans arrêt et j'ai remarqué un homme à la table voisine qui n'en perdait pas un mot. Nous nous sommes levés pour partir. Lui aussi s'est levé. Je ne savais pas trop que penser. Je savais qu'il était allemand, puisque je l'avais entendu parler au serveur, mais j'ignorais s'il parlait anglais ou s'il avait entendu Bunny assez distinctement pour le comprendre. Peut-être n'était-ce qu'un homosexuel, mais je ne voulais prendre aucun risque. Je nous ai ramenés à l'hôtel par les petites rues, en tournant de ci de là, et j'étais presque sûr de l'avoir semé mais il semble que non, car lorsque je me suis réveillé le lendemain matin et que j'ai regardé par la fenêtre, il était à côté de la fontaine. Bunny était ravi. Il trouvait que c'était comme un film d'espionnage. Il voulait sortir pour voir si ce type allait nous suivre, et j'ai dû pratiquement le retenir de force. Je l'ai regardé de la fenêtre toute la matinée. L'Allemand est resté un certain temps, a fumé quelques cigarettes, et s'est éloigné au bout de deux heures, mais ce n'est que vers quatre heures que Bunny, qui s'était plaint constamment depuis midi, s'est mis à faire un tel vacarme que nous avons fini par aller manger dehors. A peine avions-nous franchi quelques pâtés de maisons que j'ai cru revoir notre Allemand qui nous suivait d'assez loin. J'ai fait demi-tour dans l'intention de l'affronter ; il a disparu, mais un peu plus tard je me suis retourné et il était revenu.

« Jusque-là j'étais inquiet, mais j'ai commencé à avoir vraiment peur. Nous avons aussitôt tourné dans une petite rue et nous sommes rentrés par un itinéraire détourné — Bunny n'a pas déjeuné, ce jour-là, il a failli me rendre cinglé. Je suis resté près de la fenêtre jusqu'à la nuit en disant à Bunny de se taire, et en essayant de savoir quoi faire. Je ne pensais pas que l'homme savait exactement où nous habitions — autrement, pourquoi errer sur la piazza, pourquoi ne pas venir directement chez nous s'il avait quelque chose à nous dire ? Passons. Nous avons quitté l'appartement presque au milieu de la nuit pour aller à l'Excelsior, ce que Bunny a trouvé parfait. Le service, vous voyez ça. J'ai guetté ce type avec angoisse pendant le reste de mon séjour à Rome — bonté divine, j'en rêve encore — mais je ne l'ai jamais revu. »

« Que crois-tu qu'il voulait ? De l'argent ? »

Henry a haussé les épaules « Qui sait ? A ce point, malheureusement, les expéditions de Bunny chez le tailleur m'avaient à peu près lessivé, et en plus, devoir habiter cet hôtel — je ne m'inquiétais pas pour l'argent, vraiment pas, mais il a failli me rendre fou. Je n'étais jamais seul, pas un instant. Il était impossible d'écrire une lettre ou même de donner un coup de fil sans que Bunny soit quelque part derrière, aux aguets, *arrectis auribus*. Quand je prenais mon bain il entrait dans ma chambre pour fouiller mes affaires ; en sortant je trouvais mes vêtements entassés dans le bureau et des miettes entre les pages de mes carnets. Tout ce que je faisais lui inspirait des soupçons.

« Je l'ai supporté aussi longtemps que j'ai pu, mais je commençais à être désespéré, et à vrai dire, assez malade. Je savais qu'il pourrait être dangereux de le laisser seul à Rome, mais apparemment les choses empiraient de jour en jour et il a fini par devenir évident que rester n'était pas une solution. Je savais déjà, pour nous quatre, que nous ne pouvions d'aucune manière reprendre les cours comme d'habitude au printemps — pourtant, nous y voilà — et qu'il nous fallait imaginer un plan, probablement insatisfaisant et à la Pyrrhus. Mais j'avais besoin de temps, de calme, et de quelques semaines de grâce aux États-Unis, si je voulais faire quoi que ce soit de ce genre. Alors un soir à l'Excelsior, tandis que Bunny était ivre et dormait profondément, j'ai bouclé mes valises — lui laissant son billet de retour, deux mille dollars et pas un mot — j'ai pris un taxi pour l'aéroport et le premier avion pour l'Amérique. »

« Tu lui as laissé deux mille dollars ? » ai-je dit, atterré.

Henry a haussé les épaules. Francis a secoué la tête en reniflant. « Ce n'est rien. »

J'ai ouvert de grands yeux.

« Ce n'est vraiment rien, a dit Henry avec douceur. Je ne peux pas te dire ce que m'a coûté ce voyage en Italie. Mes parents sont généreux, mais pas tant que ça. Je n'ai jamais eu à demander d'argent de ma vie, sauf ces derniers mois. De sorte que mes économies ont pratiquement disparu, et je ne sais pas combien de temps je vais pouvoir leur raconter des histoires à propos de grosses réparations sur la voiture et ainsi de suite. Je veux dire, j'étais prêt à me montrer raisonnable avec Bunny, mais il n'a pas l'air de comprendre qu'après tout je ne suis qu'un étudiant avec une allocation et pas un puits sans fond rempli d'argent... Ce qu'il y a d'horrible, c'est que je n'en vois pas la fin. J'ignore ce qui pourrait se passer si mes parents se lassent et me coupent les vivres, ce qui est extrêmement plausible dans un proche avenir au train où vont les choses. »

« Il te fait chanter ? »

Henry et Francis se sont regardés.

« Eh bien, pas exactement », a dit Francis.

Henry a secoué la tête. « Bunny n'y pense pas en ces termes. » Sa voix était fatiguée. « Il faut connaître ses parents pour comprendre. Ce que les Corcoran ont fait avec leurs fils, c'est de tous les envoyer dans les écoles les plus chères auxquelles ils avaient accès et de les laisser se débrouiller tout seuls une fois sur place. Ses parents ne lui donnent pas un sou. Apparemment depuis toujours. Il m'a raconté qu'en l'inscrivant à Saint Jérôme ils ne lui avaient même pas donné de quoi acheter ses livres de classe. Rien de surprenant à ce que Bunny en ait retiré l'idée qu'il est plus honorable de vivre en parasite que de travailler. »

« Il n'a aucune honte à cet égard, a dit Francis. Même avec les jumeaux, qui sont presque aussi pauvres que lui. »

« Plus la somme est grande, mieux ça vaut, et sans jamais penser à la rembourser. Bien sûr, il préférerait mourir que travailler. »

« Les Corcoran préféreraient le voir mort. » Francis parlait d'une voix aigre. Il a allumé sa cigarette et toussé en avalant la fumée. « Mais ce dégoût du travail ne va pas loin quand on est obligé de gagner soi-même sa vie. »

« C'est impensable, a dit Henry. Je préfère n'importe quel travail, en faire six à la fois, que mendier. Regarde-toi, m'a-t-il dit. Tes parents ne se montrent pas particulièrement généreux, n'est-ce pas ? Mais tu as tellement de scrupules à emprunter de l'argent que ça devient presque idiot. »

Gêné, je n'ai rien dit.

« Ciel. Je crois que tu serais mort dans ton entrepôt plutôt que de nous demander cent dollars par télégramme. » Il a allumé une cigarette et lâché un nuage emphatique. « Ce qui est une somme infinitésimale. Je suis sûr qu'on aura dépensé deux ou trois fois plus pour Bunny à la fin de la semaine prochaine. »

Je l'ai regardé. « Tu blagues. »

« J'aimerais bien. »

« Ça ne me gênerait pas non plus de lui prêter de l'argent, a dit Francis, si j'en avais. Mais Bunny emprunte au-delà de toute raison. Même dans le temps ça ne lui faisait rien de demander cent dollars comme ça, pour rien. »

« Et jamais un mot de remerciement. » Henry avait l'air agacé. « A quoi peut-il le dépenser ? S'il avait un gramme d'amour-propre, il irait au bureau de placement se trouver un emploi. »

« Toi et moi on va peut-être s'y retrouver dans quinze jours s'il continue », a fait Francis d'un air morose en se versant un autre whisky dont il a renversé une bonne partie sur la table. « J'ai dépensé pour lui des milliers de dollars. Des *milliers* », m'a-t-il lancé en buvant prudemment au bord tremblotant de son verre. « Et la plupart pour des notes de restaurant, le porc. Tout ça très amical, et si on allait dîner ensemble, ce genre de trucs, mais les choses étant ce qu'elles sont, comment dire non ? Ma mère croit que je suis un drogué. Je ne vois pas ce qu'elle pourrait penser d'autre. Elle a dit à mes grands-parents de ne pas me donner d'argent, et depuis janvier je n'ai pas reçu un seul foutu dollar à part le chèque de ma pension. C'est parfait, d'habitude, mais ça ne me permet pas de payer tous les soirs des dîners à cent dollars. »

Henry a haussé les épaules. « Il a toujours été comme ça. Toujours. Il m'amusait, je l'aimais bien, j'avais un peu pitié de lui. Qu'est-ce que ça me faisait, de lui prêter de quoi acheter ses livres en sachant qu'il ne me rembourserait jamais ? »

« Sauf que maintenant, a dit Francis, ce n'est plus seulement des livres de classe. Et qu'on ne peut plus dire non. »

« Combien de temps pouvez-vous continuer comme ça ? »

« Pas éternellement. »

« Et quand il n'y aura plus d'argent ? »

« Je ne sais pas. » Henry s'est frotté à nouveau les yeux derrière les verres de ses lunettes.

« Je pourrais peut-être lui parler ? »

« *Non* », ont-ils lancé tous les deux, ensemble, avec une vivacité qui m'a surpris.

« Pourquoi...? »

Il y a eu un silence gêné, finalement brisé par Francis.

« Eh bien, tu le sais ou pas, mais Bunny est un peu jaloux de toi. Il croit déjà qu'on s'est tous mis contre lui. S'il a l'impression que tu te ranges de notre côté... »

« Tu ne dois pas lui montrer que tu es au courant. Jamais. Sauf si tu as envie que ça empire. »

Personne n'a rien dit pendant un moment.

« C'est terrible, ce que nous avons fait, a repris Francis sans préambule. Je veux dire, ce n'est pas Voltaire que nous avons tué. Mais quand même. C'est une honte. Je me sens coupable. »

« Oh, bien sûr, moi aussi, a dit Henry très tranquillement. Mais pas au point d'avoir envie d'aller en prison. »

Francis a reniflé et s'est resservi un whisky qu'il a bu cul sec. « Non. Pas à ce point-là. »

Personne n'a plus rien dit. J'avais sommeil, je me sentais mal, comme si tout cela n'était qu'un vieux rêve dû à une mauvaise digestion. Je l'avais déjà dit, mais je l'ai répété, légèrement surpris par le son de ma voix dans le silence de la pièce. « Qu'est-ce que vous allez faire ? »

« Je ne sais pas ce que nous allons faire », a répondu Henry, aussi calmement que si je lui avais demandé ses projets pour l'après-midi.

« Eh bien, moi je sais ce que je vais faire. » Francis s'est levé en oscillant et a tiré de l'index sur son col. Étonné, je l'ai regardé, et il a ri de ma surprise.

« J'ai envie de dormir. » Il a roulé des yeux comme dans un mélodrame. « *Dormir plutôt que vivre !* »

« *Dans un sommeil aussi doux que la mort...* » a continué Henry avec un sourire.

« Jésus, Henry, tu sais tout, tu me rends malade. » Mal assuré sur ses jambes, Francis s'est retourné en dénouant sa cravate, avant de sortir d'une démarche chancelante.

« Je crois qu'il est vraiment ivre », a dit Henry quand on a entendu une porte claquer et des robinets couler torrentiellement dans la salle de bains. « Il est encore tôt. Tu veux faire une ou deux parties de cartes ? »

J'ai cligné des yeux.

Il a tendu le bras, sorti un jeu de cartes d'une boîte sur la table basse — des cartes de chez Tiffany, avec le dos bleu ciel et le monogramme de Francis en lettres d'or — et s'est mis à les battre d'une main experte. « On peut jouer au bézigue, ou à l'euchre si tu préfères. » Le bleu et l'or se dissolvaient entre ses mains dans un brouillard. « Personnellement j'aime le poker — bien sûr, c'est un jeu assez vulgaire, et pas drôle du tout à deux — mais il y a tout de même un élément de hasard qui me plaît. »

J'ai regardé son visage, ses mains sûres, les cartes qui tournoyaient, et soudain un vieux souvenir a rejailli en surface : le maréchal Tojo, au plus fort de la guerre, obligeant ses aides à s'asseoir avec lui pour jouer aux cartes toute la nuit.

Il a poussé le jeu vers moi en allumant une cigarette. « Tu veux couper ? »

J'ai regardé les cartes, puis la flamme de l'allumette qui brûlait entre ses doigts sans vaciller.

« Tu ne t'inquiètes pas trop pour tout ça ? »

Henry a tiré sur sa cigarette, exhalé, secoué l'allumette. « Non. » Il a contemplé pensivement la volute de fumée qui montait du bout carbonisé. « Je peux nous sortir de là, je pense. Mais cela dépend d'une occasion précise qui doit se présenter, et il nous faut attendre. Je suppose que cela dépend aussi dans une certaine mesure de jusqu'où, en fin de compte, nous sommes prêts à aller. Je fais la donne ? » Il a repris les cartes.

---

Je me suis réveillé d'un sommeil lourd et sans rêves sur le divan de Francis, dans une position inconfortable, tandis que le soleil du matin se déversait par la rangée des fenêtres du fond. Je suis resté un moment immobile, en essayant de me rappeler où j'étais et comment j'y étais arrivé ; une sensation agréable, vite gâchée lorsque je me suis souvenu de ce qui s'était passé la veille au soir. Je me suis assis en frottant le motif gaufré incrusté sur ma joue par le coussin du divan. Ce simple geste m'a donné mal à la tête. J'ai contemplé les cendriers qui débordaient, la bouteille de Famous Grouse aux trois quarts vide, le jeu de poker-solitaire abandonné sur la table. Tout était donc vrai ; ce n'était pas un rêve.

J'avais soif. Mes pas ont résonné dans le silence tandis que j'allais dans la cuisine pour boire un verre d'eau près de l'évier. L'horloge murale indiquait sept heures du matin.

J'ai à nouveau rempli mon verre que j'ai emporté dans le salon où je me suis assis sur le divan. En buvant, plus lentement, cette fois — d'avoir englouti ce premier verre m'avait un peu donné la nausée — j'ai regardé le poker-solitaire d'Henry. Il avait dû disposer les cartes pendant que je dormais. Au lieu de viser les flush dans les colonnes, les quintes et les carrés dans les rangées, comme il est prudent de faire dans ce jeu, il avait tenté une paire de flush dans les rangées et l'avait ratée. Pourquoi avait-il fait ça ? Pour voir s'il pouvait forcer sa chance ? Ou simplement par fatigue ?

J'ai ramassé les cartes, je les ai battues et disposées une à une selon les règles de stratégie qu'il m'avait lui-même apprises, et j'ai battu son score de cinquante points. Les visages insouciants et glacés me renvoyaient mon regard : les valets en noir et rouge, la reine de pique et son œil vitreux. Soudain une vague de fatigue et de nausée m'a fait frémir. Je suis allé prendre mon manteau dans la penderie et je suis sorti en refermant doucement derrière moi.

Le couloir, à la lumière du matin, ressemblait à un couloir d'hôpital. Je me suis arrêté sur la première marche pour regarder la porte de Francis, impossible à distinguer des autres dans une longue rangée sans visage.

Je suppose que si j'ai jamais eu quelque doute c'est à cet instant, debout en haut de cet escalier étrange et glacé, les yeux sur l'appartement que je venais de quitter. Qui étaient ces gens ? A quel point les connaissais-je ? Pouvais-je leur faire vraiment confiance, au fond ? Pourquoi m'avaient-ils choisi, entre tous, pour tout me dire ?

C'est drôle, mais en y repensant aujourd'hui, je me rends compte que ce moment singulier, tandis que je clignais des yeux dans un couloir désert, est celui où j'aurais pu choisir de faire quelque chose de très différent de ce que j'ai fait. Mais alors, naturellement, je n'ai pas vu ce moment crucial pour ce qu'il était ; je suppose que cela ne nous arrive jamais. Au lieu de quoi j'ai tout simplement bâillé, je me suis secoué du vertige qui m'avait momentanément investi, et j'ai descendu les marches.

---

De retour dans ma chambre, étourdi par la fatigue, j'aurais surtout voulu fermer les volets et me coucher sur mon lit — qui me paraissait soudain le lit le plus attirant du monde, malgré ses oreillers moisis, ses draps sales et ainsi de suite. Mais c'était impossible, la composition de prose grecque avait lieu dans deux heures, et je n'avais pas fait mon devoir.

Il s'agissait d'un essai de deux pages, en grec, sur une épigramme, au choix, de Callimachus. Je n'avais rédigé qu'une seule page et je me suis mis à écrire très vite, à la fois impatient et un peu malhonnête, commençant par écrire en anglais avant de traduire mot à mot. Quelque chose que Julian nous demandait d'éviter. La valeur de la composition grecque, disait-il, n'était pas de donner une quelconque facilité langagière qu'on ne put acquérir aussi facilement par d'autres méthodes, mais que, correctement exécutée, d'un seul jet, elle nous apprenait à penser en grec. Les façons de penser changeaient, d'après lui, quand on les enserrait dans les confins d'une langue rigide et peu familière. Certaines idées communes devenaient impossible à exprimer ; d'autres, inouïes jusqu'alors, prenaient vie, trouvaient par miracle une articulation nouvelle. Par nécessité, je suppose — il m'est difficile d'expliquer exactement ce que je veux dire. Je puis seulement dire qu'un *incendium* est par nature entièrement différent du *feu* avec lequel un Français allume sa cigarette, et que tous deux sont très loin du *pur* inhumain, brutal, que connaissaient les Grecs, le *pur* qui grondait en haut des tours d'Ilion ou bondissait en hurlant sur une plage venteuse et désolée, à partir du bûcher funéraire de Patrocle.

*Pur* : ce seul mot recèle pour moi le secret, la terrible et vive clarté du grec ancien. Comment vous la faire voir, cette lumière étrange et crue qui règne sur les paysages d'Homère et illumine les dialogues de Platon, une lumière autre, informulable dans notre langage ordinaire ? Notre langue habituelle est celle de la complexité, du singulier, le lieu des citrouilles et des garnements, de la bière et des passe-lacets, la langue d'Ahab, de Falstaff et de Mme Gamp ; et si je la trouve convenir parfaitement à des réflexions telles que celle-ci, elle me fait entièrement défaut lorsque j'essaie de décrire ce que j'aime dans le grec, un langage innocent, sans piège ni détours, un langage obsédé par l'action, par la joie de voir l'action multiplier l'action, l'action s'avancer implacablement et d'autres actions encore s'aligner de chaque côté avant de se former en arrière-garde, une longue rangée de cause et d'effet tendue vers l'inévitable, la seule fin possible.

En un certain sens, c'est ce qui me rapprochait tant des autres au cours de grec. Eux aussi connaissaient ce paysage magnifique et déchirant, mort depuis des siècles ; ils avaient fait la même expérience en quittant leurs livres avec des yeux du cinquième siècle pour découvrir un monde étrangement léthargique, étranger, comme si ce n'était pas le leur. C'est pour cela que j'admirais surtout Julian, et Henry. Leurs yeux, leurs oreilles et toute leur raison étaient irrévocablement fixés dans les confins de ces rythmes antiques et sévères — ils n'habitaient pas ce monde, en fait, du moins pas celui que nous connaissons — et loin d'être des visiteurs occasionnels au pays où je n'étais moi-même qu'un touriste plein d'admiration, ils y résidaient presque en permanence, autant, me semble-t-il, qu'il leur était possible. Le grec ancien est une langue difficile, très difficile, en vérité, et il est hautement possible de l'étudier sa vie durant sans jamais pouvoir en prononcer le premier mot ; et je dois sourire, encore aujourd'hui, en repensant à l'anglais formel et délibéré d'Henry, l'anglais d'un étranger bien éduqué, comparé à la fluidité et à la merveilleuse assurance de son grec — rapide, éloquent, d'un esprit mordant. J'étais toujours stupéfait quand il m'arrivait de les entendre bavarder en grec, lui et Julian, discuter et blaguer comme ils ne le faisaient jamais en anglais ; combien de fois j'ai vu Henry décrocher le téléphone avec un « Allô » prudent, agacé, et puis-je ne jamais oublier la joie violente et irrésistible de son « *Khairei !* » quand Julian était au bout du fil.

J'étais un peu gêné — après l'histoire que je venais d'entendre — par les épigrammes de Callimachus évoquant les joues rougies, le vin, les baisers des jeunes aux membres lisses à la lueur des torches. J'ai préféré choisir un texte assez triste, qui donne ce qui suit : « Au matin nous avons enseveli Mélanippus ; au soleil couchant la jeune Basilo est morte de sa main, car elle ne pouvait souffrir de porter son frère sur le bûcher et de continuer à vivre ; la maison a connu un double deuil, et tout Cyrène a penché la tête en voyant la maison des enfants heureux plongée dans la désolation. »

---

J'ai fini ma composition en moins d'une heure. Après l'avoir relue et vérifié les terminaisons, je me suis lavé la figure, j'ai changé de chemise et je suis allé, avec mes livres, vers la chambre de Bunny.

De nous six, Bunny et moi étions les seuls à vivre sur le campus, et son pavillon était derrière la pelouse, à l'autre bout du Collège. Il avait une chambre au rez-de-chaussée, ce qui devait lui déplaire puisqu'il passait le plus clair de son temps dans la cuisine commune, à repasser ses pantalons, fouiller dans le réfrigérateur, se pencher à la fenêtre en manches de chemise pour crier après les passants. Comme il n'a pas ouvert je suis monté le chercher, et je l'ai trouvé en sous-vêtements, assis sur l'appui de fenêtre, en train de boire une tasse de café et de feuilleter un magazine. J'ai été un peu surpris d'y trouver aussi les jumeaux : Charles, debout, la jambe gauche croisée sur la droite, remuait son café d'un air maussade en regardant par la fenêtre ; Camilla — ce qui m'a étonné, parce que les tâches domestiques n'étaient pas son fort — était en train de repasser une des chemises de Bunny.

« Oh, salut, mon vieux, a dit Bunny. Entre donc. On se prend un petit *kaffeeklatsch*.. Oui, les femmes sont bonnes à une chose ou *deux* », a-t-il ajouté en me voyant regarder Camilla et la planche à repasser, « bien qu'étant un gentleman » — il a fait un gros clin d'œil — « je ne voudrais pas dire quelle est la seconde, nous ne sommes pas entre hommes. Charles, trouve-lui une tasse de café, tu veux ? Pas besoin de la laver, elle est assez propre », a-t-il lancé d'un ton strident quand Charles a pris une tasse sale dans l'évier et ouvert le robinet. « Tu as fait ta composition en prose? »

« Ouais. »

« Quelle épigramme ? »

« La vingt-deux. »

« Hmm. On dirait que tout le monde a donné dans le mélo. Charles a pris celle de la fille qui est morte, et qui manque à toutes ses amies, et toi, Camilla, tu as choisi... »

« La quatorze », a-t-elle dit sans lever les yeux et en appuyant presque sauvagement sur le col avec la pointe du fer.

« Ha. Moi j'ai choisi une des plus corsées. Déjà été en France, Richard ? »

« Non. »

« Alors tu devrais venir avec nous cet été. »

« Nous ? Qui ? »

« Henry et moi. »

J'étais tellement stupéfait que j'ai seulement cligné des yeux.

« En France ? »

« Peut-être. Une virée de deux mois. Un super truc. Jette un coup d'œil. » Il m'a lancé son magazine, et j'ai vu que c'était une brochure sur papier glacé.

Je l'ai feuilletée. C'était un truc époustouflant, certes — une « croisière en péniche-hôtel de luxe » qui partait de la Champagne et vers la Bourgogne, en montgolfière, avec repéniche à travers le Beaujolais, jusqu'à la Riviera, Cannes et Monte Carlo — les illustrations étaient luxueuses, pleines d'images multicolores de repas gastronomiques, de péniches au pont fleuri, d'heureux touristes faisant sauter des bouchons de champagne en saluant de la nacelle de leur ballon les vieux paysans qui ronchonnaient dans les champs.

« L'air génial, pas vrai ? »

« Fabuleux. »

« Rome, c'était pas mal, mais en fait c'est un peu un trou perdu quand on y pense. En plus, moi, je préfère vadrouiller un peu plus. Ne pas se fixer, voir un peu les coutumes du coin. Juste entre nous, je parie qu'Henry va s'en payer une tranche. »

Je parie, moi aussi, ai-je pensé en regardant la photo d'une femme qui brandissait une baguette de pain français devant le photographe en souriant comme une maniaque.

Les jumeaux évitaient soigneusement de croiser mon

regard. Camilla était penchée sur la chemise de Bunny, Charles me tournait le dos, les coudes sur le plan de travail, et regardait par la fenêtre.

« Bien sûr, ce truc en ballon est génial, a repris Bunny, mais tu sais, je me suis demandé, comment on va aux toilettes ? Par-dessus bord ou quoi ? »

« Écoute un peu, je pense que ça va me prendre encore quelques minutes, a dit brusquement Camilla. Il est presque neuf heures. Vas donc devant avec Richard, Charles. Dis à Julian de ne pas nous attendre. »

« Bon, ça ne va pas te prendre *tellement* longtemps, non ? a lâché Bunny d'un ton désagréable, tordant le cou pour y voir. Quel est le problème ? Et puis où est-ce que tu as appris à repasser ? »

« Je n'ai jamais appris. *Nous*, on envoyait tout à la blanchisserie. »

Charles m'a suivi à quelques pas. Nous avons emprunté le couloir et descendu l'escalier sans mot dire, mais arrivés en bas il s'est approché, m'a pris le bras et m'a entraîné dans une salle de jeu déserte. Dans les années vingt et trente, à Hampden, il y avait eu un engouement pour le bridge ; l'enthousiasme retombé, les salles n'avaient jamais reçu d'autre affectation, et personne n'y venait plus sinon pour dealer de la drogue, taper à la machine, ou consommer des idylles illégitimes.

Il a fermé la porte. Je me suis retrouvé face à une vieille table de jeu incrustée aux quatre coins avec pique, cœur, carreau et trèfle.

« Henry nous a téléphoné. » Il a gratté du pouce le bord du carreau, la tête obstinément baissée.

« Quand ? »

« Tôt ce matin. »

Nous n'avons rien dit pendant un moment.

« Je suis désolé. » Charles a levé la tête.

« Désolé de quoi ? »

« Qu'il te l'ait dit. Désolé pour tout. Camilla est bouleversée. »

Il avait l'air plutôt calme, fatigué mais calme, et son regard intelligent a rencontré le mien avec une sorte d'innocence tranquille et triste. D'un seul coup je me suis senti complètement remué. J'aimais bien Francis et Henry, mais il était impensable qu'il arrive quoi que ce soit aux jumeaux. J'ai songé, avec un pincement au cœur, à leur gentillesse constante ; à l'amabilité de Camilla lors des premières semaines, à la façon qu'avait eue Charles de venir dans ma chambre ou de m'introduire dans un groupe en tenant pour établi que nous étions, lui et moi, des amis proches, ce qui me touchait profondément ; aux promenades, aux balades en voiture et aux dîners chez eux ; à leurs lettres — restées souvent sans réponse de ma part — qu'ils m'avaient si fidèlement envoyées pendant les longs mois d'hiver.

De quelque part, là haut, j'entendais la tuyauterie gémir et grincer. Nous nous sommes regardés.

« Qu'est-ce que vous allez faire ? » Il semblait que c'était la seule question que j'avais posée à qui que ce fût dans les dernières vingt-quatre heures, et personne ne m'avait donné une réponse satisfaisante.

Il a haussé légèrement les épaules, drôlement, d'un seul côté, un tic qu'il partageait avec sa sœur. « Va savoir », a-t-il dit d'un ton las. « Je crois qu'on devrait y aller. »

---

Quand nous sommes arrivés au bureau de Julian, Henry et Francis y étaient déjà. Francis n'avait pas fini sa composition. Il griffonnait à toute vitesse sa deuxième page, les doigts bleuis par l'encre, pendant qu'Henry` corrigeait la première, rayant les souscrits et les aspirants d'un trait de stylo.

Il n'a pas levé les yeux. « Salut. Ferme la porte, tu veux ? »

Charles l'a refermée d'un coup de pied. « Mauvaises nouvelles. »

« Très mauvaises ? »

« Financièrement, oui. »

Francis a juré très vite dans sa barbe, sans interrompre son travail. Henry a coché quelques notes, pour finir, puis éventé le papier en l'air pour sécher l'encre.

« Eh bien, pour l'amour du ciel, a-t-il dit tranquillement, j'espère que ça peut attendre. Je ne voudrais pas avoir à y penser pendant la classe. Comment se présente cette dernière page, Francis ? »

« Juste une minute », a grommelé Francis laborieusement, ses mots à la remorque de sa plume affairée.

Henry s'est mis derrière sa chaise, s'est penché sur son épaule et s'est mis à corriger le haut de la dernière page, un coude sur la table. « Camilla est avec lui ? »

« Oui. En train de repasser sa foutue liquette. »

« Hmm. » Il a désigné quelque chose du bout de son stylo. « Francis, là il te faut l'optatif au lieu du subjonctif. »

Francis est revenu très vite en arrière — il était presque à la fin de la page — pour le corriger.

« Et la labiale devient pi, pas kappa. »

---

Bunny est arrivé en retard, d'une humeur massacrante. « Charles, a-t-il lancé, si tu veux que ta sœur se trouve jamais un mari, tu ferais mieux de lui apprendre à se servir d'un fer à repasser. » J'étais épuisé, mal préparé, et j'avais déjà le plus grand mal à me concentrer sur le cours. A deux heures, j'avais un cours de français, mais je suis rentré tout droit chez moi, j'ai pris un somnifère et je me suis mis au lit. Le somnifère n'était qu'un geste ; je n'en avais pas besoin, mais la simple éventualité d'une insomnie, d'un après-midi plein de mauvais rêves et de bruits de tuyauterie, était trop désagréable pour même l'envisager.

J'ai donc dormi profondément, plus que je n'aurais dû, et la journée s'est écoulée sans heurts. Il faisait presque nuit quand, du fond d'un gouffre insondable, je me suis vaguement rendu compte qu'on frappait à ma porte.

C'était Camilla. Je devais avoir un air épouvantable, parce qu'elle a haussé un sourcil en riant. « Tout ce que tu sais faire, c'est dormir. Pourquoi est-ce que tu dors tout le temps quand je viens te voir ? »

J'ai cligné des yeux. Les volets étaient fermés, le couloir était obscur, et pour moi, titubant et encore à moitié drogué, elle n'était plus son personnage habituel, inaccessible et lumineux, mais plutôt une apparition un peu brumeuse et d'une tendresse ineffable, toute en poignets fragiles, en creux ombrés et en cheveux ébouriffés, l'adorable et pâle Camilla qui se cachait dans le boudoir de mes rêves mélancoliques.

« Entre. »

Elle a refermé la porte derrière elle. Je me suis assis au bord du lit défait, les pieds nus et le col ouvert, en pensant que ce serait merveilleux si c'était vraiment un rêve, si je pouvais aller vers elle, poser les mains de chaque côté de son visage et l'embrasser sur les paupières, sur la bouche, à l'endroit de sa tempe où ses cheveux de miel se fondaient dans une soie dorée.

Nous nous sommes longuement regardés.

« Tu es malade ? » a-t-elle demandé.

L'or de son bracelet luisait dans l'ombre. J'ai avalé ma salive, sans rien trouver à lui dire.

Elle s'est relevée. « Mieux vaut que je m'en aille. Je suis désolée de t'avoir dérangé. J'étais venue te demander si tu voulais venir faire une balade. »

« Quoi ? »

« Une balade. Mais ça va. Une autre fois. »

« Où ? »

« Quelque part. N'importe où. Je retrouve Francis au Collège dans dix minutes. »

« Non, attends. » Je me sentais merveilleusement bien. La lourdeur du somnifère collait encore délicieusement à mes membres et j'imaginais le plaisir que ce serait de marcher avec elle — somnolent et presque hypnotisé — jusqu'au Collège dans la neige et le crépuscule.

Je me suis levé — il m'a fallu une éternité, le sol reculait peu à peu sous mes yeux comme si un processus organique me faisait tout simplement grandir — et je suis allé ouvrir la penderie. Le parquet oscillait doucement sous mes pieds comme le pont d'un dirigeable. J'ai trouvé mon manteau, une écharpe. Les gants, c'était trop compliqué.

« Okay. Je suis prêt. »

Elle a arqué un sourcil. « Il fait plutôt froid dehors. Tu ne crois pas que tu pourrais mettre des chaussures ? »

---

Nous avons marché dans la neige fondue, sous la pluie glacée, et en arrivant au Collège, Charles, Francis et Henry nous attendaient. Cette réunion m'a paru significative, d'une façon qui n'était pas très claire — tout le monde sauf Bunny. « Qu'est-ce qui se passe ? » Je clignais des yeux en les regardant.

« Rien », a dit Henry en dessinant par terre avec le bout ferré et luisant de son parapluie. « On va juste se balader en voiture. J'ai pensé que ce serait peut-être amusant », il est resté un instant en suspens, « de quitter un peu le campus, peut-être d'aller dîner quelque part... »

Sans Bunny, voilà ce qui est sous-entendu, ai-je pensé. Où pouvait-il être ? Le bout du parapluie étincelait. J'ai levé les yeux et vu que Francis me regardait en fronçant les sourcils.

« Qu'est-ce qu'il y a ? » ai-je dit, agacé, en chancelant légèrement sous le porche.

Il a repris son souffle d'un air amusé. « Est-ce que tu es saoul ? »

Ils me regardaient tous d'une drôle de façon. « Oui. » Ce n'était pas vrai, mais je n'avais pas envie de me lancer dans des explications.

---

Le ciel froid, embrumé par une pluie fine au sommet des arbres, rendait même indifférent, lointain, le paysage familier des environs de Hampden. Le brouillard blanchissait les vallées et le haut du mont Cataract était complètement invisible, caché par une vapeur glacée. D'être incapable de la voir, cette montagne omnisciente qui ancrait Hampden dans mes perceptions, troublait mon sens de l'orientation, et il me semblait que nous nous dirigions vers un territoire inconnu, inexploré, alors que j'avais pris cette route cent fois et par tous les temps. Henry conduisait assez vite, comme toujours, les pneus crissaient sur la route noire et mouillée, l'eau rejaillissait de chaque côté de la voiture.

« J'ai jeté un coup d'œil à cet endroit il y a environ un mois. » Il a ralenti devant une ferme blanche en haut d'une colline où des balles de foin abandonnées piquetaient la prairie enneigée. « C'est encore à vendre, mais je crois qu'ils en veulent trop cher. »

« Combien d'hectares ? » a demandé Camilla.

« Soixante-dix. »

« Qu'est-ce que tu pourrais bien faire de toutes ces terres ? » Elle a levé une main pour écarter ses cheveux de ses yeux et j'ai revu l'éclat de son bracelet : *douceur des cheveux fous, touffeur des cheveux sur la bouche...* « Tu n'as pas envie de te faire paysan, non ? »

« A mon avis, plus il y a de terrain, mieux ça vaut. J'aimerais en avoir assez pour ne voir de chez moi ni route ni poteau télégraphique ni rien qui me déplaise. Je suppose que c'est impossible, à notre époque, et cet endroit est pratiquement au bord de la route. Il y a une autre ferme, que j'ai vue de l'autre côté de la frontière, dans l'État de New York... »

Un camion nous a croisés dans une gerbe plaintive.

Tout le monde était d'une tranquillité et d'un calme inhabituels, et je croyais savoir pourquoi. Parce que Bunny n'était pas là. Ils évitaient ce sujet avec une insouciance délibérée ; il doit être en ce moment quelque part, ai-je pensé, en train de faire quelque chose — quoi, je ne voulais pas le demander. Je me suis adossé à mon siège pour regarder les traînées argentées, zigzaguantes, des gouttes de pluie sur ma vitre.

« Si j'achète jamais une maison ce sera par ici, a dit Camilla. J'ai toujours préféré la montagne à la mer. »

« Moi aussi, a répondu Henry. J'imagine que là-dessus mes goûts sont plutôt hellénistiques. Je m'intéresse aux endroits reculés, perdus dans les terres, désertiques. Je n'ai jamais eu la moindre attirance pour la mer. Un peu comme ce que dit Homère des Arcadiens, tu te rappelles ? *Des navires ils n'avaient que faire...* »

« C'est parce que tu as grandi dans le Midwest », a dit Charles.

« Mais si on suit ce genre de raisonnement, il en découle que je devrais aimer le plat pays, les plaines. Ce qui n'est pas le cas. Les descriptions de Troie, dans *L'Iliade*, sont affreuses — un paysage tout plat sous un soleil brûlant. Non. J'ai toujours été attiré par les terres sauvages, accidentées. C'est de là que viennent les langues les plus bizarres, les mythologies les plus étranges, les plus antiques cités et les religions les plus barbares — Pan lui-même est né dans les montagnes, vous savez. Et Zeus. *C'est en Parrhasia que Rhea t'a porté*, a-t-il récité d'un ton rêveur, en passant au grec, *où était une colline abritée par les broussailles les plus épaisses...* »

Il faisait noir, désormais. Tout autour, la campagne était voilée, mystérieuse, muette dans le brouillard de la nuit. Nous étions dans un endroit reculé, peu fréquenté, un terrain rocheux et fortement boisé, sans le charme pittoresque de Hampden avec ses vallons, ses chalets de ski et ses antiquaires, un paysage d'altitude, primitif et dangereux, sombre et même dépourvu de panneaux publicitaires.

Francis, qui connaissait l'endroit mieux que nous, avait dit qu'il y avait une auberge dans les environs, mais il était difficile de croire qu'il y eût la moindre habitation à cent kilomètres à la ronde. Soudain, en sortant d'un virage, les phares ont balayé un panneau rouillé, vérolé par des traces de balles, qui nous apprit que l'Auberge Hoosatonic, tout droit, était le lieu de naissance originel de la Tarte à la Mode.

Le bâtiment était entouré par une véranda branlante — des fauteuils à bascule fatigués, un bizarre fouillis d'acajou et de velours mangé aux mites parsemé de têtes de cerfs, de calendriers de stations service, avec une grande collection de trépieds commémoratifs du bicentenaire, montés et accrochés au mur.

La salle à manger était vide, à part quelques personnes du coin en train de dîner qui nous ont toutes regardés avec une franche et innocente curiosité — nos costumes noirs, nos lunettes, les boutons de manchette à monogramme de Francis et sa cravate de chez Charvet, Camilla avec sa coupe à la garçonne et son petit manteau d'astrakan luisant. J'ai été un peu surpris d'un comportement aussi candide, avant de me souvenir que ces gens ne se rendaient probablement pas compte que nous venions de l'université. Plus près, on nous aurait immédiatement épinglés comme des gosses de riches de là-haut, qui allaient sans doute faire trop de bruit et laisser un pourboire mesquin. Mais ici nous n'étions que des inconnus à un endroit où il en vient rarement.

Personne n'est même venu prendre notre commande. Le dîner est apparu comme par magie : rôti de porc, petits pains, purée de maïs aux navets et à la courge dans de gros bols chinois avec tout autour les portraits des présidents (jusqu'à Nixon).

Le serveur, un jeune rougeaud aux ongles rongés, s'est attardé un moment. Timidement, il a fini par dire : « Vous autres, vous seriez de New York ? »

« Non. » Charles a pris l'assiette de petits pains à Henry. « De par ici. »

« D'Hoosatonic ? »

« Non. Du Vermont, je veux dire. »

« Pas de New York ? »

« Non, a-t-il répété gaiement en s'attaquant au rôti. Je suis de Boston. »

« J'y suis allé », a dit le gosse, impressionné.

Francis a eu un sourire absent et a tendu le bras vers un plat.

« Vous autres, vous devez être pour les Red Sox. »

« En fait, moi oui, a dit Francis. Tout à fait pour. Mais ils n'ont jamais l'air de gagner, pas vrai ? »

« Quelquefois si. Je crois qu'on ne les verra jamais remporter le championnat, quand même. »

Il s'attardait toujours, en essayant de trouver quelque chose à dire, quand Henry l'a regardé.

« Assieds-toi, a-t-il dit à l'improviste. Dîne avec nous, tu veux ? »

Après quelques refus embarrassés, il a pris une chaise, mais refusé de manger quoi que ce soit ; le restaurant fermait à huit heures, nous a-t-il dit, et il était peu probable qu'il vienne d'autres clients. « On est loin de la grande route. La plupart des gens se couchent tôt, par ici. » Il s'appelait John Deacon, avons-nous appris, il avait mon âge — vingt ans — et il était sorti du lycée Equinox, à Hoosatonic même, à peine deux ans plus tôt. Depuis son diplôme il avait travaillé à la ferme de son oncle ; l'emploi de serveur était tout nouveau, une façon d'occuper les jours d'hiver. « Ce n'est que ma troisième semaine. J'aime bien ça, je crois. On mange bien. Et j'ai les repas gratuits. »

Henry, qui en général détestait et était détesté par les *hoi polloi* — une catégorie qu'il élargissait pour aller des adolescents porteurs de grosses radios au directeur des études à Hampden, un homme riche qui avait passé à Yale un diplôme d'Études américaines — avait néanmoins le chic avec les pauvres, les simples, les gens de la campagne ; il était méprisé par les fonctionnaires de l'université mais admiré par les concierges, les jardiniers et les cuisiniers. Même s'il ne les traitait pas en égaux — il ne traitait personne exactement en égal — il ne leur réservait pas non plus l'amitié condescendante des riches. « Je pense que nous sommes beaucoup plus hypocrites vis-à-vis de la maladie, et de la pauvreté, que les gens du passé, ai-je entendu dire Julian, un jour. En Amérique, le riche essaie de prétendre que le pauvre est son égal en tout sauf pour ce qui est de l'argent, ce qui n'est tout simplement pas vrai. Quelqu'un se souvient-il de la définition que donne Platon de la justice, dans la *République* ? La justice, dans une société, c'est quand chaque degré de la hiérarchie fonctionne à sa place et s'en satisfait. Un pauvre souhaitant s'élever au-dessus de sa condition ne fait que s'affliger d'un malheur inutile. Et parmi les pauvres, les sages l'ont toujours su, de même que parmi les riches. »

Aujourd'hui, je ne suis plus complètement sûr que ceci soit vrai — car sinon, où serais-je ? Encore en train de laver des pare-brise à Plano ? — mais il est indéniable qu'Henry était tellement assuré de sa place dans le monde et de ses propres talents, sans la moindre gêne, qu'il réussissait étrangement à mettre les autres à l'aise (moi y compris) quelle que soit l'infériorité de leur rang ou de leur situation. Les pauvres, pour la plupart, n'étaient pas impressionnés par ses manières, n'y réagissant que par une vague admiration, et par conséquent ils étaient capables de voir par-derrière le véritable Henry, celui que je connaissais, taciturne et courtois, de bien des façons aussi simple et direct qu'ils l'étaient eux-mêmes. C'était un talent qu'il avait en commun avec Julian, que les gens de la campagne où il vivait admiraient énormément, un peu comme on imagine l'affection des pauvres de Comum ou de Tifernum pour la bienveillance de Pline l'Ancien.

Pendant la plus grande partie du repas, Henry et le garçon ont discuté de façon très familière, et pour moi incompréhensible, des terres autour de Hampden et d'Hoosatonic — des zones, des lotissements, du prix à l'hectare, des terrains non défrichés, des titres, des propriétés — tandis que nous mangions en les écoutant. C'était une conversation qu'on aurait pu entendre dans n'importe quelle station service de campagne ou magasin d'aliments pour le bétail, mais de l'écouter me remplissait d'une sorte de bonheur, me mettait à l'aise avec le monde.

---

Rétrospectivement, c'est étrange le peu d'influence que le paysan mort pouvait avoir sur une imagination aussi morbide et hystérique que la mienne. Je peux facilement imaginer le cortège de cauchemars qui aurait pu en découler (ouvrir en rêve la porte d'une classe, voir la silhouette macabre et sans visage en chemise de flanelle accoudée à un bureau, ou en train de se détourner du tableau pour me faire un affreux sourire), mais je trouve plutôt révélateur le fait que j'y pensais rarement, et seulement quand quelque chose me le rappelait d'une façon ou d'une autre. Je pense que les autres en étaient tout autant ou tout aussi peu troublés, ce que démontrait la normalité et la bonne humeur dont ils témoignaient depuis si longtemps. C'était monstrueux, certes, mais le cadavre ne semblait guère qu'un accessoire, un objet sorti dans le noir par les machinistes et déposé aux pieds d'Henry afin qu'on le découvre en rallumant les projecteurs ; cette image, muette, ensanglantée, les yeux fixes, ne manquait jamais de produire un léger frisson d'angoisse, mais elle paraissait relativement inoffensive par rapport à la menace très réelle et permanente que faisait peser Bunny et dont, désormais, je me rendais compte.

Bunny, malgré son apparente stabilité, son aimable cynisme, était en fait un personnage totalement instable. Il y avait pour cela de nombreuses raisons, et avant tout sa totale incapacité à penser à quoi que ce soit avant d'agir. Il voguait de par le monde uniquement guidé par les faibles lueurs de l'habitude et du caprice, convaincu que sa course ne rencontrerait aucun obstacle qu'il ne puisse renverser par la seule force de l'inertie. Or, dans les nouvelles circonstances présentées par le meurtre, ses instincts lui avaient fait défaut. Maintenant que ses vieilles et fidèles balises avaient été, pour ainsi dire, réarrangées dans le noir, le mécanisme de pilotage automatique grâce auquel sa psyché naviguait devenait inutile ; le pont inondé, il errait à la dérive, s'échouait sur des bancs de sable, cinglait dans les directions les plus bizarres.

Pour un spectateur non prévenu, j'imagine qu'il était toujours le même personnage jovial — donnant des claques dans le dos, dévorant des Twinkies et des HoHos dans la salle de lecture et laissant tomber ses miettes dans les reliures de ses manuels de grec. Mais, derrière cette façade en trompe-l'œil, certains changements précis et de mauvais augure prenaient place, des changements dont j'avais vaguement conscience mais qui étaient de plus en plus évidents à mesure que le temps s'écoulait.

En un sens, c'était comme s'il ne s'était rien passé. On allait au cours, on étudiait le grec, et on arrivait en général à faire croire aux autres et à nous-mêmes que tout allait bien. A l'époque j'étais rassuré de voir que Bunny, malgré son état d'esprit visiblement dérangé, réussissait pourtant à garder facilement ses vieilles habitudes. Maintenant, bien sûr, je vois que ces habitudes étaient la seule chose qui le faisaient tenir debout. C'était l'unique point de référence qui lui restait et il s'y cramponnait férocement, avec une ténacité toute pavlovienne, en partie par inertie et en partie parce qu'il n'avait rien pour le remplacer. Je suppose que les autres sentaient que la survivance des anciens rituels était d'une certaine manière une pantomime destinée à lui seul, réitérée en vue de l'apaiser, mais je l'ignorais, de même que j'ignorais à quel point il était réellement dérangé avant que surviennent les événements suivants.

Nous passions le week-end chez Francis. Hormis la tension presque imperceptible qui se manifestait à l'époque dans nos rapports avec Bunny, tout se passait apparemment sans heurt et il s'était montré d'excellente humeur au cours du dîner. Quand je suis allé me coucher il est resté en bas pour boire le vin qui restait et jouer au trictrac avec Charles, apparemment fidèle à lui-même ; mais au milieu de la nuit j'ai été réveillé par des hurlements incohérents provenant de la chambre d'Henry, au bout du couloir.

Je me suis assis dans mon lit en allumant la lumière.

« Tu te fous de tout, pas vrai ? » criait Bunny ; il y a eu un bruit de livres qu'on jetait par terre. « De tout sauf de toi, putain, toi et tous les autres — je voudrais bien savoir ce qu'en penserait Julian, salaud, si je lui racontais une ou deux — *Ne me touche pas*, a-t-il glapi, va-t'en ! »

Encore des chocs, des meubles renversés, et le débit rapide et coléreux d'Henry. La voix de Bunny l'a recouvert · « *Vas-y !* » a-t-il crié si fort qu'il a dû réveiller toute la maison. « Essaie de m'en empêcher. Je n'ai pas peur de toi. Tu me fais vomir, pédé, nazi, *sale petit juif de merde...* »

Un autre fracas, du bois qui se brisait, cette fois. Une porte a claqué. Il y a eu un bruit de course dans le couloir, puis le son de sanglots étouffés — des sanglots terribles, des hoquets, qui ont duré longtemps.

Vers trois heures, le silence revenu, alors que j'allais me rendormir, j'ai entendu des pas feutrés dans le couloir et peu après un coup frappé à ma porte. C'était Henry.

« Bonté divine », a-t-il dit d'un air affolé en regardant ma chambre, le lit à colonnes défait et mes vêtements jetés sur le tapis. « Je suis content que tu sois réveillé. J'ai vu ta lumière. »

Il s'est passé la main dans les cheveux. « Tu n'aurais pas une aspirine, par hasard ? »

Je me suis assis au bord du lit pour fouiller dans le tiroir de la table de nuit, dans les mouchoirs, les paires de lunettes et les brochures de la *Science chrétienne* appartenant à une vieille parente de Francis. « Je n'en vois pas. Qu'est-ce qui s'est passé ? »

Il a soupiré et s'est laissé tomber dans un fauteuil. « Il y a de l'aspirine dans ma chambre. Un tube dans la poche de ma veste. Ainsi qu'une boîte à pilules en émail bleu. Et mes cigarettes. Tu veux bien aller me les chercher ? »

Il était si pâle et bouleversé que je me suis demandé s'il n'était pas malade. « Qu'est-ce qui se passe ? »

« Je ne veux pas y aller. »

« Pourquoi ? »

« Parce que Bunny dort sur mon lit. »

Je l'ai regardé. « Oh, mon Dieu, moi je ne vais pas... »

Il m'a fait taire d'un geste fatigué. « Tout va bien. Vraiment. Je suis juste trop secoué pour y aller moi-même. Il dort profondément. »

Je suis allé sans bruit au bout du couloir, où se trouvait la porte d'Henry. La main sur la poignée, j'entendais distinctement le halètement caractéristique des ronflements de Bunny.

Malgré le bruit entendu plus tôt, j'ai été stupéfait par ce que j'ai découvert : les livres frénétiquement éparpillés par terre, la table de nuit renversée, les restes écartelés d'une table malaise contre le mur. L'abat-jour du lampadaire était de travers et jetait une lumière folle, irrégulière, dans la chambre. Au milieu de tout cela il y avait Bunny, le visage posé sur le coude de sa veste en tweed, un pied encore chaussé de sa chaussure anglaise qui pendait au bord du lit. La bouche ouverte, les yeux gonflés et surprenants sans leurs lunettes, il reniflait et grommelait en dormant. J'ai raflé les affaires d'Henry et je suis reparti au plus vite.

Le lendemain matin Bunny est descendu tard, les yeux bouffis et maussades, alors que Francis, les jumeaux et moi mangions des céréales. Il a ignoré nos saluts embarrassés, est allé droit vers le placard, s'est préparé un bol de Sugar Frosted Flakes et s'est assis sans un mot. Dans le silence abrupt qui s'est abattu, j'ai entendu M. Hatch ouvrir la porte d'entrée. Francis s'est excusé, s'est dépêché à sa rencontre, et je les ai entendu murmurer dans le vestibule tandis que Bunny mâchait ses céréales d'un air morose. Quelques minutes ont passé. Je regardais du coin de l'œil Bunny affalé sur son bol quand soudain, derrière lui, par la fenêtre, j'ai vu la silhouette lointaine de M. Hatch qui traversait le pré au-delà du jardin pour porter les débris moulurés de la chaise malaise à la décharge.

---

Si troublantes qu'elles fussent, ces éruptions hystériques n'arrivaient pas souvent. Mais elles témoignaient du trouble de Bunny, et des désagréments qu'il pourrait occasionner si on le provoquait. C'était à Henry qu'il en voulait le plus, Henry qui l'avait trahi, Henry qui était chaque fois le sujet de ces éclats. Pourtant, curieusement, c'était Henry qu'il pouvait le mieux tolérer au jour le jour. Tous les autres, plus ou moins, ne faisaient que l'irriter. Il pouvait exploser parce que Francis, par exemple, avait formulé une remarque qu'il trouvait prétentieuse, ou se mettre dans une rage inexplicable si Charles offrait de lui payer une glace ; mais il ne se lançait pas dans ces disputes imbéciles avec Henry pour ce genre de vétilles. Et ceci bien qu'Henry se donnât beaucoup moins de mal que les autres pour se le concilier. Quand le sujet de la croisière en péniche refaisait surface — ce qui arrivait assez souvent — Henry faisait vaguement semblant d'y croire, et lui répondait de façon mécanique, forcée. Pour moi, l'espoir confiant de Bunny me glaçait plus que n'importe quel éclat ; comment pouvait-il se leurrer au point de croire que ce voyage aurait lieu, et qu'il pût être en ce cas autre chose qu'un cauchemar ? Or Bunny, joyeux comme un pensionnaire d'asile, jacassait pendant des heures à propos de sa Riviera illusoire sans se rendre compte de la mâchoire un peu crispée d'Henry ni des silences pesants, de mauvais augure, qui s'abattaient lorsqu'il avait épuisé le sujet et restait à rêver, le regard vide et le menton sur la main.

Il semblait sublimer la plus grande part de sa colère envers Henry dans ses rapports avec le reste du monde, et se montrait grossier, insultant, prompt à la querelle avec pratiquement tout un chacun. De divers côtés, on nous rapportait ses écarts de conduite. Il avait lancé sa chaussure à des hippies qui chahutaient dans leurs sacs de couchage devant sa fenêtre ; menacé de rosser son voisin qui mettait sa radio trop fort ; traité de troglodyte une dame du bureau de l'économe. Heureusement pour nous, j'imagine, le vaste cercle de ses connaissances comprenait peu de gens avec qui nous avions des rapports réguliers. Julian voyait Bunny aussi souvent que quiconque, mais leurs relations ne s'étendaient pas au-delà de la salle de cours. Le plus gênant, c'était son amitié avec son ancien condisciple, Cloke Rayburn ; et le plus gênant de tout, c'était Marion.

Marion, nous le savions, voyait aussi clairement que nous le nouveau comportement de Bunny, qui à la fois l'intriguait et la mettait en colère. Si elle avait vu comment il se conduisait avec nous, elle aurait sans doute compris qu'elle n'était pas à l'origine de ce changement ; mais de fait elle ne remarquait que les rendez-vous manqués, les humeurs capricieuses, la morosité et les explosions irrationnelles qui, apparemment, ne visaient qu'elle. Est-ce qu'il fréquentait une autre fille ? Est-ce qu'il voulait rompre ? Une de ses collègues au Centre de puériculture a dit à Camilla qu'un jour, à son travail, Marion avait téléphoné six fois à Bunny, et que la dernière fois il lui avait raccroché au nez.

« Dieu, grand Dieu, si seulement elle pouvait le saquer », a dit Francis en levant les yeux au ciel quand il a appris ce détail. Il n'y a pas eu d'autre commentaire, mais on les surveillait de près en espérant la rupture. S'il avait toute sa tête, Bunny ne dirait sûrement rien à personne, mais maintenant, avec son subconscient bousculé de son perchoir qui battait des ailes dans les couloirs déserts de son crâne en zigzaguant comme une chauve-souris, il n'y avait plus moyen de prévoir ce qu'il allait faire.

Cloke, il le voyait moins souvent. Bunny et lui avaient peu de choses en commun, à part leur année de prépa, et Cloke — qui traînait avec des fêtards, sans compter les drogues qu'il prenait — s'occupait surtout de lui-même et n'allait pas s'inquiéter des bizarreries de Bunny ni même s'en rendre vraiment compte. Il habitait dans le pavillon voisin du mien, Durbinstall (surnommé « Dalmane Hall » par les plaisantins du campus, c'était le noyau actif de ce que l'administration préférait appeler les « activités en rapport avec les stupéfiants » — les visites qu'on pouvait y faire étaient fréquemment ponctuées par des explosions et des mini-incendies provoqués par les chimistes en herbe qui officiaient au sous-sol), et heureusement pour nous sa chambre était au rez-de-chausssée, sur le devant. Comme ses volets étaient toujours ouverts et qu'il n'y avait pas d'arbres aux alentours immédiats, on pouvait s'asseoir tranquillement sous le porche de la bibliothèque, à une quinzaine de mètres, et jouir librement et sans réserves du spectacle de Bunny, dans le cadre lumineux de la fenêtre, qui lisait bouche bée des bandes dessinées ou agitait les bras en bavardant avec un Cloke invisible.

« J'aime bien avoir une idée de ce qu'il fabrique », expliquait Henry. En fait il était facile, très facile de ne pas le perdre de vue ; d'autant, je pense, que lui non plus n'avait pas envie de quitter trop longtemps les autres des yeux, et surtout Henry.

S'il le traitait avec déférence, c'était nous qui devions subir jour après jour le feu de sa colère. La plupart du temps ce n'était guère qu'un irritant : comme par exemple ses tirades fréquentes et mal informées à propos de l'église catholique. Sa famille était épiscopalienne, et mes parents, pour ce que j'en savais, n'avait aucune affiliation religieuse, mais Henry, Francis et les jumeaux avaient été élevés dans la foi catholique, et si aucun d'entre eux n'était vraiment pratiquant, le flot incessant et ignorant des blasphèmes de Bunny les mettait en rage. Avec force clin d'yeux et sourires égrillards, il leur racontait des histoires de nonnes renégates, de jeunes traînées catholiques, de curés pédérastes. (Et alors, ce père je-ne-sais-qui a dit à l'enfant de chœur — le gosse a neuf ans, pensez-y, il est dans ma troupe de scouts — il a dit à Tim Mulrooney : « Mon fils, aimeriez-vous voir où nous dormons, moi et les autres prêtres ? ») Il inventait des histoires scandaleuses sur les perversions de divers papes ; les instruisait des points obscurs de la doctrine catholique ; délirait au sujet des conspirations du Vatican en ignorant les sèches réfutations d'Henry et les apartés marmonnés de Francis à propos de l'arrivisme des protestants.

Le pire, c'était quand il choisissait de s'attaquer tout spécialement à une personne. Grâce à une sorte d'habileté surnaturelle, il savait toujours viser le nerf à vif, au bon moment, être le plus blessant et le plus insultant possible. Charles avait bon caractère et se mettait difficilement en colère, mais il était parfois tellement troublé par ces diatribes anti catholiques que sa tasse de thé en tremblait sur sa soucoupe. Il était également sensible aux remarques sur sa façon de boire. De fait, Charles buvait beaucoup. Nous le faisions tous, mais même s'il ne se livrait pas à des excès publics, il m'était souvent arrivé de sentir son haleine chargée d'alcool à des heures bizarres, ou de passer à l'improviste en début d'après-midi et de le trouver un verre à la main — ce qui était peut-être compréhensible, les choses étant ce qu'elles étaient. Bunny faisait un numéro d'inquiétude feinte et injurieuse, saupoudré de commentaires sournois sur les ivrognes et les poivrots. Il tenait un compte exagéré des cocktails bus par Charles. Il glissait anonymement des questionnaires (« Croyez-vous parfois avoir besoin d'un verre pour tenir jusqu'au soir ? ») ou des pamphlets (un gosse à taches de rousseur, plaintif, regarde ses parents et demande, « Maman, c'est quoi "saoul" ? ») dans la boîte à lettres de Charles, et alla une fois jusqu'à donner son nom au groupe universitaire des Alcooliques Anonymes, de sorte que Charles avait été inondé de tracts, d'appels téléphoniques, et avait même reçu la visite d'un Twelfth-Stepper bien intentionné.

Avec Francis, par ailleurs, c'était encore plus précis et déplaisant. Personne n'en parlait jamais, mais nous savions tous qu'il était gay. Même s'il n'affichait pas ses mœurs, de temps en temps il disparaissait mystérieusement d'une fête, et une fois, peu après que je l'ai connu, il m'avait dragué de façon subtile mais immanquable un après-midi alors que nous étions ivres et partis seuls en barque. J'en avais lâché une rame, et dans la confusion qui avait suivi j'avais senti ses doigts me frôler la joue, près de la mâchoire, d'une manière à la fois négligente et délibérée. J'avais levé les yeux, surpris, et nos regards s'étaient croisés comme font les regards ; nous nous étions regardés un moment, la rame oubliée, tandis que la barque oscillait sous nos pieds. Affreusement gêné, effaré, j'avais détourné les yeux, et soudain, à ma grande surprise, il avait éclaté de rire en me voyant si perturbé.

« Non ? »

« Non », avais-je dit, soulagé.

On pourrait croire que cet épisode aurait quelque peu refroidi notre amitié. Si je ne pense pas que quiconque ayant consacré une bonne part de son énergie à étudier les classiques peut être excessivement troublé par l'homosexualité, elle ne me met pas non plus particulièrement à l'aise lorsque je suis directement concerné. J'aimais bien Francis, mais je m'étais toujours senti un peu nerveux en sa présence ; c'est son geste, curieusement, qui a éclairci l'atmosphère entre nous. Je suppose que je l'avais cru inévitable, et que je l'avais redouté. Une fois la menace écartée je me suis senti parfaitement à l'aise, seul avec lui, même dans les situations les plus douteuses — ivre, ou bien chez lui, ou coincé contre lui à l'arrière d'une voiture.

Entre Francis et Bunny c'était encore différent. Ils se supportaient très bien, en compagnie, mais si cela durait trop longtemps il devenait évident qu'ils faisaient rarement quoi que ce soit ensemble, et qu'ils ne restaient presque jamais seuls. Je savais pourquoi ; tout le monde le savait. Mais il ne m'est jamais venu à l'esprit qu'ils pouvaient avoir, sur d'autres plans, une réelle affection l'un pour l'autre, ni que les blagues grossières de Bunny dissimulaient, fût-ce de façon séduisante, un fond de malveillance aiguë et très précise vis-à-vis de Francis.

Je suppose que le choc de se reconnaître est le pire de tous. Je n'avais jamais imaginé, alors que je l'aurais dû, que les préjugés imbéciles de Bunny, que je trouvais si comiques, étaient mortellement sérieux, sans un grain d'ironie.

Non que Francis, dans des circonstances normales, ne fût parfaitement capable de prendre soin de lui-même. Il avait un tempérament vif, une langue acérée, et s'il aurait pu remettre Bunny à sa place n'importe quand, il avait là-dessus des appréhensions compréhensibles. Nous étions tous douloureusement conscients du flacon métaphorique de nitroglycérine que Bunny portait sur lui nuit et jour, et qu'il nous laissait entrevoir de temps en temps, pour que nul n'oublie qu'il l'avait en sa possession et qu'il était capable de l'écraser sur le sol à n'importe quel moment.

Je n'ai pas vraiment le cœur de raconter toutes les vilenies qu'il a faites et dites à Francis, les farces, les remarques à propos de tantes et de pédés, le flot de questions humiliantes, en public, sur ses préférences et ses habitudes : des questions cliniques, incroyablement détaillées, traitant de sujets tels que les lavements, les gerbilles et les ampoules électriques.

« *Pour une fois* » — je me souviens d'avoir entendu Francis siffler entre ses dents. « *Pour une fois* j'aimerais le... »

Mais il n'y avait absolument rien que quiconque pût dire ou faire.

On aurait pu s'attendre, étant à l'époque parfaitement innocent de tout crime envers Bunny ou envers l'humanité, à ce que je ne sois pas moi-même la cible de ces tirs incessants. Par malheur, je l'étais, le malheur étant peut-être de son côté plutôt que du mien. Comment a-t-il pu être aveugle au point de ne pas voir le danger qu'il y avait à s'aliéner le seul être impartial, son unique allié potentiel ? Car si j'aimais bien les autres, j'aimais bien Bunny, aussi, et je n'aurais pas si vite lié mon sort au leur s'il ne m'avait attaqué avec autant de férocité. Peut-être, dans son esprit, se justifiait-il par la jalousie ; sa position dans le groupe avait commencé à dériver environ à l'époque de mon arrivée ; sa rancune était des plus puériles et mesquines, et n'aurait sans doute jamais fait surface s'il n'avait pas été dans un tel état de paranoïa, incapable de distinguer ses amis de ses ennemis.

Peu à peu, j'ai appris à le détester. Aussi impitoyable qu'un chien d'arrêt, il a repéré très vite et avec un instinct infaillible les traces de tout ce qui, en ce monde, me faisait douter de moi-même, des choses que je voulais cacher à tout prix. Avec moi, il se livrait à des jeux sadiques, répétitifs. Il aimait me pousser à mentir : « Superbe cravate, disait-il. De chez Hermès, pas vrai ? » — et quand j'acquiesçais, il tendait brusquement le bras au travers de la table pour exposer le pauvre lignage de ma cravate. Ou alors, au milieu d'une conversation, il s'interrompait soudain pour dire : « Richard, mon vieux, pourquoi on ne voit jamais de photos de tes parents ? »

C'était juste le genre de détail dont il s'emparait. Sa propre chambre était meublée d'un éventail impeccable de souvenirs familiaux, chacun d'eux ayant la perfection d'une publicité : Bunny et ses frères, en noir et blanc, brandissant des crosses de hockey sur un terrain illuminé ; des Noëls en famille, avec le couple parental cool et plein de bon goût dans des robes de chambre très chic, cinq petits enfants aux cheveux jaunes dans des pyjamas identiques se roulant par terre avec un épagneul hilare, un train miniature d'un luxe ridicule et un arbre somptueux qui se dresse à l'arrière-plan ; la mère de Bunny au bal des débutantes, jeune et dédaigneuse dans un vison blanc.

« Pourquoi ? demandait-il avec une feinte innocence. Pas d'appareils photo en Californie ? Ou tu ne veux pas que tes copains voient ta maman en ensemble pantalon ? Et puis, où est-ce que tes parents ont fait leurs études ? » disait-il avant que je puisse placer un mot. « Ils sont du genre Ivy League ? Ou est-ce qu'ils sortent d'une espèce d'université d'État ? »

C'était d'une cruauté parfaitement gratuite. Mes mensonges familiaux n'étaient pas mal trouvés, à mon avis, mais ils ne résistaient pas à des attaques aussi foudroyantes. Aucun de mes parents n'avait fini le lycée ; ma mère portait effectivement des ensemble pantalon, qu'elle achetait à l'usine. Sur la seule photo floue que j'avais d'elle, elle louchait vers l'appareil, une main sur la barrière en grillage, l'autre sur la nouvelle tondeuse autoportée de mon père. C'est pour cela, visiblement, qu'on m'avait envoyé cette photo, ma mère s'imaginant que je m'intéresserait à cette acquisition ; je l'avais gardée sur mon bureau parce que c'était la seule que j'avais d'elle, glissée dans mon dictionnaire d'anglais (à la lettre M pour Mère). Mais un soir je me suis relevé de mon lit, consumé par la crainte que Bunny ne la découvre en fouinant dans ma chambre. Aucune cachette ne me paraissait assez sûre, et j'ai fini par la brûler dans un cendrier.

Ces indiscrétions étaient déjà suffisamment désagréables en privé, mais je ne trouve pas les mots pour décrire les tourments que j'endurais lorsqu'il décidait d'exercer son art en public. Bunny est mort, maintenant, *requiescat in pace,* mais tant que je vivrai je n'oublierai pas certain intermède sadique que j'ai dû subir dans l'appartement des jumeaux.

Quelques jours plus tôt, Bunny m'avait cuisiné sur l'endroit où j'avais passé ma prépa. J'ignore pourquoi je n'avais pas pu tout simplement lui dire la vérité, puisque je l'avais faite au lycée de Plano. Francis était allé à plusieurs écoles ultra-chic en Angleterre et en Suisse, et Henry a fréquenté des écoles américaines du même style avant d'abandonner sa scolarité en première, mais les jumeaux n'avaient connu que le petit lycée de Roanoke, et même le glorieux Saint-Jérôme de Bunny n'était qu'une boîte de rattrapage de luxe, du genre de celles qui font des pubs en dernière page de *Town and Country*, pour proposer leurs talents spécialisés aux cancres fortunés. Dans ce contexte, mon propre lycée n'avait rien de particulièrement honteux, mais j'avais évité de répondre aussi longtemps que possible et finalement, acculé, aux abois, je lui avais dit que j'étais allé à Renfrew Hall, un lycée quelconque pour joueurs de tennis près de San Francisco. Il avait paru s'en contenter mais plus tard, à ma grande honte, et devant tout le monde, il était revenu à la charge.

« Alors t'étais à Renfrew », a-t-il dit, copain-copain, et s'est tourné vers moi en enfournant une pleine poignée de pistaches.

« Oui. »

« Quand t'en es sorti ? »

J'ai donné la vraie date de ma sortie du lycée.

« Ah. » Il a mastiqué vigoureusement ses pistaches. « Alors t'étais avec Von Raumer. »

« Qui ? »

« Alec. Alec Von Raumer. De San Fran. Un ami de Cloke. Il était dans le coin l'autre jour et on a causé. Des tas d'anciens de Renfrew à Hampden, il a dit. »

Je n'ai pas relevé, espérant qu'il en resterait là.

« Alors tu connais Alec et les autres. »

« Euh, à peine. »

« Drôle, il a dit qu'il ne se souvenait pas de toi. » Bunny a raflé une deuxième poignée de pistaches sans me quitter des yeux. « Pas du tout. »

« C'est une grosse boîte. »

Il s'est raclé la gorge. « Tu crois ? »

« Oui. »

« Von Raumer dit que c'est minuscule. Pas plus de deux cents élèves. » Il a pris le temps d'engloutir ses pistaches et s'est mis à parler tout en les mâchant. « Dans quel dortoir t'as dit que t'étais ? »

« Ça ne te dirais rien. »

« Von Raumer m'a bien dit de te poser la question. »

« Quelle différence ça fait ? »

« Oh, ce n'est rien, rien du tout, vieille carne, a-t-il dit aimablement. Sauf que c'est bigrement bizarre, *n'est-ce pas* ? Alec et toi qui passez quatre ans au même endroit, dans une petite boîte comme Renfrew, et il n'a pas une seule fois posé les yeux sur toi ? »

« Je n'y suis resté que deux ans. »

« Comment se fait-il que tu ne sois pas dans l'annuaire ? »

« Je suis dans l'annuaire. »

« Non, tu n'y es pas. »

Les jumeaux étaient atterrés. Henry, le dos tourné, faisait semblant de ne pas écouter. Tout d'un coup il a lancé, sans se retourner : « Comment sais-tu s'il est dans l'annuaire ou pas ? »

« Je ne crois pas qu'on m'ait jamais mis dans un annuaire, a dit Francis, nerveux. Je ne supporte pas qu'on me prenne en photo. Chaque fois que j'essaie de... »

Bunny les a ignorés et s'est adossé à son siège.

« Allez, m'a-t-il dit. Je te donne cinq dollars si tu me dis le nom de ton dortoir. »

Ses yeux étaient rivés aux miens. Ils brillaient de plaisir et de méchanceté. J'ai dit quelque chose d'incohérent, et puis, consterné, je me suis levé pour aller boire un verre d'eau dans la cuisine. Appuyé sur l'évier, j'ai pressé le verre contre ma tempe. Dans le living, il y a eu un chuchotement de Francis, en colère, et le rire sauvage de Bunny. J'ai vidé le verre dans l'évier et ouvert le robinet pour ne plus rien entendre.

---

Comment se fait-il qu'un esprit complexe, sensible et délicatement accordé comme le mien, ait pu se rajuster à la perfection après un choc tel que le meurtre, alors que celui de Bunny, éminemment plus ordinaire et robuste, a complètement déraillé ? Il m'arrive encore d'y penser. S'il n'avait eu vraiment qu'un désir de vengeance, il aurait pu aisément le satisfaire sans prendre de risque. Qu'a-t-il cru pouvoir gagner par ce genre de torture au ralenti, potentiellement explosif ? Dans son esprit, cela avait-il un sens, un but ? Ou bien ses actes étaient-ils inexplicables, autant pour lui que pour nous ?

A moins qu'ils ne soient pas tellement inexplicables, après tout. Parce que le pire, comme Camilla l'a dit un jour, ce n'était pas que Bunny avait souffert d'une transformation complète de sa personnalité, d'une fracture schizophrénique, mais plutôt que divers éléments déplaisants de ladite personnalité, à peine entraperçus par nous auparavant, avaient été orchestrés et s'étaient magnifiés à un stupéfiant niveau de puissance. Si désagréable que fût sa conduite, nous avions déjà tout vu, mais sous une forme moins concentrée, moins venimeuse. Même aux meilleurs jours il s'était moqué de mon accent californien, de mon manteau d'occasion, de ma chambre dépourvue de bibelots de bon goût, mais de façon si ingénue que je ne pouvais qu'en rire. (« Seigneur Dieu, Richard », disait-il en s'emparant d'un de mes souliers pour passer le doigt dans le trou de la semelle. « Qu'est-ce que vous avez, les jeunes de Californie ? Plus vous êtes riches, plus vous avez l'air miteux. N'allez même pas chez le coiffeur. Avant que je ne m'en rende compte, tu auras des cheveux jusqu'aux épaules et tu iras bouder en haillons comme Howard Hugues. ») Je n'avais jamais pensé m'en formaliser ; il s'agissait de Bunny, un ami qui avait encore moins d'argent de poche que moi et en plus un grand trou au fond de son pantalon. Mon sentiment d'épouvante devant son nouveau comportement venait de ce que celui-ci ressemblait tellement à la façon charmante qu'il avait jadis de me taquiner, et j'étais aussi déçu et mis en rage par cet abandon brutal des règles anciennes — au cas où nous aurions eu coutume de nous entraîner à la boxe — que s'il m'avait acculé dans un coin du ring et presque rossé à mort.

S'y ajoutait le fait — malgré tous ces désagréables rappels du contraire — qu'il subsistait une grande part du vieux Bunny, celui que je connaissais, que j'adorais. Parfois, quand je le voyais de loin — les poings dans les poches, en train de siffler et de sautiller de sa démarche élastique — j'éprouvais un grand regain d'affection mêlé de regret. Je lui ai pardonné plus de cent fois, pour rien, sinon un regard, un geste, une façon de pencher la tête. Il me semblait alors impossible qu'on pût jamais se mettre en colère contre lui, quoi qu'il fasse. Malheureusement, c'étaient souvent les moments qu'il choisissait pour passer à l'attaque. Il se montrait aimable, charmant, bavardait comme jadis avec sa distraction coutumière, et puis, sur le même ton et sans un seul temps mort, il se penchait en arrière et sortait quelque chose de tellement déloyal, infâme, sans réponse possible, que je jurais de ne pas l'oublier et de ne jamais lui pardonner. Une promesse que j'ai rompue bien des fois. J'allais dire que c'est une promesse que j'ai été forcé de tenir, finalement, mais ce n'est pas vraiment exact. Même aujourd'hui, je ne vois rien que j'aimerais tant que s'il entrait dans la pièce où je suis, s'il secouait la pluie de ses cheveux comme un vieux chien et s'il disait : « Dickie, mon gars, qu'est-ce que tu offres à boire ce soir à un pauvre vieux soiffard ? »

On aime à croire que cette vieille platitude, *amor vincit omnia*, a quelque chose de vrai. Mais si j'ai appris une chose pendant ma triste et courte existence, c'est que cette platitude est un mensonge. L'amour ne vainc pas tout. Qui croit cela est un imbécile.

---

Il tourmentait Camilla pour la seule raison qu'elle était une fille. Par certains côtés c'était sa victime la plus vulnérable —

non par sa faute, mais simplement parce qu'en grécité, de façon générale, les femmes sont des créatures inférieures, qu'il vaut mieux voir qu'entendre. Ce sentiment prédominant chez les Argives est si pénétrant qu'il s'infiltre même jusqu'au squelette du langage ; je n'en vois meilleure illustration que le fait qu'en grammaire grecque, un des tout premiers axiomes que j'ai appris, c'est que les hommes ont des amis, les femmes des familles, et les animaux des semblables.

Bunny, non parce qu'il tendait vers la pureté hellène, mais simplement par méchanceté, soutenait ce point de vue. Il n'aimait pas les femmes, ne prenait pas plaisir à leur compagnie, et même Marion, sa soi-disant raison d'être, n'était tolérée qu'à regret, en tant que concubine. Devant Camilla il était obligé d'adopter une posture un peu plus paternaliste, lui souriant de très haut avec la condescendance d'un vieux *papa* envers une enfant faible d'esprit. Avec nous, il se plaignait de ce qu'elle n'était pas à la hauteur, et faisait obstacle à des études sérieuses. Nous trouvions cela très drôle. A parler franchement, aucun de nous, curieusement, les années suivantes, pas même le plus brillant, n'allait connaître la réussite universitaire ; Francis était trop paresseux, Charles trop diffus, Henry trop irrégulier et en général trop bizarre, une sorte de Mycroft Holmes de la philologie classique. Camilla n'était pas différente et préférait en secret, comme moi, les plaisirs faciles de la littérature anglaise au labeur éreintant du grec. Le risible, c'était de voir le pauvre Bunny s'inquiéter des capacités intellectuelles de quelqu'un d'autre.

D'être la seule femme, dans ce qui était essentiellement un club masculin, a dû être difficile pour Camilla. Par miracle, elle ne l'a pas compensé en devenant plus dure ou plus querelleuse. Elle restait une fille, une fille mince et adorable qui restait au lit à manger des chocolats, une fille aux cheveux sentant la jacinthe et dont les écharpes blanches flottaient au vent de façon désinvolte, une fille aussi ensorcelante et futée que toutes les filles du monde. Mais si étrange et merveilleuse qu'elle fût, volute soyeuse dans une forêt de laine noire, ce n'était pas du tout la créature fragile qu'on aurait pu y voir. A beaucoup d'égards elle était aussi cool et compétente qu'Henry, avec la même réserve, le même tempérament tenace et solitaire. A la maison de campagne, il arrivait souvent qu'elle disparaisse, qu'elle aille toute seule sur le lac, ou bien dans la cave, où je l'ai trouvée un jour assise dans le grand traîneau abandonné, en train de lire, son manteau de fourrure sur les genoux. Sans elle, tout aurait été terriblement bizarre et déséquilibré. Elle était la Reine qui complétait la donne des Valets noirs, du Roi noir et du joker.

Si j'étais tellement fasciné par les jumeaux, me semble-t-il, c'était qu'il y avait chez eux une part d'inexplicable, quelque chose que j'étais souvent tout proche de comprendre sans jamais y arriver vraiment. Charles, âme aimable et légèrement éthérée, était un peu une énigme, mais Camilla était le véritable mystère, le coffre que je ne saurais jamais forcer. Je n'étais jamais sûr de ce qu'elle pensait, à propos de n'importe quoi, et je savais qu'elle était encore plus indéchiffrable pour Bunny que pour moi. Quand tout se passait bien, il l'avait souvent offensée sans le vouloir, par maladresse ; dès que les choses ont mal tourné, il a tenté de l'insulter et de la rabaisser de mille manières, dont la plupart manquaient largement leur but. Qu'il se moquât de son apparence la laissait froide ; elle soutenait son regard sans ciller lorsqu'il racontait les blagues les plus vulgaires ou les plus humiliantes ; elle riait quand il prétendait insulter son goût ou son intelligence ; elle ignorait ses discours récurrents, pimentés de citations truquées qu'il avait dû se donner beaucoup de mal à trouver, prouvant catégoriquement que toutes les femmes lui étaient inférieures, et n'étaient pas faites, au contraire de lui, pour la Philosophie, l'Art et la Pensée, mais pour acquérir un mari et rester au foyer.

Une seule fois, j'ai vu qu'il l'avait touchée. Cela se passait chez les jumeaux, il était très tard. Charles, heureusement, était allé avec Henry chercher de la glace ; il avait beaucoup bu, et s'il avait été là les choses auraient presque sûrement tourné à l'aigre. Bunny était tellement ivre qu'il tenait à peine sur sa chaise. Il avait été d'humeur passable pendant presque toute la soirée, quand soudain, sans prévenir, il s'est tourné vers Camilla. « Comment ça se fait que vous vivez ensemble, vous deux ? »

Elle a haussé les épaules, d'un seul côté, bizarrement, comme faisaient le frère et la sœur.

« Hein ? »

« C'est pratique, a-t-elle répondu. Moins cher. »

« Eh bien, je trouve que c'est bigrement spécial. »

« J'ai toujours habité avec Charles. »

« Pas beaucoup d'intimité, pas vrai ? Un petit appart comme ça ? Tout le temps l'un sur l'autre ? »

« Il y a deux chambres. »

« Et quand tu te sens seule au milieu de la nuit ? »

Il y a eu un bref silence.

« Je ne vois pas ce que tu essaies de dire. » Sa voix était glacée.

« Bien sûr que si. Salement pratique. Et plutôt classique, en plus. Ces Grecs ils fricotaient entre frères et sœurs comme un rien — *ooups*." — Il a rattrapé son verre de whisky qui allait tomber de l'accoudoir — "Oh, c'est illégal et tout ça. Mais qu'est-ce que tu en as à faire ? Qui vole un œuf vole un bœuf, pas vrai ? »

J'étais abasourdi. Francis et moi sommes restés bouche bée tandis qu'il finissait son verre avec insouciance et tendait le bras vers la bouteille.

A ma surprise totale, absolue, Camilla lui a répondu : « Ne va pas croire que je couche avec mon frère seulement parce que je ne veux pas coucher avec *toi*. »

Bunny a ri, un petit rire méchant. « Tu me paierais que je ne voudrais pas, fifille. Pas pour tout l'or du monde. »

Elle l'a regardé, ses yeux pâles dépouvus de toute expression. Puis elle s'est levée pour aller dans la cuisine, nous laissant, Francis et moi, plongés dans le silence le plus tordu que j'ai jamais connu.

---

Affronts d'ordre religieux, crises de colère, insultes, chantage, extorsion — désagréments, irritations, tout cela semblerait trop subalterne pour pousser au meurtre cinq personnes raisonnables. Mais, si j'ose dire, ce n'est qu'après avoir aidé à tuer un homme que j'ai compris à quel point un acte tel qu'un meurtre peut être complexe, insaisissable, ne relevant pas nécessairement d'un seul et unique mobile. Certes, il serait facile de l'imputer à un mobile de ce genre. Il existait, c'est certain. Mais l'instinct de conservation n'est pas aussi contraignant qu'on pourrait le penser. Le danger que Bunny représentait, après tout, n'était pas immédiat — il mijotait tout doucement, c'était une sorte de danger qu'on pouvait, du moins d'un point de vue abstrait, reculer ou détourner de plusieurs manières. Je nous imagine facilement, au lieu et au moment fatidiques, brusquement pris du besoin de réfléchir, voire même d'accorder en catastrophe un répit de dernière minute. La crainte de perdre la vie a pu nous pousser à l'envoyer à la potence et à lui passer la corde au cou, mais il a fallu une impulsion plus vive, plus urgente, pour qu'on le fasse effectivement basculer dans le vide.

Bunny, sans s'en rendre compte, nous avait lui-même fourni cette impulsion. J'aimerais pouvoir dire que j'ai été poussé à cet acte par un élan tragique, irrésistible. Mais je pense que ce serait mentir, si j'essayais de vous faire croire que ce jour-là, un dimanche après-midi du mois d'avril, j'étais réellement animé par quoi que ce fût de ce genre.

Question intéressante : à quoi ai-je pensé, en voyant ses

yeux s'agrandir, surpris et incrédules (« *allons, les gars, vous blaguez, pas vrai ?* ») pour la dernière fois de sa vie ? Pas au fait que je venais au secours de mes amis, sûrement pas ; ni à la peur, ou à la culpabilité. Mais à des détails. Des insultes, des insinuations, des cruautés mesquines. Les centaines de petites humiliations restées impunies qui me rongeaient depuis des mois et des mois. C'est à cela que je pensais, à rien d'autre. C'est à cause d'elles que j'ai pu le regarder sans la moindre pitié, le moindre remords, chanceler un long moment au bord de la falaise — battant des bras, roulant des yeux, un acteur du muet en train de glisser sur une peau de banane — puis tomber en arrière à la rencontre de la mort.

---

Henry, croyais-je, avait un plan. Lequel, je l'ignorais. Il disparaissait constamment, pour des missions mystérieuses, et qui ne menaient peut-être à rien ; mais j'avais un tel besoin de croire que quelqu'un, au moins, avait la situation en main, que je les créditais d'un certain sens, d'un certain espoir. Sa porte souvent restait fermée, même le soir, tard, alors que la lumière allumée me disait qu'il était là. Plus d'une fois il est arrivé en retard pour dîner, les chaussures mouillées, les cheveux ébouriffés par le vent, le bas de son beau pantalon noir taché de boue. Une pile d'ouvrages mystérieux, dans une langue orientale qui ressemblait à l'arabe, portant le cachet de la bibliothèque universitaire Williams, s'est matérialisée sur la banquette arrière de sa voiture. En inspectant à la dérobée le dos d'un des volumes, j'ai vu que sa fiche était toujours en place, et que le dernier emprunteur avait été un certain F. Lockett, en 1929.

Le plus étrange, peut-être, c'est ce que j'ai vu, un après-midi où je me suis fait conduire à Hampden par Judy

Poovey. Je voulais apporter des vêtements chez le teinturier, et Judy, qui allait en ville, m'a proposé de m'emmener ; nous avons fait nos courses — sans parler d'un énorme tas de cocaïne dans le parking du Burger King — et la Corvette s'est arrêtée à un feu rouge, avec une musique infecte (Free Bird) à Radio Manchester et le débit de mitrailleuse de Judy, sniffeuse comme une cinglée, à propos de ces deux types qu'elle connaissait qui avaient baisé au Food King (« Carrément dans la boutique ! Au rayon surgelés ! »), quand elle a jeté un coup d'œil par la portière et s'est mise à rire. « Regarde. C'est pas ton copain Double Foyer, là-bas ? »

Stupéfait, je me suis penché. Il y avait une petite boutique pour défoncés de l'autre côté de la rue — des gongs, des tentures, des boîtes de Rush, toutes sortes d'herbes et d'encens dans l'arrière-boutique. Je n'y avais jamais vu personne sauf le pauvre vieux hippie à pince-nez de grand-mère, un ancien de Hampden, qui la tenait. Mais cette fois, par extraordinaire, au milieu des licornes et des cartes du ciel, il y avait Henry, avec parapluie, costume noir et tout. Il était devant le comptoir, en train d'examiner une feuille de papier. Le hippie a voulu dire quelque chose, mais Henry l'a interrompu en désignant un objet dans son dos. Le hippie a haussé les épaules, pris un petit flacon sur une étagère. A ce spectacle, j'avais presque le souffle coupé.

« Qu'est-ce que tu crois qu'il fait là-dedans, à emmerder ce pauvre vieux camé ? C'est une boutique de merde, d'ailleurs. J'y suis allée une fois pour une balance et il n'y en avait même pas, juste des boules de cristal et ce genre de merde. Tu sais, ces balances en plastique vert que — Hé, tu ne m'écoutes pas », a-t-elle glapi en voyant que je regardais encore par la portière. Le hippie, penché, fouillait dans un tiroir. « Tu veux que je klaxonne ou quoi ? »

« Non », j'ai crié, rendu nerveux par la cocaïne, en écartant sa main du klaxon.

« Oh, Dieu. Ne me fais pas peur comme ça. » Elle a pressé une main contre son cœur « Merde. Ma cervelle se barre en speed. Cette coke était coupée avec de la meth ou j'sais pas quoi. Okay, okay », a-t-elle dit, agacée, quand le feu est passé au vert et que le camion-citerne, derrière nous, s'est mis à klaxonner.

---

Des livres arabes volés ? Une head shop à Hampden ? Je ne comprenais rien à ce que faisait Henry, mais malgré l'incohérence apparente de ses actes, j'avais en lui une confiance puérile, et avec la foi que mettait le Dr Watson à observer les faits et gestes de son célèbre ami, j'attendais que l'intention se manifeste.

Ce qui arriva, en un sens, deux jours plus tard.

Un jeudi soir, vers minuit et demi, j'étais en pyjama et j'essayais de me couper les cheveux à l'aide d'un miroir et de ciseaux à ongles (je m'en tirais assez mal ; le produit fini était toujours hérissé, enfantin, à la Arthur Rimbaud) quand on a frappé. J'ai ouvert sans lâcher miroir et ciseaux. C'était Henry. « Oh, salut. Entre. »

Enjambant soigneusement les mèches de cheveux bruns et poussiéreux, il s'est installé à mon bureau. Après avoir étudié mon profil dans le miroir, je me suis remis au travail. « Qu'est-ce qui se passe ? » J'ai commencé à tailler une grosse masse derrière mes oreilles.

« Tu as étudié quelque temps la médecine, n'est-ce pas ? »

Je savais que c'était le prélude à une enquête en rapport avec la santé. Mon unique année préparatoire ne m'avait donné qu'un léger vernis de connaissances, mais les autres, qui ne savaient rien de la médecine et considéraient cette discipline *per se* moins comme une science que comme une sorte de magie sympathique, sollicitaient sans cesse mon avis au sujet de leurs maladies et autres douleurs avec le respect des sauvages face à un sorcier. Leur ignorance pouvait être touchante ou carrément choquante ; Henry, d'avoir été si souvent malade, je suppose, en savait plus que les autres, mais parfois lui-même me faisait sursauter en posant très sérieusement une question sur la bile ou les humeurs.

« Tu es malade ? » Je n'ai pas quitté le miroir des yeux.

« J'ai besoin d'une formule pour un dosage. »

« Qu'est-ce que tu veux dire, une formule pour un dosage ? Un dosage de quoi ? »

« Il y en a une, n'est-ce pas ? Une formule mathématique indiquant la dose à prescrire d'après la taille et le poids, ce genre de choses ? »

« Cela dépend de la concentration du médicament. Je ne peux pas dire un truc comme ça. Il faut que tu regardes dans le bréviaire des médecins. »

« Ça n'y est pas. »

« Tu pourrais avoir une surprise. »

Pendant un moment il n'y a pas eu d'autre bruit que celui de mes ciseaux. « Tu ne comprends pas, a-t-il fini par dire. Ce n'est pas une substance que les médecins ont l'habitude de prescrire. »

J'ai rabaissé les ciseaux et regardé son reflet dans le miroir.

« Jésus, Henry. Qu'est-ce que c'est ? Du LSD ou quoi ? »

« Disons que c'est ça », a-t-il répondu, très calme.

J'ai posé le miroir pour me tourner vers lui. « Henry, je ne crois pas que ce soit une bonne idée. Je ne sais pas si je te l'ai dit, mais j'ai pris une ou deux fois du LSD. En deuxième année de lycée. C'est la pire erreur que j'ai faite de ma... »

« Je comprends qu'il soit difficile d'apprécier la concentration de ce genre de substance, m'a-t-il interrompu sans élever la voix. Mais disons que nous disposons d'une certaine expérience empirique. Disons que nous savons, par exemple, que telle quantité de la substance en question peut affecter un animal de trente-cinq kilos, et qu'une quantité légèrement plus grande peut le tuer. J'ai calculé une formule approchée, mais il s'agit là de faire une distinction très précise. Comment, sachant cela, puis-je calculer le reste ? »

Je me suis appuyé sur la commode pour le regarder, ayant tout oublié de ma coupe de cheveux. « Voyons voir ce que tu as. »

Il m'a scruté attentivement un moment avant de plonger la main dans sa poche. Quand il l'a ressortie, je n'en ai pas cru mes yeux et je me suis rapproché. Il y avait sur sa paume un champignon blanchâtre au pied gracile.

« *Amanita caesaria.* Pas ce que tu crois », a-t-il ajouté en voyant mon expression.

« Je sais ce qu'est une amanite. »

« Toutes les amanites ne sont pas toxiques. Celle-ci est inoffensive. »

« Qu'est-ce que c'est ? » J'ai pris le champignon pour le mettre en pleine lumière. « Un hallucinogène ? »

« Non. En fait il est comestible — les Romains l'aimaient beaucoup — mais en général les gens le rejettent parce qu'on le confond trop facilement avec son jumeau vénéneux. »

« Son jumeau ? »

« *Amanita phalloides.* L'amanite tête de mort. »

Je n'ai rien dit pendant quelques instants.

« Qu'est-ce que tu vas faire ? » ai-je fini par demander.

« Qu'est-ce que tu crois ? »

Ne tenant pas en place, je suis allé à mon bureau. Henry a remis le champignon dans sa poche et allumé une cigarette. « As-tu un cendrier ? » m'a-t-il demandé poliment.

Je lui ai donné une boîte de soda vide. Sa cigarette était presque finie avant que je reprenne la parole. « Henry, je ne crois pas que ce soit une bonne idée. »

Il a haussé un sourcil. « Pourquoi cela ? »

*Pourquoi ? me demande-t-il.* J'étais un peu affolé. "Parce qu'on peut déceler les poisons. N'importe quelle sorte de poison. Tu ne crois pas que si Bunny tombe raide mort, on ne va pas trouver cela suspect ? N'importe quel imbécile de médecin légiste peut..."

« Je sais, a dit Henry, patient. C'est pour cela que je t'interroge sur le dosage. »

« Cela n'a rien à voir. Même une quantité minime peut... »

« ... suffire à rendre quelqu'un très malade. » Il a allumé une autre cigarette. « Mais ce n'est pas nécessairement mortel. »

« Qu'est-ce que tu veux dire ? »

« Je veux dire », et il a repoussé ses lunettes sur son nez, « qu'au strict point de vue de la virulence il y a plusieurs excellents poisons, la plupart bien supérieurs à celui-ci. La forêt sera bientôt pleine de digitales et d'aconit. Je peux tirer du papier tue-mouches tout l'arsenic dont j'ai envie. Et il y a même des herbes qu'on ne trouve pas ici — Seigneur Dieu, les Borgia auraient pleuré en voyant la boutique diététique que j'ai trouvée la semaine dernière à Brattleboro. Hellébore, mandragore, huile essentielle d'armoise... Je crois que les gens achètent n'importe quoi quand ils s'imaginent que c'est naturel. L'armoise est vendue en guise de répulsif naturel contre les insectes, comme si c'était moins dangereux que les trucs du supermarché. Un flacon suffit pour tuer une armée entière. » Il s'est remis à tripoter ses lunettes. « Le problème avec ces substances — malgré leurs grandes qualités — c'est, comme tu l'as dit, la façon de les administrer. Les amatoxines, parmi les poisons, sont trop salissants. Des vomissements, des ictères, des convulsions. Pas comme certains petits poisons italiens, relativement rapides et peu cruels. Mais, d'un autre côté, quoi de plus facile à faire prendre ? Je ne suis pas botaniste, tu sais. Même les mycologues ont du mal à distinguer les amanites. Des champignons ramassés à la main... quelques-uns, vénéneux, dans le tas... un des amis tombe affreusement malade et l'autre...? » Il a haussé les épaules. Nous nous sommes regardés.

« Comment peux-tu être sûr de ne pas trop en manger, toi-même ? »

« Je ne peux pas être vraiment sûr, en fait, a-t-il répondu. Je dois risquer ma vie de façon plausible, et tu vois bien que je dispose d'une marge un peu étroite. Mais néanmoins, j'ai d'excellentes chances de réussir. Je n'ai à m'inquiéter que de moi, tu vois. Le reste ira de soi. »

Je savais ce qu'il voulait dire. Son plan avait des failles béantes, mais il était fondamentalement brillant : si on pouvait compter sur quelque chose avec une certitude quasi mathématique, c'était que Bunny, à tous les repas, s'arrangerait n'importe comment pour manger deux fois plus que n'importe qui.

A travers le brouillard de sa cigarette, Henry avait le teint pâle et le visage serein. Il a remis la main dans sa poche pour en ressortir le champignon.

« Bon. Un seul pied d'*amanita phalloides*, plus ou moins de cette taille, suffit à rendre sérieusement malade un chien de trente-cinq kilos en bonne santé. Vomissements, diarrhées, pas de convulsions que j'ai constatées. Je ne pense pas que cela soit allé jusqu'à un dérèglement du foie, mais je suppose que nous devrons laisser les vétérinaires en décider. A l'évidence... »

« Henry, comment peux-tu le *savoir* ? »

Il est resté un moment silencieux. « Tu connais ces deux affreux boxers qui appartiennent au couple qui habite au deuxième ? »

C'était horrible, mais je n'ai pas pu m'empêcher de rire. « Non. Tu n'as pas fait ça. »

« Je crains que si », a-t-il dit sèchement en écrasant sa

cigarette. "L'un d'eux se porte bien, malheureusement. L'autre ne va plus jamais ramener des ordures sur ma véranda. Il est mort en une vingtaine d'heures, avec seulement une dose légèrement plus forte — une différence d'environ un gramme. Sachant cela, il me semble que je devrais pouvoir prescrire la dose de poison pour chacun d'entre nous. Ce qui m'inquiète, c'est la variation de concentration d'un champignon à un autre. Ce n'est pas comme si c'était pesé par un pharmacien. Je me trompe peut-être – je suis sûr que tu le sais mieux que moi —, mais un champignon de deux grammes risque d'en avoir autant qu'un autre de trois grammes, non ? C'est mon dilemme."

Il a sorti de sa poche de poitrine une feuille de papier couverte de chiffres. « J'ai horreur de te mêler à ça, mais il n'y a personne d'autre qui connaisse les maths et moi-même je ne suis pas vraiment au point. Tu veux jeter un coup d'œil ? »

*Vomissements, ictères, convulsions.*

Machinalement, j'ai pris la feuille qu'il me tendait. Elle était remplie d'équations algébriques, mais franchement, à ce stade, ce n'était pas l'algèbre que j'avais en tête. J'ai secoué la tête et j'allais la lui rendre quand j'ai levé les yeux, et quelque chose m'a arrêté. Je me suis rendu compte que j'étais en mesure, à ce moment précis, de mettre un point final à tout ça. Henry avait vraiment besoin de mon aide, sinon il ne serait pas venu me voir ; inutile de faire appel aux sentiments, je le savais, mais en faisant semblant de savoir ce que je faisais, j'arriverais peut-être à le dissuader.

J'ai posé la feuille sur mon bureau, j'ai pris un crayon et je me suis obligé à suivre pas à pas le fouillis des nombres. Les équations propres aux concentrations chimiques n'avaient jamais été mon fort ; c'est déjà difficile quand on veut calculer une concentration donnée dans de l'eau distillée, et dans ce cas, s'agissant de concentrations variables dans des corps de formes irrégulières, c'était pratiquement impossible. Il avait probablement épuisé tout l'algèbre élémentaire dont il disposait pour arriver jusque-là, et pour autant que je pouvais le suivre il ne s'en était pas mal tiré, mais ce n'était pas un problème que l'algèbre pouvait résoudre, si même il avait une solution. Un étudiant en troisième ou quatrième année de mathématiques aurait peut-être pu aboutir à quelque chose de plus convaincant, et en trichant, j'ai réussi à réduire légèrement ses incertitudes, mais j'avais oublié presque tout le calcul infinitésimal que j'avais appris et la réponse à quoi j'ai abouti, même si elle devait être plus précise que la sienne, était loin d'être exacte.

J'ai reposé mon crayon et levé les yeux. Cela m'avait pris une bonne demi-heure. Henry avait pris sur l'étagère le *Purgatorio* de Dante et s'y était plongé.

« Henry. »

Il m'a jeté un regard distrait.

« Henry, je ne crois pas que ça va marcher. »

Il a refermé le livre sur son doigt. "Je me suis trompé dans la deuxième partie. Là où commence la factorisation."

« C'est un bon début, mais il suffit d'un coup d'œil pour voir que c'est insoluble sans des tableaux chimiques et une bonne pratique du calcul infinitésimal et de la chimie. Il n'y a pas moyen de faire autrement. Je veux dire, les concentrations chimiques ne se mesurent même pas en grammes et en milligrammes, mais en ce qu'on appelle des moles. »

« Tu peux calculer ça pour moi ? »

« Je crains que non, même si j'ai fait tout ce que je pouvais. Pratiquement, je ne peux pas te donner de réponse. Même un prof de math aurait du mal. »

« Le poison ne fait pas d'effet avant au moins douze heures. Alors, même en cas d'overdose, j'ai un certain avantage, un sursis. Avec un antidote sous la main, au cas où... »

« Un antidote ? » J'ai sursauté. « Il existe quelque chose de ce genre ? »

« L'atropine. Ça se trouve dans la belladone. »

« Oh, Jésus, Henry. Si tu ne te tues pas d'un côté tu t'achèves de l'autre. »

« A petite dose, l'atropine est sans danger. »

« On dit la même chose de l'arsenic, mais je n'aurais pas envie d'essayer. »

« Leurs effets sont diamétralement opposés. L'atropine accélère le système nerveux, le rythme cardiaque et ainsi de suite. Les amatoxines le ralentissent. »

« Poison contre poison, ça paraît toujours douteux. »

« Pas du tout. Les Perses étaient des maîtres empoisonneurs, et ils disent... »

Je me suis souvenu des livres dans sa voiture. « Les Perses ? »

« Oui. D'après le grand... »

« Je ne savais pas que tu lisais le persan... »

« C'est vrai, du moins pas bien, mais sur ce sujet ce sont des experts, et la plupart des textes dont j'ai besoin n'ont pas été traduits. Je les ai déchiffrés du mieux possible avec un dictionnaire. »

J'ai repensé à ces livres poussiéreux, aux reliures effritées par le temps. « De quand datent ces ouvrages ? »

« Du milieu du quinzième siècle, je dirais. »

J'ai reposé mon crayon. « Henry. »

« Quoi ? »

« Ne sois pas si naïf. On ne peut pas compter sur ces antiquités. »

« Les Perses étaient des maîtres empoisonneurs. Il s'agit de manuels pratiques, de guides du savoir-faire. Je ne connais rien de tel. »

« Empoisonner les gens, c'est très différent de les soigner. »

« Des gens se sont servi de ces livres pendant des siècles. Il n'y a pas à discuter de leur pertinence. »

« Oh, j'ai autant de respect que toi pour la sagesse des

anciens, mais je ne me vois pas risquer ma vie sur un remède de bonne femme datant du Moyen Age. »

« Eh bien, je suppose que je peux vérifier ça quelque part », a-t-il dit sans grande conviction.

« Allons. C'est une question trop sérieuse pour... »

« Merci, m'a-t-il interrompu d'une voix suave. Tu m'as beaucoup aidé. » Il a repris le *Purgatorio*. "Ce n'est pas une très bonne traduction, tu sais." Il l'a feuilleté distraitement. "Singleton est le meilleur, si tu ne lis pas l'italien. Très littérale, mais tu perds toute la *terza rima*, bien sûr. Pour ça il faut lire l'original. Il arrive souvent, dans la très grande poésie, que la musique passe, même quand on ne connaît pas la langue. J'ai passionnément aimé Dante avant de savoir un seul mot d'italien."

« Henry », ai-je dit à vois basse, très tendu.

Il m'a jeté un coup d'œil, agacé. « Tout ce que je peux faire est dangereux, tu sais bien. »

« Mais tout est inutile si tu en meurs. »

« Plus j'entends parler de péniches de luxe, moins la mort me fait peur. Tu m'as beaucoup aidé. Bonne nuit. »

---

Au début de l'après-midi du lendemain, Charles est passé me voir. "Fichtre, il fait trop chaud", a-t-il dit en se débarrassant de sa veste humide et en la jetant sur le dossier d'une chaise. Il avait les cheveux mouillés, les joues rouges, le visage lumineux. Une goutte d'eau tremblait au bout de son nez droit. Il a reniflé en l'essuyant. « Quoi que tu fasses, ne va pas dehors, a-t-il dit. C'est terrible. A propos, tu n'as pas vu Francis, par hasard ? »

Je me suis passé la main dans les cheveux. C'était un vendredi, nous n'avions pas cours, je n'étais pas sorti de la journée et je n'avais presque pas dormi la nuit d'avant. « Henry est passé hier soir. »

« Vraiment ? Qu'est-ce qu'il avait à dire ? Oh ! j'ai failli oublier. » Il a sorti d'une poche de son manteau un paquet enveloppé avec des serviettes en papier. « Je t'ai apporté un sandwich, puisque tu n'es pas venu déjeuner. Camilla dit que la dame de la cantine m'a vu le prendre et qu'elle a coché mon nom en rouge sur la liste. »

C'était du fromage fondu à la confiture, je le savais sans l'avoir vu. Les jumeaux étaient des fans de ce truc, mais je n'aimais pas beaucoup ça. J'en ai déballé un bout pour en prendre une bouchée, et je l'ai posé sur mon bureau. « Tu as parlé avec Henry, ces derniers temps ? »

« Ce matin même. Il m'a accompagné à la banque. »

J'ai repris le sandwich et mordu dedans. Je n'avais pas balayé, et il y avait encore des tas de cheveux par terre. « Est-ce qu'il a parlé de... »

« De quoi ? »

« D'inviter Bunny à dîner dans quinze jours ? »

« Oh, ça », a dit Charles, qui s'est mis sur le lit en se fourrant des oreillers sous la tête. « Je croyais que tu étais déjà au courant. Il y pense depuis un bon bout de temps. »

« Qu'est-ce que tu en penses ? »

« Je pense qu'il va avoir un mal de chien à trouver assez de champignons pour simplement le rendre malade. C'est trop tôt, tout simplement. La semaine dernière il nous a emmenés pour l'aider, Francis et moi, mais on n'a presque rien trouvé. Francis est revenu tout excité en disant : "Oh, mon Dieu, regarde, j'ai trouvé plein de champignons", mais quand on a regardé dans son sac il n'y avait que des vesses-de-loup. »

« Alors tu crois qu'il va en trouver suffisamment ? »

« Bien sûr, s'il attend un peu. Je parie que tu n'as pas de cigarettes, n'est-ce pas ? »

« Non. »

« J'aimerais bien que tu fumes. Je me demande pourquoi tu ne le fais pas. Tu ne faisais pas du sport au lycée ou ce genre de choses, non ? »

« Non. »

« C'est pour ça que Bun ne fume pas. Une sorte d'entraîneur de foot adepte de la vie saine l'a impressionné à un âge tendre. »

« Tu l'as vu, récemment ? »

« Pas beaucoup, non. Mais il est passé hier soir, et il est resté une éternité. »

« C'est du vent ou pas ? » Je l'ai regardé attentivement. « Vous pensez vraiment aller jusqu'au bout ? »

« Je préfère moisir en prison que d'avoir Bunny pendu à mes basques pour le restant de mes jours. Et je n'ai pas une folle envie d'aller en prison, en plus, quand j'y pense. » Il s'est assis sur le lit, plié en deux, comme s'il avait mal au ventre. « Tu sais, j'aimerais vraiment que tu aies des cigarettes. Comment s'appelle cette horrible fille qui est au bout du couloir — Judy ? »

« Poovey. »

« Va frapper à sa porte, tu veux bien, et demande-lui de te donner un paquet. Elle est du genre à en avoir des cartouches pleines. »

---

Il faisait moins froid. La pluie tiède piquetait la neige sale qui fondait par plaques en découvrant l'herbe gluante et jaune ; les petits glaçons crépitaient et tombaient du haut des toits comme des poignards.

« On pourrait être en Amérique du Sud, aujourd'hui », a dit Camilla un soir que nous buvions du bourbon dans des tasses à thé, chez moi, en écoutant la pluie couler dans les chéneaux. « C'est drôle, non ? »

« Oui », ai-je dit — même si on ne m'avait pas invité.

« Sur le moment je n'aimais pas cette idée. Maintenant je crois qu'on se serait très bien débrouillés. »

« Je ne vois pas comment. »

Elle a posé sa joue sur son poing fermé. « Oh ! ça n'aurait pas été trop dur. On aurait pu dormir dans des hamacs. Apprendre l'espagnol. Vivre dans une petite maison avec des poulets dans la cour. »

« Tomber malade. Vous faire descendre. »

« Je peux imaginer pire. » Elle a eu un bref coup d'œil en biais qui m'a percé le cœur.

Une brusque rafale a secoué les vitres.

« En tout cas, je suis content que vous ne soyez pas partis. »

Elle a ignoré cette remarque, regardé la fenêtre obscure et repris une gorgée de bourbon.

---

Nous sommes arrivés à la première semaine d'avril, une période désagréable pour moi comme pour les autres. Bunny, qui avait été relativement calme, ne décolérait pas depuis qu'Henry refusait de l'emmener à Washington voir une exposition des biplans de la Première Guerre mondiale au Smithsonian. On téléphonait deux fois par jour à leur banque, un certain B. Perry, et à celle d'Henry, un dénommé D. Wade ; la mère de Francis avait découvert qu'il avait essayé de retirer de l'argent de leur fondation, et lui envoyait quotidiennement une volée de lettres express. "Seigneur Dieu", marmonnait Francis qui avait déchiré la dernière enveloppe et lisait d'un air dégoûté.

« Qu'est-ce qu'elle dit ? »

« Baby. Chris et moi nous inquiétons beaucoup pour toi. Non que je prétende être une autorité quant aux jeunes, et peut-être passes-tu par une période que je suis trop vieille pour comprendre, mais j'ai toujours espéré que tu pourrais parler de tes problèmes avec Chris... »

« Chris a beaucoup plus de problèmes que toi, me semble-t-il », ai-je dit. Le personnage qu'il incarnait, dans

*Le Jeune Médecin*, couchait avec la femme de son frère et était compromis dans un réseau d'enlèvements de bébés.

« On peut le dire, qu'il a des problèmes. Il a vingt-six ans et il a épousé ma mère, pas vrai ? » Il s'est remis à lire. "J'ai horreur d'aborder ce sujet, et je n'y aurais pas fait allusion si Chris n'avait pas insisté, mais tu sais, très cher, combien il t'aime, et il dit qu'il a trop souvent vu ce genre d'histoires dans le show-biz, tu vois. Alors j'ai appelé le Centre Betty Ford, chéri, et qu'est-ce que tu crois ? Ils ont une jolie petite chambre qui n'attend que toi, très cher — non, laisse-moi finir", a-t-il dit quand je me suis mis à rire — "Oh je sais que tu as horreur de ça, mais vraiment tu ne devrais pas avoir honte, c'est une maladie, baby, c'est ce qu'on m'a dit quand j'y suis allée et je me suis senti tellement mieux, tu ne peux pas savoir. Bien sûr je ne sais pas ce que tu prends, mais vraiment, chéri, soyons pratiques, quoi que ce soit ça doit être terriblement cher n'est-ce pas et je dois être très franche avec toi et te dire que nous ne pouvons tout simplement pas nous le permettre, pas avec ton grand-papa dans l'état où il est et les impôts sur la maison et tout... »

« Tu devrais y aller », ai-je dit.

« Tu plaisantes ? C'est à Palm Springs ou un endroit comme ça et en plus je crois qu'on vous enferme et qu'on vous fait faire de l'aérobic. Elle regarde trop la télévision, ma mère. » Il s'est remis à lire.

Le téléphone a sonné.

« Bon Dieu », a-t-il dit d'une voix fatiguée.

« Ne réponds pas. »

« Si je fais ça elle appelle la police. » Il a décroché l'appareil.

Je l'ai laissé en train de marcher de long en large ("Drôle ? Qu'est-ce que tu veux dire, j'ai une drôle de voix?") et je suis allé à la poste, où j'ai eu la surprise de trouver dans mon casier un petit mot élégant de Julian qui m'invitait à déjeuner pour le lendemain.

Julian, à certaines occasions, nous préparait des déjeuners ; c'était un excellent cuisinier, et quand il était jeune et vivait en Europe, sur sa pension, il avait aussi la réputation d'être un hôte sans pareil. En fait, c'était la base de ses relations avec la plupart des célébrités qu'il avait connues. Osbert Sitwell, dans son journal, mentionne "les sublimes petites *fêtes*" de Julian Morrow, et on trouve des notations similaires dans la correspondance de gens tels que Charles Laughton, la duchesse de Windsor ou Gertrude Stein ; Cyril Connolly, connu pour être un invité difficile à satisfaire, avait dit à Harold Acton que Julian était l'Américain le plus gracieux qu'il avait jamais — rencontré — un compliment à double tranchant, avouons-le — et Sara Murphy, elle-même hôtesse de renom, lui avait un jour écrit pour le supplier de lui donner sa recette de *sole véronique*. Si je savais déjà que Julian invitait souvent Henry à des déjeuners à *deux*, je n'avais jamais encore reçu d'invitation pour un repas en tête-à-tête, et j'étais à la fois flatté et vaguement inquiet. A cette époque, tout ce qui sortait un tant soit peu de l'ordinaire me paraissait menaçant, et si content que je fus, je ne pouvais m'empêcher de penser qu'il n'avait pas pour seul motif le plaisir de ma compagnie. J'ai rapporté l'invitation chez moi pour l'examiner. Le style oblique et aérien de sa rédaction n'a rien fait pour dissiper le sentiment qu'il y avait là plus qu'on n'y trouvait à première vue. J'ai appelé le standard et laissé un message disant que je viendrais le lendemain à une heure.

---

« Julian ne sait rien de ce qui s'est passé, n'est-ce pas ? » ai-je demandé à Henry dès que j'ai été seul avec lui.

« Quoi ? Oh, non. » Il a levé les yeux de son livre. « Naturellement. »

« *Il sait que tu as tué ce type ?* »

« Vraiment, inutile de parler si fort », a-t-il dit d'un ton sec en se tournant sur sa chaise. Il a continué, plus calmement. « Il savait ce qu'on essayait de faire. Et l'approuvait. Le jour d'après, nous sommes allés à sa maison de campagne. Lui raconter ce qui s'était passé. Il était ravi »

« Vous lui avez tout dit ? »

« Oh, je ne voyais pas l'intérêt qu'il y avait à l'inquiéter, si c'est ce que tu veux dire. » Il a repoussé ses lunettes et s'est replongé dans son livre.

---

Julian, bien sûr, avait préparé lui-même le repas, et nous avons mangé dans son bureau, sur la grande table ronde. Après plusieurs semaines de nerfs à vif, de conversations désagréables et de repas à la cantine, déjeuner avec lui me faisait un immense plaisir ; c'était un commensal plein de charme, et sa cuisine, d'une fausse simplicité, avait quelque chose de sain, d'exubérant, un style augustinien qui ne manquait jamais de me réconforter.

Il y avait un rôti d'agneau, des pommes de terre nouvelles, des petits pois, des poireaux et du fenouil ; une bouteille d'un Château-Latour capiteux et presque trop sublime. Je n'avais pas mangé de si bon appétit depuis une éternité quand j'ai vu un quatrième plat apparaître discrètement, comme par magie, sur ma gauche : des champignons, de couleur pâle, au pied gracile, d'une espèce que j'avais déjà vue, baignant dans une sauce au vin qui sentait la coriandre et la rhubarbe.

« Où avez-vous trouvé ça ? »

« Ah. Vous êtes très observateur, a dit Julian, ravi. Des merveilles, n'est-ce pas ? Assez rares. C'est Henry qui me les a donnés. »

J'ai bu très vite une gorgée de vin pour cacher ma consternation.

Il m'a dit : « Puis-je ? » Il a tendu le menton vers le plat.

Je lui ai passé les champignons, et il s'est servi une portion dans son assiette. « Merci. Que disais-je ? Oh, oui. Henry m'a confié que cette espèce de champignon était un des plats préférés de l'empereur Claude. Intéressant, car vous vous rappelez la façon dont il est mort ? »

Je m'en souvenais. Agrippine, un soir, avait ajouté un champignon vénéneux.

« C'est très bon, a déclaré Julian en y goûtant. Avez-vous accompagné Henry dans une de ses cueillettes ? »

« Pas encore. Il ne me l'a pas demandé. »

« Je dois dire que je n'aurais jamais pensé faire grand cas des champignons, mais tout ce qu'il m'a apporté s'est avéré paradisiaque. »

Brusquement, j'ai compris. C'était la façon astucieuse qu'avait Henry de préparer le terrain. « Il vous en avait déjà rapporté ? »

« Oui. Bien sûr, je ne ferais confiance à personne pour ce genre de choses, mais Henry a l'air de les connaître de façon prodigieuse. »

« Je parie que c'est vrai », ai-je dit en pensant aux deux boxers.

« Étonnant de voir comme il excelle à tout ce qu'il touche. Henry peut faire pousser des fleurs, réparer des réveils comme un horloger, faire de tête des additions gigantesques. Même pour quelque chose d'aussi simple qu'un pansement sur un doigt, il le fait mieux que d'autres. » Il a rempli son verre. « J'ai cru comprendre que ses parents sont déçus qu'il ait choisi de se consacrer exclusivement aux classiques. Je ne suis pas d'accord, bien sûr, mais en un sens c'est presque dommage. Il aurait fait un grand médecin, un grand militaire, ou un grand savant. »

J'ai ri. « Ou un grand espion. »

Julian a ri, lui aussi. « Vous tous, vous feriez d'excellents espions. Vous faufiler dans les casinos, mettre les chefs d'État sur écoute. Vraiment, vous ne voulez pas goûter ces champignons ? Ils sont exquis. »

J'ai fini mon verre de vin. « Pourquoi pas », et je me suis servi.

---

Après le déjeuner, une fois la table débarrassée et alors que nous parlions de tout et de rien, Julian m'a demandé tout à trac si j'avais remarqué que Bunny était un peu bizarre, ces derniers temps.

« Eh bien non, pas vraiment. » Précautionneusement, j'ai bu une gorgée de thé.

Il a haussé un sourcil. « Ah non ? Je trouve son comportement très curieux. Hier encore, avec Henry, nous avons parlé de la façon dont il est devenu abrupt et contrariant. »

« Je crois qu'il est plutôt de mauvaise humeur. »

Il a secoué la tête. « Je me demande. Edmond est une âme simple, ô combien. Je n'aurais jamais cru qu'il puisse me surprendre, en parole ou en acte, mais nous avons eu l'autre jour, lui et moi, une conversation très étrange. »

« Étrange ? » ai-je dit prudemment.

« Peut-être était-il simplement troublé par quelque chose qu'il avait lu. Je ne sais pas. Je me fais du souci pour lui. »

« Pourquoi ? »

« Franchement, je crains qu'il ne soit à la veille d'une conversion religieuse catastrophique. »

Cela m'a secoué. « Vraiment ? »

« Je l'ai déjà vu se produire. Et je n'arrive pas à trouver d'autre motif à son intérêt soudain pour l'éthique. Non pas qu'Edmond soit dépravé, mais à vrai dire, c'est un des garçons les moins concernés par la morale que j'ai jamais connus. J'ai été stupéfait de l'entendre me questionner — très sérieusement — à propos de sujets aussi flous que le Péché et le Pardon. Il pense à entrer dans les ordres, j'en suis sûr. Peut-être cette fille a-t-elle quelque chose à y voir, le croyez-vous ? »

Julian parlait de Marion. Il avait l'habitude de la rendre indirectement responsable de tous les défauts de Bunny — sa paresse, sa mauvaise humeur, ses fautes de goût. « Peut-être. »

« Est-elle catholique ? »

« Je crois qu'elle est presbytérienne. » Julian avait un mépris poli mais implacable pour la tradition judéo-chrétienne sous pratiquement tous ses aspects. Mis au pied du mur, il aurait nié, rappelé son affection pour Dante et pour Giotto, mais tout ce qui était ouvertement religieux alarmait son âme païenne, et je pense qu'à l'instar de Pline, à qui il ressemblait sur bien des points, Julian croyait secrètement que la religion était un culte dégénéré poussé jusqu'à des extrêmes d'extravagance.

« Une presbytérienne ? Vraiment ? » Il était consterné.

« Je crois bien. »

« Eh bien, quoi qu'on puisse penser de l'Église romaine, c'est un ennemi estimable et puissant. Je pourrais accepter une telle conversion avec une certaine grâce. Mais je serais vraiment très déçu de le perdre au profit des presbytériens. »

---

A la première semaine d'avril, hors de saison et de façon soutenue, le temps s'est brusquement mis au beau. Le ciel était bleu, l'air tiède, le vent inexistant, et le soleil rayonnait sur le sol boueux avec la douceur impatiente d'un mois de juin. En lisière de la forêt, les premières pousses faisaient jaunir les arbres les plus jeunes ; les piverts riaient et tambourinaient dans les taillis, et moi, dans mon lit et la fenêtre ouverte, j'entendais les gargouillis de la neige fondue qui coulait toute la nuit dans les gouttières.

A la deuxième semaine d'avril tout le monde attendait

avec angoisse de voir si le beau temps allait se maintenir. Ce qu'il a fait, tranquille et confiant. Jacinthes et narcisses ont fleuri sur les plates-bandes, violettes et pervenches dans les prairies, tandis que des papillons ivres et dépenaillés folâtraient dans les haies. J'ai rangé mon manteau d'hiver et mes caoutchoucs et je me suis promené en bras de chemise, presque délirant de joie.

« Ça ne va pas durer », disait Henry.

---

A la troisième semaine d'avril, les pelouses ayant verdi comme au paradis et les pommiers fleuri avec témérité, je lisais dans ma chambre, un vendredi soir, la fenêtre ouverte, tandis qu'une brise humide soulevait les papiers sur mon bureau. Il y avait une fête dans le pavillon d'en face, les rires et la musique flottaient dans l'air nocturne. Minuit était passé depuis longtemps. Je dodelinais de la tête, le nez sur mon livre, quand j'ai entendu qu'on criait mon nom dehors.

Je me suis secoué et je me suis redressé juste à temps pour voir une des chaussures de Bunny voler par la fenêtre ouverte. Elle est tombée par terre avec un bruit sourd. J'ai sauté en l'air et je me suis penché à la fenêtre. Tout en bas, j'ai vu sa silhouette chancelante, ébouriffée, qui essayait de se rattraper au tronc d'un petit arbre.

« Qu'est-ce que tu as qui ne va pas, bon Dieu ? »

Sans répondre, il a levé sa main libre, à moitié comme un salut, à moitié comme un adieu, et a roulé dans l'ombre. La porte de derrière a claqué, et un peu plus tard il tambourinait sur celle de ma chambre.

Quand j'ai ouvert, il est entré en boitillant, un pied chaussé et l'autre pas, laissant derrière lui une piste boueuse d'empreintes macabres et désassorties. Ses lunettes étaient de travers et il empestait le whisky. "Ce vieux Dickie", a-t-il marmonné.

L'esclandre sous ma fenêtre semblait l'avoir épuisé, et il était d'une humeur curieusement renfermée. Il a tiré sur sa chaussette mouillée et l'a jetée maladroitement au loin. Elle a atterri sur mon lit.

Peu à peu, j'ai réussi à lui extirper les événements de la soirée. Les jumeaux l'avaient emmené dîner en ville, et ensuite boire dans un bar ; après quoi il était allé seul à la fête d'en face — un Hollandais avait voulu lui faire fumer de l'herbe et une fille de première année lui avait fait boire de la tequila dans un thermos. Soudain il a brusquement interrompu son récit pour s'éloigner en titubant, sans refermer la porte de ma chambre, et j'ai entendu un vomissement bruyant et athlétique.

Il est resté dehors longtemps. A son retour, pâle et le visage humide, il dégageait une odeur aigre, mais paraissait avoir repris contenance. "Ouf." Il s'est écroulé sur ma chaise et s'est épongé le front avec un foulard rouge. « Doit être un truc que j'ai mangé. »

« Tu as tenu jusqu'à la salle de bains ? » lui ai-je demandé, pris d'un doute. Le vomissement m'avait paru d'une proximité inquiétante.

« Nan. » Il respirait lourdement. « Couru dans le placard à balais. Donne-moi un verre d'eau, t'veux ? »

Dans le couloir, la porte du placard était restée entrouverte, laissant timidement entrevoir une horreur nauséabonde. Je suis passé très vite en allant à la cuisine.

Quand je suis revenu Bunny m'a regardé d'un œil vitreux. Son expression avait changé du tout au tout, et je me suis senti mal à l'aise. Il a bu avidement au verre que je lui ai donné.

« Pas trop vite. » Il m'inquiétait.

Sans en tenir compte, il a bu toute l'eau d'un coup et reposé le verre sur le bureau d'une main tremblante. Des gouttes de sueur perlaient sur son front.

« Oh ! mon Dieu, a-t-il dit. Doux Jésus. »

Gêné, je suis allé m'asseoir sur mon lit, en essayant de trouver un sujet inoffensif, mais avant que je puisse prononcer un mot il a recommencé.

« Peux plus supporter ça, a-t-il grommelé. Doux Jésus d'Italie. »

Je n'ai rien dit.

Il s'est essuyé le front en frissonnant. « Tu ne sais foutrement pas de quoi je parle, pas vrai ? » Sa voix avait quelque chose de bizarrement venimeux.

Inquiet, j'ai croisé et décroisé les jambes. Je l'avais vu venir, je le voyais venir depuis des mois et cela me faisait horreur. J'ai failli sortir en courant, le laisser seul dans la chambre, mais il a enfoui son visage entre ses mains.

« Tout est vrai, a-t-il bafouillé. Tout est vrai. Juré sur Dieu. Personne sait sauf moi. »

J'ai eu l'espoir absurde que ce soit une fausse alerte. Peut-être Marion et lui avaient-ils rompu. Peut-être son père était-il mort d'une crise cardiaque. Je suis resté comme paralysé.

Il s'est passé les mains sur le visage, comme pour l'essuyer, et a levé les yeux vers moi. « T'as pas idée ». Ses yeux injectés de sang brillaient d'un éclat malsain. « Mon vieux, putain, t'as pas idée. »

Je me suis levé, incapable de tenir plus longtemps, et j'ai regardé vaguement autour de moi. « Euh, tu veux une aspirine ? Je voulais t'en proposer plus tôt. Si tu en prends deux maintenant tu te sentiras mieux de... »

Il m'a coupé la parole. « Tu crois que je suis cinglé, pas vrai ? »

En un sens, j'avais toujours su que cela se passerait de cette façon, tous les deux seuls, Bunny saoul, en fin de soirée... « Pourquoi pas, ai-je continué. Tout ce qu'il te faut c'est un peu... »

« Tu crois que je suis barjot. Une araignée au plafond. *Personne ne m'écoute jamais.* » Son ton commençait à monter, et je me suis inquiété.

« Calme-toi. Je t'écoute. »
« Alors, écoute ça. »

---

Il était trois heures du matin quand il s'est arrêté de parler. Un récit d'ivrogne, tronqué, en désordre, plein de digressions haineuses pour se justifier, mais je n'ai eu aucun mal à le comprendre. C'était une histoire que j'avais déjà entendue. Nous sommes restés quelque temps sans rien dire. J'avais la lampe du bureau dans les yeux. La fête battait son plein, en face, et on était dérangés par les pulsations lointaines d'un rap tumultueux.

Le souffle de Bunny devenait bruyant, asthmatique. Sa tête est tombée sur sa poitrine et il s'est réveillé en sursaut. « Quoi ? » a-t-il dit confusément, comme si quelqu'un était venu par derrière lui crier à l'oreille. « Oh. Oui. »

Je n'ai pas dit un mot.

« Qu'est-ce que tu penses de ça, hein ? »

J'étais incapable de répondre. J'avais eu le vague espoir qu'il ait tout oublié.

« Des trucs incroyables. La réalité plus vraie que la fiction, mon gars. Attends, c'est pas ça. Comment on dit ? »

« La réalité dépasse la fiction », ai-je répondu mécaniquement. Par bonheur, si on peut dire, je n'avais pas à me forcer pour avoir l'air choqué, bouleversé. En fait j'étais tellement secoué que j'ai failli vomir.

« Ça montre bien les choses. » Il avait la voix pâteuse. « Pourrait être le voisin d'à côté. Pourrait être n'importe qui. On peut pas prévoir. »

Je me suis mis le visage dans les mains.

« Dis-le à qui tu veux. Dis-le au foutu maire. Je m'en fous Qu'on les boucle dans cette prison-bureau de poste qui est derrière le tribunal. Il se croit si malin, a-t-il marmonné. Eh bien, si on n'était pas dans le Vermont il n'aurait pas pu dormir sur ses deux oreilles, j'te le dis. Tiens, le meilleur ami de mon père est commissaire de police à Hartford. Si jamais il en entend parler — *geez*. Papa et lui étaient à l'école ensemble. Je sortais avec sa fille, en seconde... » Sa tête retombait, il s'est à nouveau secoué. "Jésus." Il a failli tomber de sa chaise.

Je l'ai regardé fixement.

« Donne-moi cette chaussure, tu veux ? »

Je lui ai donné aussi la chaussette. Il les a regardées un moment, et les a fourrées dans la poche extérieure de son blazer. « Te laisse pas bouffer par les punaises », a-t-il dit en s'en allant, laissant la porte ouverte. Je l'ai entendu boitiller jusqu'au bas des marches.

Brusquement, j'ai été frappé par une idée terrifiante. Pourquoi Bunny avait-il choisi de venir me voir, au lieu de Cloke ou de Marion ? Quand j'ai regardé par la fenêtre, la réponse était tellement évidente que j'en ai frissonné. C'était parce que ma chambre était de loin la plus proche. Marion habitait Roxburgh, à l'autre bout du campus, et Cloke de l'autre côté de Durbinstall. Deux endroits pas si facilement accessibles pour un ivrogne qui titube en pleine nuit. Mais Monmouth n'était qu'à dix mètres de la fête, et ma chambre, avec sa fenêtre illuminée, avait dû se dresser comme un phare sur son chemin.

Je suppose qu'il y aurait un intérêt à dire qu'à ce point je me suis senti déchiré, d'une certaine façon, pris à bras le corps par les implications morales de ce qu'il m'était loisible de faire. Mais je ne me souviens pas d'avoir rien éprouvé de la sorte. J'ai enfilé des mocassins et je suis descendu appeler Henry.

Le téléphone payant de Monmouth était sur un mur, près de la porte de derrière, trop en vue pour mon goût. Je suis allé jusqu'au pavillon des sciences, en pataugeant sur l'herbe mouillée, et j'ai trouvé une cabine particulièrement isolée au deuxième étage, près des labos de chimie.

J'ai dû laisser sonner plus de cent fois. Pas de réponse. Finalement, exaspéré, j'ai raccroché et appelé les jumeaux. Huit sonneries, neuf, et enfin, à mon grand soulagement, un allô endormi de Charles.

« Salut, c'est moi, ai-je dit très vite. Il est arrivé quelque chose. »

« Quoi ? » Il s'est réveillé d'un seul coup. Je l'ai entendu s'asseoir dans son lit.

« Il m'a tout dit. Ce soir même. »

Il y a eu un long silence.

« Allô ? »

« Appelle Henry, a dit Charles d'un ton abrupt. Raccroche et appelle-le. »

« C'est déjà fait. Il ne répond pas au téléphone. »

Charles a marmonné une injure. « Laisse-moi réfléchir. Oh, bon Dieu. Tu peux venir ? »

« Bien sûr. Maintenant ? »

« Je cours chez Henry voir si j'arrive à le faire ouvrir. Le temps que tu viennes, on devrait être là. Okay ? »

« Okay. » Mais il avait déjà raccroché.

---

A mon arrivée, environ vingt minutes plus tard, j'ai rencontré Charles, seul, revenant de chez Henry.

« Pas de chance ? »

« Non. » Il était essoufflé, les cheveux en désordre, et il avait passé un imperméable par-dessus son pyjama.

« Qu'est-ce qu'on fait ? »

« Je ne sais pas. Monte avec moi. On va trouver quelque chose. »

A peine avions-nous enlevé nos manteaux que la lumière s'est allumée dans la chambre de Camilla. Elle est apparue dans la porte, les joues brûlantes, clignant des yeux. « Charles ? Qu'est-ce que *tu* fais là ? » a-t-elle dit en me voyant.

Charles, un peu incohérent, lui a expliqué ce qui s'était passé. Elle l'a écouté en s'abritant les yeux d'un bras ensommeillé. Elle portait une chemise de nuit d'homme, beaucoup trop grande, et je ne quittais pas des yeux ses jambes nues — ses mollets bronzés, ses chevilles minces, ses adorables pieds de jeune garçon aux plantes poussiéreuses.

« Il est chez lui ? » a-t-elle demandé.

« Je sais qu'il est là. »

« Tu es sûr ? »

« Où pourrait-il être à trois heures du matin ? »

« Attend une seconde. » Elle a décroché le téléphone. « Je veux juste essayer quelque chose. » Elle a fait le numéro, écouté quelques instants, raccroché et recommencé.

« Qu'est-ce que tu fais ? »

« C'est un code. » Elle a coincé l'écouteur contre son épaule. « Deux sonneries, raccrocher, rappeler. »

« Un *code* ? »

« Oui. Il m'a raconté un jour... Oh, salut, Henry. » Elle s'est assise.

Charles m'a regardé.

« Eh bien, c'est un peu fort, a-t-il dit à voix basse. Il devait être réveillé tout ce temps-là. »

« Oui », disait Camilla, les yeux fixés sur le plancher, balançant négligemment ses jambes croisées. « Très bien. Je lui dis. »

Elle a raccroché. « Il te demande de venir, Richard. Tu devrais y aller, il t'attend. Pourquoi me regardes-tu comme ça ? » a-t-elle lancé à son frère, agacée.

« Un code, hein ? »

« Et puis quoi ? »

« Tu ne m'en avais jamais parlé. »

« C'est stupide. Je n'y ai même pas pensé. »

« Pourquoi Henry et toi auriez-vous besoin d'un code secret ? »

« Ce n'est pas un secret. »
« Alors pourquoi tu ne m'en as jamais parlé ? »
« Charles, ne fais pas le bébé. »

---

Henry — bien réveillé, sans rien expliquer — m'a ouvert en robe de chambre. Je l'ai suivi dans la cuisine. Il m'a servi une tasse de café et m'a fait asseoir. « Maintenant, raconte-moi ce qui s'est passé. »

Ce que j'ai fait. Il a fumé cigarette sur cigarette, face à moi, ses yeux bleu foncé fixés sur les miens. Une ou deux fois, seulement, il m'a interrompu par des questions. J'ai dû lui répéter certains passages. La fatigue me faisait parfois un peu divaguer mais il écoutait patiemment mes digressions.

Quand j'ai fini, le soleil était levé et les oiseaux chantaient. J'avais des taches qui dansaient devant les yeux. Un vent frais et humide agitait les rideaux. Henry a éteint la lampe, a allumé le réchaud et s'est mis, presque par automatisme, à faire cuire des œufs et du bacon. Je le regardais se déplacer pieds nus dans le demi-jour du petit matin.

En mangeant, je l'ai observé avec curiosité. Il était pâle, il avait le regard fatigué, préoccupé, mais rien sur son visage ne me laissait deviner ce qu'il pouvait bien penser.

« Henry. »

Il a sursauté. C'était le premier mot prononcé dans la pièce depuis au moins une demi-heure.

« A quoi penses-tu ? »

« A rien. »

« Si tu as encore en tête de l'empoisonner... »

Il m'a regardé avec un éclair de colère qui m'a surpris. « Ne sois pas stupide. J'aimerais que tu la fermes un peu pour que je puisse réfléchir. »

J'ai ouvert grand les yeux. Tout d'un coup il s'est levé

pour aller reprendre du café. Il est resté une minute le dos tourné, les mains posées sur le plan de travail. Puis il s'est retourné.

« Excuse-moi, a-t-il dit d'un ton las. C'est seulement qu'il n'est pas très agréable de penser à quelque chose à quoi on a consacré tant d'efforts et de réflexion, et de s'apercevoir que c'est parfaitement ridicule. Des champignons vénéneux. On dirait que ça sort d'un roman de Walter Scott. »

J'étais déconcerté. « Mais je trouvais que c'était plutôt une bonne idée. »

Il s'est frotté les yeux avec le pouce et l'index. « Trop bonne. J'imagine que lorsqu'un habitué du travail intellectuel doit passer à l'acte, il a tendance à l'embellir, à le vouloir trop intelligent. Sur le papier, il y a une certaine symétrie. Maintenant que je suis au pied du mur, je vois que c'est un plan affreusement compliqué. »

« Qu'est-ce qui ne va pas ? »

Il a rajusté ses lunettes. « C'est un poison trop lent. »

« Je croyais que c'était ce que tu voulais. »

« Il pose une demi-douzaine de problèmes. Tu en as soulevé certains. Le dosage est risqué, mais c'est le temps, me semble-t-il, qui est vraiment préoccupant. De mon point de vue, plus c'est long plus c'est bon, mais pourtant... Quelqu'un peut raconter tout un tas de choses en douze heures. » Il s'est tu un moment. « Ce n'est pas comme si je n'avais pas prévu tout ça dès le début. L'idée de le tuer est tellement répugnante que je n'y ai pensé que comme à un problème d'échecs. Un jeu. Tu n'imagines pas les efforts que j'y ai consacrés. Jusqu'aux effets du poison. On dit que cela fait enfler la gorge, tu savais cela ? Les victimes sont muettes, tout d'un coup, incapables de dénoncer l'empoisonneur. » Il a soupiré. « Trop facile de me laisser distraire par les Médicis, les Borgia, toutes ces bagues et ces fleurs empoisonnées... C'est possible, tu sais ? Empoisonner une rose, l'offrir à quelqu'un ? La dame se pique le doigt, tombe raide morte. Je saurais fabriquer une chandelle mortelle quand on la fait brûler dans une pièce close. Ou empoisonner un oreiller, un livre de prières... »

« Et les somnifères ? »

Il m'a jeté un regard agacé.

« Je suis sérieux. Les gens n'arrêtent pas de se tuer avec. »

« Où irions-nous nous procurer des somnifères ? »

« On est à l'université d'Hampden. Si on se décide pour des somnifères, je peux en avoir. »

Nous nous sommes regardés.

« Comment les lui faire prendre ? » a-t-il demandé.

« Dis-lui que c'est du Tylenol. »

« Et comment lui faire avaler neuf ou dix Tylenol ? »

« On pourrait les vider dans un verre de whisky. »

« Tu crois que Bunny va boire un whisky avec un tas de poudre blanche au fond ? »

« Je trouve ça aussi plausible que de lui faire manger un plat de champignons vénéneux. »

Il y a eu un silence prolongé. Un oiseau, derrière la fenêtre, lançait des trilles à tue-tête. Henry a fermé les yeux un long moment en se frottant les tempes du bout des doigts.

« Qu'est-ce que tu vas faire ? »

« Je crois que je vais sortir et faire un certain nombre de courses, a-t-il dit. Je veux que tu rentres te coucher. »

« Tu as une idée ? »

« Non. Mais il y a quelque chose que je veux étudier. Je te raccompagne, mais je ne crois pas qu'on ait avantage, pour l'instant, à être vus ensemble. » Il a fouillé les poches de sa robe de chambre, en a sorti des allumettes, des plumes en acier, sa boîte à pilules en émail bleu. Finalement il a trouvé deux pièces qu'il a posées sur la table. « Tiens. Arrête-toi au kiosque, en rentrant, et achète un journal. »

« Pourquoi ? »

« Au cas où quelqu'un se demanderait pourquoi tu te

promènes à une heure pareille. J'aurais peut-être à te joindre ce soir. Si tu n'es pas chez toi, je laisserai un message disant que le Dr Springfield a téléphoné. N'essaie pas de me joindre avant, sauf bien sûr si c'est nécessaire. »

« Bien sûr. »

« On se voit plus tard, alors. » Il est sorti de la cuisine, puis s'est retourné pour me regarder. « Je n'oublierai jamais ça, tu sais », a-t-il dit d'un ton très ordinaire.

« Ce n'est rien. »

« C'est énorme, et tu le sais. »

« Tu m'as rendu un ou deux services, toi aussi. » Mais il était déjà parti et n'a pas dû m'entendre. En tout cas il n'a pas répondu.

---

J'ai dormi toute la journée, le nez dans l'oreiller, une longue brasse coulée à peine troublée de loin par le courant glacé de la réalité — des pas, des voix, des claquements de porte — qui s'infiltrait par à-coups dans les eaux du rêve, chaudes comme du sang. Le jour a couru vers la nuit, et je dormais encore, mais finalement le flot grondant d'une chasse d'eau m'a fait rouler sur le dos et chassé du sommeil.

La fête du samedi soir avait déjà commencé à Putnam, le pavillon voisin. Cela signifiait que le dîner était terminé, la cafétéria fermée, et que j'avais dormi au moins quatorze heures. Mon pavillon était désert. Je me suis levé, je me suis rasé et j'ai pris un bain chaud. Ensuite j'ai enfilé ma robe de chambre, commencé à grignoter une pomme trouvée dans la cuisine commune, et je suis descendu pieds nus pour voir si un message m'attendait près du téléphone.

Il y en avait trois. Bunny Corcoran, à six heures moins le quart. Ma mère, de Californie, à neuf heures moins le quart.

Et un certain Dr H. Springfield, DDS, me suggérant de lui rendre visite dès que possible.

---

J'étais affamé. En arrivant chez Henry, j'ai eu le plaisir de voir Charles et Camilla autour d'un reste de poulet froid avec de la salade.

Henry n'avait pas l'air d'avoir dormi depuis que je l'avais quitté. Il portait une vieille veste en tweed avec des poches aux coudes, son pantalon avait des taches d'herbe aux genoux et il avait lacé des guêtres kaki par-dessus ses chaussures pleines de boue. « Il y a des assiettes dans le placard, si tu as faim. » Il a pris une chaise et s'est assis lourdement, comme un vieux paysan revenant de son champ.

« Où étais-tu ? »

« On va en parler après dîner. »

« Où est Camilla ? »

Charles s'est mis à rire.

Francis a reposé sa cuisse de poulet. « Elle a un rendez-vous ».

« Tu plaisantes. Avec qui ? »

« Cloke Rayburn. »

« Ils sont à la fête », a dit Charles. « Avant il l'a emmenée boire un verre et tout. »

« Marion et Bunny les accompagnent, a repris Francis. C'est une idée d'Henry. Ce soir elle tient à l'œil tu-sais-qui. »

« Tu-sais-qui m'a laissé un message cet après-midi. »

« Tu-sais-qui était toute la journée sur le sentier de la guerre. » Charles s'est coupé une tranche de pain.

« Pas maintenant, s'il vous plaît », a dit Henry d'une voix fatiguée.

Après qu'on eut débarrassé, il a posé les coudes sur la

table et allumé une cigarette. Il était mal rasé et avait des cernes noirs sous les yeux.

« Alors, quel est ton plan ? » a demandé Francis.

Henry a jeté son allumette dans le cendrier. « Ce week-end. Demain. »

Je me suis figé, la tasse à mi-chemin de mes lèvres, et je l'ai regardé fixement.

« Oh mon Dieu. » Charles était abasourdi. « Si tôt ? »

« Ça ne peut plus attendre. »

« Comment ? Qu'est-ce qu'on peut faire à si court terme ? »

« Ça ne me plaît pas non plus, mais si on attend on n'aura aucune chance avant le prochain week-end. Si ça en arrive là, nous n'en aurons peut-être plus jamais l'occasion. »

Il y a eu un bref silence.

« C'est pour de vrai ?» Charles n'arrivait pas à y croire. « C'est, je veux dire, quelque chose de précis ? »

« Rien de précis, a répondu Henry. Les circonstances échapperont en partie à mon contrôle. Mais je veux que nous soyons prêts si l'occasion se présente. »

« Ça m'a l'air plutôt vague », a dit Francis.

« Ça l'est. Il ne peut pas en être autrement, hélas, puisque Bunny va faire la plus grande partie du travail. »

« Comment ça ? » Charles s'est adossé à son siège.

« Un accident. Un accident de randonnée, pour être précis. » Henry a fait une pause. « Demain, c'est dimanche. »

« Oui. »

« Alors demain, s'il fait beau, Bunny va probablement faire une balade. »

« Il n'en fait pas toujours », a objecté Charles.

« Disons qu'il en fait une. Et nous avons une idée assez claire de son itinéraire. »

« Ça dépend. » J'avais accompagné Bunny dans bon nombre de ces promenades, au premier trimestre. Il lui arrivait de traverser des torrents, de franchir des barrières, de faire plein de détours inattendus.

« Oui, bien sûr, mais en gros on sait où il va. » Henry a sorti un papier de sa poche, qu'il a étalé sur la table. En me penchant, j'ai vu que c'était une carte. « Il sort de son pavillon par derrière, tourne autour des courts de tennis, et quand il arrive à la forêt il ne va pas au nord mais à l'est, vers le mont Cataract. Des bois épais, pas beaucoup de promeneurs dans le coin. Il continue et finit par tomber sur une piste de cerfs — tu vois celle dont je parle, Richard, celle qui est signalée par un rocher blanc — qu'il prend direction sud-sud-ouest. Elle continue sur un kilomètre jusqu'à un embranchement. »

« Mais tu le manqueras si tu l'attends là-bas, ai-je dit. J'ai fait cette route avec lui. Il peut aussi bien tourner vers l'ouest que vers le sud."

« Bon, à ce compte-là, il se peut qu'on le perde encore plus tôt. Je l'ai vu ignorer complètement le sentier et filer vers l'est jusqu'à la grande route. Mais il est plausible qu'il ne le fera pas, je compte là-dessus. Il fait beau, et Bunny n'aura pas envie d'une promenade trop facile. »

« Mais au deuxième embranchement ? A partir de là, on ne peut pas savoir où il va. »

« Ce ne sera pas la peine. Tu te rappelles où aboutit le sentier, n'est-ce pas ? Sur un ravin. »

« Oh », a fait Francis.

Il y a eu un long silence.

« Maintenant, écoutez-moi. » Henry a sorti un crayon de sa poche. « Il arrive de l'université, par le sud. On peut éviter complètement son itinéraire et arriver par la nationale 6. »

« On prendrait la voiture ? »

« Une partie du chemin, oui. Juste après la casse, avant le virage vers Battenkill, il y a un chemin de gravier. Il se termine en cul-de-sac en pleine forêt. Mais il devrait nous conduire directement au ravin, à moins de cinq cents mètres, qu'on peut faire à pied. »

« Et une fois là-bas ? »

« Eh bien, on attend. Cet après-midi j'ai fait deux fois le trajet de Bunny, aller et retour, en le minutant chaque fois. Ça lui prend au moins une demi-heure à partir du moment où il sort de sa chambre. Ce qui nous donne tout le temps de passer par derrière et de le surprendre. »

« Et s'il ne vient pas ? »

« Eh bien, en ce cas, nous n'aurons rien perdu, sauf un peu de temps. »

« Et si un de nous l'accompagne ? »

Il a secoué la tête. « J'ai pensé à ça. Ce n'est pas une bonne idée. S'il vient se prendre au piège de lui-même — seul, de sa propre initiative - il n'y aucune raison pour qu'on puisse remonter jusqu'à nous. »

« Des si, des si », a dit Francis d'un ton morose. « Ça me paraît plutôt hasardeux. »

« Il nous faut quelque chose d'hasardeux. »

« Je ne vois pas ce qui cloche avec le plan original. »

« Ce plan était trop stylisé. L'intention s'y voyait du début à la fin. »

« L'intention est préférable au hasard. »

Henry a lissé du plat de la main la carte sur la table. « Là, tu te trompes. Si on essaie d'organiser les événements avec trop de minutie, pour arriver à un point X par une séquence logique, il s'ensuit que cette séquence peut être reprise au point X et retracée jusqu'à nous. Un œil sagace discerne toujours l'empreinte de la raison. Mais le hasard ? C'est invisible, capricieux, angélique. Qu'y a-t-il de mieux, de notre point de vue, sinon laisser Bunny choisir les circonstances de sa propre mort ? »

Le temps s'était figé. Dehors, les criquets poussaient leurs cris perçants et monotones.

Francis, très pâle, le visage en sueur, s'est mordu la lèvre.

« Mettons cela au clair. On attend au ravin en espérant qu'il vienne se balader par là. Et dans ce cas on le pousse dedans, en plein jour s'il vous plaît, et on rentre à la maison. C'est ça ? »

« Plus ou moins », a répondu Henry.

« Et s'il n'est pas seul ? Et s'il y a un autre promeneur dans les environs ? »

« Ce n'est pas un crime d'être dans les bois un après-midi de printemps. On peut renoncer à n'importe quel moment, jusqu'au moment où il tombe dans le trou. Et cela ne va prendre qu'un instant. Si nous rencontrons qui que ce soit en retournant vers la voiture — je trouve ça invraisemblable, mais au cas où — nous pouvons toujours dire qu'il y a eu un accident et que nous allons chercher de l'aide. »

« Mais si quelqu'un nous a vus ? »

« Cela me paraît extrêmement improbable. » Henry a laissé tomber un sucre dans son café avec un ploc.

« Mais possible. »

« Tout est possible, mais les probabilités travaillent pour nous, dans ce cas, si nous les laissons faire. Quelle est la chance qu'un individu jusqu'alors indétecté surgisse dans cet endroit particulièrement reculé précisément à la fraction de seconde qu'il faudra pour le pousser ? »

« Ça peut arriver. »

« Tout peut arriver, Francis. Il peut se faire écraser par une voiture ce soir même et nous éviter un tas de tracas. »

Une brise humide et douce, sentant la pluie et les pommiers en fleur, est entrée par la fenêtre. J'étais couvert de sueur, sans m'en être rendu compte, et quand le courant d'air a frôlé ma joue je me suis senti la bouche pâteuse et la tête vide.

Charles s'est raclé la gorge et nous nous sommes tournés vers lui.

« Sais-tu... Je veux dire, es-tu certain que c'est assez haut ? Et si... »

« Aujourd'hui, j'y suis allé avec un décamètre à ruban. Au point le plus haut, il y a seize mètres, ce qui devrait largement suffire. Le plus compliqué, ce sera de l'y amener. S'il tombe d'un endroit moins élevé, il peut s'en tirer avec une jambe cassée. Bien sûr, cela dépend beaucoup de sa façon de tomber. En arrière, pour ce que nous voulons, me paraît mieux qu'en avant. »

« Mais j'ai entendu parler de gens tombés d'un avion et qui ont survécu, a dit Francis. Et si la chute ne suffit pas à le tuer ? »

Henry a glissé le doigt derrière ses lunettes pour se frotter un œil. « Eh bien, vous savez, au fond il y a un petit ruisseau. Pas beaucoup d'eau, mais suffisamment. Il sera assommé, de toute façon. On devra le traîner jusque-là, lui tenir un moment la tête sous l'eau — cela ne devrait pas prendre plus de deux minutes. S'il n'a pas perdu conscience, peut-être que deux d'entre nous devrons même descendre et le conduire... »

Charles s'est passé la main sur son front rouge et couvert de sueur. « Oh, Jésus. Oh, mon Dieu. Écoutez-nous parler. »

« Qu'est-ce qui se passe ? »

« Est-ce que nous sommes fous ? »

« De quoi parles-tu ? »

« Nous sommes tous fous. Nous avons perdu l'esprit. Comment pourrions-nous faire une chose pareille ? »

« Cette idée ne me plaît pas plus qu'à toi. »

« C'est insensé. Je me demande même comment on peut en parler comme ça. Il faut qu'on trouve autre chose. »

Henry a pris une gorgée de café. « Si tu penses à quelque chose, je serai ravi de l'entendre. »

« Eh bien — je veux dire, et si on se contentait de s'en aller ? De prendre la voiture ce soir et de partir ? »

« Pour aller où ? a dit Henry d'un ton uni. Avec quel argent ? »

Charles est resté muet.

« Bien. » Henry a tiré un trait de crayon sur la carte. « Je crois qu'il sera très facile de partir sans nous faire voir, même si nous devons faire particulièrement attention en arrivant sur la grande route. »

« On prendrait ma voiture ou la tienne ? » a dit Francis.

« La mienne, je pense. Les gens ont tendance à regarder deux fois une voiture comme la tienne. »

« On devrait peut-être en louer une. »

« Non. Un truc pareil peut tout gâcher. Si nous faisons comme d'ordinaire, autant que possible, personne ne nous lancera le moindre coup d'œil. Les gens ne font pas attention à quatre-vingt-dix pour cent des choses qu'ils voient. »

Il y a eu un silence.

Charles a légèrement toussé. « Et après ? On rentre, c'est tout. »

« On rentre, c'est tout. » Henry a allumé une cigarette. « Vraiment, il n'y a pas de quoi s'inquiéter. » Il a secoué son allumette. « Cela paraît risqué, mais d'un point de vue logique il n'y a rien de plus sûr. Cela n'aura pas du tout l'air d'un meurtre. Et qui sait que nous avons des raisons de le tuer ? Je sais, je sais... » Il s'est énervé quand j'ai voulu l'interrompre. « Mais je serais extrêmement surpris s'il en avait parlé à qui que ce soit d'autre. »

« Comment peux-tu prétendre savoir ce qu'il a fait ? Pendant la fête, il a pu le raconter à la moitié des gens. »

« Mais je suis prêt à miser sur le fait qu'il n'a rien dit. Bunny est imprévisible, bien sûr, mais à ce point ses actions ont encore une vague logique. J'avais une très bonne raison de croire qu'il t'en parlerait en premier. »

« Et pourquoi ça ? »

« A qui d'autre aurait-il pu en parler ? » Henry s'impatientait. « Jamais il n'irait s'adresser à la police. Il risque de tout perdre, comme nous. Et pour la même raison il n'ose pas le dire à un inconnu. Ce qui laisse un éventail de possibilités très réduit. Marion, d'un côté. Ses parents, d'un autre.

Cloke, en troisième. Julian, mais il y a peu de chances. Et toi. »

« Et qu'est-ce qui te fait croire qu'il n'a rien dit à Marion, par exemple ? »

« Bunny est peut-être idiot, mais pas à ce point. A l'heure du déjeuner, toute la fac serait au courant. Cloke est un mauvais choix pour d'autres raisons. Il aurait moins tendance à perdre la tête, mais tout de même, on ne peut pas compter sur lui. Un capricieux, un irresponsable. Et très attaché à ses propres intérêts. Bunny l'aime bien — il l'admire, même, je crois — mais il n'irait jamais le trouver pour une chose pareille. Et il n'en dirait rien à ses parents, jamais de la vie. Ils le soutiendraient, certes, mais ils préviendraient aussitôt la police. »

« Et Julian ? »

Henry a haussé les épaules. « Bon, il pourrait en parler à Julian. Je suis tout à fait prêt à l'admettre. Mais il ne lui a encore rien dit, et je crois qu'il n'en fera rien, du moins pendant quelque temps. »

« Pourquoi pas ? »

Henry a haussé un sourcil en me regardant. « Parce que, qui crois-tu que Julian est disposé à croire ? »

Je ne l'ai pas quitté des yeux. « Pure conjecture », ai-je fini par dire.

« Pas du tout. Crois-tu que s'il en avait parlé à n'importe qui d'autre, nous serions actuellement assis devant cette table ? Crois-tu, maintenant qu'il te l'a dit, qu'il va être assez imprudent pour en parler à quelqu'un d'autre avant de savoir comment tu vas réagir ? Pourquoi crois-tu qu'il t'a téléphoné, cet après-midi ? Pourquoi crois-tu qu'il nous a rendu la vie impossible toute la journée ? »

Je n'ai pas répondu.

« Parce qu'il a mis le bout du pied dans l'eau. Hier soir il était saoul, plein de lui-même. Aujourd'hui il ne sait pas vraiment ce que tu penses. Il veut l'opinion d'un autre. Et ta réaction va lui servir de test. »

« Je ne comprends pas. »

Henry a repris une gorgée de café. « Qu'est-ce que tu ne comprends pas ? »

« Pourquoi tu es si foutrement pressé de le tuer si tu penses qu'il n'en parlera à personne d'autre qu'à moi. »

Il a haussé les épaules. « Il n'en a pas *encore* parlé. Ce qui ne veut pas dire qu'il ne va pas le faire, très bientôt. »

« Je pourrais peut-être l'en dissuader. »

« Franchement, ce n'est pas un risque que je suis prêt à courir. »

« A mon avis, tu parles de prendre un risque beaucoup plus grand. »

« Écoute », a-t-il dit d'une voix calme, en levant la tête pour me fixer de ses yeux larmoyants. « Excuse-moi d'être brutal, mais si tu crois avoir la moindre influence sur Bunny tu fais une grave erreur. Il ne t'aime pas particulièrement, et si je peux m'exprimer clairement, pour ce que j'en sais il ne t'a jamais aimé. Que ce soit toi, surtout, qui essaie d'intercéder, et ce serait pour nous un désastre. »

« C'est moi qu'il est venu voir. »

« Pour des raisons évidentes, n'ayant rien à voir avec les sentiments. » Il a haussé les épaules. « Tant que j'étais sûr qu'il n'avait rien dit à personne, nous aurions pu attendre indéfiniment. Mais tu as été la sonnette d'alarme, Richard. Te l'ayant dit — il ne s'est rien passé, croit-il, et ce n'était pas si difficile — il va trouver deux fois plus facile d'en parler à une autre personne. Et à une troisième. Il a fait le premier pas sur une pente glissante. Maintenant que c'est fait, je pense que les événements vont se suivre avec une extrême rapidité. »

J'avais les paumes moites. Malgré la fenêtre ouverte, l'air était oppressant et sentait le renfermé. J'entendais les autres respirer : des souffles rapides, mesurés, qui allaient et venaient avec une terrible régularité, dévorant le peu d'oxygène de la pièce.

Henry a plié et déplié les doigts, à bout de bras, jusqu'à faire craquer ses os. « Tu peux t'en aller, maintenant, si tu préfères. »

« C'est ce que tu veux ? » lui ai-je dit plutôt sèchement.

« Tu peux rester ou non. Mais il n'y a pas de raison que tu le fasses. Je voulais t'en donner une vague idée, mais en un certain sens, moins tu connais les détails, mieux ça vaut. » Il a bâillé. « Il y a des choses qu'il fallait que tu saches, je suppose, mais j'ai le sentiment de t'avoir rendu un mauvais service en t'impliquant à ce point. »

Je me suis levé et je les ai tous regardés.

« Bien, ai-je dit. Bien bien bien. »

Francis a haussé un sourcil.

« Souhaite-nous bonne chance », a dit Henry.

Je lui ai donné maladroitement une claque sur l'épaule. « Bonne chance. »

Charles — hors du champ de vision d'Henry — a croisé mon regard. Il a souri et articulé sans bruit : « *Je t'appelle demain, okay ?* »

Brutalement, sans prévenir, un flot d'émotions m'a envahi. Craignant de dire ou faire quelque chose de puéril, que je regretterais, j'ai pris mon manteau, bu d'un trait le reste de mon café, et je suis parti sans même un au revoir de pure forme.

---

En traversant la forêt obscure pour rentrer chez moi, la tête baissée et les mains dans les poches, j'ai failli me cogner à Camilla. Elle était ivre, et d'humeur très joyeuse.

« Salut. » Elle a glissé son bras sous le mien et m'a fait revenir sur mes pas. « Devine. J'avais un rendez-vous. »

« On m'a dit ça. »

Elle a ri, un gloussement grave et doux qui m'a réchauffé jusqu'au cœur. « C'est drôle, non ? J'ai l'impression d'être une espionne. Bunny vient seulement de rentrer. Maintenant le problème, je crois, c'est que j'ai l'air de plaire à Cloke. »

Il faisait si noir que je la voyais à peine. Le poids de son bras était merveilleusement confortable, et son haleine chargée de gin réchauffait ma joue.

« Est-ce que Cloke a su se tenir ? »

« Oui, il était très gentil. Il m'a offert à dîner et des sortes de cocktails rouges qui avaient un goût de sucette. »

Nous sommes sortis du bois pour prendre une rue de North Hampden, déserte et bleuâtre. Au clair de lune, tout était étrange et silencieux. Plus loin, une légère brise faisait tinter les clochettes d'une véranda.

Quand je me suis arrêté, elle m'a tiré par le bras. « Tu ne viens pas ? »

« Non. »

« Pourquoi non ? »

Elle avait les cheveux en désordre, sa bouche adorable était tachée de rouge sombre par le cocktail au goût de sucette, et en la voyant j'ai su qu'elle n'avait pas la moindre idée de ce qui se passait chez Henry.

Demain, elle irait avec eux. Quelqu'un lui dirait probablement qu'elle n'avait pas besoin d'y aller, mais elle finirait tout de même par les suivre

J'ai toussé. « Écoute. »

« Quoi ? »

« Viens chez moi. »

Elle a baissé les paupières. « Maintenant ? »

« Oui. »

« Pourquoi ? »

Les clochettes du vent ont à nouveau tinté, insidieuses et argentées.

« Parce que j'en ai envie. »

Elle m'a fixé avec le calme et la vacuité de l'ivresse, perchée comme un poulain sur le bord extérieur de ses pieds gainés de noir de sorte que la cheville dessinait sans effort un L surprenant.

Elle me donnait la main. Je l'ai serrée très fort. Les nuages couraient devant la lune.

« Viens. »

Elle s'est mise sur la pointe des pieds et m'a donné un baiser doux et frais qui avait goût de sucette. *Oh toi.* Mon cœur battait à petits coups rapides.

Brusquement, elle s'est dégagée. « Il faut que j'y aille. »

« Non. Je t'en prie. »

« Il le faut. Ils vont se demander où je suis. »

Elle m'a donné un baiser rapide, m'a tourné le dos et s'est éloignée. Je l'ai regardée aller jusqu'au coin de la rue, puis j'ai plongé les mains dans mes poches et je suis reparti dans l'autre sens.

---

Le lendemain, un soleil d'hiver et les pulsations de la stéréo, au bout du couloir, m'ont réveillé en sursaut. Il était tard, midi ou même midi passé ; j'ai pris ma montre sur la table de nuit et sursauté une seconde fois, plus violemment. Il était trois heures moins le quart. J'ai sauté du lit et je me suis habillé à toute vitesse, sans prendre la peine de me raser ni même de me peigner.

Dans le couloir, en enfilant ma veste, j'ai vu Judy Poovey marcher vers moi d'un pas vif. Elle était sur son trente-et-un, à sa façon, et elle penchait la tête en essayant d'attacher une boucle d'oreille.

« Tu viens ? »

« Où ça ? » ai-je dit, perplexe, la main sur la poignée.

« Qu'est-ce que tu as ? Tu vis sur la planète Mars ou quoi ? »

J'ai ouvert de grands yeux.

« A la fête, a-t-elle dit d'un ton impatient. Le Printemps

du Swing. Derrière Jennings. Ça a commencé depuis une heure. »

Elle avait le bord des narines enflammé, à vif, et elle s'est essuyé le nez d'une main aux ongles rouges.

« Laisse-moi deviner ce que tu viens de faire. »

Elle a ri. « J'en ai encore plein. Jack Teitelbaum est allé à New York le week-end dernier et il en a rapporté une tonne. Et Laura Stora a de l'Extasy, et ce taré dans la cave de Durbinstall — tu sais, le diplômé en chimie — vient de préparer une pleine marmite de meth. Tu veux me faire croire que tu n'en savais rien ? »

« Non. »

« Le Printemps du Swing est un gros truc. Tout le monde s'y prépare depuis des mois. Dommage que ça n'ait pas eu lieu hier, il faisait tellement beau. Tu as déjeuné ? »

Façon de me demander si j'étais déjà sorti de chez moi. « Non. »

« Bon, je veux dire, le temps, c'est okay, mais un peu froid. Je suis allée dehors et c'était, oh, c'était chiant. Passons. Tu viens ? »

Je l'ai regardée d'un œil vide. J'étais sorti de ma chambre en courant sans avoir la moindre idée de ce que je faisais. « Il faut que je mange quelque chose », ai-je fini par dire.

« En voilà une bonne idée. L'année dernière j'y suis allée l'estomac vide, j'ai fumé de l'herbe et j'ai peut-être bu trente martinis. Ça allait bien et tout mais alors je suis allée au Fun O'Rama. Tu te rappelles ? Le manège qu'il y avait — bon, je crois que tu n'étais pas encore là. En tout cas. Une grosse erreur. J'avais bu toute la journée, j'avais un coup de soleil et j'étais avec Jack Teitelbaum et tous ces mecs. Je ne voulais pas y aller, tu vois, sur le manège, et puis je me suis dit okay. La grande roue. Je peux me faire la grande roue sans problème... »

J'ai écouté poliment la suite de son récit qui s'est terminé, comme prévu, par un feu d'artifice de vomissements derrière un stand de hot-dogs.

« Alors cette année, je me suis dit, pas question. Tiens-t'en à la coke. La pause qui rafraîchit. A propos, tu devrais dire à ton copain — tu sais bien, comment s'appelle-t-il — *Bunny*, de venir avec toi. Il est dans la bibliothèque. »

« Quoi ? » Brusquement j'était tout ouïe.

« Ouais. Tire-le de là. Fais-lui faire des joints de hash ou j'sais pas quoi. »

« Il est dans la bibliothèque ? »

« Ouais. Je l'ai vu tout à l'heure par la fenêtre de la salle de lecture. Il n'aurait pas une voiture ? »

« Non. »

« Ah bon, je me disais, il aurait pu nous accompagner. C'est loin, Jennings, à pied. Oh, je ne sais pas, peut-être que c'est moi. Je te jure, je suis tellement pas en forme, il faut que je me refasse du Jane Fonda. »

---

Il était maintenant trois heures. J'ai refermé ma porte et je suis allé à la bibliothèque en faisant cliqueter nerveusement mes clefs dans ma poche.

L'air était immobile, étrange, oppressant. Le campus paraissait désert — tout le monde est à la fête, me suis-je dit — et le vert des pelouses, les couleurs criardes des tulipes, tout était assourdi, comme en attente sous un ciel couvert. Quelque part, un volet a grincé. Au-dessus de ma tête, dans les serres féroces d'un orme, un cerf-volant abandonné a été secoué par des convulsions avant de se figer. *C'est le Kansas*, me suis-je dit. *Le Kansas juste avant l'arrivée d'un cyclone.*

La bibliothèque était comme une tombe, illuminée de l'intérieur par une lueur fluorescente et glacée qui, par contraste, faisait paraître l'après-midi plus gris et froid qu'il n'était. Les fenêtres de la salle de lecture étaient éclairées et vides ; des rayonnages, des salles désertes, pas une âme.

La bibliothécaire, un être mesquin qui s'appelait Peggy — était à son bureau en train de lire *Women's Day*, et n'a pas levé les yeux. Les photocopieuses bourdonnaient tranquillement dans un coin. Je suis monté au premier et j'ai contourné la section langues étrangères jusqu'à l'autre salle de lecture. Elle était vide, comme je l'avais pensé, mais sur une des tables, près du bout, il y avait une sorte de petit nid fait de livres, de papiers roulés en boule et de sacs de chips tachés de graisse.

Je suis allé voir de plus près. L'endroit était abandonné depuis peu, semblait-il ; il y avait une boîte de soda au raisin, aux trois quarts vide, encore fraîche et emperlée de gouttelettes. Un instant, je me suis demandé que faire — peut-être était-il allé aux toilettes, et allait-il revenir d'un moment à l'autre — et j'allais partir quand j'ai vu un message.

Posée sur un tome de la *World Book Encyclopedia*, un méchant bout de papier quadrillé plié en deux avec en marge les pattes de mouche minuscules de Bunny : Marion. Je l'ai ouvert très vite.

Vieille Branche

Meurs d'ennui. Vais à la
fête prendre un brewski. A plus tard.

B.

J'ai replié le message et je me suis laissé tomber sur l'accoudoir du fauteuil. Bunny partait en balade, quand cela lui arrivait, vers une heure de l'après-midi. Deux heures plus tôt. Il devait être à la fête. Les autres l'avaient manqué.

J'ai pris l'escalier de derrière, je suis sorti par le sous-sol et je suis allé vers le Collège — sa façade en brique rouge aussi plate qu'un décor plaqué sur le ciel vide — pour appeler Henry de la cabine. Pas de réponse. Pas de réponse non plus chez les jumeaux.

Le Collège était désert, à part deux vieux employés hagards et une dame à perruque rouge installée au standard qui tricotait tout au long du week-end sans prêter attention aux appels. Comme de coutume, les ampoules clignotaient frénétiquement et elle leur tournait le dos, avec autant d'indifférence que cette malheureuse opératrice radio du *Californian* la nuit où sombra le *Titanic*. J'ai suivi le couloir jusqu'aux distributeurs où j'ai pris une tasse aqueuse de café instantané avant de redescendre réessayer le téléphone. Toujours pas de réponse.

J'ai raccroché et je me suis mis à traîner dans la salle commune désertée, avec sous le bras un magazine scolaire trouvé à la poste, pour enfin m'asseoir près de la fenêtre et boire mon café.

Il s'est passé un quart d'heure, vingt minutes. Le magazine me déprimait. Il semblait que les diplômés de Hampden ne faisaient jamais rien après leur diplôme, sinon ouvrir des petites boutiques de poterie à Nantucket où aller dans des ashram au Népal. Je l'ai mis de côté et j'ai regardé par la fenêtre, les yeux mornes. Dehors, il y avait une lumière très étrange, qui rendait le vert de la pelouse si intense que cette vaste étendue paraissait artificielle, luminescente, presque d'un autre monde. Un drapeau américain, rigide et solitaire sur fond de ciel violet, claquait en haut de son mât en cuivre jaune.

Je l'ai contemplé plusieurs minutes et finalement, incapable de rester plus longtemps en place, j'ai remis mon manteau et je me suis dirigé vers le ravin.

---

La forêt était immobile comme la mort, plus sinistre que jamais — verte et noire, stagnante, assombrie par une odeur de pourriture et de boue. Il n'y avait pas de vent, pas un oiseau ne chantait, pas une feuille ne bougeait. Les fleurs de cornouiller étaient en suspens, blanches et surréelles, dans un ciel qui noircissait, figées dans la lourdeur de l'air.

Je me suis dépêché. Les brindilles craquaient sous mes pas et j'entendais ma respiration bruyante. Bientôt le sentier a débouché dans la clairière. Je me suis arrêté, à moitié essoufflé, et il m'a fallu un moment ou deux pour comprendre qu'il n'y avait personne.

Le ravin était sur la gauche — un à-pic brutal, traître, donnant sur des rochers en contrebas. Evitant prudemment de m'approcher du bord, j'ai fait quelques pas pour mieux voir. Tout était parfaitement silencieux. J'ai fini par me retourner vers la forêt d'où je venais.

Alors, à mon immense surprise, il y a eu un léger bruissement et la tête de Charles a surgi du néant. « Salut ! » a-t-il chuchoté gaiement. « Que diable...? »

Une voix l'a coupé. « Ferme-là. » Un instant plus tard Henry s'est matérialisé comme par magie en sortant des broussailles.

Je suis resté sans voix, abasourdi. Il m'a regardé, agacé, et allait me parler quand il y a eu un craquement de branchages et en me retournant j'ai eu la stupeur de voir Camilla, en pantalon kaki, dégringoler le long d'un tronc d'arbre.

« Qu'est-ce qui se passe ? » C'était la voix de Francis, tout près. « Je peux fumer, maintenant ? »

Henry n'a pas répondu. « Qu'est-ce que tu fais là ? » Il paraissait extrêmement contrarié.

« Il y a une fête, aujourd'hui. »

« Quoi ? »

« Une fête. Il y est, en ce moment. » J'ai attendu un peu. « Il ne va pas venir. »

« Tu vois, je te l'avais dit. » Francis, chagriné, est sorti avec précaution des fourrés en s'essuyant les mains.

Comme on pouvait s'y attendre, il portait un costume propre, pas du tout adapté à l'occasion. « Personne ne m'écoute. Il y a une heure que je dis qu'on devrait partir. »

« Comment sais-tu qu'il est à la fête ? » m'a demandé Henry.

« Il a laissé un mot. A la bibliothèque. »

« On n'a qu'à rentrer. » Charles a essuyé une tache de boue sur sa joue du plat de la main.

Henry n'a pas fait attention à lui. « Bon Dieu. » Il a secoué la tête très vite, comme un chien qui sort de l'eau. « J'espérais tellement qu'on aurait pu régler ça une bonne fois. »

Il y a eu un long silence.

« J'ai faim », a dit Charles.

« Je meurs de faim », lui a fait écho Camilla, d'un ton absent, puis elle a ouvert de grands yeux. « Oh, *non*. »

« Qu'est-ce qu'il y a ? » Tout le monde a parlé en même temps.

« Le dîner. Ce soir, c'est dimanche. Il doit venir dîner chez nous. »

Le silence est devenu lugubre.

« Je n'y ai plus pensé, a dit Charles. Pas une seule fois. »

« Moi non plus, a dit sa sœur. Et il n'y a rien à manger à la maison. »

« Il faut qu'on s'arrête à l'épicerie en rentrant. »

« Qu'est-ce qu'on peut acheter ? »

« Je ne sais pas. Quelque chose de rapide. »

« Vous êtes incroyables, vous deux. » Henry s'est énervé. « Je vous l'ai rappelé hier soir. »

« Mais on a oublié, » ont fait les jumeaux avec un désespoir simultané.

« Comment avez-vous pu ? »

« Oh, si tu te réveilles avec l'intention de tuer quelqu'un à deux heures, difficile de penser qu'il faut faire la cuisine pour le cadavre. »

« C'est la saison des asperges », a dit Francis.
« Oui, mais est-ce qu'il y en a au Food King ? »
Henry a soupiré, est parti en direction de la forêt.
« Où vas-tu ? » s'est inquiété Charles.
« Je vais juste cueillir deux ou trois fougères. Après on peut s'en aller. »
« Oh, laisse tomber. » Francis a allumé une cigarette et jeté l'allumette plus loin. « Personne ne va nous voir. »
Henry s'est retourné. « Quelqu'un pourrait nous voir. Au cas où, je veux absolument avoir un prétexte pour être venu ici. Et ramasse ton allumette », a-t-il dit d'un ton aigre à Francis qui l'a foudroyé du regard en soufflant un nuage de fumée.

Il faisait de plus en plus sombre et froid de minute en minute. J'ai boutonné ma veste et je me suis assis sur un rocher humide au bord du ravin, les yeux sur le ruisselet boueux et obstrué par les feuilles mortes qui coulait plus bas, écoutant à demi les jumeaux discuter de ce qu'ils allaient faire pour dîner. Francis fumait, adossé à un arbre. Un peu plus tard il a éteint sa cigarette sur sa semelle et est venu s'asseoir à côté de moi.

Plusieurs minutes ont passé. Le ciel était si chargé qu'il virait au pourpre. Un coup de vent a fait osciller un bosquet de bouleaux lumineux sur l'autre rive et j'ai frissonné. Les jumeaux continuaient leur discussion monotone. Chaque fois qu'ils étaient en forêt dans cet état — troublés, inquiets — on aurait presque dit Hansel et Gretel.

Tout d'un coup Henry a surgi dans un remous de broussailles, en essuyant ses mains terreuses sur son pantalon. « Quelqu'un vient », a-t-il dit à voix basse. Les jumeaux se sont tus et ont cligné des yeux.
« Quoi ? » a fait Charles.
« Par derrière. Écoutez. »
Nous nous sommes regardés sans rien dire. Un vent froid faisait bruire les arbres et une gerbe de pétales blancs a volé à travers la clairière.

« Je n'entends rien », a dit Francis.

Henry a mis un doigt sur ses lèvres. Nous sommes restés tous les cinq en arrêt, figés, un moment de plus. J'ai repris mon souffle, et j'allais parler quand soudain j'ai entendu un bruit.

Des pas, des branches qui craquaient. Nous nous sommes regardés. Henry s'est mordu la lèvre et a jeté un coup d'œil autour de lui. Rien au bord du ravin, nulle part où se cacher, impossible de traverser la clairière jusqu'à la forêt sans faire beaucoup de bruit. Henry était sur le point de dire quelque chose quand il y a eu un froissement de broussailles, tout près, et il est sorti de la clairière entre deux arbres, comme quelqu'un qui pénètre sous un porche en pleine ville.

Restés à découvert, nous nous sommes regardés et nous avons regardé Henry, dix mètres plus loin, à l'abri dans l'ombre, en lisière des arbres. Il nous faisait signe d'un air impatient. J'ai entendu brusquement des pas faire crisser le gravier, et sans presque me rendre compte de ce que je faisais, je me suis tourné de façon convulsive pour feindre d'examiner le tronc d'arbre le plus proche.

Les pas se rapprochaient. La nuque hérissée, je me suis penché pour observer l'arbre de plus près — une écorce gris argent, froide au toucher, une file de fourmis noires qui sortaient d'une fissure.

Alors, sans presque que je m'en aperçoive, les pas se sont arrêtés, tout près de moi.

J'ai levé les yeux. Charles avait le regard fixé droit devant lui, les yeux vitreux, et j'ai failli lui demander ce qu'il avait quand, envahi et chaviré par un flot d'incrédulité, j'ai entendu dans mon dos la voix de Bunny.

« Eh bien, du diable, a-t-il dit d'un ton vif. Qu'est-ce que c'est ? Une réunion du Club Nature ? »

Je me suis retourné. C'était bien Bunny, son mètre quatre-vingt-dix, surgi derrière moi dans un immense ciré jaune qui lui arrivait presque aux chevilles.

Il y a eu un silence terrifiant.

« Salut, Bun », a dit Camilla d'une voix faible.

« Salut toi-même. » Il avait une bouteille de bière à la main — une Rolling Rock, drôle que je me souvienne de ça — qu'il a soulevée pour en boire une longue gorgée glougloutante. « Pfew, a-t-il fait. C'est vrai vous autres vous traînez pas mal dans les bois, ces temps-ci. Tu sais — il m'a enfoncé un doigt dans les côtes — j'essayais de te mettre la main dessus. »

Le caractère abrupt et trop sonore de cette présence m'a submergé. Je l'ai regardé boire, hébété, rabaisser la bouteille, s'essuyer la bouche du dos de la main ; il était si près que je sentais la force de son haleine pesante, chargée de bière.

« Aaah. » Il a écarté les cheveux de ses yeux du bout des doigts et roté. « Alors qu'est-ce que vous racontez, les tueurs de cerfs ? Vous avez juste eu envie de venir étudier la végétation ? »

Il y a eu un bruissement suivi d'une petite toux d'excuse venue de la forêt.

« Eh bien, pas exactement », a dit une voix très calme.

Bunny s'est retourné, surpris — comme moi — juste à temps pour voir Henry émerger de l'ombre.

Il s'est approché et a regardé Bunny d'un air aimable, une bêche entre ses mains noires de boue. « Salut. Quelle surprise. »

Bunny l'a scruté longuement, attentivement. « Jésus. Qu'est-ce que tu fais ? Tu enterres les morts ? »

Henry a souri. « En fait, c'est un coup de chance que tu sois venu. »

« C'est une sorte de colloque ? »

« Tiens, oui », a dit Henry après un bref silence. « Je suppose qu'on pourrait appeler ça comme ça. »

« On pourrait. » Bunny se moquait de lui.

Henry s'est mordu la lèvre. « Oui. » Il restait parfaitement sérieux. « On pourrait. Quoi que ce n'est pas le terme que j'aurais choisi. »

Tout était immobile. Très loin, dans les bois, j'ai entendu le rire léger, imbécile, d'un pivert.

« Dis-moi. » Pour la première fois, la voix de Bunny s'est fait vaguement soupçonneuse. « En fait, bon Dieu, qu'est-ce que vous foutez ici, les gars ? »

Pas un bruit, pas un souffle dans la forêt.

Henry a souri. « Oh, on cherche des fougères. » Et il a fait un pas vers lui.

# LIVRE II

Dionysos [est] le Maître des Illusions, capable de faire pousser une vigne sur la planche d'un navire, et en général de faire voir à ses fidèles le monde tel qu'il n'est pas.

E. R. DODDS
*The Greeks and the Irrational*

## CHAPITRE 6

Juste pour mémoire, je tiens à dire que je ne me considère pas comme quelqu'un de mauvais (mais comme cette phrase me fait ressembler à un tueur !). Chaque fois que je lis le récit d'un meurtre dans les journaux, je suis frappé par la confiance obstinée, presque touchante, avec laquelle les étrangleurs ambulants, les pédiatres virtuoses de la seringue, les dépravés et les coupables en tout genre, n'arrivent pas à voir le mal qu'ils portent en eux ; se sentent même obligés d'affirmer une sorte de décence imaginaire : « Au fond, je suis quelqu'un de très bon. » C'est ce qu'a dit le dernier des tueurs en série — destiné à la chaise électrique, dit-on — qui, au Texas, avec sa hache incarnadine, a récemment expédié une demi-douzaine d'infirmières d'État. J'ai suivi attentivement son affaire dans les journaux.

Mais si je ne me suis jamais pris pour quelqu'un de très bien, je n'arrive pas non plus à croire que je suis particulièrement mauvais. Il est peut-être impossible de penser à soi de cette façon, notre ami texan étant là pour le prouver. Pourtant le premier meurtre — le paysan — avait paru si simple, comme un caillou qui tombe au fond du lac sans presque faire de remous. Le deuxième a été tout aussi facile, du moins au début, mais je n'imaginais pas à quel point il serait différent. Ce que nous prenions pour un poids ordinaire, docile (un léger plouf, une chute rapide, les eaux sombres qui se referment sans laisser de traces) était en fait une grenade sous-marine qui a explosé sans prévenir sous la surface lisse et dont les répercussions se font peut-être encore sentir, même aujourd'hui.

Et il est impossible de ralentir ce film, de l'examiner image par image. Je revois aujourd'hui ce que j'ai vu alors passer comme un éclair avec l'aisance trompeuse d'un accident : une gerbe de gravier, le moulinet des bras, une main qui veut agripper une branche et la manque. Une volée de corbeaux effrayés explose dans les broussailles, un essaim sombre croasse dans le ciel. Plan sur Henry, qui recule du bord. Ensuite la pellicule claque dans le projecteur et l'écran devient noir. *Consummatum est.*

Lorsque la nuit, dans mon lit, je me retrouve assister malgré moi à ce petit documentaire désagréable (il disparaît quand j'ouvre les yeux, mais reprend chaque fois, dès que je les ferme, à partir du début), je m'étonne d'un point de vue aussi détaché, de détails aussi décalés et d'une absence presque totale de charge émotionnelle. En ce sens, il reflète le souvenir de cet événement plus fidèlement qu'on n'aurait pu le penser. Le temps, et les projections répétées ont empreint le souvenir d'une menace que ne possédait pas l'original. J'ai vu les choses se passer très calmement — sans peur, sans pitié, sans rien sauf une sorte de curiosité médusée — de sorte que l'impression de cet événement est gravée de façon indélébile sur mon nerf optique, mais curieusement absente de mon cœur.

Il m'a fallu plusieurs heures pour me rendre compte de ce que j'avais fait ; plusieurs jours (mois ? années ?) pour commencer à en comprendre l'importance. Je suppose tout simplement que nous y avions pensé trop souvent, que nous en avions trop parlé, avant que ce plan cesse d'être un produit de l'imagination et acquière une vie propre et terrifiante... Pas une fois ne m'est-il apparu directement qu'il s'agissait d'autre chose que d'un jeu. Un sentiment d'irréalité imprégnait jusqu'aux détails les plus prosaïques, comme si notre complot visait non pas la mort d'un ami mais l'itinéraire d'un voyage fabuleux dont, pour ma part, je croyais que nous ne prendrions jamais le départ.

*Ce qui est impensable est infaisable.* C'est ce que nous répétait souvent Julian au cours de grec, et si je pense qu'il le disait afin de nous encourager à plus de rigueur dans nos habitudes mentales, cela eut une certaine influence perverse sur notre affaire. L'idée d'assassiner Bunny était horrifiante, impossible ; néanmoins nous en parlions sans cesse, nous convainquant qu'il n'y avait pas d'autre choix, occupés à concocter des plans qui semblaient légèrement improbables, voire ridicules, mais qui ont effectivement fonctionné une fois mis en pratique... Je ne sais pas. Un mois ou deux avant, j'aurais été atterré à l'idée d'un meurtre quelconque. Mais ce dimanche après-midi, alors que j'assistais à l'acte lui-même, cela m'a paru la chose la plus facile au monde. Comme il est tombé vite ; comme ça s'est vite terminé.

---

Ce passage, pour une certaine raison, m'est difficile à transcrire, en grande partie parce que ce sujet est inextricablement associé à trop de nuits telles que celle-ci (aigreurs d'estomac, nerfs en lambeaux, réveil se traînant lamentablement de quatre à cinq heures). En plus, c'est décourageant, car je vois que tout essai d'analyse est presque inutile. J'ignore pourquoi nous avons fait cela. Je ne suis pas complètement sûr que, sous la pression des circonstances, nous ne le referions pas. Et si j'ai des regrets, à ma façon, cela ne fait probablement pas grande différence.

Je regrette aussi de présenter une exégèse aussi rudimentaire et décevante de ce qui est en fait la partie centrale de mon histoire. J'ai remarqué que même les meurtriers les plus éhontés et les plus loquaces renâclent à raconter leurs crimes. Quelques mois plus tôt, dans une librairie d'aéroport, j'ai pris l'autobiographie d'un célèbre assassin par plaisir, et j'ai été rebuté de le trouver entièrement dépourvu de détails macabres. Au faîte du suspense (une nuit pluvieuse ; une rue déserte ; des doigts enserrant le cou adorable de la Victime Numéro Quatre), cela passait brusquement, non sans une certaine timidité, à un tout autre sujet. (Le lecteur avait-il connaissance du test d'intelligence qu'on lui avait fait passer en prison ? Que l'auteur avait atteint un niveau comparable à celui de Jonas Salk ?) La majeure partie du livre, de loin, était consacrée à des discours de vieille fille sur la vie en prison — la mauvaise nourriture, les clowneries pendant les promenades, les petits passe-temps fastidieux des taulards. J'avais gâché mes cinq dollars.

D'un certain côté, pourtant, je sais ce qu'éprouvent mes collègues. Non pas que « tout soit devenu noir », rien de ce genre ; seulement que l'événement lui-même est embrumé à cause d'une sorte d'effet primitif, engourdissant, qui l'a obscurci sur le moment ; le même effet, je suppose, qui permet aux mères paniquées de nager dans des fleuves glacés, ou de se précipiter dans une maison en flammes, pour sauver leur enfant ; l'effet qui rend parfois une personne profondément endeuillée capable d'assister à un enterrement sans verser une larme. Certaines choses sont trop pénibles pour être appréhendées sur le coup. D'autres encore — nues, grésillantes, d'une horreur indélébile — sont trop terribles pour être jamais admises. Ce n'est que plus tard, dans la solitude, le souvenir, que pointe la compréhension ; quand les cendres sont froides, que les affligés se sont retirés, qu'on regarde autour de soi pour se retrouver — à sa grande surprise — dans un monde entièrement différent.

---

Quand nous sommes arrivés à la voiture il ne neigeait pas encore, mais la forêt se tassait déjà sous le ciel, muette et en attente, comme si elle pouvait sentir le poids glacé qu'elle allait supporter à la tombée de la nuit.

« Jésus, regarde-moi cette boue », a dit Francis quand nous avons rebondi dans un trou du chemin, des jets brunâtres giflant les vitres avec un violent *rataplan*.

Henry a rétrogradé en première.

Encore un trou, qui m'a fait claquer des dents. En essayant d'en sortir, les roues ont miaulé, projeté d'autres giclées de boue, et nous y sommes retombés avec une secousse. Henry a juré, passé la marche arrière.

Francis a baissé sa vitre et tendu le cou à l'extérieur pour y voir. « Oh, Dieu. Arrête la voiture. Il n'y a pas moyen de... »

« On n'est pas enlisés. »

« Mais si. Tu ne fais qu'empirer les choses. *Christ*, Henry. Arrête... »

« Ferme-la. »

Les pneus ont gémi dans l'obscurité. Les jumeaux, entre lesquels j'étais assis, se sont retournés vers la lunette arrière pour voir les jaillissements boueux. Brusquement Henry s'est remis en prise, et avec un bond qui m'a réjoui le cœur nous sommes sortis du trou.

Francis est retombé sur son siège. Lui-même conduisait très prudemment, et le fait d'accompagner Henry en voiture, même dans les circonstances les plus favorables, l'inquiétait toujours.

---

Arrivés en ville, nous sommes allés chez Francis. Les jumeaux et moi devions rentrer chacun de notre côté — moi au campus, les jumeaux dans leur appartement — pendant que les deux autres s'occupaient de la voiture. Henry a coupé le contact. Le silence nous a donné des frissons.

Il m'a regardé dans le rétroviseur. « Il faut qu'on se parle une minute. »

« Qu'est-ce qu'il y a ? »

« Quand as-tu quitté ta chambre ? »
« Vers trois heures moins le quart. »
« Quelqu'un t'a vu ? »
« Pas vraiment. Pas que je sache. »
Après ce long trajet, la voiture refroidissait, s'affaissait confortablement sur son châssis avec force chuintements et craquements. Henry n'a rien dit pendant un moment, et il allait ouvrir la bouche quand soudain Francis a tendu le bras par la portière. « Regardez. C'est de la neige ? »
Les jumeaux se sont baissés pour regarder. Henry, sans faire attention, s'est mordu la lèvre. « Nous quatre, a-t-il fini par dire, nous sommes allés en matinée à l'Orpheum — voir un double programme de une heure à quatre heures cinquante cinq. Après, nous sommes allés faire un tour et nous sommes rentrés — il a consulté sa montre — à cinq heures un quart. Pour nous ça va, bon. Pour toi, je ne sais pas trop ce qu'il faut faire. »
« Pourquoi ne pas dire que j'étais avec vous ? »
« Parce que tu n'y étais pas. »
« Qui peut dire le contraire ? »
« La caissière de l'Orpheum, voilà qui. On est allés acheter des billets pour la matinée avec un billet de cent dollars. Elle se souvient de nous, je peux te le garantir. On s'est installés au balcon et on s'est faufilés par la sortie de secours un quart d'heure après le début du premier film. »
« J'aurais pu vous y retrouver. »
« Tu aurais pu, sauf que tu n'as pas de voiture. Et tu ne peux pas dire que tu as pris un taxi parce qu'on peut facilement le vérifier. En plus, tu t'es promené dehors. Tu dis que tu es allé au Collège avant de venir nous retrouver ? »
« Oui. »
« Alors j'imagine que tu ne peux rien dire, sinon que tu es rentré directement chez toi. Ce n'est pas l'idéal, mais à ce point tu n'as pour ainsi dire pas le choix. Il faut qu'on invente que tu nous a rencontrés à un certain moment

après le cinéma, au cas très vraisemblable où quelqu'un t'aurait vu. Disons qu'on t'a appelé vers cinq heures et que tu nous as rejoints au parking. Tu nous as accompagnés chez Francis — à vrai dire, ça ne s'enchaîne pas très harmonieusement, mais ça devra suffire — et tu es rentré à pied. »

« D'accord. »

« A ton retour, regarde en bas au cas où on t'aurait laissé des messages de trois heures et demie à cinq heures. S'il y en a, on devra trouver une raison pour expliquer que tu n'as pas répondu au téléphone. »

« Regardez, les gars, a dit Charles. Il *neige vraiment.* »

Des flocons minuscules, à peine visibles au sommet des pins.

« Encore une chose. Il ne faut pas qu'on se comporte comme si on s'attendait à je ne sais quelle nouvelle importante. Rentre chez toi. Prends un livre. Il me semble que nous ne devrions pas essayer de nous joindre, ce soir — sauf, bien sûr, si c'est absolument nécessaire. »

« Je n'ai jamais vu de neige si tard dans la saison. » Francis regardait toujours par la fenêtre. « Hier il faisait plus de vingt degrés. »

« C'était prévu ? » a demandé Charles.

« Pas que je sache. »

« Christ. Regarde ça. On est presque à Pâques. »

« Je ne vois pas ce qui vous excite à ce point », a dit sèchement Henry, qui avait une connaissance toute pragmatique, paysanne, du climat, de son influence sur la germination, la croissance, la floraison, et cetera. « Cela va simplement tuer toutes les fleurs. »

---

Je suis rentré en marchant vite, à cause du froid. Un silence de novembre se posait comme un oxymoron fatal sur le paysage d'avril. La neige tombait vraiment, désormais — de gros pétales silencieux flottaient dans les forêts printanières, des bouquets blancs se fondaient dans l'obscurité neigeuse : un pays de cauchemar, sens dessus dessous, sorti d'un conte pour enfants. Mon chemin m'a fait passer sous une rangée de pommiers en fleur, lumineux, qui frissonnaient dans la pénombre comme une avenue d'ombrelles pâles, et où planaient les grands flocons blancs, doux et rêveurs. Mais je n'ai fait que marcher plus vite, sans prendre le temps de les regarder. Après l'hiver passé à Hampden, j'avais horreur de la neige.

Il n'y avait aucun message pour moi. Je suis monté dans ma chambre, je me suis changé sans savoir que faire des vêtements que je venais d'enlever. J'ai d'abord pensé les laver, me suis demandé si cela paraîtrait suspect, et finalement je les ai fourrés au fond de mon sac à linge sale. Ensuite je me suis assis sur le lit et j'ai regardé le réveil.

C'était l'heure du dîner, et je n'avais rien mangé de la journée, mais je n'avais pas faim. Je suis allé près de la fenêtre regarder les flocons tourbillonner dans les grands arcs lumineux au-dessus des courts de tennis, puis je suis revenu m'asseoir sur mon lit.

Les minutes s'égrenaient. La sorte d'anesthésie qui m'avait soutenu pendant l'action commençait à s'atténuer, et à chaque seconde qui passait l'idée de rester assis toute la nuit, seul, était de plus en plus insupportable. J'ai allumé la radio, je l'ai éteinte, j'ai essayé de lire. Voyant qu'un livre n'arrivait pas à retenir mon attention, j'en ai pris un autre. Il s'était à peine écoulé dix minutes. J'ai repris le premier livre, je l'ai reposé une deuxième fois. Finalement, sachant que c'était une erreur, je suis descendu jusqu'au téléphone et j'ai composé le numéro de Francis.

Il a répondu dès la première sonnerie. « Salut. Qu'est-ce qu'il y a. »

« Rien. »

« Tu es sûr ? »

J'ai entendu Henry murmurer à l'arrière-plan. Francis, parlant à côté du téléphone, a dit quelque chose que je n'ai pas saisi.

« Qu'est-ce que vous êtes en train de faire ? »

« Pas grand-chose. On boit un verre. Attends un instant, tu veux ? » a-t-il dit après un autre murmure.

Il y a eu une pause, un dialogue indistinct, suivi par la voix énergique d'Henry. « Qu'est-ce qui se passe ? Où es-tu ? »

« Chez moi. »

« Qu'est-ce qui ne va pas ? »

« Je me demandais seulement si je pouvais passer prendre un verre... »

« Ce n'est pas une bonne idée. J'allais partir quand tu as appelé. »

« Qu'est-ce que tu vas faire ? »

« Eh bien, si tu veux savoir, je vais prendre un bain et me coucher. »

Le silence a duré une minute.

« Tu es toujours là ? »

« Henry, je suis en train de devenir fou. Je ne sais pas ce que je vais faire. »

« Bon, eh bien fais ce que tu veux, a-t-il dit d'un ton aimable, du moment que tu restes près de chez toi. »

« Je ne vois pas la différence que ça ferait si je... »

« Quand quelque chose te tracasse, a-t-il repris abruptement, as-tu jamais essayé de penser dans une langue étrangère ? »

« Quoi ? »

« Cela te ralentit. Empêche tes pensées de s'affoler. Une excellente discipline, en toutes circonstances. Ou tu pourrais essayer de faire comme les bouddhistes. »

« *Quoi* ? »

« Dans la pratique du Zen il y a un exercice appelé *zazen* — similaire, je crois, au *vipassana*, une pratique théravadique. On s'assied en face d'un mur nu. Quelle que soit l'émotion éprouvée, sa force ou sa violence, on reste immobile. Face au mur. L'exercice, bien sûr, c'est de rester assis. »

Il y a eu un silence, pendant lequel je me suis débattu avec le langage pour exprimer de façon adéquate ce que je pensais de ses conseils imbéciles.

« Maintenant écoute », a-t-il dit avant que je n'ouvre la bouche. « Je suis épuisé. On se voit demain au cours, d'accord ? »

« *Henry.* » Mais il avait raccroché.

Presque en transe, je suis remonté dans ma chambre. J'avais très envie d'un verre, mais il n'y avait rien à boire. Je me suis assis sur le lit et j'ai regardé par la fenêtre.

J'avais fini les somnifères. Je savais qu'il n'y en avait plus, mais je suis allé chercher le flacon dans mon bureau, au cas où. Il était vide, sauf pour des comprimés de vitamine C qu'on m'avait donnés à l'infirmerie. Des petites pilules blanches. J'ai vidé le flacon sur le bureau, disposé les pilules en cercle et j'en ai pris une dans l'espoir que le réflexe d'avaler me ferait du bien, ce qui n'a pas été le cas.

Je suis resté immobile, en m'efforçant de ne pas penser. On aurait dit que j'attendais quelque chose, je ne savais quoi au juste, quelque chose qui apaiserait la tension et me ferait me sentir mieux, quoique je ne pusse imaginer aucun événement passé, présent ou futur, capable d'avoir ce genre d'effet. Il m'a semblé qu'une éternité s'était écoulée. Soudain, une pensée terrible m'a transpercé : *c'est comme ça que ça se passe ? C'est comme ça que ça va être à partir de maintenant ?*

J'ai regardé mon réveil. Une minute à peine s'était écoulée. Je me suis levé et je suis allé au bout du couloir, sans prendre la peine de refermer derrière moi, frapper chez Judy.

Par miracle, elle était là — ivre, en train de se remettre du rouge à lèvres. « Salut, a-t-elle dit sans quitter le miroir des yeux. Tu veux venir à une fête ? »

Je ne sais pas ce que je lui ai dit, sinon, plus ou moins, que je ne me sentais pas bien.

« Prends un beignet ». Elle tournait la tête de chaque côté pour inspecter son profil.

« Je préférerais un somnifère, si tu en as. »

Elle a revissé le tube de rouge, remis le couvercle, et ouvert le tiroir de sa coiffeuse. Ce n'était pas vraiment une coiffeuse, mais un bureau standard, comme celui de ma chambre ; mais à l'instar de quelque sauvage incapable de comprendre son véritable usage — qui l'aurait transformé en râtelier d'armes, disons, ou en fétiche paré de fleurs — elle s'était donné la peine d'en faire une table de maquillage, avec un dessus en verre, un volant en satin plissé et un miroir lumineux à trois pans. Elle a farfouillé dans un cauchemar de poudriers et de crayons, en a retiré un flacon de médicaments, l'a levé à la lumière, l'a jeté dans la corbeille et en a choisi un autre qu'elle m'a tendu. « Ça devrait aller. »

J'ai examiné le flacon. Au fond, il y avait deux comprimés grisâtres. L'étiquette disait seulement : POUR LA DOULEUR.

« Qu'est-ce que c'est ? ai-je dit, agacé. De l'Anacine ou quoi ? »

« Essayes-en un. C'est okay. C'est fou le temps qu'il fait, hein ? »

« Ouais. » J'ai avalé un comprimé et je lui ai rendu le flacon.

« T'en fais pas, garde-le. » Elle s'était déjà remise à sa toilette. « Mec. Rien d'autre que cette putain de neige. Je sais foutrement pas ce que je suis venue faire ici. Tu veux une bière ? »

Elle avait un réfrigérateur dans sa chambre, dans un placard. Je me suis frayé un chemin dans une jungle de ceintures, de chapeaux et de chemises en dentelle pour l'atteindre.

« Non, moi je n'en veux pas », a-t-elle dit quand je lui en

ai proposé une. « Trop mal foutue. Tu n'es pas allé à la fête, n'est-ce pas ? »

« Non... » Je me suis arrêté, la bouteille au bord des lèvres, et je me suis souvenu : Bunny, son haleine chargée de bière, le liquide fumant renversé par terre. La bouteille dégringolant la pente après lui.

« T'as vu juste. Il faisait froid et l'orchestre était nul. J'ai vu ton copain, c'est quoi son nom. Le Colonel. »

« Quoi ? »

Elle a ri. « Tu sais bien. Laura Stora l'appelle comme ça. Elle habitait la chambre voisine et il la faisait chier à mort en jouant sans arrêt les marches de John Philip Sousa. »

Elle parlait de Bunny. J'ai reposé la bouteille.

Mais Judy, Dieu merci, s'occupait de se noircir les sourcils. « Tu sais, je crois que Laura a un trouble de l'alimentation, pas de l'anorexie, mais ce truc de Karen Carpenter où on se fait vomir. Hier soir je suis allée avec elle et Tracy à la Brasserie, et là, je suis sérieuse, elle s'est goinfrée à plus pouvoir respirer. Alors elle est allée dans les toilettes des hommes pour dégueuler et Tracy et moi on s'est regardées, genre, c'est normal ou quoi ? Alors Tracy m'a dit, enfin, tu sais, tu te rappelles la fois où Laura était censée être à l'hôpital pour une mono ? Bon. En fait l'histoire c'est que... »

Elle a continué à jacasser tandis que je la fixais d'un œil vide, perdu dans mes pensées sinistres.

Soudain je me suis rendu compte qu'elle ne disait plus rien et me regardait, l'air d'attendre une réponse.

« Quoi ? »

« J'ai dit, t'a déjà entendu parler d'un truc aussi débile ? »

« Hummmm. »

« Ses parents doivent s'en foutre. » Elle a refermé son tiroir à maquillage et s'est tournée vers moi. « Passons. Tu veux venir à la fête ? »

« Chez qui ? »

« Jack Teitelbaum, tête en l'air. Au sous-sol de Durbinstall. Le groupe de Sid doit venir jouer, et Moffat est redevenu batteur. Et quelqu'un a parlé d'une danseuse topless dans une cage. Viens donc. »

Sans raison, j'étais incapable de lui répondre. Le refus inconditionnel des invitations de Judy était un réflexe enraciné, à tel point que j'avais du mal à m'obliger à dire oui. Mais j'ai pensé à ma chambre. Le lit, le bureau, la fenêtre. Les livres ouverts là où je les avais laissés.

« Viens donc. » Elle faisait la coquette. « Tu n'es jamais sorti avec moi. »

« Très bien », ai-je fini par dire. « Je vais prendre ma veste. »

---

Ce n'est que beaucoup plus tard que j'ai découvert ce que Judy m'avait donné : du Demerol. Quand nous sommes arrivés à la fête, l'effet s'est fait durement sentir. Les angles, les couleurs, le déferlement des flocons, le boucan de l'orchestre — tout me paraissait très doux, très bénin. Je voyais une étrange beauté dans les visages de gens qu'autrement je trouvais repoussants. Je souriais à chacun et tous me souriaient.

Judy (Judy ! Dieu la bénisse !) m'a laissé avec son ami Jack Teitelbaum et un certain Lars pour aller nous chercher de quoi boire. Tout était baigné par une lumière céleste. J'écoutais Jack et Lars parler de flippers, de motos, de catch féminin, heureux qu'on essaye de m'inclure dans leur conversation. Il m'a offert un joint. Un geste qui m'a paru extrêmement touchant, et d'un seul coup j'ai compris que je m'étais trompé sur ces gens. C'étaient des gens bien, des gens simples, le sel de la terre, des gens que je devrais m'estimer heureux de connaître.

J'essayais de trouver le moyen de vocaliser cette épiphanie lorsque Judy nous a rapporté nos verres. J'ai bu le mien, et je me suis éloigné, dans une sorte de vertige agréable et fluide, pour en chercher un autre. Quelqu'un m'a donné une cigarette. Jud et Frank étaient là, Jud avec sur la tête une couronne en carton du Burger King. Curieusement, ce couvre-chef le flattait. La tête renversée en arrière, hurlant de rire en brandissant une gigantesque chope de bière, il ressemblait à Cuchulain, Brian Boru, une sorte de roi mystique irlandais. Cloke Rayburn jouait au billard dans la pièce du fond. Hors de son champ de vision, je l'ai regardé talquer sa queue sans sourire et se pencher sur la table, les cheveux dans les yeux. *Click*. Les boules multicolores ont tourbillonné dans tous les sens. J'avais des taches lumineuses dans les yeux, qui me faisaient penser à des atomes, des molécules, des particules si petites qu'elles devenaient invisibles.

Ensuite je me souviens d'avoir été pris d'un étourdissement, et d'avoir repoussé la foule pour essayer d'avoir un peu d'air. Je voyais la porte accueillante, maintenue ouverte par un parpaing, je sentais sur mon visage un courant d'air frais. Alors, je ne sais pas, j'ai dû m'évanouir, car mon souvenir suivant est de me trouver dos au mur, dans un tout autre endroit, tandis qu'une fille inconnue me parlait.

Peu à peu j'ai compris que je devais être avec elle depuis un certain temps. J'ai cligné des yeux en m'efforçant vaillamment de mettre son visage au point. Très jolie, avec une bonne tête et un nez en trompette, des cheveux noirs, des taches de rousseur, des yeux bleu clair. Je l'avais vue plus tôt, peut-être en train de faire la queue au bar, sans lui prêter grande attention. Et voilà qu'elle revenait, comme une apparition, qu'elle buvait du vin rouge dans un verre en plastique et m'appelait par mon prénom.

Je ne comprenais pas ce qu'elle disait, même si le timbre de sa voix réussissait à traverser la musique : une voix gaie, rauque, étrangement plaisante. Je me suis penché — elle était petite, moins d'un mètre soixante — et j'ai mis une main en coupe autour de mon oreille. « Quoi ? »

Elle a ri, s'est dressée sur la pointe des pieds et a approché son visage tout près du mien. Du parfum. Un tonnerre brûlant a chuchoté contre ma joue.

Je l'ai prise par le poignet. « Il y a trop de bruit », ai-je crié, mes lèvres effleurant ses cheveux. « Sortons de là. »

De nouveau, elle a ri. « Mais nous venons d'entrer. Tu disais que tu te gelais. »

*Hmmm*, ai-je pensé. Elle avait des yeux pâles, blasés, et me regardait avec une sorte d'amusement intime dans la pénombre.

« Un endroit tranquille, je veux dire. »

Elle a levé son verre et m'a regardé à travers le fond. « Ta chambre ou la mienne ? »

« La tienne », ai-je dit sans hésiter un instant.

---

C'était une bonne fille, une chic fille. Des gloussements amusés dans le noir, ses cheveux me tombant sur le visage, une drôle de façon de reprendre son souffle comme autrefois les copines de lycée. La chaleur d'un corps entre mes bras, une sensation que j'avais presque oubliée. Depuis combien de temps n'avais-je pas embrassé quelqu'un de cette manière ? Des mois et des mois.

Drôle, de penser que les choses peuvent être si simples. Une fête, quelques verres, une belle inconnue. C'est ainsi que vivaient la plupart de mes condisciples — racontant avec un peu de gêne au petit déjeuner leur liaison de la nuit précédente, comme si ce petit vice inoffensif, ordinaire, un peu plus grave que la boisson et un peu moins que la gloutonnerie dans le catalogue des péchés, devenait un abîme de dépravation et de licence.

Des affiches ; des fleurs séchées dans une chope à bière ;

la lueur de sa stéréo dans le noir. Quelque chose de très familier, venu de ma jeunesse banlieusarde, qui me semblait pourtant incroyablement éloigné, innocent, souvenir d'une fête de fin d'année perdue dans la nuit des temps. Son rouge à lèvres avait un goût de chewing-gum. J'ai enfoui mon visage dans la chair douce, à l'odeur un peu aigre, de son cou, et je l'ai balancée d'avant en arrière — en bafouillant, en marmonnant, en me sentant tomber de plus en plus bas, dans une vie obscure, à moitié oubliée.

---

Je me suis réveillé à deux heures et demie — d'après le clignotement démoniaque d'une pendule digitale — dans une panique totale. J'avais fait un rêve, pas vraiment effrayant, où Charles et moi étions dans un train, cherchant à échapper à un troisième et mystérieux passager. Les wagons étaient pleins de gens de la fête — Judy, Jack Teitelbaum, Jud avec sa couronne en carton — et on titubait dans les couloirs. Pendant le rêve, pourtant, j'avais l'impression que rien de tout cela ne comptait, qu'un danger bien plus pressant me menaçait, si seulement j'arrivais à m'en souvenir. Alors je m'en suis souvenu, et le choc m'a réveillé.

C'était comme de sortir d'un cauchemar pour tomber dans un autre cauchemar, encore pire. Je me suis assis, le cœur battant, j'ai claqué le mur en cherchant l'interrupteur jusqu'au moment terrible où j'ai compris que je n'étais pas dans ma chambre. Des formes étranges, des ombres inhabituelles, s'amoncelaient autour de moi de façon horrible ; rien n'indiquait où je pouvais me trouver, et un instant, en plein délire, je me suis demandé si je n'étais pas mort. C'est alors que j'ai senti le corps endormi à côté du mien. Je me suis écarté, instinctivement, avant de le pousser doucement du coude. Il n'a pas bougé. Je suis resté au lit une minute ou deux, en essayant de m'éclaircir les idées, puis je me suis levé, j'ai trouvé mes vêtements, je me suis habillé du mieux possible dans le noir et je suis parti.

En sortant, j'ai glissé sur une marche gelée et j'ai plongé tête la première dans plus d'un pied de neige. D'abord, je suis resté immobile, puis je me suis mis à genoux et j'ai regardé autour de moi, incrédule. Quelques flocons, c'est une chose, mais je n'aurais pas cru possible un changement de temps aussi brusque et aussi violent. Les fleurs avaient disparu, ainsi que la pelouse ; tout était recouvert. Un tapis de neige vierge, immaculée, aux reflets bleus, s'étendait à l'infini.

J'avais mal aux genoux, les paumes à vif. Avec effort, je me suis redressé. En me retournant pour voir d'où je venais, j'ai vu avec horreur que j'étais sorti du pavillon de Bunny. Sa fenêtre, au rez-de-chaussée, me regardait, obscure et muette. J'ai pensé à ses lunettes de rechange posées sur le bureau, au lit désert, aux photos de famille souriant dans le noir.

Une fois rentré chez moi — par un itinéraire circulaire et confus — je suis tombé sur mon lit sans enlever manteau ni chaussures. La lumière était allumée, et je me sentais bizarrement exposé, vulnérable, mais je n'avais pas envie d'éteindre. Le lit oscillait un peu, comme un radeau, et j'ai posé un pied par terre pour le stabiliser.

Ensuite je me suis endormi, et j'ai dormi profondément pendant deux heures avant d'être réveillé par quelqu'un qui a frappé. Repris par la panique, je me suis efforcé de m'asseoir, emmêlé dans mon manteau qui avait réussi à s'enrouler autour de mes genoux et semblait m'attaquer avec la vigueur d'un être vivant.

La porte s'est ouverte en grinçant. Puis le silence. « Qu'est-ce qu'il y a qui ne va pas, bon Dieu ? » a dit une voix sèche.

Francis était dans l'ouverture de la porte, sa main gantée

de noir sur la poignée, et me regardait comme si j'étais un dément.

J'ai cessé de me débattre et je suis retombé sur l'oreiller, si content de le voir que j'avais envie de rire, et tellement drogué que c'est probablement ce que j'ai fait. « *François* », ai-je dit comme un idiot.

Il a refermé la porte et s'est approché du lit pour m'examiner. C'était vraiment lui — de la neige dans les cheveux, sur les épaules de son grand manteau noir. « Tu vas bien ? » a-t-il dit après un long silence ironique.

Je me suis frotté les yeux et j'ai fait une seconde tentative.

« Salut. Désolé. Je vais très bien. Vraiment. »

Il m'a regardé, impassible, sans dire un mot. Puis il a enlevé son manteau et l'a posé sur le dossier d'une chaise. « Tu veux du thé ? »

« Non. »

« Eh bien, je vais tout de même en faire, si cela ne t'ennuie pas. »

Soulagé de le voir chez moi, je me suis redressé, j'ai bu mon thé et je l'ai regardé enlever chaussures et chaussettes pour les mettre à sécher près du radiateur. Il avait de longs pieds minces, trop longs pour ses chevilles maigres et osseuses. Il a plié ses orteils en levant les yeux sur moi. « C'est une nuit affreuse. Tu es sorti ? »

Je lui ai un peu raconté ma soirée, sans parler de l'épisode avec la fille.

« Ouf », a-t-il dit en desserrant son col. Je suis juste resté assis chez moi. A me flanquer moi-même la trouille. »

« Des nouvelles ? »

« Non. Ma mère a téléphoné vers neuf heures ; je ne pouvais pas lui parler. Lui ai dit que j'écrivais un article. »

Je ne sais pourquoi mon regard s'est porté sur ses mains, qui s'agitaient machinalement sur le bureau. Il a vu que je les voyais, s'est obligé à les poser à plat sur le meuble. « Les nerfs. »

Nous sommes restés quelque temps sans rien dire. J'ai posé ma tasse sur l'appui de la fenêtre et je me suis rallongé. Le Demerol avait déclenché un étrange effet Doppler dans ma tête, comme un miaulement de pneus qui diminue dans le lointain. J'ai gardé les yeux fixés dans le vide je ne sais combien de temps, mais peu à peu je me suis rendu compte que Francis me regardait avec une expression tendue, intense. J'ai bafouillé quelques mots, je me suis levé et je suis allé prendre un Alka-Seltzer dans le tiroir.

Ce mouvement brusque m'a donné le vertige. Je me suis retrouvé debout, ahuri, me demandant où reposer la boîte, quand j'ai senti Francis derrière moi, pas loin, et je me suis retourné.

Son visage était tout près du mien. A ma grande stupéfaction il a posé ses mains sur mes épaules et s'est penché pour m'embrasser sur la bouche.

Ce fut un vrai baiser — lent et long, délibéré. Il m'avait pris à contre-pied, et je lui ai attrapé le bras pour ne pas tomber ; il a vite repris son souffle, ses mains m'ont glissé le long du dos et avant de m'en rendre compte, plus par réflexe qu'autre chose, je lui ai rendu son baiser. Sa langue était dure, sa bouche avait un goût amer, masculin, de thé et de cigarettes.

Il s'est écarté, le souffle court, et s'est penché pour m'embrasser dans le cou. J'ai lancé des regards affolés tout autour de moi. *Dieu*, ai-je pensé, *quelle soirée.*

« Ecoute, Francis, arrête ça. »

Il défaisait mon bouton de col. « Idiot, a-t-il dit en gloussant. Tu ne sais pas que tu as mis ta chemise à l'envers ? »

J'étais tellement fatigué, tellement ivre que je me suis mis à rire. « Allez, Francis. Laisse-moi tranquille. »

« C'est super. Je te le promets. »

Les choses avançaient. Mes nerfs émoussés ont commencé à frémir. Son regard pervers était grossi par les verres de son pince-nez, qu'il a enlevé et jeté sur mon bureau avec un léger fracas.

Soudain, à l'improviste, on a encore frappé à la porte. Nous nous sommes séparés d'un bond. Il a ouvert de grands yeux. Nous nous sommes regardés, et on a frappé une deuxième fois.

Francis a juré à mi-voix, s'est mordu la lèvre. Moi, pris de panique, j'ai boutonné ma chemise aussi vite que mes doigts en étaient capables et j'ai voulu dire un mot, mais il m'a fait taire d'un geste bref.

« Mais si c'est... »

J'allais dire « si c'est Henry ». Alors qu'en fait je pensais, « si c'est les flics ? ». Francis, je le savais, avait la même idée.

On a encore frappé, avec insistance.

Mon cœur battait. Perdant à moitié la tête, je suis allé m'asseoir sur mon lit.

Francis s'est passé la main dans les cheveux. « Entrez. »

J'étais dans un tel état qu'il m'a fallu un moment pour voir que ce n'était que Charles. Il s'appuyait du coude sur l'embrasure de la porte, son écharpe rouge nouée à grandes boucles nonchalantes autour de son cou. Quand il est entré, j'ai aussitôt vu qu'il était ivre. « Salut », a-t-il dit à Francis. « Qu'est-ce que vous foutez là-dedans ? »

« Tu nous a fait crever de trouille. »

« J'aurais préféré savoir que tu venais. Henry a téléphoné et m'a sorti du lit. »

Nous l'avons regardé en attendant qu'il s'explique. Il a joué des coudes pour ôter son manteau et a tourné vers moi son regard humide. « Tu étais dans mon rêve. »

« Quoi ? »

Il a cligné des yeux. « Je viens de m'en souvenir. Ce soir, j'ai fais un rêve. Tu étais dedans. »

Je l'ai fixé sans un mot. Avant de pouvoir lui dire que lui aussi faisait partie de mon rêve, Francis s'est impatienté. « Allez, Charles. Qu'est-ce qui se passe ? »

Charles s'est passé la main dans ses cheveux gonflés par le vent. « Rien. » Il a sorti de sa poche une liasse de papiers pliés dans le sens de la longueur. « Tu as fait ton grec aujourd'hui ? » m'a-t-il demandé.

J'ai levé les yeux au ciel. J'avais eu la tête à tout sauf au grec.

« Henry pensait que tu avais peut-être oublié. Il a appelé et m'a demandé de te donner le mien à copier, au cas où. »

Il était très ivre. Il parlait encore distinctement, mais il empestait le whisky et tenait à peine sur ses jambes, avec le visage rouge et radieux d'un ange.

« Tu as discuté avec Henry ? Il a entendu parler de quelque chose ? »

« Il est très contrarié par le temps qu'il fait. N'a entendu parler de rien. Ouf, il fait chaud ici. » Et il a laissé glisser sa veste.

Francis, assis près de la fenêtre, une jambe se balançant sur le genou de l'autre et sa tasse en équilibre sur la cheville nue, regardait Charles d'un air inquisiteur.

Charles s'est retourné, en chancelant légèrement.

« Qu'est-ce que tu regardes ? »

« Tu as une bouteille dans la poche ? »

« Non. »

« C'est stupide, Charles. Je l'entends clapoter. »

« Qu'est-ce que ça peut faire ? »

« J'ai envie d'un verre. »

« Oh, ça va. » Charles, agacé, a tiré de sa poche intérieure une flasque de whisky. « Tiens. Ne bois pas tout. »

Francis a fini son thé et tendu la main. « Merci. » il a vidé le reste de la flasque dans sa tasse. Je l'ai regardé. Assis très droit, les jambes croisées dans son costume noir, c'était l'image même de la respectabilité, sauf qu'il avait les pieds nus. D'un seul coup j'ai pu le voir comme il apparaissait aux yeux du monde, comme je l'avais vu moi-même la première fois — courtois, bien élevé, riche, au-delà de tout reproche. L'illusion était si convaincante, que bizarrement, même en sachant que cette apparence était mensongère, elle me réconfortait.

Il a bu le whisky d'une seule gorgée. « Il va falloir te dessaouler, Charles. On a cours dans deux heures. »

Charles a soupiré et s'est assis au pied du lit. Il avait l'air très fatigué, ce qui ne se traduisait pas par des cernes, ni par un teint pâle, mais par une tristesse rêveuse et des joues trop rouges. « Je sais. J'espérais que ça passerait en marchant. »

« Tu as besoin de café. »

Il s'est essuyé le front du plat de la main. « J'ai besoin de plus que ça. »

J'ai déplié les papiers, je les ai posés sur le bureau et j'ai commencé à copier mon devoir.

Francis s'est assis près de Charles. « Où est Camilla ? »

« Elle dort. »

« Vous avez fait quoi, ce soir ? Vous avez bu ? »

« Non, a dit Charles d'un ton bref. Fait le ménage. »

« Pas croyable. »

« Ce n'est pas une blague. »

J'étais encore tellement dans les vapes que je ne comprenais rien au passage que je copiais, sinon une phrase ici et là. *Fatigués par leur marche, les soldats s'arrêtèrent pour offrir des sacrifices au temple. Je suis revenu de ce pays en disant que j'avais vu la Gorgone, mais qu'elle ne m'avait pas changé en pierre.*

« Notre maison est pleine de tulipes, si tu en veux », a dit Charles tout à trac.

« Qu'est-ce que tu racontes ? »

« Je veux dire qu'avant que la neige soit trop profonde, on est allé les cueillir. Il y en a partout. Même dans les verres. »

*Des tulipes,* ai-je pensé en contemplant l'enchevêtrement des lettres sous mes yeux. Les anciens Grecs les connaissaient-ils, et sous quel nom ? La lettre *psi*, en grec, a la forme d'une tulipe. Tout à coup, dans l'épaisse forêt alphabétique de la page, des petites tulipes noires ont surgi, dessinant prestement des motifs comme des gouttes de pluie.

La tête me tournait. J'ai fermé les yeux. A moitié endormi, je suis resté assis un long moment, puis je me suis rendu compte que Charles avait prononcé mon nom.

Je me suis tourné vers eux. Ils partaient. Francis était sur le côté du lit, en train de nouer ses lacets.

« Où allez-vous ? »

« On rentre se changer. Il se fait tard. »

Je n'avais pas envie de rester seul — bien au contraire — mais j'avais très envie, sans raison précise, de ne plus les voir. Le soleil s'était levé. Francis a éteint la lampe. La lumière du matin, froide et pâle, a rendu ma chambre terriblement silencieuse.

« On se voit tout à l'heure. » J'ai entendu leurs pas mourir dans l'escalier. Tout était muet, effacé par l'aube — les tasses sales, le lit défait, les flocons qui flottaient devant la fenêtre avec un calme dangereux, aérien. J'avais des bourdonnements dans les oreilles. Quand je me suis remis au travail, avec des mains tremblantes, tachées d'encre, le grattement de ma plume sur le papier a résonné dans le silence. J'ai pensé à la chambre obscure de Bunny, au ravin, là-bas, à toutes ces couches de silence qui s'entassaient.

---

« Et où est Edmund ce matin ? » a demandé Julian quand nous avons ouvert nos grammaires.

« Chez lui, je suppose. » Henry était arrivé en retard, et nous n'avions pas eu l'occasion de parler. Il semblait calme, bien reposé, ce qui paraissait presque injuste.

Les autres, également, étaient d'un calme étonnant. Même Francis et Charles étaient bien habillés, rasés de près, aussi tranquilles que d'habitude. Camilla, assise entre eux, le coude posé négligemment sur la table et le menton sur la main, était lisse comme une orchidée.

Julian a haussé un sourcil en direction d'Henry. « Est-il malade ? »

« Je ne sais pas. »

« La neige a pu le retarder un peu. Nous pouvons attendre quelques minutes. »

« Je pense que c'est une bonne idée. » Henry s'est replongé dans son livre.

---

Après le cours, une fois sortis du Lyceum et arrivés près du petit bois de bouleaux, Henry a jeté un coup d'œil pour s'assurer que personne ne pouvait nous entendre ; nous nous sommes tous rapprochés pour écouter ce qu'il allait dire, mais à ce moment précis, alors que nous étions entassés, notre haleine faisant des petits nuages, j'ai entendu quelqu'un crier mon nom et aperçu au loin le Dr Roland qui trébuchait dans la neige comme un cadavre secoué par les vagues.

Je me suis écarté pour aller à sa rencontre. Il était essoufflé, et après avoir beaucoup toussé et s'être raclé la gorge, il s'est mis à m'expliquer quelque chose dont il fallait que je m'occupe à son bureau.

Je n'avais pas le choix, et je l'ai suivi en adaptant mon pas à sa démarche pesante. A l'intérieur, il a fait plusieurs haltes dans l'escalier pour s'indigner des saletés oubliées par le concierge, essayant vainement de les chasser à coups de pied. Il ne m'a pas lâché d'une bonne demi-heure. Quand j'ai réussi à lui échapper, avec les oreilles bourdonnantes et une brassée de papiers qui s'efforçaient de s'envoler dans la neige, le bois de bouleaux était désert.

Je ne savais pas à quoi je m'étais attendu, mais en tout cas la planète n'avait pas changé d'orbite du jour au lendemain. Les gens s'affairaient dans tous les sens, se rendaient aux cours, tout était comme d'habitude. Le ciel était gris et un vent glacé soufflait du mont Cataract.

J'ai pris un milkshake au snack-bar et je suis rentré. C'est dans le couloir de ma chambre que je suis tombé nez à nez avec Judy Poovey.

Elle m'a foudroyé du regard. On aurait dit qu'elle avait une atroce gueule de bois, et il y avait des cernes noirs sous ses yeux.

« Oh, salut, ai-je dit en me glissant sur le côté. Pardon. »

« Hé ! »

Je me suis retourné.

« Alors tu as ramené Mona Beale chez toi, hier soir ? »

Un instant, je n'ai pas compris de quoi elle parlait.

« Quoi ? »

« Elle était comment ? » a-t-elle dit d'un ton venimeux.

« C'est une affaire ? »

Pris de court, j'ai haussé les épaules et j'ai continué, mais à ma grande contrariété elle m'a suivi et m'a retenu par le bras. « Elle a un petit ami, tu sais ? T'as intérêt à ce que personne ne le lui dise. »

« Ça m'est égal. »

« Au premier trimestre il a cassé la gueule à Bram Guernsey parce qu'il croyait qu'il lui courait après. »

« C'est *elle* qui me courait après. »

Elle m'a jeté un coup d'œil félin, de biais. « Bon, je veux dire, c'est un peu une pute. »

---

Juste avant de me réveiller, j'ai fait un rêve terrible. J'étais dans une grande salle de bains à l'ancienne, sortie d'un film de Zsa Zsa Gabor, avec des robinets en or, des miroirs, du carrelage rose sur le sol et sur les murs. Un bocal de poissons rouges était posé dans un coin, sur un piédestal fuselé. Quand je me suis approché pour le regarder, mes pas ont claqué sur le sol, et j'ai alors perçu un plic, plic régulier venant du robinet du lavabo.

La baignoire était rose, elle aussi, pleine d'eau, et Bunny, tout habillé, était immobile au fond du bain. Il avait les yeux ouverts, les lunettes de travers, et ses pupilles étaient de tailles différentes — l'une grande et noire, l'autre à peine comme une tête d'épingle. L'eau était limpide, immobile, et le bout de sa cravate ondulait près de la surface.

Plic, plic, plic. Je ne pouvais plus bouger. Soudain j'ai entendu des pas qui s'approchaient, des voix. Envahi par la terreur je me suis rendu compte que je devais cacher le corps, d'une façon ou d'une autre, je ne savais pas où ; j'ai plongé les mains dans l'eau glacée, je l'ai pris sous les bras et j'ai voulu le soulever, mais pas question, rien à faire : sa tête ballottait mollement et sa bouche ouverte était remplie d'eau...

En le hissant j'ai trébuché en arrière, renversé le piédestal, et le bocal s'est fracassé par terre. Les poissons rouges ont fait flic flac dans mes pieds, parmi les éclats de verre. Quelqu'un a donné des grands coups dans la porte. Paniqué, j'ai lâché le corps qui est retombé avec un floc atroce et une gerbe d'eau et je me suis réveillé.

La nuit tombait. Il y avait un martèlement affreux et irrégulier dans ma poitrine, comme si un oiseau énorme était pris au piège dans ma cage thoracique et se cognait jusqu'à en mourir. Suffoquant, je suis resté allongé.

Quand le pire est passé, je me suis assis. J'étais trempé de sueur et je tremblais de tout mon corps. Ombres longues, lumière de cauchemar. Je voyais des gosses jouer dans la neige, silhouettés en noir contre un ciel menaçant, rose saumon. Leurs rires et leurs cris, de loin, me paraissaient déments. Je me suis enfoncé les paumes dans les yeux. Des taches laiteuses, des pointes lumineuses. *Oh Dieu.*

---

La joue collée au carrelage. Le rugissement de la chasse d'eau était si violent que j'ai cru qu'il allait m'emporter. C'était comme toutes les fois où j'avais été malade — mes vomissements d'ivrogne déversés dans les toilettes des bars et des stations-service. Le même paysage à vol d'oiseau : les drôles de petits renflements au bas des toilettes qu'on ne remarque jamais autrement ; la porcelaine qui transpire, le bourdonnement des tuyaux, le long gargouillis en spirale de l'eau qui s'écoule.

En me lavant la figure, je me suis mis à pleurer. Les larmes se sont mélangées facilement à l'eau froide, dans la coupe cramoisie de mes doigts mouillés, et au début je ne savais même pas que je pleurais. Mes sanglots se succédaient régulièrement, sans émotion, aussi mécaniques que les vomissements spasmodiques qui venaient seulement de s'arrêter ; sans raison, sans rapport avec moi. J'ai relevé la tête et regardé mon reflet qui pleurait dans le miroir avec une sorte d'intérêt impersonnel. *Qu'est-ce que cela signifie* ? J'étais terrible à voir. Personne d'autre ne s'écroulait, sauf moi : je tremblais de tout mon corps et je voyais des chauves-souris comme Ray Milland dans *Lost Week-end*.

Un courant d'air froid venait de la fenêtre. Je tenais mal sur mes jambes, mais curieusement je me sentais mieux. Je me suis fait couler un bain chaud, j'y ai jeté une bonne poignée des sels de bain de Judy, et quand je me suis rhabillé j'étais redevenu moi-même.

*Nil novi sub sole*, ai-je pensé en retournant vers ma chambre. Tout acte, dans la plénitude du temps, sombre dans le néant.

---

Ce soir-là, quand je suis arrivé chez les jumeaux pour dîner, ils étaient tous là, rassemblés autour de la radio pour écouter la météo comme si c'était un bulletin du front en temps de guerre. « A long terme, a dit la voix pleine d'entrain d'un speaker, comptez sur un temps froid jeudi, avec un ciel nuageux et des averses possibles, devant se radoucir le... »

Henry a éteint la radio. « Avec de la chance, la neige aura disparu demain soir. Où étais-tu cet après-midi, Richard ? »

« Chez moi. »

« Je suis content que tu sois là. Je voudrais que tu me rendes un petit service, si cela ne te gêne pas. »

« Qu'est-ce que c'est ? »

« Je voudrais te conduire au centre-ville après dîner pour que tu voies les films qu'on joue à l'Orpheum et que tu nous dises de quoi il s'agit. Cela t'ennuie ? »

« Non. »

« Je sais que c'est trop demander, un jour de semaine, mais je crois vraiment pas sage de notre part d'y retourner. Charles propose de te copier le devoir de grec, si tu veux. »

« Si je le fais sur le papier jaune dont tu te sers, a dit Charles, et avec ton stylo, il ne verra pas la différence. »

« Merci. » Charles avait un étonnant talent de faussaire qui, d'après Camilla, remontait à sa tendre enfance — expert en cahiers de classe dès l'école primaire, en mots d'excuse entiers dès la sixième. Je le faisais toujours signer à la place du Dr Roland sur mes relevés d'heures.

« A vrai dire, a repris Henry, j'ai horreur de te demander ça. Je crois que ce sont des navets. »

C'étaient vraiment de mauvais films. Le premier se passait sur les routes, au début des années soixante-dix, l'histoire d'un homme qui quitte sa femme pour parcourir le pays. Ce faisant il se retrouve au Canada, mêlé à un groupe d'insoumis, et à la fin il retrouve sa femme et ils renouvellent leur union au cours d'une cérémonie hippie. Le pire, c'était la bande sonore. Toutes ces chansons à la guitare acoustique avec le mot « liberté ».

Le second était plus récent. Il s'agissait de la guerre du Vietnam — *Les Champs de la honte*, un film à gros budget avec plusieurs stars. Les effets spéciaux étaient tout de même un peu trop réalistes pour mon goût. Les gens avaient les jambes arrachées, et ainsi de suite.

Quand je suis sorti, la voiture d'Henry était garée au bout de la rue, tous feux éteints. Les autres, chez Charles et Camilla, étaient assis à la table de la cuisine, les manches relevées, plongés dans le grec. Quand nous sommes arrivés, ils se sont mis à remuer, et Charles s'est levé pour aller faire du café pendant que je lisais mes notes. Les deux films n'avaient guère d'intrigue, et j'avais du mal à leur en résumer l'essentiel.

« Mais c'est terrible, a dit Francis. J'ai honte à l'idée qu'on va croire que nous sommes allés voir d'aussi mauvais films. »

« Mais attends... » a fait Camilla.

« Je ne vois pas, moi non plus, a ajouté son frère. Pourquoi le sergent a-t-il bombardé le village des bons ? »

« Oui, a continué Camilla. Pourquoi ? Et qui était ce gosse avec un chiot qui se promenait au beau milieu ? Comment connaissait-il Charlie Sheen ? »

---

Charles avait fait du beau boulot, pour mon devoir, et j'étais en train de l'examiner avant le cours, le lendemain, quand Julian est entré. Il s'est arrêté à la porte, a regardé la chaise vide et s'est mis à rire. « Bonté divine. Encore ? »

« On dirait », a dit Francis.

« Je dois dire, j'espère que mes cours ne sont pas devenus si rasoirs que ça. Dites à Edmund, s'il vous plaît, que s'il décide de venir demain, je ferai l'effort d'être spécialement divertissant. »

---

A midi il est devenu clair que la météo s'était trompée. La température avait baissé de cinq degrés, et il a recommencé à neiger dans l'après-midi.

Nous devions aller dîner ensemble, tous les cinq, et quand les jumeaux et moi sommes arrivés chez Henry, il avait l'air particulièrement morose. « Devinez qui vient de m'appeler. »

« Qui ? »

« Marion. »

Charles s'est assis. « Qu'est-ce qu'elle voulait ? »

« Elle voulait savoir si j'avais vu Bunny. »

« Qu'est-ce que tu as dit ? »

« Oh, bien sûr j'ai dit que non », a répondu Henry, agacé. « Ils avaient rendez-vous dimanche soir et elle ne l'a pas revu depuis samedi. »

« Elle est inquiète ? »

« Pas spécialement. »

« Alors quel est le problème ? »

« Rien. » Il a soupiré. « J'espère seulement que le temps va changer demain. »

---

Ce qui n'a pas été le cas. L'aube du mercredi a été lumineuse et glacée, et dix centimètres de neige s'étaient accumulés pendant la nuit.

« Naturellement, a dit Julian, cela ne me gêne pas qu'Edmund manque un cours par-ci par-là. Mais trois de suite ! Et vous savez le mal qu'il a à les rattraper. »

---

« Ça ne peut pas durer beaucoup plus longtemps comme ça », a déclaré Henry chez les jumeaux ce soir-là. Nous étions en train de fumer une cigarette devant des assiettes intactes d'œufs au bacon.

« Qu'est-ce qu'on peut faire ? »

« Je ne sais pas. Sinon qu'il a maintenant disparu depuis soixante-douze heures, et ça va faire drôle si nous n'avons pas très bientôt l'air inquiet. »

« Personne d'autre ne s'inquiète », a remarqué Charles.

« Personne d'autre ne le voit aussi souvent que nous. Je me demande si Marion est chez elle. » Il a jeté un coup d'œil au réveil.

« Pourquoi ? »

« Parce que je devrais peut-être l'appeler ? »

« Pour l'amour de Dieu, a dit Francis. Ne l'attire pas là-dedans. »

« Je n'ai l'intention de l'attirer nulle part. Je veux juste qu'il soit clair à ses yeux qu'aucun de nous ne l'a vu depuis trois jours. »

« Et que crois-tu qu'elle va faire ? »

« J'espère qu'elle va appeler la police. »

« Tu as perdu l'esprit ? »

« Eh bien, si elle ne le fait pas, nous devrons nous en charger. » Henry s'impatientait. « Plus ça va durer longtemps, plus ça va paraître grave. Je ne veux pas d'un grand tohobohu avec des gens posant des questions dans tous les sens. »

« Alors pourquoi appeler la police ? »

« Parce que si nous allons les voir assez vite, je doute qu'il y ait le moindre vacarme. Peut-être vont-ils envoyer une ou deux personnes farfouiller dans le coin, en croyant que c'est probablement une fausse alerte... »

« Si personne ne l'a encore trouvé, ai-je dit, je ne vois pas ce qui te fait penser que deux flics de Hampden vont y arriver. »

« Personne ne l'a trouvé parce que personne n'a cherché. Il est à moins d'un kilomètre. »

La personne qui a répondu a mis très longtemps avant d'amener Marion au téléphone. Henry a attendu patiemment, les yeux fixés sur le sol ; peu à peu son regard s'est mis à vagabonder, et au bout d'environ cinq minutes il a lâché un son exaspéré et levé la tête. « Bonté divine. Qu'est-ce qu'ils fabriquent ? Donne-moi une cigarette, Francis, tu veux bien ? »

Il l'avait entre ses lèvres et Francis lui donnait du feu quand Marion a fini par prendre l'appareil. « Oh, salut, Marion. » Il a exhalé un nuage de fumée et nous a tourné le dos. « Je suis content d'avoir pu te joindre. Bunny est là ? »

Une pause. « Eh bien » — Henry a tendu le bras vers le cendrier — « sais-tu où il est alors ? » Une seconde pause. « Bon, franchement, j'allais te demander la même chose. Il n'est pas venu au cours depuis deux ou trois jours. »

Un long silence. Henry écoutait, le visage vide et souriant. Tout à coup, il a ouvert de grands yeux. « Quoi ? » a-t-il dit un peu trop sèchement.

Nous nous sommes tous réveillés en sursaut. Henry ne faisait face à aucun d'entre nous, le regard fixé sur le mur au-dessus de nos têtes, ses yeux bleus ronds et vitreux.

« Je vois », a-t-il fini par dire.

A l'autre bout du fil, on parlait encore.

« Bon, s'il passait te voir, je serais content si tu pouvais lui demander de m'appeler. Je te donne mon numéro. »

En raccrochant, il avait une expression bizarre. Nous avions tous les yeux braqués sur lui.

« Henry ? a dit Camilla. Qu'est-ce qu'il y a ? »

« Elle est en colère. Pas inquiète pour deux sous. S'attend à le voir entrer d'un moment à l'autre. Je ne sais pas. » Il a baissé les yeux. « C'est très curieux, mais elle a dit qu'une amie à elle — une dénommée Rita Thalheim — a vu Bunny devant la porte de la First Vermont Bank cet après-midi. »

Nous étions trop abasourdis pour répondre. Francis a ri, un rire bref, incrédule.

« Mon Dieu, a dit Charles. C'est impossible. »

« Sans aucun doute », a fait Henry d'un ton sec.

« Pourquoi quelqu'un irait inventer ça ? »

« Je ne vois pas. Les gens croient voir toutes sortes de choses, j'imagine. Bon, bien sûr qu'elle ne l'a pas vu », a-t-il ajouté avec humeur à l'intention de Charles, qui paraissait très troublé. « Mais maintenant je ne sais pas ce que nous devons faire. »

« Qu'est-ce que tu veux dire ? »

« Eh bien, on ne peut tout de même pas le déclarer disparu si quelqu'un l'a vu il y a six heures. »

« Alors, qu'est-ce qu'on fait ? On attend ? »

« Non. » Henry s'est mordu la lèvre. « Il faut que je trouve autre chose. »

---

« Où diable est Edmund ? » a demandé Julian jeudi matin. « J'ignore s'il prévoit de rester longtemps absent, mais c'est de sa part un manque d'égard que de n'avoir pas essayé de me joindre. »

Personne n'a répondu. Il a levé les yeux de son livre, amusé par ce silence.

« Qu'est-ce qui ne va pas ? » Il se moquait de nous. « Tous ces visages honteux. Peut-être, a-t-il dit plus fraîchement, certains d'entre vous ont-ils honte de s'être si mal préparés à la leçon d'hier. »

J'ai vu Charles et Camilla échanger un coup d'œil. Il se trouvait que cette semaine, entre toutes, Julian nous avait surchargé de travail. Nous avions tous réussi d'une façon ou d'une autre à rendre nos devoirs écrits, mais aucun n'avait complété ses lectures, et la veille, pendant le cours, il y avait eu plusieurs silences douloureux que même Henry n'avait pas su briser.

Julian a regardé son livre. « Peut-être, avant de commencer, l'un de vous pourrait-il téléphoner à Edmund pour lui demander de se joindre à nous s'il en est capable. Je ne trouve pas grave qu'il n'ait pas appris sa leçon, mais il s'agit d'un cours important et qu'il ne devrait pas manquer. »

Henry s'est levé. Mais Camilla est intervenue à l'improviste. « Je ne crois pas qu'il soit chez lui. »

« Alors où est-il ? En voyage ? »

« Je n'en suis pas sûre. »

Julian a rabaissé ses lunettes de lecture et l'a regardée par-dessus les verres. « Que voulez-vous dire ? »

« Nous ne l'avons pas vu depuis deux jours. »

Julian a ouvert de grands yeux avec une surprise enfantine, théâtrale ; cette fois comme d'autres, j'ai remarqué ses points communs avec Henry, ce même curieux mélange de froideur et de chaleur. « Tiens donc. Très singulier. Et vous n'avez aucune idée où il peut être ? »

Le ton malicieux de sa fin de phrase m'a inquiété. J'ai regardé fixement les cercles aqueux de lumière mouvante que le vase en cristal projetait sur la table.

« Non, a dit Henry. On est un peu étonnés. »

« Je m'en doute. » Son regard, étrangement, a croisé un long moment celui d'Henry.

*Il le sait*, me suis-je dit, pris de panique. *Il sait que nous mentons. C'est juste qu'il ne sait pas sur quoi nous mentons.*

---

Après le déjeuner et mon cours de français, je me suis installé au dernier étage de la bibliothèque et j'ai étalé mes livres devant moi sur la table. C'était une journée étrange, lumineuse, une journée de rêve. La pelouse enneigée — saupoudrée de silhouettes lointaines, comme des jouets — était aussi lisse que le sucre glace d'un gâteau d'anniversaire ; un tout petit chien aboyait en courant après une balle ; de la vraie fumée sortait des cheminées des maisons de poupée.

*Au même moment*, ai-je pensé, *un an plus tôt*. Qu'étais-je en train de faire ? De conduire la voiture d'un ami à San Francisco, de me tracasser pour mon inscription à Hampden, d'errer dans le rayon poésie des librairies. Et là, dans une pièce glacée, bizarrement habillé, je me demandais si j'irais en prison.

*Nil novi sub sole*. Quelque part, un taille-crayon se plaignait bruyamment. J'ai posé la tête sur mes livres vides — des chuchotements, des pas feutrés, une odeur de vieux papier dans les narines. Plusieurs semaines avant, Henry s'était mis en colère quand les jumeaux avaient fait des objections morales à l'idée de tuer Bunny. « Ne soyez pas ridicules », leur avait-il lancé.

« Mais comment — Charles était au bord des larmes — comment *peux-tu justifier* un meurtre de sang-froid ? »

Henry avait allumé une cigarette. « Je préfère y penser comme à une redistribution de la matière. »

---

Je me suis réveillé en sursaut. Henry et Francis étaient debout à côté de moi.

« Qu'est-ce que c'est ? » Je me suis frotté les yeux pour les regarder.

« Rien », a répondu Henry. « Tu veux bien venir avec nous dans la voiture ? »

A moitié endormi, je les ai suivis en bas. La voiture était garée devant la bibliothèque.

« Qu'est-ce qui se passe ? » ai-je dit une fois assis.

« Sais-tu où est Camilla ? »

« Elle n'est pas chez elle ? »

« Non. Julian ne l'a pas vue non plus. »

« Qu'est-ce que vous lui voulez ? »

Henry a soupiré. Il faisait froid, et son haleine était embuée. « Il se passe des choses. Francis et moi avons vu Marion à la guérite des gardes avec Cloke Rayburn. Ils parlaient avec des gens de la sécurité. »

« Quand ? »

« Il y a environ une heure. »

« Tu ne penses pas qu'ils aient fait quoi que ce soit ? »

« Il ne faut pas tirer de conclusions trop vite. » Henry

regardait le toit de la bibliothèque, drapé de glace, qui étincelait au soleil. « Ce que nous voudrions, c'est que Camilla passe voir Cloke pour essayer de savoir ce qui se passe. J'irais bien moi-même, mais je le connais à peine. »

« Et il me déteste », a ajouté Francis.

« Je le connais un peu. »

« Pas assez. Charles et lui sont en assez bons termes, mais on ne le trouve pas non plus. »

J'ai retiré un Rolaids du rouleau que j'avais dans ma poche, et je me suis mis à le mâcher.

« Qu'est-ce que tu manges ? » a demandé Francis.

« Des Rolaids. »

« J'en prendrai un, si cela ne t'ennuie pas, a dit Henry. Je suppose qu'on devrait repasser chez eux. »

---

Cette fois Camilla est venue à la porte, qu'elle a tout juste entrouverte en glissant un regard méfiant. Henry a voulu parler, mais elle l'a fait taire d'un coup d'œil éloquent. « Salut. Entrez. »

Nous l'avons suivie à l'intérieur sans un mot, le long du couloir sombre, jusqu'au living. En plus de Charles, il s'y trouvait Cloke Rayburn.

Charles s'est levé, nerveux ; Cloke est resté assis et nous a regardés d'un air endormi, impénétrable. Il avait un coup de soleil et n'était pas rasé. Charles a haussé les sourcils et articulé sans un son le mot : *défoncé*.

« Salut, a dit Henry après un silence. Comment vas-tu ? »

Cloke a toussé — un affreux raclement venant de loin — et secoué une Marlboro d'un paquet posé devant lui. « Pas mal. Et toi ? »

« Très bien. »

Il a planté la cigarette au coin de ses lèvres, l'a allumée et s'est remis à tousser. « Hé, m'a-t-il dit. Comment ça marche ? »

« Pas mal du tout. »
« Tu étais à la fête de Durbinstall, dimanche ? »
« Oui ? »
« T'as vu Mona ? » Il n'avait aucune expression dans sa voix.
« Non », ai-je répondu d'un ton brusque, me rendant soudain compte que tout le monde me regardait.
« Mona ? » a demandé Charles, après un silence perplexe.
« Une fille, a dit Cloke. En première année. Habite dans le pavillon de Bunny. »
« A propos », a fait Henry.
Cloke s'est adossé à son siège et l'a fixé de ses yeux lourds, injectés de sang. « Ouais. On parlait justement de Bun. Tu ne l'as pas vu depuis deux jours, c'est ça ? »
« Oui. Et toi ? »
Cloke n'a d'abord rien dit, puis a secoué la tête. « Non. » Sa voix était rauque. Il a pris un cendrier. « Je n'arrive pas à deviner où diable il est passé. La dernière fois que je l'ai vu c'est samedi soir, non pas que j'y ai pensé jusqu'à aujourd'hui. »
« J'ai parlé avec Marion hier soir. »
« Je sais. Elle est genre inquiète. Je l'ai vue ce matin au Collège et elle m'a dit qu'il n'a pas mis les pieds dans sa chambre depuis peut-être cinq jours. Elle s'est dit qu'il était peut-être chez ses parents ou autre, mais elle a appelé Patrick, son frère. Qui dit qu'il n'est pas dans le Connecticut. Et elle a parlé avec Hugh, aussi, et il dit qu'il n'est pas à New York non plus. »
« Est-ce qu'elle a parlé avec ses parents ? »
« Bon, merde, elle voulait pas lui faire des ennuis. »
Henry n'a rien dit quelques instants. « Où crois-tu qu'il soit ? »
Cloke a détourné les yeux, haussé les épaules d'un air gêné.

« Tu le connais depuis plus longtemps que moi. Il a un frère à Yale, pas vrai ? »

« Ouais, a répondu Cloke. Brady. Une école de commerce. Mais Patrick a dit qu'il vient juste de lui parler, tu sais. »

« Patrick vit chez les parents, c'est ça ? »

« Ouais. Il est dans une sorte d'affaire où il bosse, un genre de magasin d'articles de sport ou autre, qu'il essaye de faire décoller. »

« Et Hugh est avocat. »

« Oui. C'est l'aîné. Il est à New York, à la Milbank Tweed. »

« Et l'autre frère — celui qui est marié. »

« C'est Hugh qui est marié. »

« Mais il n'y en a pas un autre, aussi ? »

« Oh, Teddy. Je sais qu'il n'est pas là-bas. »

« Pourquoi ? »

« Ce type vit chez ses beaux-parents. Je pense pas qu'ils s'entendent si bien que ça. »

Il y a eu un long silence.

« Tu imagines un endroit où il puisse être ? » a demandé Henry.

Cloke s'est penché en avant, ses longs cheveux noirs lui sont tombés sur le visage, et il a secoué la cendre de sa cigarette. Après quelques instants, il a levé les yeux, avec une expression troublée, l'air de dissimuler quelque chose. « Avez-vous remarqué que Bunny avait une sacrée quantité de fric ces deux ou trois dernières semaines ? »

« Qu'est-ce que tu veux dire ? » a demandé Henry un peu trop sèchement.

« Tu connais Bunny. Il est tout le temps fauché. Mais ces derniers temps, il était plein aux as. Un gros paquet. Peut-être que sa grand-mère lui a envoyé du fric ou quoi, mais on peut être foutrement sûr que ça ne vient pas de ses parents. »

Il y a eu un autre silence prolongé. Henry s'est mordu la lèvre. « Où essayes-tu d'en venir ? »

« Alors tu l'as remarqué, toi aussi ? »

« Maintenant que tu le dis, c'est vrai. »

Cloke a remué sur sa chaise, mal à l'aise. « A partir de maintenant, c'est entre nous. »

J'ai senti mon cœur se serrer, et je me suis assis.

« Qu'est-ce que c'est ? » a demandé Henry.

« Je ne sais même pas si je devrais en parler. »

« Si tu crois que c'est important, vas-y. »

Cloke a tiré une dernière bouffée de sa cigarette avant de l'écraser consciencieusement d'un mouvement tournant. « Vous savez que je deale un peu de coke de temps en temps, n'est-ce pas ? Pas beaucoup », a-t-il ajouté très vite, juste quelques grammes par-ci par-là. Uniquement pour moi et mes amis. Mais c'est un boulot facile et je peux me faire en plus un peu d'argent. »

Nous nous sommes regardés. Cela n'avait rien de nouveau. Cloke était un des plus gros dealers du campus.

« Et alors ? » a dit Henry.

Cloke a eu l'air surpris. Puis il a haussé les épaules. « Alors, je connais un chinetoque de Mott Street, à New York, un type genre dangereux, mais il m'aime bien et il me donne à peu près ce que je veux pour le fric que j'ai réussi à ramasser. » Il a fait une pause. « Bon. Tu sais que Bunny est toujours fauché. »

« Oui. »

« Eh bien, il s'est toujours vachement intéressé à ce truc. L'argent vite fait, tu vois. S'il avait trouvé le fric j'aurais pu le faire entrer — côté financier, je veux dire — mais il n'a jamais pu, et en plus Bunny n'a pas à se mêler de ce genre de deal. » Il a allumé une autre cigarette. « En tout cas, c'est pour ça que je suis inquiet. »

Henry a froncé les sourcils. « Je crains de ne pas te suivre. »

« C'est une grave erreur, j'imagine, mais je l'ai laissé m'accompagner il y a quinze jours. »

Nous avions déjà entendu parler de cette excursion new-yorkaise. Bunny n'avait pas arrêté de s'en vanter. « Et puis ? » a dit Henry.

« Je ne sais pas. Je suis plutôt inquiet, c'est tout. Il sait où habite ce type — okay ? Et il avait tout ce fric, alors quand j'ai parlé à Marion, je... »

« Est-ce que Bunny ferait une chose pareille ? » a demandé Camilla.

« Franchement » — Henry a ôté ses lunettes pour leur donner un coup de chiffon avec son mouchoir — « cela me paraît exactement le genre de stupidité dont Bunny est capable. »

Personne n'a rien dit. Henry a levé les yeux. Sans lunettes, il avait des yeux d'aveugle, étranges, le regard fixe. « Marion est-elle au courant ? »

« Non, a dit Cloke. Et j'aimerais autant que tu ne lui en parles pas, okay ? »

« Tu ne peux pas tout simplement téléphoner là-bas ? » a demandé Charles.

« Qui je vais appeler ? Le type n'est pas dans l'annuaire et il ne distribue pas de cartes de visite, tu piges ? »

« Alors comment peux-tu le joindre ? »

« Je dois appeler un autre type. »

« Alors, appelle », a dit Henry, très calme, remettant le mouchoir dans sa poche et ses lunettes sur son nez.

« Ils ne vont rien me dire. »

« Je croyais que c'étaient des bons copains à toi. »

« Qu'est-ce que tu crois ? Tu penses que ces types dirigent une troupe de scouts, ou quoi ? Tu blagues ? C'est *réel*, ces types. Ils sont dans des trucs durs. »

Un instant, horrifié, j'ai cru que Francis allait éclater de rire, mais il a réussi à le transformer en une quinte de toux spectaculaire, en cachant son visage derrière sa main. Henry, sans même le regarder, lui a donné une grande claque dans le dos.

« Alors, que crois-tu qu'on puisse faire ? » a demandé Camilla

« Je ne sais pas. J'aimerais entrer dans sa chambre, voir s'il a pris une valise ou je ne sais quoi. »

« C'est fermé à clef ? » a dit Henry.

« Oui. Marion a essayé de se faire ouvrir par les gardes, mais ils n'ont pas voulu. »

Henry s'est mordu la lèvre. « Eh bien, ça ne doit pas être trop difficile d'y entrer, malgré tout, non ? »

Cloke a éteint sa cigarette et regardé Henry avec un regain d'intérêt. « Non, pas vraiment. »

« Il y a la fenêtre du rez-de-chaussée. Les volets ont été enlevés. »

« Je sais que je peux ouvrir le grillage. »

Ils se sont regardés.

« Je devrais peut-être aller tenter le coup », a suggéré Cloke.

« On t'accompagne. »

« Mec, on peut pas *tous* y aller. »

J'ai vu Henry lancer un coup d'œil à Charles, dans le dos de Cloke. « J'y vais », a dit brusquement Charles, d'une voix trop forte, en vidant son verre d'un coup.

« Cloke, comment as-tu pu être mêlé à un truc pareil ? » a demandé Camilla.

Il a eu un rire condescendant. « Ce n'est rien. Il faut rencontrer ce genre de type sur son terrain. Je ne les laisse pas me marcher sur les pieds ni rien. »

Discrètement, Henry s'est glissé derrière Cloke, s'est penché et a murmuré quelque chose à l'oreille de Charles, qui a hoché brièvement la tête.

« C'est pas qu'ils essayent pas de te baiser la gueule, a repris Cloke, mais je connais leur façon de penser. Pas Bunny, il a pas idée, il croit que c'est une sorte de jeu avec des billets de cent dollars par terre, qui attendent qu'un petit con vienne les ramasser... »

Quand il a eu fini de parler, Charles et Henry avaient conclu leur discussion, et Charles est allé prendre son manteau dans la penderie. Cloke a mis ses lunettes noires et s'est levé. Il dégageait une légère senteur d'herbe sèche, un écho du parfum des défoncés qui traînaient dans les couloirs poussiéreux de Durbinstall : patchouli, encens, cigarettes à la girofle.

Charles a noué son écharpe autour de son cou, avec un air à la fois dégagé et agité; il avait le regard distant, la bouche ferme, mais ses narines palpitaient légèrement à chaque respiration.

« Fais attention », a dit Camilla.

Elle s'adressait à Charles, mais Cloke s'est retourné en souriant. « Du gâteau. »

---

Elle les a reconduits à l'entrée. Dès qu'elle a refermé la porte, elle s'est tournée vers nous.

Henry s'est mis un doigt sur les lèvres.

Nous avons écouté leurs pas descendre les marches, et n'avons rien dit avant que la voiture de Cloke n'ait démarré. Henry est allé à la fenêtre et a écarté un rideau en dentelle miteuse. « Ils sont partis. »

« Henry, a demandé Camilla, tu es sûr que c'est une bonne idée ? »

Il a haussé les épaules, sans cesser de regarder la rue. « Je ne sais pas. Il fallait bien improviser. »

« J'aurais voulu que ce soit toi. Pourquoi n'es-tu pas allé avec lui ? »

« Je l'aurais fait, mais c'est mieux comme ça. »

« Qu'est-ce que tu lui as dit ? »

« Bon, même Cloke va trouver plutôt évident que Bunny n'est pas en voyage. Tout ce qu'il possède se trouve dans cette chambre. Cloke va probablement vouloir partir sans rien dire à personne, mais j'ai dit à Charles d'insister pour au moins appeler Marion, qu'elle vienne jeter un coup d'œil. Si elle voit... Bon. Elle ne connaît rien des problèmes de Cloke, et de toute façon elle s'en moquerait. Si je ne me trompe, elle va appeler la police, ou du moins les parents de Bunny, et je doute que Cloke soit capable de l'en empêcher. »

Un mince rayon de soleil, sur la cheminée, a frappé les cristaux d'un chandelier, projetant sur le plafond des éclats lumineux et tremblants, déformés par la pente du toit mansardé. D'un seul coup, toutes les images des films policiers que j'avais vus ont surgi dans mon esprit — les pièces sans fenêtres, les lumières brutales, les couloirs étroits, des images qui au lieu de me paraître lointaines, théâtrales, avaient la qualité indélébile du souvenir, d'une expérience vécue. *Ne pense pas, ne pense pas*, me suis-je dit en regardant fixement une flaque de lumière froide qui imbibait le tapis à mes pieds.

Camilla a voulu allumer une cigarette, mais une allumette s'est éteinte, puis deux. Henry lui a pris la boîte des mains et en a frotté une ; la flamme a jailli, haute et claire, Camilla s'est penchée vers elle, une main en coupe et l'autre sur le poignet d'Henry.

---

Les minutes se traînaient avec une tortueuse lenteur. Camilla a apporté dans la cuisine une bouteille de whisky, et nous nous sommes installés pour jouer à l'euchre, Francis et Henry contre Camilla et moi. Elle jouait bien — c'était son jeu préféré — mais je n'étais pas un partenaire à la hauteur et nous avons perdu pli après pli.

L'appartement était très calme — le cliquetis des verres, le froissement des cartes. Henry avait les manches relevées au-dessus des coudes et le soleil faisait des reflets métalliques sur le pince-nez de Francis. Je m'efforçais de me concentrer sur le jeu, mais je me retrouvais sans cesse en train de regarder, par la porte ouverte, la pendule de la cheminée dans la pièce voisine. C'était un de ces exemples bizarres de bric-à-brac victorien que les jumeaux aimaient tant — un éléphant de porcelaine blanche avec le cadran posé sur le howdah et un petit cornac en turban et pantalon dorés qui sonnait les heures. Ce cornac avait quelque chose de diabolique, et chaque fois que je levais les yeux il me souriait avec une joyeuse méchanceté.

J'ai perdu le compte des points, le compte des parties. La pièce est devenue indistincte.

Henry a posé ses cartes. « J'abats. »

« J'en ai marre, a dit Francis. Où est-il ? »

La pendule tictaquait avec un fracas métallique, arythmique. La lumière baissait, nous avons oublié les cartes. Camilla a pris une pomme dans un compotier posé sur la desserte et s'est assise sur l'appui de la fenêtre pour la manger, morose, en regardant la rue. Un trait de crépuscule ardent soulignait sa silhouette, brûlait de l'or rouge dans ses cheveux, se diffusait dans la texture duveteuse de sa robe en laine remontée négligemment au-dessus des genoux.

« Quelque chose a peut-être mal tourné », a dit Francis.

« Ne sois pas ridicule. Qu'est-ce qui pourrait mal tourner ? »

« Un million de choses. Charles a pu perdre la tête ou je ne sais quoi. »

Henry lui a lancé un regard fielleux. « Calme-toi. Je me demande où tu prends toutes ces idées à la Dostoïevski. »

Francis allait répondre quand Camilla a sauté sur ses pieds. « Il arrive. »

Henry s'est levé. « Où ça ? Il est seul ? »

« Oui. » Elle a couru vers la porte.

Camilla est descendue sur le palier à sa rencontre et ils sont remontés très vite.

Charles avait le regard affolé et les cheveux en désordre. Il a enlevé son manteau, l'a jeté sur une chaise, s'est jeté lui-

même sur le divan. « Quelqu'un me donne de quoi boire. »
« Tout va bien ? »
« Oui. »
« Qu'est-ce qui s'est passé ? »
« Où est mon verre ? »
Henry, impatient, a versé un peu de whisky dans un verre sale et le lui a fourré dans les mains. « Ça s'est bien passé ? La police est venue ? »
Charles a bu une longue gorgée, fait la grimace et hoché la tête.
« Où est Cloke ? Chez lui ? »
« Je suppose. »
« Raconte-nous tout depuis le début. »
Charles a fini son verre et l'a reposé. Il avait le visage en sueur, rouge et fiévreux. « Tu avais raison pour cette chambre. »
« Qu'est-ce que tu veux dire ? »
« C'était hallucinant. Terrible. Le lit défait, de la poussière partout, la moitié d'un vieux Twinkie sur le bureau qui grouillait de fourmis. Cloke a eu peur et a voulu s'en aller, mais j'ai appelé Marion avant qu'il ait pu le faire. Elle est arrivée quelques minutes plus tard. A regardé partout, l'air assommée, n'a pas dit grand-chose. Cloke était très agité. »
« Il lui a parlé des histoires de drogue ? »
« Non. Il y a fait allusion plus d'une fois, mais elle ne prêtait pas vraiment attention à lui. » Brusquement, il a levé la tête. « Tu sais, Henry, je crois qu'on a fait une grave erreur en n'allant pas y voir en premier. On aurait dû fouiller nous-mêmes cette chambre avant qu'ils aient pu la voir. »
« Pourquoi dis-tu cela ? »
« Regarde ce que j'ai trouvé. » Il a sorti de sa poche un morceau de papier.
Tranquillement, Henry l'a pris et l'a examiné.
« Comment l'as-tu trouvé ? »

Charles a haussé les épaules. « Par hasard. C'était sur son bureau. Je l'ai ramassé à la première occasion. »

J'ai regardé par-dessus l'épaule d'Henry. C'était la photocopie d'une page de l'*Examiner* de Hampden. Coincé entre une colonne de conseils ménagers et une pub tronquée pour des outils de jardin, il y avait un titre, petit mais bien visible

MORT MYSTÉRIEUSE DANS LE COMTÉ DE BATTENKILL

Le bureau du shérif de Battenkill et la police de Hampden continuent d'enquêter sur la mort violente le 12 novembre de M. McRee. Le corps mutilé de M. McRee, éleveur de poulets et ancien membre de l'Association des Producteurs d'Œufs du Vermont, a été retrouvé à sa ferme de Mechanicsville. Le vol ne semble pas être un mobile, et si on connaissait des ennemis à M. McRee, tant dans le milieu des œufs et volailles que dans le comté en général, aucun n'est suspecté du meurtre.

Horrifié, je me suis penché un peu plus — le mot *mutilé* m'avait électrifié, je n'avais rien vu d'autre sur la page — mais Henry a retourné la feuille pour examiner le verso. « Eh bien, du moins ce n'est pas la photocopie d'un journal découpé. Il l'a probablement faite à la bibliothèque, sur l'exemplaire des archives. »

« J'espère que tu as raison, mais cela ne veut pas dire que c'est la seule. »

Henry a mis le bout de papier dans le cendrier et a frotté une allumette. Quand il l'a approchée du bord, une ligne rouge vif a rampé en lisière de la feuille avant d'en lécher d'un seul coup toute la surface ; les mots ont été un instant illuminés, puis se sont noircis et recroquevillés. « Bon, maintenant c'est trop tard. Au moins, tu as récupéré celle-là. Qu'est-ce qui s'est passé ensuite ? »

« Eh bien, Marion est sortie. Elle est allée au pavillon voisin, Putnam, et est revenue avec une amie. »

« Qui ? »

« Je ne la connais pas. Uta ou Ursula ou je ne sais quoi. Une de ces filles genre suédois qui portent tout le temps des pulls marins. En tout cas elle a regardé un peu partout, elle aussi, avec Cloke qui restait assis sur le lit à fumer une cigarette, l'air d'avoir mal au ventre, et finalement elle — cette Uta ou je ne sais quoi — a proposé de monter en parler au chef de pavillon de Bunny. »

Francis s'est mis à rire. A Hampden, c'est aux chefs de pavillon qu'on se plaignait d'un volet qui fermait mal ou d'un voisin qui mettait la musique trop fort.

« Eh bien, heureusement qu'elle l'a fait, ou on pourrait y être encore, a dit Charles. Cette femme est arrivée en catastrophe et a pris les choses en main. Elle a noté nos noms. Posé un tas de questions. A regroupé les voisins de Bunny dans le couloir et les a interrogés. A appelé le Bureau Etudiant, puis la sécurité. La sécurité a dit qu'ils envoyaient quelqu'un » — il a allumé une cigarette — « mais que ce n'était pas vraiment de leur ressort, la disparition d'un étudiant, et qu'elle devrait appeler la police. Tu me donnes un autre verre ? » a-t-il dit en se tournant brusquement vers Camilla.

« Et la police est venue ? »

Charles, tenant sa cigarette entre le pouce et le majeur, s'est épongé le front de la paume. « Oui. Ils étaient deux. Et aussi deux gardes de la sécurité. »

« Qu'est-ce qu'ils ont fait ? »

« Les gardes n'ont rien fait du tout. Mais les policiers ont été plutôt efficaces. L'un d'eux a examiné la chambre pendant que l'autre rassemblait tout le monde dans le couloir et commençait à poser des questions. »

« Cloke a dit quelque chose ? »

« Pas grand-chose. Tout était très confus, avec des gens dans tous les coins, la plupart crevant d'envie de dire ce qu'ils savaient, c'est-à-dire rien. La dame venue du Bureau Etudiant essayait sans arrêt d'intervenir, l'air très officiel, disant que cela ne concernait pas la police, que l'administration s'en chargerait. Finalement un des policiers s'est mis en colère. "Ecoutez, a-t-il dit, qu'est-ce qui vous prend ? Ce gosse a disparu depuis une semaine entière et personne n'en a dit un mot jusqu'à maintenant. C'est une affaire sérieuse, et si je peux mettre mon grain de sel, je dirais que l'administration est peut-être responsable." Bon, ça a vraiment relancé la dame du Bureau, mais c'est là que l'autre policier est sorti de la chambre avec le portefeuille de Bunny.

« Tout est devenu très calme. Il y avait deux cents dollars dedans, et tous les papiers de Bunny. Le policier qui l'avait trouvé a dit, "Je crois qu'il vaudrait mieux contacter la famille de ce jeune homme". Tout le monde s'est mis à chuchoter. La dame du Bureau Etudiant est devenue toute pâle et a dit qu'elle montait immédiatement dans son bureau prendre le dossier de Bunny. Le policier l'a suivi.

« A ce moment-là, le couloir était bondé. Les gens arrivaient de partout et restaient pour voir ce qui se passait. Le premier policier leur a dit de rentrer chez eux et de s'occuper de leurs affaires, et Cloke s'est éclipsé à la faveur du désordre. Avant de partir, il m'a pris à part et m'a répété de ne pas mentionner cette histoire de drogue. »

« J'espère que tu as attendu qu'on te dise de partir. »

« Oui. Ça n'a pas traîné. Le policier voulait parler avec Marion, et il nous a dit, à Uta et moi, de rentrer chez nous dès qu'on aurait donné nos noms et tout ça. Il y a environ une heure. »

« Alors pourquoi tu ne reviens que maintenant ? »

« J'y arrive. Je n'avais pas envie de rencontrer tout le monde en rentrant, alors je suis passé par-derrière le bâtiment de l'administration. Grave erreur. Je n'étais même pas arrivé au bois de bouleaux que cette emmerdeuse du Bureau Etudiant — la dame qui avait déclenché la bagarre — m'a vu par la fenêtre du bureau du doyen et m'a crié de venir.

« Ils avaient le père de Bunny au téléphone — il hurlait après tout le monde, menaçait d'un procès. Le doyen des études essayait de le calmer, mais M. Corcoran n'arrêtait pas de demander quelqu'un qu'il connaissait. Ils ont essayé de te joindre sur une autre ligne, Henry, mais tu n'étais pas chez toi. »

« Il a demandé à me parler ? »

« On dirait. Ils allaient envoyer quelqu'un au Lyceum pour chercher Julian juste quand cette dame m'a vu par la fenêtre. Il y avait bien un million de personnes sur place — le policier, la secrétaire du doyen, quatre ou cinq personnes venues du couloir, la cinglée qui travaille aux archives. Passons. La foule s'est écartée à mon arrivée et le doyen des études m'a tendu l'appareil. M. Corcoran s'est calmé en comprenant qui j'étais. Est devenu confidentiel, m'a demandé si ce n'était pas une farce de collégien. »

« Oh Dieu », a fait Francis.

Charles l'a regardé du coin de l'œil. « Il a demandé après toi : "Où est ce vieux Poil de Carotte ?" »

« Qu'est-ce qu'il a dit d'autre ? »

« Il était très gentil. A demandé des nouvelles de vous tous, en fait. A dit de dire à tout le monde qu'il leur disait salut. »

Il y a eu un long silence gêné.

Henry s'est mordu la lèvre et est allé se servir un verre.

« Est-ce que cette histoire de banque est venue à la surface ? »

« Oui. Marion leur a donné le nom de la fille. A propos » — il a levé des yeux vides, un peu égarés — « j'ai oublié de vous le dire plus tôt, mais Marion a donné ton nom à la police. Le tien aussi, Francis. »

« Pourquoi ? s'est écrié Francis, alarmé. Pour quoi faire ? »

« Qui étaient ses amis ? C'est ce qu'ils voulaient savoir. »

« Mais pourquoi *moi* ? »

« Calme-toi, Francis. »

La pièce était maintenant dans le noir. Le ciel était couleur lilas et les rues enneigées avaient un aspect lunaire, surréel. Henry a allumé la lampe. « Crois-tu qu'ils vont commencer les recherches ce soir ? »

« Ils vont le chercher, c'est sûr. Qu'ils le cherchent au bon endroit, c'est autre chose. »

Personne n'a rien dit. Charles, pensif, a fait cliqueter les glaçons dans son verre. « Vous savez, nous avons fait quelque chose de terrible. »

« Il le fallait, Charles, nous en avons tous discuté. »

« Je sais, mais je n'arrête pas de penser à M. Corcoran. Les vacances qu'on a passées chez lui. Et il était tellement gentil au téléphone. »

« Nous sommes tous en bien meilleure posture. »

« Certains d'entre nous, tu veux dire. »

Henry a eu un sourire acide. « Oh, je ne suis pas sûr... », dit-il.

*"Πελλαίου βοῦς μέγας ἐιν 'Αίδῃ."*

Ce qui signifiait en gros qu'au Pays des Morts, un grand bœuf ne coûtait qu'un sou, mais je savais à quoi il faisait allusion, et malgré moi, je me suis mis à rire. Dans la tradition antique, en enfer, tout est très bon marché.

---

Henry, en partant, m'a offert de me raccompagner. Il était tard, et quand il s'est garé derrière mon pavillon je lui ai proposé de venir dîner au Collège.

Nous sommes passés par la poste où Henry est allé chercher son courrier. Il n'ouvrait sa boîte que toutes les trois semaines, environ, et il y avait donc une pile de lettres qui l'attendait ; debout près de la poubelle, il les a triées d'un air indifférent, jetant sans les ouvrir la moitié des enveloppes. Puis il s'est arrêté.

« Qu'est-ce que c'est que ça ? »

Il a ri. « Regarde dans ta boîte. C'est un questionnaire de l'université. Julian doit se faire réévaluer. »

La cafétéria fermait, quand nous sommes arrivés, et les employés avaient commencé à balayer. La cuisine était fermée, elle aussi, et je suis allé leur demander un peu de pain et de beurre de cacahouètes pendant qu'Henry se faisait une tasse de thé. La grande salle à manger était déserte. Nous nous sommes installés dans un angle, avec nos reflets dans les vitres noires des fenêtres. Henry a pris un stylo pour remplir le questionnaire sur Julian.

J'ai regardé le mien en mangeant mon sandwich. Les questions étaient graduées de un à cinq — médiocre à excellent : *Ce membre de la faculté est-il ponctuel ? Bien préparé ? Prêt à offrir son aide en dehors des heures de cours* ? Henry, sans la moindre interruption, a fait un rond autour de tous les cinq de la liste. Puis je l'ai vu inscrire un 19 dans un blanc.

« C'est quoi ? »

« Le nombre de cours que j'ai pris avec Julian. » Il n'a même pas levé les yeux.

« Tu as pris *dix-neuf* cours avec lui ? »

« Bon avec le tutoring et tout le reste », a-t-il dit, agacé.

Pendant un moment on n'a plus entendu que le grattement de son stylo et le vacarme lointain des couverts dans la cuisine.

« Tout le monde les reçoit, ou seulement nous ? »

« Seulement nous. »

« Je me demande pourquoi ils prennent cette peine. »

« Pour les archives, je suppose. » Il en était à la dernière page, en grande partie blanche. *Vous êtes prié d'expliquer ici toute autre louange ou critique que vous pouvez adresser à cet enseignant. D'autres feuilles peuvent être jointes si nécessaire.*

Son stylo est resté en suspens. Ensuite il a replié le formulaire et l'a mis de côté.

« Et quoi, tu ne vas rien écrire de plus ? »

Il a bu une gorgée de son thé. « Comment pourrais-je faire comprendre au doyen des études qu'il y a une divinité parmi nous ? »

---

Tard, le lendemain matin, j'ai été désagréablement réveillé en sursaut par des coups frappés à ma porte.

J'ai ouvert et aperçu Camilla, l'air de s'être habillée à la va-vite. Elle est entrée et a refermé à clef pendant que je clignais des yeux, en robe de chambre, à moitié endormi. « Tu es sorti aujourd'hui ? »

Une araignée d'angoisse a couru sur ma nuque. Je me suis assis au bord du lit. « Non. Pourquoi ? »

« Je ne sais pas ce qui se passe. La police interroge Charles et Henry, et je ne sais même pas où est Francis. »

« Quoi ? »

« Un policier est venu demander Charles vers sept heures du matin. Il n'a pas dit ce qu'il voulait. Charles s'est habillé, ils sont partis ensemble, et à huit heures j'ai reçu un coup de fil d'Henry. Il m'a demandé si cela ne m'ennuyait pas qu'il soit un peu en retard ? Alors je lui ai demandé de quoi il parlait, puisque nous n'avions pas prévu de nous voir ce matin. "Oh, merci, a-t-il dit, je savais que tu comprendrais, la police est venue au sujet de Bunny, tu vois, et ils veulent me poser quelques questions." »

« Je suis sûr que tout ira bien. »

Elle s'est passé la main dans les cheveux d'un air exaspéré qui m'a rappelé son frère. « Mais ce n'est pas seulement ça. Il y a des gens un peu partout. Des journalistes. La police. C'est une maison de fous. »

« On le recherche ? »

« Je ne sais pas ce qu'ils font. On dirait qu'ils s'orientent vers le mont Cataract. »

« On devrait peut-être quitter le campus pendant quelque temps. »

Son regard pâle, argenté, errait nerveusement tout autour de ma chambre. « Peut-être. Habille-toi, on va voir ce qu'on fait. »

---

Malgré ce qu'elle m'avait dit, je n'étais pas préparé à l'activité débordante qui régnait. Le parking était plein et il y avait des gens de Hampden dans tous les coins — surtout des ouvriers d'usine, d'après leur allure, quelques-uns avec leur gamelle, d'autres avec des enfants — qui frappaient le sol avec des bâtons et formaient de longues files irrégulières en direction du mont Cataract, tandis que les étudiants tournaient en rond et les regardaient comme des bêtes curieuses. On voyait des policiers, des adjoints, un ou deux policiers fédéraux ; sur la pelouse, garée à côté d'une ou deux voitures d'aspect officiel, il y avait une voiture radio, un camion buvette et un fourgon de la chaîne Info Douze.

« Qu'est-ce que font tous ces gens-là ? » ai-je dit.

« Regarde. Ce n'est pas Francis ? »

Au loin, dans la multitude affairée, j'ai vu un éclair de cheveux roux, la silhouette d'un cou emmitouflé et d'un grand manteau noir. Camilla a levé le bras et l'a appelé en criant.

Francis s'est frayé un chemin à travers un groupe d'employés de la cafétéria sortis aux nouvelles. Il avait une cigarette à la bouche et un journal sous le bras. « Salut. C'est incroyable, non ? »

« Qu'est-ce qui se passe ? »

« Une chasse au trésor. »

« Quoi ? »

« Cette nuit les Corcoran ont offert une grosse récompense. Toutes les usines de Hampden ont fermé. Quelqu'un veut du café ? J'ai un dollar. »

Nous nous sommes faufilés près du camion buvette, parmi une assemblée clairsemée d'employés de l'entretien.

« Trois cafés dont un crème, s'il vous plaît », a dit Francis à la grosse femme derrière le comptoir.

« Pas de lait. Seulement du Cremora. »

« Bon, alors, trois cafés noirs, j'imagine. » Il s'est tourné vers nous. « Vous avez vu le journal du matin ? »

C'était une des dernières éditions de l'*Examiner* de Hampden. En première page, sur une colonne, il y avait une photo récente de Bunny, floue, avec pour légende : POLICE ET PARENTS RECHERCHENT UN JEUNE DE 24 ANS DISPARU A HAMPDEN.

« Vingt-quatre ans ? » J'étais stupéfait. Les jumeaux et moi n'avions que vingt ans, et Francis vingt et un.

« Il a redoublé une ou deux fois dans le primaire », a dit Camilla.

« Ahhh. »

Dimanche après-midi Edmund Corcoran, étudiant à l'université de Hampden, surnommé Bunny par sa famille et ses amis, a assisté à une fête sur le campus qu'il a semble-t-il quitté au milieu de l'après-midi pour rejoindre sa petite amie Marion Barnbridge de New York, également étudiante à Hampden. C'est la dernière fois que quiconque a vu Bunny Corcoran.
Barnbridge, inquiète, ainsi que des amis de Corcoran ont alerté hier la police locale et fédérale, qui a diffusé un bulletin de personne disparue. Aujourd'hui les recherches commencent dans les environs de Hampden. Le jeune disparu répond à la description suivante : (voir p. 5)

« Tu as fini ? » ai-je demandé à Camilla.
« Oui. Tourne la page. »

Un mètre quatre-vingt-dix, quatre-vingt-quinze kilos, cheveux blond cendré et yeux bleus. Il porte des lunettes, et portait avant sa disparition une veste de sport en tweed gris, un pantalon kaki et un ciré jaune.

« Voilà ton café, Richard. » Francis est arrivé avec une tasse en équilibre dans chaque main.

A l'école préparatoire de Saint-Jérôme, à College Falls, Massachusetts, Corcoran avait une activité sportive, était classé en hockey sur glace, en hockey sur gazon, et avait conduit son équipe de football, les Wolverines, au championnat d'Etat qu'il avait remporté en dernière année. A Hampden, Corcoran est pompier bénévole. Il étudie les langues et la littérature, avec une dominante classique, et ses condisciples le décrivent comme un « lettré ».

« Ha », a fait Camilla.

Cloke Rayburn, un camarade de classe de Corcoran et un de ceux qui ont prévenu la police, dit que Corcoran est « un type qui marche droit — certainement pas mêlé à la drogue ou quoi que ce soit de ce genre. »
Hier après-midi, ayant des soupçons, il a enfoncé la porte de la chambre de Corcoran et ensuite appelé la police.

« Ce n'est pas vrai, s'est exclamée Camilla. Il ne les a pas appelés. »
« Il n'y a pas un mot sur Charles. »
« Dieu merci », a-t-elle dit en grec.

Les parents Corcoran, Macdonald et Catherine Corcoran de Shady Brook, dans le Connecticut, arrivent aujourd'hui à Hampden pour aider à rechercher le plus jeune de leurs cinq enfants. (Voir « Une famille en prière », p. 10). Au cours d'un entretien téléphonique, M. Corcoran, qui est président de la Bingham Bank and Trust Company et membre du conseil d'administration de la First National Bank du Connecticut, a déclaré : « Il n'y a pas grand-chose qu'on puisse faire ici. Nous voulons aider si c'est possible. » Il a dit qu'il avait parlé avec son fils par téléphone une semaine avant la disparition et n'avait rien remarqué d'inhabituel.

Au sujet de son fils, Katherine Corcoran déclare : « Edmund est quelqu'un de très attaché à la famille. Si quelque chose n'allait pas, je suis sûre qu'il en aurait parlé à Mack ou à moi. »

Une récompense de cinquante mille dollars est offerte pour tout renseignement permettant de localiser Edmund Corcoran, réunie grâce à la famille Corcoran, à la Bingham Bank and Trust Company, à la Loge des Highlands Heights de l'Ordre Loyaliste de l'Elan.

Le vent soufflait. Avec l'aide de Camilla, j'ai replié le journal et je l'ai rendu à Francis. « Cinquante mille dollars. C'est beaucoup d'argent. »

« Et tu te demandes pourquoi tu vois tous ces gens qui sont venus de la ville ? » Francis a bu une gorgée de café. « Bigre, il fait froid par ici. »

Nous sommes revenus vers le Collège. « Tu es au courant pour Charles et Henry, n'est-ce pas ? » a demandé Camilla à Francis.

« Bon, ils avaient dit à Charles qu'ils pourraient avoir à lui parler, pas vrai ? »

« Mais Henry ? »

« Je ne vais pas perdre mon temps à m'inquiéter pour lui. »

Le Collège était surchauffé, étonnamment désert. Nous nous sommes mis tous les trois sur une banquette en skaï noir et humide pour boire nos cafés. Des gens entraient et sortaient, faisant venir des bouffées d'air glacé ; quelques-uns sont venus nous demander s'il y avait du nouveau. Jud « Party Pig » MacKenna, vice-président du conseil étudiant, a tendu son pot de peinture vide pour nous demander de participer à un fond d'urgence pour les recherches. A nous tous, nous avons donné un dollar en petite monnaie.

Nous étions en train de parler avec Georges Laforgue, qui nous faisait le récit enthousiaste et détaillé d'une disparition semblable à Brandeis, quand soudain, surgi de nulle part, Henry est apparu derrière lui.

Laforgue s'est retourné. « Oh », a-t-il dit froidement en voyant qui c'était.

Henry a fait un léger signe de tête. « *Bonjour, Monsieur Laforgue. Quel plaisir de vous revoir.* »

Laforgue a sorti un mouchoir de sa poche avec un grand geste et s'est mouché pendant au moins cinq minutes, a-t-il semblé, avant de replier son mouchoir en petits carrés comme un maniaque, de tourner le dos à Henry et de reprendre le fil de son histoire. Dans ce cas, l'étudiant en question était simplement parti en bus pour New York sans rien dire à personne.

« Et ce garçon — Birdie, n'est-ce pas ? »

« Bunny. »

« Oui. Ce garçon est parti depuis beaucoup moins longtemps. Il va reparaître, de son propre chef, et tout le monde aura l'air idiot. » Il a baissé la voix. « Je crois que l'université a peur d'un procès, et c'est peut-être pour cela qu'ils ont perdu tout sens des proportions, non ? Ne me citez pas, je vous en prie. »

« Bien sûr que non. »

« Je suis dans une position délicate par rapport au doyen, vous comprenez ? »

---

« Je suis un peu fatigué, a dit Henry plus tard, dans la voiture, mais il n'y a pas de quoi s'inquiéter. »

« Qu'est-ce qu'ils voulaient savoir ? »

« Pas grand-chose. Depuis combien de temps je le

connaissais, est-ce qu'il avait un comportement bizarre, y avait-il une raison pour qu'il décide de quitter l'université. Bien sûr, il avait un comportement bizarre ces derniers mois, et je leur ai dit. Mais j'ai aussi dit que je ne l'avais pas vu souvent ces derniers temps, ce qui est vrai. » Il a secoué la tête. « *Franchement*. Deux heures. Je ne sais pas si j'aurais pu m'obliger à faire tout ça si j'avais su les absurdités que cela nous réservait. »

---

Nous sommes arrivés chez les jumeaux et nous avons trouvé Charles endormi sur le canapé, étalé sur le ventre, ayant gardé ses chaussures et son manteau, avec un bras qui pendait de sorte qu'on voyait une dizaine de centimètres de peau nue et autant de sa chemise.

Il s'est réveillé en sursaut, le visage bouffi, le motif du coussin marqué en creux sur sa joue.

« Comment ça s'est passé ? » lui a demandé Henry.

Charles s'est un peu redressé et s'est frotté les yeux. « Très bien, j'imagine. Ils ont voulu que je signe un truc disant ce qui est arrivé hier. »

« Ils sont aussi venus me rendre visite. »

« Vraiment ? Qu'est-ce qu'ils voulaient ? »

« La même chose. »

« Ils étaient gentils avec toi ? »

« Pas particulièrement. »

« Dieu, ils étaient *tellement* gentils au poste de police. Ils m'ont même apporté un petit déjeuner. Du café et des beignets à la confiture. »

---

On était vendredi, ce qui signifiait que nous n'avions pas cours et que Julian n'était pas à Hampden, mais chez lui. Il n'habitait pas très loin d'où nous étions — à mi-chemin d'Albany — un routier où nous étions venus manger des crêpes, et après déjeuner Henry a proposé tout à trac qu'on aille voir s'il était là.

Je n'avais jamais mis les pieds chez lui, je n'avais jamais vu sa maison, mais je pensais que les autres y étaient allés plus de cent fois. En fait — à la notable exception d'Henry — Julian recevait très peu de monde. Ce n'était pas si étonnant qu'on pourrait le croire, car il gardait doucement mais fermement ses distances avec ses étudiants, et même s'il avait plus d'affection pour nous que les professeurs n'en ont généralement pour leurs élèves, il ne s'agissait pas, sauf avec Henry, de rapports d'égal à égal, et nos cours avec lui avaient plutôt le caractère d'une dictature bienveillante que d'une démocratie. « Je suis votre professeur, avait-il dit un jour, parce que j'en sais plus que vous. » Quoique sur le plan de la psychologie ses manières fussent d'une intimité presque douloureuse, en surface tout était très sérieux et très froid. Chez n'importe lequel d'entre nous, il refusait de voir autre chose que ses qualités les plus marquantes, qu'il cultivait et magnifiait à l'exclusion de toutes les autres, moins désirables ou plus lassantes. Si j'éprouvais un plaisir extrême à me régler sur cette image flatteuse, bien qu'inexacte — et à découvrir plus tard que j'étais plus ou moins devenu le personnage que j'avais si longtemps et si habilement incarné — il était très clair qu'il ne souhaitait pas nous voir dans notre entièreté, ni même autrement que dans les rôles magnifiques qu'il avait inventés pour nous : *genis gratus, corpore glabellus, arte multiscius, et fortuna opulentus* — les joues lisses, la peau douce, bien élevés et riches. C'était cet étrange aveuglement, me semble-t-il, à toutes les questions de caractère personnel, qui lui permettait en fin de compte de transmuer jusqu'aux problèmes hautement concrets de Bunny en sujets d'ordre spirituel.

Je ne savais alors, et toujours maintenant, pratiquement rien de sa vie hors de la salle de cours — voilà peut-être ce qui prêtait un tel air de mystère à tout ce qu'il faisait ou disait. Nul doute que sa vie privée fût tout aussi imparfaite que celle d'un autre, mais la seule facette de son être qu'il nous laissait entrevoir était polie à un tel degré de perfection qu'il semblait, loin de nous, qu'il dût mener une existence trop raréfiée pour même pouvoir l'imaginer.

Ainsi donc, naturellement, j'étais fort curieux de voir l'endroit où il vivait. C'était une grande bâtisse en pierre au sommet d'une colline, à plusieurs kilomètres de la grand-route et sans rien que des arbres et de la neige à perte de vue — imposante, peut-être, mais loin de la monstruosité gothique de chez Francis. On m'avait parlé merveilleusement de son jardin, et aussi de l'intérieur de la maison — des vases grecs, des porcelaines de Meissen, des tableaux d'Alma-Tadema et de Frith. Mais le jardin était couvert de neige, et Julian, apparemment, n'était pas chez lui ; du moins n'est-il pas venu ouvrir.

Henry a jeté un coup d'œil au bas de la colline, là où nous attendions dans la voiture. Ensuite il a cherché un morceau de papier dans sa poche et griffonné un mot qu'il a plié en quatre pour le glisser sous la porte.

---

« Y a-t-il des étudiants dans les équipes de recherche ? » a demandé Henry pendant notre retour à Hampden. « Je ne veux pas y aller si cela doit nous faire remarquer. Mais, d'un autre côté, il semblerait un peu brutal, vous ne trouvez pas, de rentrer directement chez nous ? »

Il a réfléchi quelques instants. « Peut-être devrions-nous

aller voir. Charles, tu en as assez fait pour aujourd'hui. Si tu rentrais à la maison ? »

---

Après avoir déposé les jumeaux, nous sommes allés tous les trois sur le campus. Je m'étais attendu à ce que les équipes de recherche, fatiguées, soient reparties, mais j'ai eu la surprise de trouver l'effort plus soutenu que jamais. Il y avait des policiers, des administrateurs de l'université, des boy scouts, des employés et des gardes, une trentaine d'étudiants de Hampden (certains faisant partie d'un groupe d'allure officielle, genre conseil étudiant, les autres venus pour la balade) et une foule de gens de la ville. C'était une assemblée considérable, mais en la regardant du haut de la pente, elle m'a paru étrangement diminuée, muselée, dans cette vaste étendue de neige.

Nous sommes descendus — Francis, maussade, qui n'avait pas eu envie de venir, nous suivait à deux ou trois pas — et nous avons déambulé dans la foule. Personne n'a fait la moindre attention à nous. Derrière moi, j'ai entendu le gargouillis indistinct d'un walkie-talkie ; surpris, j'ai reculé vers le chef de la sécurité.

« Attention ! » a-t-il crié. C'était un homme trapu comme un bouledogue, avec des taches marron sur le nez et les joues.

« Pardon, ai-je dit très vite. Pouvez-vous me dire ce que... »

« Ces gosses de la fac. » Il a marmonné en détournant la tête, comme pour cracher. « Tous à se mettre dans nos jambes, bon Dieu, à traîner sans savoir ce qu'ils ont à faire. »

« Eh bien, c'est ce que nous cherchons à savoir », a lancé Henry.

Le garde s'est aussitôt retourné, et curieusement son regard ne s'est pas fixé sur Henry mais sur Francis, qui avait les yeux dans le vague.

« Alors c'est vous, tiens ? » a-t-il dit d'un ton venimeux. « M. Hors-Campus qui croit pouvoir se garer sur le parking des professeurs. »

Francis a sursauté, l'air affolé.

« Oui, *vous*. Vous savez combien de contraventions non payées vous avez eues ? *Neuf*. J'ai envoyé votre dossier au doyen la semaine dernière. Ils peuvent vous accorder un sursis, retenir vos notes, je ne sais quoi. Suspendre vos droits de bibliothèque. Si c'était moi, je vous flanquerais en prison. »

Francis en est resté bouche bée. Henry l'a pris par la manche et l'a emmené.

Une longue file confuse de gens de la ville piétinait dans la neige. Certains frappaient mollement par terre avec des bâtons. Nous sommes allés au bout de la queue et nous avons pris place parmi eux.

Savoir que le corps de Bunny se trouvait en fait à trois kilomètres au sud-ouest ne donnait guère d'intérêt ou d'urgence à nos recherches, et je traînais la jambe, hébété, les yeux sur le sol. En tête de file il y avait un groupe plein d'autorité de policiers fédéraux et de flics qui avançaient tête baissée et parlaient à voix basse tandis qu'un berger allemand trottait autour d'eux en aboyant. L'air était lourd et le ciel, au-dessus des montagnes, couvert et orageux. Les pans du manteau de Francis fouettaient l'air avec des gonflements spectaculaires ; il jetait sans arrêt des coups d'œil furtifs pour voir si son inquisiteur était dans le voisinage, et de temps en temps il lâchait une petite toux pitoyable.

« Pourquoi diable n'as-tu pas payé ces contraventions ? » lui a chuchoté Henry.

« Laisse-moi tranquille. »

Nous avons rampé dans la neige pendant ce qui m'a paru des heures, et les féroces piqûres d'aiguilles dans mes pieds ont laissé place à un engourdissement désagréable ; les grosses bottes noires des policiers faisaient crisser la neige, leurs matraques se balançaient lourdement à leur ceinturon. Un hélicoptère a plongé en rugissant sur les arbres, a plané quelques instants au-dessus de nos têtes avant de repartir en trombe d'où il était venu. La lumière faiblissait et les gens remontaient la pente abondamment piétinée pour rentrer chez eux.

« Allons-nous-en », a répété Francis pour la quatrième ou cinquième fois.

Nous allions finalement nous éloigner quand un policier en patrouille s'est arrêté en travers de notre route. « Vous en avez assez ? » Un gros au visage rouge, avec une moustache rousse, qui souriait.

« Il me semble », a dit Henry.

« Vous connaissez ce garçon, les mômes ? »

« Il se trouve que oui. »

« Pas idée d'où il aurait pu aller ? »

*Si c'était un film,* me suis-je dit avec un regard aimable pour le visage aimable et bovin du policier — *si c'était un film, on serait tous en train de se trémousser, l'air vraiment suspect.*

---

« Combien coûte une télévision ? » a demandé Henry pendant le trajet du retour.

« Pourquoi ? »

« Parce que j'aimerais regarder le journal, ce soir. »

« Je crois que c'est assez cher », a répondu Francis.

« Il y en a une dans le grenier du pavillon Monmouth » ai-je dit.

« Elle appartient à quelqu'un ? »

« Je suis sûr que oui. »

« Eh bien, nous la rendrons quand nous n'en aurons plus besoin. »

Francis a fait le guet pendant qu'Henry et moi sommes montés dans le grenier fouiller parmi les lampes cassées, les boîtes en carton, les affreux tableaux des étudiants en art de première année. Finalement nous avons trouvé la télévision derrière une vieille cabane à lapins et nous l'avons descendue dans la voiture. En allant chez Francis, nous sommes passés prendre les jumeaux.

« Les Corcoran ont essayé de te joindre cet après-midi », a dit Camilla à Henry.

« Mme Corcoran a téléphoné une demi-douzaine de fois. »

« Julian a appelé, lui aussi. Il est très inquiet. »

« Et Cloke », a dit Charles.

Henry s'est figé. « Qu'est-ce qu'il voulait ? »

« Il voulait être sûr que ni toi ni moi n'avions parlé de drogue ce matin avec les flics. »

« Qu'est-ce que tu lui as dit ? »

« J'ai dit que moi non, mais que toi, je n'en savais rien. »

« Allez », a lancé Francis en regardant sa montre. « Nous allons le manquer si vous ne vous pressez pas. »

---

On a posé la télévision de Francis sur la table de la salle à manger et on l'a tripotée jusqu'à obtenir une image convenable. La fin du générique de *Petticoat Junction* se déroulait sur des images du château d'eau de Hooterville, le Canonball Express.

Ensuite, le journal. Quand le thème musical s'est éloigné, un petit cercle est apparu dans le coin gauche du bureau de la présentatrice avec à l'intérieur le dessin stylisé d'un policier brandissant une lampe-torche et retenant un chien en laisse. Dessous, les mots CHASSE A L'HOMME.

La journaliste a regardé la caméra. « Des centaines de gens cherchent et des milliers prient, alors que la chasse pour retrouver l'étudiant de Hampden, Edmund Corcoran, vient de commencer aux alentours de Hampden. »

Il y a eu alors un panoramique d'une région fortement boisée ; puis une file de secouristes, filmés de dos, qui battaient les broussailles avec des bâtons tandis que le berger allemand que nous avions vu aboyait en riant sur l'écran.

« Une centaine de volontaires, disait le commentateur, sont arrivés ce matin pour aider les étudiants de l'université de Hampden à rechercher leur camarade de classe, porté manquant depuis dimanche après-midi. Jusqu'ici on n'a aucun indice concernant la disparition d'Edmund Corcoran, vingt-quatre ans, de Shady Brook dans le Connecticut, mais Info Douze vient de recevoir un important renseignement téléphoné dont les autorités pensent qu'il peut apporter un nouvel éclairage à cette affaire. »

« Quoi ? » a dit Charles au poste de télé.

« Nous passons l'antenne à Rick Dobson, qui est sur place. »

Plan d'un homme en imperméable, un micro à la main, debout devant ce qui semblait être une station-service.

« Je connais cet endroit, a dit Francis en se penchant. C'est le garage de la Rédemption, sur la Nationale 6. »

« Chttt », a fait quelqu'un.

Le vent soufflait plus fort, hurlait dans le micro, puis mourait dans des crachotements. « Cet après-midi, disait le reporter, à une heure cinquante-six, Info Douze a reçu un renseignement important qui peut donner une piste à la police dans la récente affaire de personne disparue à Hampden. »

La caméra a reculé pour montrer un vieil homme en salopette et bonnet de laine, avec un blouson noir et graisseux. Il avait le regard fixe, en biais, la tête ronde et le visage aussi lisse et paisible qu'un bébé.

« Voici maintenant William Hundy, a continué le reporter, copropriétaire du garage de la Rédemption à Hampden, membre de l'équipe de secours du comté de Hampden, qui vient de nous apporter cette information. »

« *Henry* », a dit Francis. J'ai été stupéfait de voir qu'il avait pâli d'un seul coup.

Henry a pris ses cigarettes dans sa poche. « Oui, a-t-il répondu d'une voix brève. Je vois. »

« De quoi s'agit-il ? » ai-je demandé.

Henry a tapoté sa cigarette sur le flanc du paquet, sans quitter l'écran des yeux. « Cet homme répare ma voiture. »

« M. Hundy, a commencé le reporter d'un air important, voulez-vous nous raconter ce que vous avez vu dimanche après-midi ? »

« Oh, mon Dieu », s'est écrié Charles.

« Chtt », a fait Henry.

Le mécanicien a jeté un coup d'œil timide vers la caméra et a détourné le regard. « Dimanche après-midi, a-t-il récité avec l'accent nasal du Vermont, une LeMans couleur crème, datant de quelques années, s'est arrêtée à cette pompe, là-bas. » D'un geste gauche, comme s'il l'avait oublié, il a levé le bras et désigné quelque chose hors champ. « Il y avait trois hommes, deux à l'avant, un à l'arrière. Pas des gens de la ville. Ils avaient l'air pressés. Je n'y aurais pas repensé sinon que le gosse était avec eux. Je l'ai reconnu en voyant sa photo dans le journal. »

Mon cœur avait failli s'arrêter de battre — *trois hommes, une voiture blanche* — mais les détails sont parvenus à ma conscience. Nous étions quatre, avec en plus Camilla, et Bunny n'avait pas approché de la voiture ce dimanche-là. Et Henry avait une BMW, ce qui est très différent d'une Pontiac.

Henry avait fini de tapoter sa cigarette sur le côté du paquet, et elle pendait mollement à ses doigts.

« Bien qu'aucune demande de rançon n'ait été reçue par la famille Corcoran, les autorités n'ont pas encore écarté la possibilité d'un kidnapping. Ici Rick Dobson, en direct pour Info Douze. »

Nous avons contemplé le poste dans un silence ahuri pendant ce qui m'a paru plusieurs minutes. Finalement les jumeaux se sont regardés et se sont mis à rire.

Henry a secoué la tête, regardant toujours l'écran d'un air incrédule. « Ces Vermontois... »

« Tu connais ce type ? » a demandé Charles.

« Cela fait deux ans que je lui confie ma voiture. »

« Il est cinglé ? »

Il a encore secoué la tête. « Cinglé, menteur, cherchant la récompense. Je ne sais pas quoi dire. Il m'a toujours paru plutôt sensé, bien qu'un jour il m'ait attiré dans un coin pour me parler du royaume du Christ sur cette terre. »

« Bon, pour quelque raison que ce soit, a dit Francis, il nous a rendu un énorme service. »

« Je ne suis pas sûr, a répliqué Henry. Le kidnapping est un crime grave. Si cela devient une enquête criminelle, ils peuvent tomber sur quelque chose qu'on aurait préféré cacher. »

« Comment serait-ce possible ? Tout ça n'a rien à voir avec nous ? »

« Je ne parle pas d'un gros truc. Mais il y a une quantité de minuscules détails qui peuvent être très révélateurs si quelqu'un prend la peine de les rassembler. J'ai été stupide de prendre les billets d'avion avec ma carte de crédit, par exemple. On aurait du mal à expliquer ça. Et ta fondation, Francis ? Et nos comptes en banque ? Des retraits massifs ces six derniers mois, et rien pour les justifier. Bunny a tout un tas de vêtements neufs dans sa penderie qu'il aurait été incapable de payer lui-même. »

« Il faudrait que quelqu'un fouille assez loin pour trouver ça. »

« Il suffirait que quelqu'un donne deux ou trois coups de téléphone bien choisis. »

A ce moment, le téléphone a sonné.

« Oh, Dieu », a gémi Francis.

« Ne réponds pas », a conseillé Henry. Mais Francis a tout de même décroché — j'en étais sûr. « Oui ? » a-t-il dit prudemment. Un silence. « Oh, salut à vous, M. Corcoran. » Il s'est assis et nous fait okay avec le pouce et l'index. « Vous avez entendu parler de quelque chose ? »

Un très long silence. Francis a écouté attentivement

plusieurs minutes, les yeux baissés, en hochant la tête ; puis il s'est mis à battre du pied d'un air impatient.

« Qu'est-ce qui se passe ? » a chuchoté Charles.

Francis a écarté l'appareil de son oreille et fait, de la main, le geste du moulin à paroles. « Je sais ce qu'il veux, a dit Charles d'un ton sinistre. Il veut qu'on vienne dîner avec lui à son hôtel. »

« En fait, monsieur, nous avons déjà dîné, disait Francis... Non, bien sûr que non... Oui. Oh, oui, monsieur, j'ai essayé de vous joindre, mais vous savez le désordre qu'il y a... Certainement... »

Il a fini par raccrocher. Nous l'avons regardé.

Il a haussé les épaules. « Eh bien, j'ai essayé. Il nous attend à son hôtel dans vingt minutes. »

« Nous ? »

« Je n'y vais pas tout seul. »

« Il est seul, lui ? »

« Non. » Francis était passé dans la cuisine ; on l'a entendu ouvrir et fermer des placards. « Il y a toute la bande sauf Teddy, et ils l'attendent d'un instant à l'autre. »

Il y a eu un bref silence.

« Qu'est-ce que tu fais là-dedans ? » a demandé Henry.

« Je me prépare un verre. »

« Fais-en un pour moi aussi », a dit Charles.

« Du scotch, ça va ? »

« Plutôt du bourbon si tu en as. »

« Fais-en deux », a dit Camilla. »

« Apporte donc la bouteille entière, pendant que tu y es », a conclu Henry.

---

Après qu'ils furent partis, je me suis allongé sur le divan de Francis, j'ai fumé ses cigarettes et bu son scotch en regardant *Jeopardy*. Un des concurrents venait de San Gilberto, très près de là où j'ai grandi, à moins de dix kilomètres Toutes ces banlieues, par là-bas, tendent à se mélanger, et on ne peut pas toujours dire où l'une commence et l'autre finit.

Ensuite, il y a eu un téléfilm. La terre était menacée de collision par une autre planète et tous les savants du monde s'unissaient pour éviter la catastrophe. Un astronome bidon qui apparaît constamment dans les débats et dont vous connaissez probablement le nom jouait par moments son propre rôle.

Je ne sais pourquoi, je n'ai pas eu envie de regarder seul le journal de onze heures, alors je suis passé sur PBS et j'ai regardé quelque chose intitulé « Histoire de la métallurgie ». C'était en fait assez intéressant, mais j'étais fatigué, un peu ivre, et je me suis endormi avant la fin.

---

Quand je me suis réveillé, on avait jeté une couverture sur moi et la pièce était bleuie par la lueur froide de l'aube. Francis était assis sur l'appui de la fenêtre, me tournant le dos ; il portait les mêmes vêtements que la veille et mangeait des cerises au marasquin dans un bocal en équilibre sur son genou.

Je me suis assis. « Quelle heure est-il? »

« Six heures. » Il a parlé la bouche pleine, sans se retourner.

« Pourquoi ne m'as-tu pas réveillé ? »

« Je ne suis rentré qu'à quatre heures et demie. Trop saoul pour te raccompagner. Tu veux une cerise ? »

Il était encore ivre. Son col était défait, ses vêtements en désordre, sa voix plate et détimbrée.

« Où étiez-vous toute la nuit ? »

« Avec les Corcoran. »

« En train de *boire* ? »

« Bien sûr. »

« Jusqu'à quatre heures ? »

« Ils y étaient encore quand je suis parti. Il y avait cinq ou six caisses de bière dans la baignoire. »

« J'ignorais que ce devait être une occasion frivole. »

« Offerte par le Food King. La bière, je veux dire. M. Corcoran et Brady s'en sont emparés et l'ont apportée à l'hôtel. »

« Où sont-ils descendus ? »

« Je ne sais pas, a dit Francis d'une voix morne. Un endroit affreux. Un de ces grands motels tout plats avec une enseigne au néon et aucun personnel. Toutes les chambres communiquent. Les enfants de Hugh braillaient et se lançaient des chips, la télévision était allumée dans toutes les pièces. C'était l'enfer... Vraiment, a-t-il dit sans sourire alors que je me mettais à rire, je crois que je pourrais tout supporter après la nuit dernière. Survivre à une guerre nucléaire. Piloter un avion. Quelqu'un — un de ces foutus mômes, je suppose — a pris mon écharpe préférée sur le lit et en a enveloppé un morceau de cuisse de poulet. La jolie en soie avec un motif d'horloges. Elle est tout simplement fichue. »

« Ça les a touchés ? »

« Qui, les Corcoran ? Bien sûr que non. Je ne pense pas même qu'ils l'aient remarqué. »

« Je ne parle pas de l'écharpe. »

« Oh. » Il a repris une cerise dans son bocal. « Ils étaient tous secoués, j'imagine, à leur façon. Personne ne parlait vraiment d'autre chose mais ils n'avaient pas l'air bouleversé ni rien. M. Corcoran prenait l'air triste et inquiet un petit moment, et l'instant d'après on le voyait jouer avec le bébé ou offrir de la bière à tout le monde. »

« Marion était là ? »

« Oui. Cloke aussi. Il est allé se balader avec Brady et Patrick et en est revenu en puant la fumette. Henry et moi sommes restés sur le radiateur toute la nuit pour parler avec M. Corcoran. Je crois que Camilla est allée saluer Hugh et sa femme et s'est fait piéger. Je ne sais même pas ce qui est arrivé à Charles. »

Au bout d'un moment, il a secoué la tête. « Je ne sais pas. Tu n'es pas frappé par l'horrible *drôlerie* de tout ça ? »

« Bon, ce n'est pas tellement drôle. »

« Je suppose que non. » Il s'est allumé une cigarette d'une main tremblante. « Et M. Corcoran a dit que la Garde nationale arrivait aujourd'hui, en plus. Quel gâchis. »

Depuis quelque temps je regardais fixement le bocal de cerises sans vraiment comprendre ce que c'était.

« Pourquoi manges-tu ça ? »

« Je ne sais pas, a répondu Francis en regardant le bocal. Elles ont très mauvais goût. »

« Jette-les. »

Il s'est battu avec le panneau de la fenêtre, qui s'est relevé en grinçant.

Une bouffée d'air glacé m'a giflé en pleine figure.

« Hé ! »

Il a jeté le bocal par la fenêtre et a tiré de tout son poids sur le panneau. Je suis allé l'aider. Finalement il est retombé à grand fracas et les rideaux se sont remis paisiblement en place le long de la fenêtre. Le jus de cerise avait projeté une gerbe d'éclaboussures sur la neige.

« Un genre de touche à la Jean Cocteau, n'est-ce pas ? a dit Francis. Je suis épuisé. Si cela ne t'ennuie pas, je crois que je vais prendre un bain. »

---

Il faisait couler l'eau et j'allais sortir quand le téléphone a sonné.

C'était Henry. « Oh. Je suis désolé. Je croyais avoir appelé chez Francis. »

« Tu y es. Attends une seconde. » J'ai posé l'appareil et appelé Francis.

Il est arrivé en pantalon et maillot de corps, le visage à moitié couvert de mousse, un rasoir à la main. « Qui est-ce ? »

« Henry. »

« Dis-lui que je suis dans mon bain. »
« Il est dans son bain. »
« Il n'est pas dans son bain, a répondu Henry. Il est debout à côté de toi. Je l'entends. »
J'ai tendu l'écouteur à Francis. Il l'a tenu loin de son visage pour ne pas le tacher avec de la mousse.
Je ne distinguais pas ce que disait Henry. Au bout d'un moment, les yeux endormis de Francis se sont ouverts tout grands.
« Oh non. Pas moi. »
A nouveau la voix d'Henry, sérieuse et carrée.
« Non. Je suis sérieux, Henry. Je suis fatigué et je vais me coucher et il n'y a pas moyen... »
Soudain il a changé de visage. A ma grande surprise il a crié une injure et raccroché si fort que l'appareil a brinquebalé.
« Qu'est-ce que c'est ? »
Il foudroyait le téléphone du regard. « Le salaud. Il m'a raccroché au nez. »
« De quoi s'agit-il ? »
« Il veut qu'on reparte avec cette foutue équipe de recherches. Maintenant. Je ne suis pas comme lui. Je ne *veux pas* passer cinq ou six nuits blanches de... »
« Maintenant ? Mais il est trop tôt ! »
« Ça a commencé il y a une heure, d'après lui. Le salaud. Il ne dort jamais ? »

---

Nous n'avions jamais reparlé de l'incident dans ma chambre, quelques nuits plus tôt, et dans le silence assoupi de la voiture, j'ai ressenti le besoin de mettre les choses au point.
« Tu sais, Francis ? »
« Quoi ? »
Il m'a semblé que le mieux était de me jeter à l'eau et de

parler sans détours. « Tu sais, je n'étais pas vraiment attiré par toi. Je veux dire, non que... »

« Comme c'est intéressant, a-t-il dit froidement. Je ne suis pas non plus vraiment attiré par toi. »

« Mais... »

« Tu étais là, c'est tout. »

Nous avons fait le reste du trajet dans un silence pas très confortable.

---

L'escalade s'était poursuivie pendant la nuit d'une façon incroyable. Il y avait maintenant des centaines de personnes : des gens en uniforme, d'autres avec des chiens, des mégaphones, des caméras, qui achetaient des gâteaux au camion buvette et scrutaient les vitres fumées des nouveaux fourgons — trois, dont un d'une chaîne de Boston — garés sur la pelouse du Collège avec le trop plein des véhicules débordant du parking.

Nous avons trouvé Henry sous le porche du Collège. Il était profondément absorbé par la lecture d'un petit volume relié en toile écrit dans je ne sais quel dialecte d'extrême-orient. Les jumeaux — endormis, fripés, le nez rouge — étaient vautrés sur un banc comme deux adolescents et se repassaient une tasse de café.

Francis a à moitié poussé, à moitié frappé le bout du soulier d'Henry, qui a sursauté.

« Oh. Bonjour. »

« Comment peux-tu dire une chose pareille ? Je n'ai pas fermé l'œil, et je n'ai rien mangé depuis trois jours. »

Henry a marqué sa page avec un ruban et glissé le livre dans sa poche intérieure. « Eh bien, a-t-il dit, très aimable, va te prendre un beignet. »

« Je n'ai pas d'argent sur moi. »

« Je t'en donne, alors. »

« Je ne veux pas d'un foutu beignet. »
Je suis allé m'asseoir avec les jumeaux.
« Tu as manqué quelque chose, la nuit dernière », m'a dit Charles.
« On m'a dit. »
« La femme de Hugh nous a montré des photos de bébés pendant une heure et demie. »
« Oui, au moins, a ajouté Camilla. Et Henry a bu à même sa boîte de bière. »
Un silence.
« Et qu'est-ce que tu as fait ? » a demandé Charles.
« Rien. Regardé un film à la télé. »
Ils ont dressé l'oreille. « Oh, vraiment ? Le truc avec la collision des planètes ? »
« M. Corcoran l'avait mis mais quelqu'un a changé de chaîne avant la fin », a regretté Camilla.
« Comment ça finit ? »
« Qu'est-ce que vous avez vu en dernier ? »
« Ils étaient en montagne dans un laboratoire. Les jeunes savants pleins d'enthousiasme se mettaient tous contre le vieux savant cynique qui ne voulait rien faire. »
Je leur expliquais le *dénouement* quand Cloke Rayburn a fendu la foule à grands coups d'épaule. Je me suis tu, pensant qu'il se dirigeait vers nous, mais il nous a fait un signe de tête et s'est approché d'Henry, debout près du porche.
« Ecoute, l'ai-je entendu dire, je n'ai pas eu l'occasion de te dire un mot hier soir. J'ai pu joindre les types de New York, et Bunny n'y a pas mis les pieds. »
Henry n'a rien dit pendant un moment.
« Je croyais que d'après toi on ne pouvait pas les joindre. »
« Bon, c'est possible, mais c'est un sacré casse-tête. De toute façon, ils ne l'ont pas vu. »
« Comment le sais-tu ? »

« Quoi ? »

« Je croyais que d'après toi on ne pouvait pas croire un mot de ce qu'ils disaient ? »

Cloke a eu l'air surpris. « J'ai dit ça ? »

« Oui. »

« Hé, écoute-moi. » Cloke a ôté ses lunettes noires. Il avait les yeux rouges et gonflés. « Ces types disent la vérité. Je n'y avais pas pensé plus tôt — bon, je suppose que ça ne fait pas si longtemps — mais en tout cas, l'histoire est dans tous les journaux de New York. S'ils lui avaient vraiment fait quelque chose, ils ne resteraient pas plantés chez eux pour répondre à mes coups de fil... Qu'est-ce qu'il y a, mec ? » Il s'est énervé en voyant qu'Henry ne réagissait pas. « Tu n'as rien dit à personne, pas vrai ? »

Henry a fait un bruit de gorge qui pouvait signifier n'importe quoi.

« Quoi ? »

« On ne m'a rien demandé », a dit Henry.

Son visage n'avait pas la moindre expression. Cloke, visiblement déconfit, a attendu qu'il continue. Finalement il a remis ses lunettes noires, un peu comme pour se protéger.

« Eh bien. Hum. Okay, alors. A plus tard. »

Quand il fut parti Francis s'est tourné vers Henry, l'air médusé. « Que diable est-ce que tu prépares ? »

Mais Henry n'a pas répondu.

---

La journée s'est passée comme en rêve. Des voix, des aboiements, les battements des pales d'hélicoptère. Le vent soufflait et grondait dans les arbres comme un océan. L'hélicoptère venait d'Albany, envoyé par le quartier général de la police de l'État de New York ; on nous avait dit qu'il avait un détecteur spécial à infrarouge. Quelqu'un avait aussi envoyé un genre d'avion « ultraléger » qui plongeait au-dessus de nos têtes, à peine plus haut que la cime des arbres. Désormais bien en rang, avec des chefs d'équipe munis de mégaphone, nos vagues humaines se succédaient sur les collines enneigées.

Champs de maïs, pâturages, buttes couvertes de broussailles. En approchant du pied de la montagne, il y avait d'abord une descente. En bas, la vallée était pleine d'un épais brouillard blanc, sorte de marmite fumante d'où émergeaient seulement les sommets des arbres, noirs et dantesques. Nous sommes descendus pas à pas, et le monde a disparu. Charles, à côté de moi, était silhouetté de façon presque hyperréaliste, avec ses joues rouges et son souffle laborieux, mais plus bas Henry n'était qu'un spectre, son grand corps allégé et rendu presque insubstantiel par le brouillard.

Quand la pente s'est inversée, plusieurs heures plus tard, nous sommes arrivés sur les talons d'un autre groupe, moins important. Parmi eux, des gens que j'ai été surpris de voir, et parfois ému. Il y avait Martin Hoffer, un vieux compositeur distingué, professeur à Hampden ; la dame entre deux âges qui vérifiait nos cartes à déjeuner, l'air étrangement tragique dans son manteau en toile très ordinaire ; le Dr Roland, qu'on entendait de loin se moucher à grand bruit.

« Regarde, a dit Charles. Ce n'est pas Julian, là-bas ? »

« Où ? »

« Sûrement pas », a fait Henry.

Mais c'était lui. A sa manière, il a fait semblant de ne pas nous voir avant que nous soyons si près qu'il lui est devenu impossible de nous ignorer. Julian était en train d'écouter une toute petite dame au visage pointu qui faisait, je le savais, le ménage dans les pavillons.

« Bonté divine », s'est-il écrié quand elle a eu fini, reculant d'un pas avec une surprise feinte. « D'où sortez-vous ? Vous connaissez Mme O'Rourke ? »

Celle-ci a eu un timide sourire. « Je vous ai déjà vus, vous tous. Les jeunes croient que les bonnes ne font pas attention à eux, mais je vous connais tous de vue. »

« Oh, j'espère bien, a dit Charles. Vous ne m'avez pas oublié, n'est-ce pas ? Pavillon Bishop, numéro dix ? »

Il a parlé avec une telle chaleur qu'elle en a rougi de plaisir.

« Bien sûr. Je me souviens de vous. Vous êtes celui qui s'en allait toujours avec mon balai. »

Pendant ce dialogue, Henry et Julian parlaient à voix basse. « Vous auriez dû me le dire plus tôt », ai-je entendu dire Julian.

« Nous vous l'avons dit. »

« Eh bien, oui, mais tout de même. Edmund a déjà manqué des cours. » Il avait l'air affligé. « Je croyais qu'il jouait au malade. On raconte qu'il a été kidnappé mais je trouve ça plutôt idiot, pas vous ? »

« Je préférerais qu'un des miens soit kidnappé au lieu de passer six jours dans une neige pareille », a dit Mme O'Rourke.

« Eh bien, en tout cas j'espère qu'il ne lui est rien arrivé. Vous savez, n'est-ce pas, que sa famille est venue ? Vous les avez vus ? »

« Pas aujourd'hui », a répondu Henry.

« Bien sûr, bien sûr », a fait très vite Julian. Il n'aimait pas les Corcoran. « Je ne suis pas allé les voir non plus, ce n'est pas vraiment le moment de s'imposer... Ce matin j'ai rencontré le père tout à fait par hasard, ainsi qu'un de ses frères. Il était avec un bébé. Il le portait sur ses épaules comme s'ils allaient faire un pique-nique. »

Henry s'est éclairci la voix. « Vous avez parlé avec le père de Bunny ? »

« Un moment, pas plus. Il — oh, j'imagine que nous avons tous notre façon de nous occuper de ces choses... Edmund lui ressemble beaucoup, vous ne trouvez pas ? »

« Comme tous les frères » a dit Camilla.

Julian a souri. « Oui ! Et il y en a tant ! Comme dans un conte de fées... » Il a regardé sa montre. « Bonté divine, il se fait tard. »

Francis, plongé dans son silence morose, a sursauté. « Vous partez maintenant ? » a-t-il demandé à Julian d'un ton anxieux. « Voulez-vous que je vous raccompagne ? »

C'était un moyen évident de se défiler. Henry a gonflé les narines, pas tant par colère qu'avec une sorte d'amusement exaspéré : il lui a jeté un regard noir, mais Julian, qui regardait au loin, parfaitement inconscient du drame qui dépendait de sa réponse, a secoué la tête.

« Non, merci. Pauvre Edmund. Je suis vraiment très inquiet, vous savez. »

« Pensez seulement à ce que doivent éprouver ses parents », a dit Mme O'Rourke.

« Oui. » Le ton de Julian réussissait à exprimer à la fois sa sympathie et son aversion pour les Corcoran.

« Je serais folle, si c'était moi. »

Tout d'un coup, Julian a frissonné et relevé le col de son manteau. « Hier soir j'étais tellement troublé que j'ai à peine pu dormir. Il est tellement gentil, ce garçon, tellement nigaud ; j'ai vraiment beaucoup d'affection pour lui. S'il lui était arrivé quelque chose, je ne sais pas si je pourrais le supporter. »

Il était en train de regarder les collines, toute cette vaste étendue cinématographique d'hommes et de nature enneigée en contrebas, et si sa voix était angoissée, il avait une étrange expression rêveuse sur le visage. Cette affaire l'avait touché, je le savais, mais je savais aussi que le caractère spectaculaire de ces recherches ne pouvait pas manquer de lui plaire et qu'il était satisfait, fût-ce obscurément, de l'esthétique de cet événement.

Henry l'a vu, lui aussi, et en a fait la remarque. « Comme si cela sortait de Tolstoï, n'est-ce pas ? »

Julian l'a regardé par-dessus son épaule, et à ma grande surprise j'ai vu qu'il avait réellement l'air ravi.
« Oui. N'est-ce pas ? »

---

Vers deux heures de l'après-midi, deux hommes en manteau noir ont surgi de nulle part.
« Charles Macaulay ? » a demandé le plus petit des deux, un type au torse massif avec des yeux durs et pleins de bonne humeur.
Charles, près de moi, s'est arrêté et l'a fixé d'un regard vide.
L'homme a sorti un insigne de sa poche de poitrine. « Agent Harvey Davenport, division régionale du Nord-Ouest, FBI. »
Un instant j'ai cru que Charles allait perdre contenance. Il a cligné des yeux. « Que voulez-vous ? »
« Parler avec vous, si cela ne vous ennuie pas. »
« Il n'y en a pas pour longtemps », a dit le plus grand, un Italien aux épaules voûtées, avec un nez triste et pâteux, une voix douce et aimable.
Henry, Francis et Camilla s'étaient arrêtés pour regarder les inconnus, chacun témoignant à sa façon de son intérêt et de son inquiétude.
« Et puis, a ajouté Davenport avec entrain, c'est une bonne chose de sortir du froid pour une minute ou deux. Je parie que vous vous gelez les couilles, hein ? »

---

Après leur départ, nous étions rongés par l'angoisse, mais naturellement nous ne pouvions rien dire, et nous avons continué à traîner les pieds, les yeux baissés, avec presque peur de lever la tête. Il a bientôt été trois heures, puis quatre.

Les choses étaient loin d'être terminées, mais aux premiers signes montrant que les recherches allaient s'interrompre, nous avons marché rapidement et en silence vers la voiture.

---

« Qu'est-ce que tu crois qu'ils lui veulent ? » a demandé Camilla pour au moins la dixième fois.

« Je ne sais pas », a dit Henry.

« Il leur a déjà fait une déclaration. »

« Il l'a faite à la police. Pas à ces gens-là. »

« Quelle différence ça fait ? Pourquoi ils voudraient lui parler ? »

« Je ne sais pas, Camilla. »

---

En arrivant chez les jumeaux, nous avons été soulagés en trouvant Charles allongé sur le canapé, un verre posé sur la table basse, en train de parler à sa grand-mère au téléphone. Il était un peu ivre. « Nana te salue », a-t-il dit à Camilla en raccrochant. « Elle est très inquiète. Une bestiole ou un truc s'est mis dans ses azalées. »

« Qu'est-ce que tu as sur les mains ? » s'est écriée Camilla.

Ils les a tendues, les paumes en l'air, un peu tremblantes. Les bouts de ses doigts étaient tout noirs. « On a pris mes empreintes. C'était plutôt intéressant. On ne m'avait jamais fait ça. »

Sous le choc, nous n'avons rien pu dire. Puis Henry s'est approché, lui a pris une main et l'a examinée à la lumière. « Sais-tu pourquoi ils l'ont fait ? »

Charles s'est épongé le front du dos de sa main libre. « Ils ont mis sous scellés la chambre de Bunny. Dedans il y a des gens qui cherchent des empreintes et mettent des trucs dans des sacs en plastique. »

Henry a laissé tomber sa main. « Mais pourquoi ? »

« Je ne sais pas pourquoi. Ils voulaient les empreintes de tous ceux qui sont entrés dans la chambre, jeudi, et ont touché quelque chose. »

« A quoi cela peut-il servir ? Ils n'ont pas celles de Bunny. »

« Apparemment, si. Bunny était dans les boy-scouts et toute sa troupe était allée se faire prendre ses empreintes pour obtenir une sorte de badge d'aide au maintien de l'ordre, il y a des années. Elles sont quelque part dans un dossier. »

Henry s'est assis. « Pourquoi voulaient-ils te parler ? »

« C'est la première chose qu'ils m'ont demandée. »

« Quoi ? »

« Pourquoi croyez-vous qu'on veuille vous parler. » Il s'est passé le gras du pouce le long du visage. « Ce sont des malins, Henry. Beaucoup plus malins que la police. »

« Comment t'ont-ils traité ? »

Charles a haussé les épaules. « Celui qui s'appelle Davenport était plutôt brusque. L'autre — l'Italien — était plus aimable, mais il me faisait peur. Ne disait pas grand-chose, se contentait d'écouter. Il est beaucoup plus intelligent que le premier... »

« Eh bien ? » Henry s'est impatienté. « Qu'est-ce qu'il y a ? »

« Rien. Je... Je ne sais pas. Il faut qu'on fasse très attention, c'est tout. Ils ont essayé de me piéger plus d'une fois. »

« Qu'est-ce que tu veux dire ? »

« Oh, quand je leur ai dit que Cloke et moi étions allés dans la chambre de Bunny jeudi vers quatre heures, par exemple. »

« C'est l'heure où tu y es allé », a dit Francis.

« Je sais. mais l'Italien — vraiment, c'est un type très agréable — a pris un air préoccupé. "Crois que c'est ça, fiston ? il a dit. Réfléchis." J'étais vraiment troublé, parce que je savais que c'était à quatre heures, et puis Davenport a dit, "Tu ferais mieux d'y réfléchir, parce que ton copain Cloke nous a dit que vous étiez restés dans la chambre une bonne heure avant d'appeler qui que ce soit." »

« Ils voulaient voir si Cloke ou toi aviez quelque chose à cacher », a dit Henry.

« Peut-être. Peut-être voulaient-ils seulement voir si j'allais mentir. »

« Tu l'as fait ? »

« Non. Mais s'ils m'avaient demandé quelque chose d'un peu plus délicat, et comme j'avais plutôt peur... Tu ne te rends pas compte de ce que c'est. Ils sont deux, toi tu es seul, et tu n'as pas vraiment le temps de penser... Je sais, je sais — il a pris un ton désespéré — mais ce n'est pas comme avec la police. En fait, ces flics de petite ville s'attendent à ne rien trouver. Ils seraient choqués d'apprendre la vérité, et n'y croiraient probablement pas si on la leur disait. Mais ces types... » Il a frissonné. « Je ne m'étais jamais rendu compte, tu sais, à quel point on se fie aux apparences. Ce n'est pas qu'on a été si malins, c'est surtout qu'on n'a pas l'*air* d'avoir fait ça. On pourrait aussi bien être une bande d'élèves du catéchisme, pour l'impression qu'on fait à tout le monde. Mais ces types ne s'y laissent pas prendre. » Il a pris son verre et bu une gorgée. « A propos, ils ont posé un million de questions sur votre voyage en Italie. »

Henry a levé les yeux, surpris. « Est-ce qu'ils t'ont interrogé sur la question financière ? Qui a payé quoi ? »

« Non. » Charles a fini son verre et fait cliqueter un moment les glaçons. « J'avais très peur qu'ils le fassent. Mais je pense qu'ils étaient trop impressionnés par les Corcoran. Je crois que si je leur avais dit que Bunny ne portait jamais ses caleçons deux fois de suite ils m'auraient cru. »

« Et le Vermontois ? a demandé Francis. Celui qui est passé hier soir à la télé ? »

« Je ne sais pas. Ils s'intéressaient beaucoup plus à Cloke qu'à n'importe qui d'autre, me semble-t-il. Peut-être voulaient-ils seulement s'assurer que sa version correspondait à la mienne, mais il y a eu une ou deux questions vraiment bizarres que... Je ne sais pas. Je ne serais pas étonné qu'il se mette à raconter partout sa théorie, comme quoi Bunny aurait été kidnappé par des dealers. »

« Sûrement pas ,» a répondu Francis.

« Oh, il nous l'a bien dit, et nous ne sommes même pas de ses amis. Bien que les types du FBI aient l'air de croire qu'on est intimes, lui et moi. »

« J'espère que tu as pris soin de corriger cette impression », a dit Henry en allumant une cigarette.

« Je suis sûr que Cloke les a mis au clair là-dessus. »

« Pas nécessairement. » Henry a secoué son allumette, l'a jetée dans un cendrier et a pris une grande bouffée de sa cigarette. « Tu sais, j'ai d'abord cru que cette association avec Cloke était une grande malchance. Maintenant je pense que c'est une des meilleures choses qui aurait pu nous arriver. »

Avant que quiconque ait pu lui demander ce qu'il voulait dire, il a regardé sa montre. « Bonté divine. Il vaut mieux qu'on y aille. Il est presque six heures. »

---

En allant chez Francis, une chienne enceinte a traversé la route devant nous.

« C'est de très mauvais augure », a dit Henry.

Mais à quel sujet, il ne l'a pas dit.

---

Le journal venait de commencer. Le présentateur a consulté ses papiers, l'air grave mais en même temps très satisfait. « Poursuite des recherches intensives — et jusqu'ici infructueuses — afin de retrouver l'étudiant de l'université de Hampden qui a disparu, Edward Corcoran. »

« Bof », a fait Camilla en prenant une cigarette dans la poche de son frère. « Ils pourraient au moins donner son vrai nom, vous ne croyez pas ? »

L'écran a montré une vue aérienne de collines enneigées, tachetée comme un plan d'état-major par des silhouettes minuscules, avec en arrière-plan le mont Cataract, énorme et en biais.

« Environ trois cents chercheurs, a dit le commentateur, y compris la Garde nationale, la police, les pompiers de Hampden et les fonctionnaires d'Etat du Vermont, ont passé au peigne fin cette zone difficile d'accès en ce deuxième jour des recherches. De plus, le FBI a commencé aujourd'hui sa propre enquête à Hampden. »

L'image a vacillé, puis a laissé brusquement place à un homme aux cheveux blancs, mince, en chapeau de cowboy, qui était d'après le sous-titre le shérif du comté de Hampden, Dick Postonkill. Il parlait, mais aucun son ne sortait de sa bouche ; les chercheurs, curieux, s'attroupaient sur la neige derrière lui, se mettant sur la pointe des pieds pour se moquer silencieusement de la caméra.

Après quelques instants, le son est revenu brutalement, mais inégal et haché. Le shérif était au milieu d'une phrase.

« ... pour rappeler aux randonneurs de partir en groupe, de rester sur les pistes, d'indiquer le plan de leur itinéraire et d'emporter des vêtements chauds en cas de baisse subite de la température. »

« C'était Dick Postonkill, le shérif du comté de Hampden, a dit gaiement le présentateur, avec quelques conseils pour la sécurité de nos téléspectateurs en randonnée. » Il s'est tourné, et la caméra a zoomé sur lui sous un angle différent. « Un des seuls indices, jusqu'ici, dans l'affaire de la disparition de Corcoran, a été fourni par William Hundy, commerçant de la ville et spectateur d'Info Douze, qui a appelé notre ligne spéciale avec des renseignements concernant le jeune disparu. Aujourd'hui M. Hundy a coopéré avec les autorités locales et celles de l'État pour établir une description des supposés kidnappeurs de Corcoran... »

« Locales et d'Etat », a fait Henry d'un ton las.

« Quoi ? »

« Pas fédérales. »

« Bien sûr que non, a dit Charles. Tu crois que le FBI va gober une histoire idiote inventée par un Vermontois ? »

« Alors, s'ils n'y croient pas, qu'est-ce qu'ils font là ? »

C'était une question troublante. Sous le soleil de midi qui brillait en différé, un groupe d'hommes descendait très vite les marches du tribunal.

M. Hundy, tête baissée, était parmi eux. Il avait les cheveux plaqués en arrière et portait, au lieu de son uniforme de pompiste, un costume de ville bleu ciel.

Une journaliste — Liz Ocavello, une sorte de célébrité locale, grâce à son propre magazine d'actualités et une rubrique Cinéma Plus dans les informations locales — s'est approchée, le micro à la main. « Monsieur Hundy. Monsieur Hundy. »

Il s'est arrêté, confus, tandis que ses compagnons continuaient et le laissaient seul sur les marches. Ensuite ils s'en sont rendu compte et sont revenus s'attrouper autour de lui comme une sorte de constellation d'allure officielle. Ils l'ont pris par les coudes et ont voulu l'écarter, mais il leur a résisté et est resté sur place.

« Monsieur Hundy », a dit Liz Ocavello en se frayant un passage. « On m'apprend que vous avez aidé les artistes de la police à établir un portrait robot des personnes que vous avez vues dimanche avec le jeune disparu. »

M. Hundy, assez alerte, a fait signe que oui. Ses façons timides et fuyantes de la veille avaient fait place à une posture un peu plus assurée.

« Pouvez-vous nous dire à quoi ils ressemblaient ? »

Les autres ont reflué une fois de plus autour de lui, mais il paraissait fasciné par la caméra. « Eh bien, ils n'étaient pas de par ici. Ils étaient... basanés. »

« Basanés ? »

On l'a tiré au bas des marches, et il a regardé par-dessus son épaule, comme pour faire une confidence. « Des Arabes. Vous savez bien. »

Liz Ocavello, derrière ses lunettes et sa grande coiffure de présentatrice, a accepté cette révélation de façon si neutre que j'ai cru avoir mal entendu. « Merci, Monsieur Hundy. » Elle s'est éloignée en courant pendant que M. Hundy et ses amis disparaissaient au bas des marches. « C'était Liz Ocavello au tribunal du comté de Hampden. »

« Merci, Liz », a lancé gaiement le commentateur en pivotant sur sa chaise.

Camilla est intervenue. « Attendez. Est-ce qu'il a dit ce que je crois avoir entendu ? »

« Quoi ? »

« Des *Arabes* ? Il a dit que Bunny était dans une voiture avec des *Arabes* ? »

« En rapport avec cette affaire, a continué le journaliste, les Églises de la région ont joint les mains pour prier en faveur du jeune disparu. D'après le révérend A. K. Poole de la Première Luthérienne, plusieurs Églises de la région des trois États, y compris la Première Baptiste, la Première Méthodiste, le Saint Sacrement et l'Assemblée Divine, ont offert leur... »

« Je me demande ce que nous prépare ton mécano, Henry », a dit Francis.

Henry a allumé une cigarette. Il l'a fumée à moitié avant de demander : « Ils t'ont parlé de ces Arabes, Charles ? »

« Non. »

« Mais on vient de dire à la télé qu'Hundy n'a pas eu affaire au FBI », a remarqué Camilla.

« Nous n'en savons rien. »

« Tu ne crois pas que c'est une sorte de coup monté ? »

« Je ne sais pas quoi penser. »

L'image avait changé. Un femme d'une cinquantaine d'années, mince et bien habillée — cardigan de chez Chanel, collier de perles, cheveux descendant tout droit sur les épaules — parlait avec un accent nasal étrangement familier.

« Oui », disait-elle — où avais-je entendu cette voix ? — « les habitants d'Hampden sont tellement aimables. Quand nous sommes arrivés à l'hôtel, hier en fin d'après-midi, le concierge nous attendait... »

« Concierge », a fait Francis, dégoûté. « Il n'y a pas de concierge au Coachlight. »

J'ai examiné la femme avec un intérêt renouvelé. « C'est la mère de Bunny ? »

« C'est elle, a dit Henry. J'oublie tout le temps. Tu ne l'as jamais rencontrée. »

C'était une femme fragile, le cou veineux et tacheté comme sont souvent les femmes de cet âge et de cette complexion ; elle ne ressemblait guère à Bunny, mais elle avait les yeux et les cheveux de la même couleur que lui et aussi le même nez : un petit nez pointu, inquisiteur, qui s'harmonisait parfaitement avec ses traits, alors qu'il avait toujours paru un peu incongru chez Bunny, planté comme après coup au milieu de son grand visage carré. Mme Corcoran paraissait à la fois hautaine et distraite. « Oh, a-t-elle dit en faisant tourner une bague sur son doigt, nous avons eu un vrai déluge, venu de tout le pays. Des cartes postales, des appels, des fleurs absolument splendides... »

« Ils l'ont droguée ou quoi ? » ai-je demandé.

« Qu'est-ce que tu veux dire ? »

« Eh bien, elle n'a pas vraiment l'air bouleversé, n'est-ce pas ? »

« Naturellement », a-t-elle dit comme pour se reprendre,

« nous sommes tous totalement hors de nous, c'est vrai. Et j'espère réellement qu'aucune mère ne devra endurer ce que j'endure depuis quelques jours. Mais le temps semble se radoucir, et nous avons rencontré tellement de gens adorables, et les commerçants locaux se sont montrés si généreux par tellement de petites choses... »

« En fait », a remarqué Henry quand elle a laissé la place à une publicité, « elle passe plutôt bien à l'écran, vous ne trouvez pas ? »

« Elle a l'air coriace. »

« Elle sort de l'enfer », a dit Charles, un peu ivre.

« Oh, elle n'est pas si mal », a fait Francis. « Tu dis ça parce qu'elle n'arrête pas de te lécher la pomme, a répliqué Charles. A cause de ta mère et tout ça. »

« Me lécher la pomme ? De quoi tu parles ? Mme Corcoran ne me *lèche pas la pomme.* »

« Elle est terrible, a insisté Charles. C'est horrible de dire à ses gosses qu'il n'y a que l'argent au monde, et que c'est une honte que de travailler pour en avoir. Et ensuite de les jeter dehors sans un sou. Elle n'a jamais donné à Bunny le moindre... »

« C'est aussi la faute de M. Corcoran », a dit Camilla.

« Oh, ouais, peut-être. Je ne sais pas. C'est juste que je n'ai jamais vu des gens aussi avides et superficiels. En les regardant, tu te dis, oh, quelle famille aimable, pleine de goût, alors que ce n'est qu'une bande de *zéros*, comme s'ils sortaient d'une pub. Chez eux — Charles s'est tourné vers moi — ils ont une pièce qu'ils appellent la Chambre Gucci. »

« Quoi ? »

« Eh bien, ils l'ont fait peindre avec des sortes de colonnes, tu vois, ces affreuses rayures de chez Gucci. C'était dans toutes sortes de magazines. *House Beautiful* l'a mis dans un de ces articles ridicules qu'ils font sur les Caprices du Décorateur ou autre idée idiote — tu sais, là où ils vous disent de peindre un homard géant ou autre au plafond de votre chambre, et c'est censé être plein d'esprit et très beau. » Il a allumé une cigarette. « Je veux dire, c'est exactement de ce genre-là qu'ils sont. Tout en surface. Bunny était le meilleur d'entre eux, de loin, mais même lui... »

« Je déteste Gucci », a fait Francis.

« Vraiment ? » a dit Henry en sortant de sa rêverie. « Vraiment ? Je trouve ça plutôt grandiose. »

« Allons, Henry. »

« Eh bien, c'est tellement cher, et tellement laid, n'est-ce pas ? Je crois que c'est volontairement laid. Et les gens l'achètent par pure perversité. »

« Je ne vois pas ce que tu trouves de grandiose à ça. »

« Tout est grandiose quand c'est vraiment fait à grande échelle. »

---

Je rentrais chez moi, ce soir-là, sans faire attention où je marchais, quand un grand type un peu ours s'est approché de moi, sous les pommiers en face du pavillon Putnam. « Vous êtes Richard Papen ? »

Je me suis arrêté, je l'ai regardé, j'ai dit que oui.

A ma grande stupéfaction, il m'a envoyé son poing en pleine figure. Je suis tombé à la renverse, dans la neige, avec un choc qui m'a coupé le souffle.

« N'approche pas de Mona ! a-t-il crié. Si tu la revois, je te tue. Tu as compris ? »

Trop assommé pour répondre, je l'ai fixé sans rien dire. Il m'a donné un violent coup de pied dans les côtes et s'est éloigné lourdement — des pas ont fait crissé la neige, une porte a claqué.

J'ai regardé les étoiles. Elles m'ont paru très lointaines. J'ai fini par me relever difficilement — j'avais très mal à la poitrine, mais rien de cassé, semblait-il — et me mettre à boitiller dans la nuit.

Le lendemain, je me suis réveillé tard. Quand j'ai roulé de côté, mes yeux me cuisaient. Je suis resté allongé quelque temps. Le soleil me faisait cligner des paupières, et les détails confus de la nuit précédente flottaient vers moi comme en rêve. J'ai pris ma montre sur la table de nuit et vu qu'il était bientôt midi — pourquoi personne n'était-il venu me chercher ?

Je me suis levé, et ce faisant mon reflet s'est levé à ma rencontre dans le miroir d'en face. Puis il s'est arrêté pour me contempler — les cheveux hérissés, la bouche ouverte comme un ahuri — on aurait dit un personnage de BD ayant reçu une enclume sur la tête, avec autour du front un chapelet d'étoiles et des petits oiseaux en train de gazouiller. Plus étonnant encore, un splendide cocard de dessin animé était peint tout autour de mon œil gauche, dans des nuances rose tyrien, chartreuse et pourpre du plus bel effet.

---

Je me suis brossé les dents, je me suis habillé et je suis sorti en toute hâte. La première personne de connaissance que j'ai repérée a été Julian en route vers le Lyceum.

Il a reculé en me voyant avec une surprise innocente, à la Charlot. « Bonté divine, qu'est-ce qui vous est arrivé ? »

« Vous avez appris du nouveau, ce matin ? »

« Oh, non. » Il m'a regardé, curieux. « Cet œil. Vous avez l'air de sortir d'une bagarre dans un bar. »

A tout autre moment j'aurais été trop gêné pour lui dire la vérité, mais j'étais tellement dégoûté du mensonge que j'ai été pris de l'envie de lui dire la vérité, du moins sur cette question mineure. Je lui ai donc raconté ce qui s'était passé.

Sa réaction m'a surpris. « C'était bien une bagarre, a-t-il dit, ravi comme un enfant. Comme c'est *passionnant*. Etes-vous amoureux d'elle ? »

« Je crains de la connaître à peine. »

Il a ri. « Très cher, vous voilà sincère, pour une fois », a-t-il dit avec une perspicacité remarquable. « La vie est devenue terriblement théâtrale tout d'un coup, n'est-ce pas ? Exactement comme un roman... A propos, vous ai-je dit que des hommes sont venus me voir hier après-midi ? »

« Qui donc ? »

« Ils étaient deux. Au début j'ai été un peu anxieux — je croyais qu'ils venaient du ministère de la Défense, ou pire. Vous avez entendu parler de mes problèmes avec le gouvernement isramien ? »

Je ne savais pas bien ce que Julian croyait que les Isramiens — bien que ce soit un État terroriste — pouvaient lui vouloir, mais ses craintes venaient de ce qu'il avait donné des cours à une princesse en exil dix ans plus tôt. Après la révolution, elle avait dû se cacher, était arrivée je ne sais comment à Hampden ; Julian avait été son professeur pendant quatre ans, grâce à des cours particuliers supervisés par l'ancien ministre isramien de l'Éducation, lequel venait de Suisse en avion de temps en temps, avec du caviar et des chocolats, pour s'assurer que l'enseignement convenait à l'héritière présumée du trône de son pays.

La princesse était d'une richesse fabuleuse. (Henry l'avait aperçue un jour — lunettes noires, long manteau en martre — clic-claquant très vite les marches du Lyceum, ses gardes du corps sur ses talons.) La dynastie à laquelle elle appartenait faisait remonter ses origines à la tour de Babel, et avait accumulé depuis une richesse monstrueuse, dont ses parents encore en vie ainsi que leurs associés avaient réussi à faire sortir une bonne partie en contrebande. Mais sa tête était mise à prix, de sorte qu'elle était isolée, surprotégée, et quasiment sans amis, même lors de son adolescence à Hampden. Les années suivantes en avaient fait une recluse. Elle changeait constamment d'adresse, terrifiée par les assassins ; toute sa famille — à part un ou deux cousins et un petit demi-frère débile qui était dans une institution — avait été liquidée un à un au fil des ans et même le vieux ministre de l'Education, six mois après que la princesse eut reçu son diplôme, était mort sous les balles d'un tireur embusqué dans le jardin de sa petite maison au toit en tuiles, à Montreux.

Julian n'était en rien mêlé à la politique isramienne, malgré son affection pour la princesse et sa sympathie — de principe — pour les royalistes contre les révolutionnaires. Mais il refusait de prendre l'avion ou d'accepter des paquets contre remboursement, vivait dans la crainte de visiteurs inattendus, et n'avait pas franchi l'océan depuis huit ou neuf ans. Que ce fussent des précautions raisonnables ou excessives, je n'en savais rien, mais sa relation avec la princesse apparaissait relativement ténue, et pour mon compte je pensais que le Jihad islamique avait mieux à faire que de traquer un précepteur de grec en Nouvelle-Angleterre.

« Bien sûr, ils n'étaient pas du tout du ministère de la Défense, mais ils avaient un rapport quelconque avec le gouvernement. J'ai un sixième sens à propos de ces choses, curieux, n'est-ce pas ? L'un d'eux était un Italien en vérité très charmant... presque aristocratique, d'une drôle de façon. Tout cela m'a plutôt intrigué. Ils m'ont dit qu'Edmund se droguait. »

« Quoi ? »

« Trouvez-vous cela étrange ? Je trouve ça très étrange. »

« Qu'avez-vous dit ? »

« J'ai dit *certainement* pas. Je peux me flatter, mais je crois connaître assez bien Edmund. Il est en fait très timide, puritain, presque... je ne l'imagine pas faire quoi que ce soit de ce genre, et de plus, les jeunes gens qui prennent des drogues sont toujours tellement prosaïques et bovins. Mais savez-vous ce que m'a dit cet individu ? Il m'a dit qu'avec les jeunes, *on ne sait jamais*. Je ne crois pas que ce soit vrai, et vous ? Croyez-vous que c'est vrai ? »

Nous avons traversé le Collège — j'entendais le fracas des assiettes dans la salle à manger — et, sous prétexte d'avoir à faire de ce côté du campus, j'ai accompagné Julian jusqu'au Lyceum.

Cette partie de l'université, vers le nord de la ville, était habituellement paisible et déserte ; sous les pins, la neige restait vierge et immaculée jusqu'au printemps. Ce jour-là elle était piétinée et jonchée de débris comme un terrain de foire. Quelqu'un avait embouti un orme avec une jeep — du verre brisé, un parechocs tordu, une horrible blessure béante et jaune sur le tronc — un groupe de mômes de la ville, gueulards, dévalait la colline sur un bout de carton.

« Bonté divine, a dit Julian, pauvres enfants. »

Je l'ai quitté à la porte de derrière du Lyceum et je suis allé au bureau du Dr Roland. C'était dimanche, il n'était pas là. Je suis entré, j'ai verrouillé la porte derrière moi, et j'ai passé l'après-midi à l'abri, heureux de noter des devoirs, de boire un café boueux dans une chope étiquetée RHONDA en écoutant vaguement les voix venues du couloir.

Il me semble aujourd'hui que ces voix étaient audibles, en fait, et que j'aurais pu comprendre ce qu'elle disaient si j'avais fait un peu attention, mais je ne l'ai pas fait. Ce n'est que plus tard, après avoir quitté le bureau et tout oublié, que j'ai appris quelles étaient ces voix, et compris que je n'avais pas passé un après-midi aussi protégé que je l'avais cru.

---

Les types du FBI, m'a dit Henry, avaient installé leur QG provisoire dans une salle de cours vide donnant sur le même couloir que le bureau du Dr Roland, et c'est là qu'ils l'avaient interrogé. Ils étaient à cinq mètres de mon poste de travail, buvaient le même café boueux que j'avais préparé dans la salle des professeurs, tiré de la même cafetière. « C'est curieux, a dit Henry. Ce à quoi j'ai pensé en premier, en buvant ce café, c'est à toi. »

« Qu'est-ce que tu veux dire ? »

« Un goût bizarre. De brûlé. Comme ton café. »

La salle (disait Henry) avait un tableau noir couvert d'équations du second degré, deux cendriers pleins, et une longue table de conférences où ils avaient pris place tous les trois. Il y avait aussi un ordinateur portable, un sac pour pièces à conviction avec l'insigne du FBI en jaune, et une boîte de bonbons au sucre d'érable — glands et petits cornets dans des coupes de papier gaufré. Ils appartenaient à l'Italien. « Pour mes gosses », avait-il dit.

Henry, bien sûr, s'en était merveilleusement tiré. Il ne l'a pas dit, mais ce n'était pas nécessaire. C'était lui, en un sens, l'auteur de cette pièce, et il avait longtemps attendu en coulisses le moment où il pourrait entrer en scène et incarner le rôle qu'il s'était lui-même écrit : réservé, mais aimable ; hésitant, réticent quant aux détails ; brillant, mais moins qu'il ne l'était en réalité. En fait, il avait pris plaisir à parler avec eux, m'a-t-il confié. Davenport était un rustre ne valant même pas la peine d'être mentionné, mais l'Italien, sombre et courtois, était vraiment charmant. (« Comme un de ces vieux Florentins que Dante rencontre au Purgatoire. ») Sciola — c'était son nom — s'intéressait beaucoup au voyage à Rome. Il avait posé beaucoup de questions, plutôt comme un touriste que comme un enquêteur. (« Est-ce que vous, les jeunes, êtes par hasard allés à, comment dit-on, San Prassede, aux environs de la gare ? Avec une petite chapelle sur le côté ? ») Il parlait italien, et ils avaient eu tous les deux un petit dialogue agréable interrompu par Davenport, exaspéré, qui ne comprenait pas un mot et voulait passer aux affaires sérieuses.

Henry n'a pas été très disert, du moins devant moi, sur ce dont il s'était précisément agi. Mais d'après lui, quelle que soit la piste qu'ils suivaient, ce n'était sûrement pas la bonne. « En plus, je crois avoir deviné laquelle. »

« Quoi ? »

« Cloke. »

« Ils ne croient pas que Cloke l'a tué ? »

« Ils croient que Cloke en sait plus qu'il n'en dit. Et ils trouvent son comportement suspect. Ce qui est le cas, à vrai dire. Ils savent toutes sortes de choses que je ne leur ai jamais dites. »

« Par exemple ? »

« La logistique de son trafic de drogue. Des dates, des noms, des endroits. Des choses qui se sont passées avant même qu'il n'arrive à Hampden. Et on dirait qu'ils essayaient de me relier en partie à ces choses, ce que bien sûr ils n'ont pas pu faire de façon satisfaisante. Bonté divine. Ils m'ont même demandé mes ordonnances, les analgésiques qu'on me donnait à l'infirmerie en première année. Il y avait des dossiers dans tous les coins, des données qu'une seule personne ne peut jamais réunir — histoire médicale, évaluations psychologiques, avis de la faculté, échantillons de mes devoirs, notes... Naturellement, ils ont marqué le coup, en me laissant voir qu'ils avaient tout ça. Dans l'espoir de m'intimider, j'imagine. Je sais à peu près tout ce qu'il y a dans mon dossier, mais celui de Cloke... mauvaises notes, drogues, renvois — je suis prêt à parier qu'il a laissé une vraie piste de paperasses derrière lui. J'ignore si ce sont les dossiers *per se* qui les ont intrigués, ou quelque chose que Cloke aurait dit de lui-même quand ils l'ont interrogé ; mais ce qu'ils voulaient surtout obtenir de moi — et de Julian, de Brady et Patrick Corcoran, avec qui ils ont parlé hier soir — ce sont les détails de ses rapports avec Bunny. Julian, bien sûr, n'était au courant de rien. Brady et Patrick, apparemment, leur ont dit beaucoup de choses. Et moi aussi. »

« De quoi parles-tu ? »

« Eh bien, je veux dire, Brady et Patrick sont allés fumer de l'herbe avec lui avant-hier soir dans le parking du Coachlight. »

« Mais qu'est-ce que tu leur as dit ? »

« Ce que Cloke nous a raconté. A propos du trafic de drogue à New York. »

Je me suis adossé à mon siège. « Oh, mon Dieu. Es-tu sûr de savoir ce que tu fais ? »

« Bien sûr. » Henry était parfaitement serein. « C'est ce qu'ils voulaient entendre. Ils avaient tourné autour depuis le début de l'après-midi, et quand j'ai fini par lâcher quelque chose, ils ont bondi... Je crois que Cloke va passer une ou deux journées désagréables, mais à vrai dire, je trouve que c'est très heureux pour nous. On n'aurait pas pu souhaiter mieux pour les occuper jusqu'à la fonte des neiges — et as-tu remarqué comme cela se dégage depuis deux jours ? Je pense que les routes commencent déjà à être déblayées. »

---

Mon œil au beurre noir a suscité beaucoup d'intérêt, de suppositions et de débats — j'ai dit à Francis que c'était un coup des types du FBI, juste pour le voir ouvrir de grands yeux — mais pas autant qu'un article paru dans le *Herald* de Boston. La veille, ils avaient envoyé un journaliste, de même que le *Post* et le *Daily News*, de New York, mais celui du *Herald* avait trouvé un scoop.

LA DISPARITION DU VERMONT
SERAIT LIÉE A LA DROGUE

Les agents fédéraux enquêtant sur la disparition le 24 avril d'Edmund Corcoran, un étudiant de l'université d'Hampden âgé de vingt-quatre ans qui est l'objet d'une chasse à l'homme intensive dans le Vermont depuis trois jours, ont découvert que le jeune disparu a pu être mêlé à une histoire de drogue. Les autorités fédérales ayant fouillé la chambre de Corcoran ont trouvé un attirail de drogué et d'importants résidus de cocaïne. Bien que Corcoran n'ait aucun passé connu de toxicomane, certains de ses proches disent que ce jeune homme habituellement extraverti était depuis quelques mois d'humeur morose et replié sur lui-même. (Voir « Ce que ne vous dit pas votre enfant », p. 6.)

Nous avons été intrigués par cet article, mais tout le monde, sur le campus, paraissait être parfaitement au courant. C'est Judy Poovey qui m'a raconté l'histoire.

« Tu sais ce qu'ils ont trouvé dans sa chambre ? C'est, pige-moi ça, un miroir qui appartient à Laura Stora. Je parie que tout Durbinstall s'est fait des lignes dessus. Bram Guernsey dit que Cloke a dit que ce truc n'était pas dans la chambre de Bunny quand il y était allé, que les Feds l'avaient planqué eux-mêmes, mais alors Bram a dit que Cloke trouvait que toute cette affaire était un coup monté. Comme dans *Mission : Impossible*, il voulait dire, ou un de ces bouquins paranoïaques de Philip K. Dick. Il a dit à Bram qu'il pensait que les Fédés avaient une caméra cachée quelque part à Durbinstall, des tas de trucs de cinglé. Bram dit que c'est parce que Cloke a peur de dormir et qu'il marche à la meth depuis quarante-huit heures. Il reste assis dans sa chambre fermée à clef, se fait des lignes et écoute sans arrêt la chanson de Buffalo Springfield... tu la connais ? « *Il y a quelque chose dans l'air... quoi, ça n'est pas très clair...* » C'est dingue. Les gens ont la tête à l'envers, tout d'un coup ils veulent écouter des vieilles conneries de hippies qu'ils n'écouteraient jamais s'ils étaient dans leur état normal, quand mon chat est mort il a fallu que j'aille emprunter tous les vieux disques de Simon et Garfunkel. Passons. » Elle a allumé une cigarette. « Pourquoi je suis partie là-dessus ? C'est ça, Laura flippe à mort, je ne sais comment ils ont trouvé que le miroir est à elle et elle est déjà en conditionnelle, tu sais, elle a dû faire tous ces travaux d'intérêt commun à l'automne parce que Flipper Leach a eu des emmerdes et a dénoncé Laura et Jack Teitelbaum — oh, tu te souviens de tous ces trucs, non ? »

« Je n'ai jamais entendu parler de Flipper Leach. »

« Oh, tu la connais, Flipper. C'est une garce. Tout le monde l'appelle Flipper parce qu'elle a retourné la Volvo de son vieux, genre quatre fois en première année. »

« Je ne comprends pas ce que cette dénommée Flipper vient faire là-dedans. »

« Voyons, elle n'a rien à y voir, Richard, tu es juste comme ce type dans *Dragnet* qui réclame toujours des faits. C'est juste que Laura est en train de flipper, okay, et le bureau étudiant menace d'appeler ses parents sauf si elle leur dit comment ce miroir est arrivé chez Bunny, ce dont elle n'a pas la moindre putain d'idée, et pige un peu, ces types du FBI ont su pour l'Extasy qu'elle avait à Printemps en Fête la semaine dernière et ils veulent qu'elle leur donne des noms. Je lui ai dit, Laura, ne fais pas ça, ce sera juste comme le truc avec Flipper, tout le monde va te détester et il faudra que tu changes de fac. C'est comme disait Bram... »

« Où est Cloke, maintenant ? »

« C'est ce que j'allais te dire si tu la fermais une minute. Personne n'en sait rien. Il était vraiment dans un sale état et il a demandé s'il pouvait emprunter la caisse de Bram, hier soir, pour quitter la fac, mais ce matin la caisse était revenue sur le parking avec les clefs dedans et personne ne l'a vu et il n'est pas dans sa chambre et il se passe des trucs dingues là aussi mais sûr que je ne sais pas quoi.... Juste que je ne prendrai plus jamais de meth. Trembloteville. A propos, je voulais te demander, qu'est-ce que tu as fait avec ton œil ? »

---

De retour chez Francis avec les jumeaux — Henry déjeunait avec les Corcoran — je leur ai raconté ce que Judy m'avait dit.

« Mais je le connais, ce miroir », s'est étonné Camilla.

« Moi aussi, a dit Francis. Un vieux machin sombre et taché. Bunny l'a eu quelque temps dans sa chambre. »

« Je croyais qu'il était à lui. »

« Je me demande comment il l'a eu. »

« Si la fille l'a laissé dans une pièce, Bunny a dû tomber dessus et le prendre. »

C'était très probable. Bunny avait une légère tendance à la kleptomanie, et empochait facilement n'importe quel petit objet sans valeur qui attirait son attention — coupe-ongles, boutons, rouleaux de scotch. Il les cachait ensuite dans sa chambre dans des petits nids pleins de fouillis. C'était un vice qu'il pratiquait en secret, mais en même temps rien ne l'empêchait d'emporter ouvertement les objets de valeur qu'il trouvait sans surveillance. Il le faisait avec une telle assurance, un tel aplomb — se mettant sous le bras des bouteilles d'alcool ou des boîtes venues d'un fleuriste et s'éloignant sans un regard en arrière — que je me demandais s'il savait vraiment qu'il était en train de voler. Une fois je l'avais entendu expliquer à Marion, avec chaleur et sans la moindre honte, ce qu'on aurait dû faire à ceux qui volaient dans les réfrigérateurs communs.

---

Si les choses se présentaient mal pour Laura Stora, c'était encore pire pour Cloke, qui n'avait vraiment pas de chance. Nous avons appris plus tard qu'il n'avait pas ramené la voiture de Bram Guernsey de son propre mouvement, mais y avait été contraint par les agents du FBI, qui l'avaient rattrapé à moins de quinze kilomètres d'Hampden. Ils l'avaient emmené dans la salle de cours qui leur servait de quartier général, l'avaient gardé la plus grande partie de la nuit de samedi à dimanche, et, si j'ignorais ce qu'ils lui avaient dit, je savais que lundi matin il avait exigé qu'un avocat assiste à son interrogatoire.

---

Mme Corcoran (d'après Henry) était ulcérée qu'on ait osé suggérer que Bunny se droguait. Pendant le déjeuner, à la Brasserie, un reporter s'était faufilé vers la table des Corcoran et leur avait demandé s'ils avaient des commentaires à faire sur « l'attirail de drogué » découvert dans la chambre de Bunny.

M. Corcoran, surpris, avait froncé les sourcils de façon impressionnante et dit, « Oh, bien sûr, euh, hum », mais son épouse, cisaillant son steak *au poivre* avec une violence contenue, s'était lancée dans un discours acide sans même lever les yeux. Un attirail de drogué, comme ils appelaient ça, ça n'était pas de la drogue, et il était dommage que la presse ait choisi d'accuser des gens qui n'étaient pas en mesure de se défendre, et la situation était déjà assez pénible pour n'avoir pas en plus à entendre des inconnus insinuer que son fils était le pivot d'un trafic de drogue. Tout cela était plus ou moins juste et raisonnable, et le *Post* l'a rapporté consciencieusement le lendemain, mot pour mot, à côté d'une photo peu flatteuse de Mme Corcoran, la bouche ouverte, sous le titre : PAS MON FILS, DIT LA MÈRE.

---

Lundi soir, vers deux heures du matin, Camilla m'a demandé de la raccompagner. Henry était parti vers minuit et Francis et Charles, qui buvaient sec depuis quatre heures de l'après-midi, ne donnaient aucun signe de vouloir s'arrêter. Ils étaient retranchés dans la cuisine, la lumière éteinte, occupés à préparer, avec ce qui me paraissait une hilarité inquiétante, une série de cocktails hasardeux appelés Blue Blazers, ce qui impliquait de verser des jets de whisky enflammé d'une chope dans une autre et réciproquement. Arrivés chez elle, Camilla — frissonnante, préoccupée, les joues enfiévrées par le froid — m'a proposé de monter prendre une tasse de thé. « Je me demande si on aurait dû les laisser comme ça. » Elle a allumé. « J'ai peur qu'ils se mettent eux-mêmes à flamber. »

« Ils ne risquent rien », ai-je dit, même si la même idée m'était déjà venue.

Nous avons bu notre thé. La lampe donnait une lumière chaude, l'appartement était tranquille et douillet. Chez moi, au lit, dans le gouffre intime de mes nostalgies, les scènes dont je rêvais commençaient toujours ainsi : à l'heure de l'ivresse ensommeillée, tous les deux seuls — des scénarios où invariablement elle me frôlait comme par hasard, ou se penchait tout près, sa joue touchant la mienne, pour me montrer un passage dans un livre ; des occasions dont je m'emparais, avec douceur et hardiesse, en tant qu'exorde de plaisirs plus violents.

La tasse était trop chaude, et me brûlait le bout des doigts. Je l'ai posée et j'ai regardé Camilla, oublieuse de ma présence, qui fumait une cigarette à moins d'un mètre de moi. Je pouvais me perdre à jamais dans cet étrange petit visage, dans le pessimisme de cette bouche magnifique. *Viens ici, toi. On éteint la lumière, tu veux ?* Quand j'imaginais ces phrases articulées par sa voix, elles étaient d'une douceur presque insupportable ; et là, assis à côté d'elle, il était impensable que je puisse moi-même les prononcer.

Et pourtant, pourquoi pas ? Elle avait été complice du meurtre de deux hommes ; elle était restée d'un calme de madone en regardant mourir Bunny. Je me suis rappelé la voix d'Henry, à peine six semaines plus tôt : *Il y a un certain élément charnel dans la procédure, oui.*

« Camilla ? »

Elle a levé les yeux, distraite.

« Qu'est-ce qui s'est vraiment passé, cette nuit-là, dans la forêt ? »

Je crois que je m'étais attendu, sinon à une vraie surprise, du moins à ce qu'elle fasse semblant. Mais elle n'a pas cillé. « Eh bien, je ne me souviens pas vraiment de tout, a-t-elle dit lentement. Et ce dont je me souviens est presque impossible à décrire. C'est même beaucoup moins clair qu'il y a quelques mois. Je suppose que j'aurais dû essayer de le mettre par écrit ou je ne sais quoi. »

« Mais de quoi te souviens-tu ? »

Elle a attendu un moment avant de répondre. « Bon, je suis sûre qu'Henry t'a déjà tout raconté. Ça a l'air un peu idiot d'en parler à voix haute. Je me souviens d'une meute de chiens. Des serpents qui s'enroulaient sur mes bras. Des arbres en flammes, des pins qui prenaient feu d'un coup comme des torches géantes. Il y a eu une cinquième personne avec nous, une partie du temps. »

« Une cinquième personne ? »

« Ce n'était pas toujours une personne. »

« Je ne vois pas ce que tu veux dire. »

« Tu sais comment les Grecs appelaient Dionysos, πολυειδής le Multiforme. Parfois c'était un homme, parfois une femme. Et parfois autre chose. Je... Je vais te dire une chose dont je me souviens », a-t-elle dit de façon abrupte.

« Quoi ? » J'espérais obtenir enfin un détail passionnant, à donner froid dans le dos.

« Le mort. Allongé par terre. Il avait le ventre ouvert et il en sortait une vapeur. »

« Son ventre ? »

« La nuit était froide. Je n'oublierai jamais cette odeur,

non plus. Comme quand mon oncle dépeçait un cerf. Demande à Francis. Il s'en souvient, lui aussi. »

J'étais trop horrifié pour dire un mot. Elle a pris la théière et a rempli sa tasse. « Sais-tu pourquoi je pense que nous avons une telle malchance, en ce moment ? »

« Quoi ? »

« Parce que ça porte malheur de laisser un mort sans l'enterrer. Ce paysan, ils l'ont trouvé tout de suite, tu sais. Mais rappelle-toi le pauvre Palinurus dans l'Enéide. Il est resté sur place à les hanter pendant un temps infini. Je crains que nous n'allions pas vraiment retrouver le sommeil avant que Bunny ne soit dans la tombe. »

« C'est absurde. »

Elle a ri. « Au quatrième siècle avant J.-C., le départ de toute la flotte attique a été retardé uniquement parce qu'un soldat a éternué. »

« Tu écoutes trop Henry. »

Elle est restée silencieuse un moment. « Sais-tu ce que nous a fait faire Henry, deux jours après ce truc dans la forêt ? »

« Quoi ? »

« Il nous a obligés à tuer un porcelet. »

Ce n'est pas tant cette phrase, qui m'a choqué, que le calme avec lequel elle l'a prononcée. « Oh, mon Dieu. »

« On lui a tranché la gorge. Ensuite, on s'est relayés pour le tenir de façon que le sang nous coule sur la tête et les mains. C'était horrible. J'ai failli vomir. »

Il m'a semblé que la pratique consistant à se couvrir délibérément de sang — même du sang de porc — aussitôt après un meurtre, pouvait être mise en question, mais j'ai seulement dit : « Pourquoi a-t-il voulu faire ça ? »

« Le meurtre est une pollution. Le meurtrier souille tous ceux qui entrent en contact avec lui. Et on ne peut purifier le sang que par le sang. On a laissé le porcelet saigner sur nous. Ensuite, on est rentrés se laver. Après, tout était okay. »

« Est-ce que tu essayes de me dire que... »

« Oh, ne t'inquiète pas. Je ne pense pas qu'il prépare quoi que ce soit de ce genre, cette fois. »

« Pourquoi ? Ça n'a pas marché ? »

Elle n'a pas saisi mon sarcasme. « Oh, ce n'est pas ça. Je crois que ça a marché, c'est sûr. »

« Alors pourquoi ne pas recommencer ? »

« Parce que je pense qu'Henry s'est dit que cela pourrait te bouleverser. »

Nous avons entendu une clef farfouiller dans la serrure, et tout de suite après Charles a plongé par la porte avant de laisser tomber son manteau en tas sur la moquette.

« Salut, salut », a-t-il chanté en titubant, et il a aussi laissé glisser sa veste par terre. Sans entrer dans le living, il a tourné brusquement dans le couloir qui menait aux chambres et à la salle de bains. Une porte s'est ouverte, puis une autre. « Milly, ma fille », l'ai-je entendu appeler. « Où es-tu, mon chou ? »

« Oh, seigneur », a murmuré Camilla. Plus fort : « On est ici, Charles. »

Il a reparu, la cravate défaite et les cheveux en désordre. « Camilla. » Il s'est appuyé au chambranle. « Camilla. » C'est alors qu'il m'a vu.

« Toi », a-t-il dit, pas vraiment poli. « Qu'est-ce que tu fais là ? »

« On prend juste une tasse de thé, a répondu Camilla. Tu en veux un peu ? »

« Non. » Il s'est retourné et a disparu à nouveau dans le couloir. « Trop tard. Vais me coucher. »

Une porte a claqué. Camilla et moi nous sommes regardés. Je me suis levé.

« Bon. Je ferais mieux de rentrer. »

---

Il y avait encore des opérations de recherche, mais le nombre des participants venus de la ville avait chuté de façon spectaculaire, et il ne restait presque plus d'étudiants. L'entreprise était devenue plus stricte, professionnelle, secrète. On m'a dit que la police avait fait venir une voyante, un expert en empreintes digitales, une meute spéciale de limiers entraînés à Dannemora. Peut-être m'imaginais-je être entaché d'une souillure secrète, imperceptible à la plupart des gens mais peut-être décelable par le flair d'un chien (dans les films, c'est toujours le chien qui reconnaît le premier l'odeur suave et innocente du vampire), mais l'idée de ces limiers me rendait superstitieux et j'essayais de rester aussi loin que possible des chiens, de tous les chiens, même des labradors abrutis qui appartenaient au professeur de céramique et couraient dans tous les sens, la langue pendante, dans l'attente d'une partie de Frisbee. Henry — se représentant peut-être une Cassandre frémissante baragouinant des prophéties devant le choeur des policiers — s'inquiétait beaucoup plus de la voyante. « S'ils doivent nous trouver, disait-il avec une certitude morose, c'est comme ça que ça se passera. »

« Tu ne crois tout de même pas à ces trucs ? »

Il m'a lancé un regard d'un mépris indicible.

« Tu me stupéfies. Tu crois que rien ne peut exister sans que tu puisses le voir. »

La voyante était une jeune mère de famille du nord de l'État de New York. Le choc électrique d'une batterie de voiture l'avait plongée dans un coma dont elle était sortie, trois semaines plus tard, capable de « savoir » des choses en maniant un objet ou en touchant la main d'un inconnu. La police l'avait employée avec succès dans plusieurs cas de personnes disparues. Une fois, elle avait retrouvé le corps d'un gosse étranglé en désignant simplement l'endroit sur le plan d'un géomètre. Henry, tellement superstitieux qu'il lui arrivait de laisser une soucoupe de lait à sa porte pour apaiser les esprits maléfiques, la regardait, fasciné, se promener seule en lisière du campus — des grosses lunettes, un trois-quarts banlieusard, des cheveux roux pris dans un foulard à pois.

« Malheureusement, disait-il, je n'ose pas prendre le risque de la rencontrer. Mais j'aurais très envie de lui parler. »

Par ailleurs, la majorité de nos condisciples s'est émue à grand bruit à la nouvelle — vraie ou fausse, je ne l'ai jamais su — que la Brigade des stupéfiants avait envoyé des agents et menait une enquête parallèle. Théophile Gautier, traitant des effets du *Chatterton* de Vigny sur les jeunes Parisiens, dit qu'au cours des nuits du dix-neuvième siècle on pouvait presque entendre les détonations des pistolets solitaires ; maintenant, à Hampden, les nuits bruissaient du fracas des chasses d'eau. Les accros au speed ou à la coke titubaient, les yeux vitreux, hébétés par leurs pertes soudaines. Quelqu'un a jeté tellement d'herbe dans une des toilettes de l'atelier de sculpture qu'on a dû faire venir la Compagnie des Eaux pour déterrer la fosse septique.

Vers quatre heures, lundi après-midi, Charles est arrivé chez moi. « Salut. Tu as envie de venir manger quelque chose ? »

« Où est Camilla ? »

« Quelque part, je ne sais pas où. » Son regard pâle a effleuré ma chambre. « Tu veux venir ? »

« Eh bien... oui, bien sûr. »

Il a souri. « Bien. J'ai un taxi en bas. »

---

Le chauffeur de taxi — un homme au teint fleuri répondant au nom de Junior qui nous avait conduits en ville, Bunny et moi, le premier après-midi d'automne, et qui trois jours plus tard ramènerait Bunny dans le Connecticut pour son dernier voyage, cette fois en corbillard — nous a regardés dans le rétroviseur quand nous avons tourné sur le cours de l'université. « Vous allez à la Brassière, les jeunes ? »

Il parlait de la Brasserie, refaisant chaque fois la même petite plaisanterie. « Oui », ai-je dit.

« Non », a fait Charles très vite. Il était vautré comme un gosse contre la portière, les yeux sur la route, et ses doigts tambourinaient sur l'accoudoir. « Nous allons au 1910 rue Catamount. »

« Qu'est-ce que c'est ? » lui ai-je demandé.

« Oh, j'espère que cela ne t'ennuie pas. » Il m'a presque regardé, mais sans vraiment y arriver. « Juste pour changer. Ce n'est pas loin, et en plus j'en ai marre de manger à la Brasserie, pas toi ? »

---

L'endroit où nous avons échoué — un bar, appelé Farmer's Inn, ne se distinguait en rien par sa cuisine, par son décor — des chaises pliantes et des tables en Formica — ni par sa clientèle clairsemée — surtout des ruraux, ivres et de plus de soixante-cinq ans. C'était en fait loin de valoir la Brasserie sur tous les plans, si ce n'est qu'on vous servait au bar des grands verres de whisky sans marque pour seulement cinquante cents.

Nous nous sommes mis au bout du comptoir, près de la télévision. La barmaid — d'une cinquantaine d'années, avec des paupières bleu turquoise et beaucoup de bagues assorties — a inspecté nos costumes et nos cravates. Elle a paru étonnée d'entendre Charles commander deux doubles-whiskies et un sandwich. « C'est quoi ça ? » a-t-elle dit d'une voix de perroquet. « Maintenant on laisse les gosses s'en mettre un peu dans le goulot, hein ? »

Je ne savais pas ce qu'elle voulait dire — est-ce qu'elle s'en prenait à nos vêtements, à l'université, est-ce qu'elle voulait nos cartes d'identité ? Charles, qui l'instant d'avant était plongé dans un abîme de tristesse, a levé les yeux et lui a fait le plus beau et le plus doux des sourires. Il avait le chic, avec les serveuses. Elles étaient toujours aux petits soins pour lui dans les restaurants, et n'arrêtaient pas de lui tourner autour.

Celle-ci l'a regardé — contente, incrédule — et a ri comme on aboie. « Ça, c'est un sacré truc », a-t-elle dit d'une voix rauque en prenant d'une main lourdement baguée sa Silva-Thin qui se consumait dans un cendrier. « Et dire que je vous ai pris pour des petits Mormons qu'ont même pas le droit de boire du coca. »

Dès qu'elle est rentrée en dandinant dans sa cuisine pour s'occuper de notre commande (« Bill », a-t-elle crié derrière les portes battantes. « Hé, Bill ! Ecoute-ça ! ») le sourire de Charles s'est effacé. Il a pris son verre et haussé tristement les épaules quand j'ai voulu croiser son regard.

« Désolé, m'a-t-il dit. J'espère que cela ne t'ennuie pas d'être ici. C'est moins cher que la Brasserie et on ne verra personne. »

Il n'était pas d'humeur à bavarder — parfois exubérant, il pouvait être aussi taciturne et boudeur qu'un gosse — et il s'est mis à boire assidûment, les coudes sur le bar et les cheveux dans les yeux. Quand son sandwich est arrivé il l'a ouvert, a mangé le bacon et laissé le reste, pendant que je buvais mon verre en regardant les Lakers. C'était étrange de se trouver là, dans ce petit bar obscur et froid du Vermont, et de les regarder jouer. En Californie, à mon ancienne fac, il y avait un pub, le Falstaff, avec une télévision grand écran ; j'avais un ami abruti qui s'appelait Carl et qui me traînait là pour boire des bières à un dollar et regarder des joueurs de basket. Il devait encore s'y trouver, perché sur un tabouret de bar en séquoia, et regarder le match des Lakers.

Je remuais ces pensées déprimantes et d'autres du même tonneau, et Charles en était à son quatrième ou cinquième whisky, quand quelqu'un a changé de chaîne avec une télécommande : « Jeopardy », « La Roue de la Fortune », « MacNeil / Lehrer », et finalement une émission locale, « Ce soir dans le Vermont ». Le décor évoquait une ferme de la Nouvelle-Angleterre, avec des meubles imitation Shaker et de vieux ustensiles de ferme, fourches et ainsi de suite, accrochés aux planches du fond. C'était Liz Ocavello qui recevait.

Son invité du soir, bien qu'il m'ait fallu un bon moment pour m'en rendre compte, était William Hundy. Il était en costume — pas le bleu ciel, mais un vieil habit comme aurait pu en porter un prédicateur rural — il parlait avec assurance, pour une raison que je n'ai pas tout de suite comprise, des Arabes et de l'OPEC. « Cette OPEC, disait-il, c'est à cause d'elle que nous n'avons plus de stations-service Texaco. Je me rappelle, quand j'étais gosse, il y avait des stations Texaco un peu partout, mais avec ces Arabes, il y a eu une sorte de, comment dites-vous, d'OPA.. »

J'ai cogné le pied de Charles avec le mien.

« Ouais », a-t-il dit sans le moindre intérêt, et il a levé son verre d'une main hésitante.

J'étais surpris de voir le franc-parler acquis par M. Hundy en tout juste quatre jours. J'étais encore plus surpris de voir la réaction chaleureuse du public dans le studio — on l'interrogeait sérieusement sur des sujets allant du système judiciaire au rôle du petit commerçant dans une communauté, et ses vagues plaisanteries étaient accueillies par des hurlements de rire. Il me semblait qu'une telle popularité ne venait qu'en partie de ce qu'il avait vu, ou cru voir. Son air ahuri et son bégaiement avaient disparu. Désormais, les mains croisées sur le ventre, il répondait aux questions avec le sourire paisible d'un pontife accordant des dispenses, il montrait une aisance si parfaite qu'elle en avait quelque chose de visiblement malhonnête. Je me demandais pourquoi personne, apparemment, ne s'en rendait compte.

Un petit homme brun en manches de chemise, qui agitait

la main depuis quelque temps, a été finalement désigné par Liz et s'est levé. « Je m'appelle Adnan Nassar et je suis palestino-américain », a-t-il dit avec un débit précipité. « Je suis venu de Syrie il y a neuf ans, j'ai acquis depuis la nationalité américaine et je suis directeur adjoint du Pizza Pad sur la nationale 6. »

M. Hundy a penché la tête de côté. « Eh bien, Adnan, a-t-il dit d'un ton cordial, j'imagine que cette histoire serait plutôt rare dans votre pays. Mais ici, c'est comme ça que le système marche. Pour tout le monde. Et cela quelle que soit votre race ou la couleur de votre peau. » Applaudissements.

Liz, le micro à la main, est descendue dans la salle et a désigné une femme avec un chignon bouffant, mais le Palestinien a agité les bras, en colère, et la caméra est revenue sur lui.

« Ce n'est pas la question. Je suis un Arabe et les insultes racistes que vous faites à mon peuple me déplaisent. »

Liz est revenue vers lui et a posé la main sur son bras, style Oprah, pour le consoler. William Hundy, assis sur la scène, dans son fauteuil imitation Shaker, s'est penché vers la salle. « Vous vous plaisez ici ? » a-t-il demandé sèchement.

« Oui. »

« Vous voulez repartir ? »

« Non, a dit Liz, très fort. Personne n'essaye de dire que... »

« Parce que les navires, a dit M. Hundy encore plus fort, *vont dans les deux sens.* »

Dotty, la barmaid, a eu un rire admiratif et tiré une bouffée de sa cigarette. « Ça, c'est envoyé. »

« D'où vient votre famille ? a dit l'Arabe d'un ton sarcastique. Vous êtes Indien d'Amérique ou quoi ? »

M. Hundy a fait semblant de ne pas entendre. « Je *payerai* votre billet de retour. Combien vaut un aller simple pour Bagdad de nos jours ? Si vous voulez, je... »

« Je crois, l'a coupé Liz, que vous avez mal compris ce

que ce gentleman essaye de dire. Il cherche seulement à souligner que... » Elle a passé son bras sur les épaules du Palestinien et il l'a rejeté, rageur.

« Toute la soirée vous avez insulté les Arabes, a-t-il hurlé. Vous ne savez pas ce qu'est un Arabe. » Il s'est donné des coups de poing sur la poitrine. « Moi je le sais, dans mon cœur. »

« Vous et votre petit copain Saddam Hussein. »

« Comment osez-vous dire que nous sommes avides, que nous avons tous de grosses voitures ? Pour moi, c'est une grave insulte. Je suis arabe et je conserve les ressources naturelles... »

« En mettant le feu aux puits de pétrole, hein ? »

« ... en conduisant une Toyota Corolla. »

« Je parlais pas de vous en particulier, a dit Hundy. Je parlais de ces tarés de l'OPEC et des malades qui ont kidnappé ce gosse. Vous croyez qu'ils se baladent en Toyota ? Vous pensez qu'ici nous trouvons des excuses au terrorisme ? C'est ça qu'ils font dans votre pays ? »

« Menteur », a crié l'Arabe.

Un instant, dans la confusion, la caméra s'est portée sur Liz Ocavello, la bouche ouverte et les yeux fixes, regardant sans voir hors de l'écran, et je savais qu'elle pensait exactement la même chose que moi, *oh, mec, oh, mec, c'est parti..*

« Ce n'est pas un mensonge, s'est écrié Hundy. Je le sais. Je suis dans les stations-service depuis trente ans. Vous croyez que je ne me rappelle pas, quand Carter était président, que vous nous avez roulés dans la farine, en mille neuf cent soixante-quinze ? Et maintenant vous arrivez tous par ici, vous faites comme si c'était chez vous, avec vos pois chiches et vos sales petits pains huileux ? »

Liz regardait de côté, essayait de donner des instructions muettes.

L'Arabe a hurlé une terrible obscénité.

« Arrêtez ça ! Stop ! » a crié Liz, désespérée.

M. Hundy a bondi sur ses pieds, le regard enflammé, et

pointé un index tremblant vers le public. « *Négros du désert ! a-t-il glapi d'un ton amer. Négros du désert ! Négros...* »

La caméra s'est éloignée d'une secousse et a glissé follement en dehors du décor, montrant les nœuds de câbles noirs, les projecteurs masqués. L'image est devenue floue, irrégulière, et a été brutalement remplacée par une pub pour le McDonald.

« Houhouuuuu », a crié quelqu'un, admiratif.

Il y a eu quelques applaudissements épars.

« Tu as entendu ça ? » a dit Charles, après un silence.

Je l'avais complètement oublié. Il avait la voix pâteuse, et ses cheveux trempés de sueur retombaient sur son front.

« Fais attention », lui ai-je dit en grec, indiquant la barmaid d'un signe de tête. « *Elle peut t'entendre.* »

Il a marmonné quelque chose en vacillant sur son tabouret chromé en skaï rembourré.

« Allons-y. Il est tard. » J'ai cherché de l'argent dans ma poche.

Son regard instable rivé au mien, il s'est penché et m'a pris le poignet. La lumière du jukebox se reflétait dans ses yeux, lui donnant un air étrange, dément, le regard lumineux du tueur qu'on est parfois surpris de voir luire sur la photo d'un ami.

« La ferme, vieux. Ecoute. »

J'ai retiré ma main et j'ai pivoté sur mon tabouret, mais en même temps j'ai entendu un long grondement sourd. Le tonnerre.

Nous nous sommes regardés.

« Il pleut », a-t-il chuchoté.

---

En me réveillant j'ai compris qu'ils allaient le trouver ce jour-là, je l'ai senti dans mon ventre dès que j'ai regardé par la fenêtre les plaques de neige pourrie, l'herbe gluante, et les gouttes qui coulaient de partout.

C'était une de ces journées mystérieuses, oppressantes, comme il y en avait parfois à Hampden, quand les montagnes tapies à l'horizon étaient englouties par le brouillard et que le monde paraissait vide, léger, peut-être menaçant. En faisant le tour du campus, avec l'herbe mouillée qui s'écrasait sous vos pieds, on avait l'impression d'être sur l'Olympe, le Valhalla, une ancienne terre abandonnée au-dessus des nuages ; les repères connus, clochers ou maisons, flottaient comme des souvenirs d'une autre vie, isolés et déconnectés par le brouillard.

La bruine, l'humidité. Le Collège sentait le vêtement mouillé, tout était sombre, assourdi. J'ai trouvé Henry et Camilla en haut, à une table près d'une fenêtre, séparés par un cendrier plein. Elle avait le menton sur la main et une cigarette presque consumée entre ses doigts tachés d'encre.

La salle à manger principale était au premier, dans une annexe moderne qui surplombait un quai de chargement à l'arrière du bâtiment. D'énormes vitres éclaboussées de pluie, teintées en gris, de sorte que le jour paraissait encore plus sinistre qu'il n'était, nous entouraient de trois côtés, et nous avions une vue imprenable sur le quai où venaient se coller au petit matin les camions de la laiterie, et sur la route noire et luisante qui serpentait entre les arbres et disparaissait dans la brume vers le nord de Hampden.

Il y avait pour déjeuner de la soupe à la tomate et du café au lait — écrémé parce qu'il n'y en avait plus d'autre. La pluie crépitait contre les vitres. Henry était tourmenté. Le FBI lui avait encore rendu visite la veille au soir — il n'a pas dit ce qu'ils voulaient — et il n'arrêtait pas de parler à voix basse de l'*Ilios* de Schliemann, les doigts de ses grandes mains carrées plantés au bord de la table comme si c'était une planche Oui-ja. Quand j'ai passé l'hiver chez lui, il lui arrivait de poursuivre ces monologues didactiques des heures et des heures, débitant un torrent de connaissances pédantes et étonnamment exactes avec le calme pétrifié et la lenteur d'un sujet sous hypnose. Il parlait des fouilles de Hissarlik : « un endroit terrible, un endroit maudit », a-t-il dit d'un ton rêveur — des villes et des villes enfouies l'une sur l'autre, des cités détruites, des cités incendiées dont les briques avaient fondu comme du verre... un endroit terrible, a-t-il répété d'un air absent, un endroit maudit, avec des nœuds de ces petites vipères marron que les Grecs appellent *antelion*, ainsi que des milliers et des milliers de petits dieux de la mort à tête de chouette (de déesses, en fait, une sorte de hideux prototype d'Athéna) fanatiques et rigides, nous fixant depuis les gravures des illustrations.

Je ne savais pas où était Francis, mais pour Charles, inutile de poser la question. La nuit précédente j'avais dû le ramener en taxi, l'aider à monter chez lui et à se mettre au lit où, à en juger par son état quand je l'avais quitté, il devait toujours se trouver. Deux sandwiches fromage-confiture étaient enroulés dans des serviettes près de l'assiette de Camilla. Elle n'était pas là quand j'avais raccompagné son frère, et elle avait elle-même l'air de sortir du lit : ébouriffée, sans rouge à lèvres, avec un pull en laine grise aux manches trop longues. La fumée de sa cigarette faisait des volutes de la couleur du ciel. Le petit point blanc d'une voiture est venu de la ville sur la route mouillée, très loin, se tordant le long des virages et grossissant de minute en minute.

Il était tard. Le déjeuner était fini, les gens s'en allaient. Un vieil employé contrefait a traîné les pieds, armé d'un seau et d'une serpillière, et s'est mis, avec des grognements de fatigue, à laver par terre près du distributeur de boissons.

Camilla regardait par la fenêtre. Soudain, elle a ouvert de grands yeux. Lentement, l'air incrédule, elle a levé la tête, et puis elle a bondi de sa chaise et tendu le cou pour mieux voir.

J'ai vu, moi aussi, et j'ai bondi. Une ambulance était garée juste en dessous. Deux infirmiers, poursuivis par une meute de photographes, sont passés au pas de course, tête baissée à cause de la pluie, en emmenant une civière. La forme qu'elle portait était recouverte d'un drap, mais juste avant qu'ils ne l'enfournent par les portes arrière (d'un long geste coulant, comme du pain qu'on met au four) et qu'ils les claquent, j'ai vu quinze ou vingt centimètres de ciré jaune qui pendaient au bord.

Des cris dans le lointain, au rez-de-chaussée du Collège ; des portes qui claquent, un tumulte croissant, des cris faisant taire d'autres cris et finalement une voix rauque qui couvre les autres : « Est-ce qu'il est vivant ? »

Henry a respiré profondément. Ensuite il a fermé les yeux, expiré brusquement, une main sur la poitrine, et est retombé sur sa chaise comme si on lui avait tiré dessus.

---

Voilà ce qui s'était passé.

Vers une heure trente, mardi après-midi, Holly Goldsmith, dix-huit ans, une élève de première année venue de Taos, au Nouveau-Mexique, avait décidé d'emmener en promenade Milo, son golden retriever.

Holly, qui étudiait la danse moderne, avait entendu parler des recherches mais n'y avait pas participé, comme presque tous les étudiants de première année, en profitant pour rattraper le sommeil en retard et se préparer aux examens de la mi-trimestre. Comme on peut le comprendre, elle n'avait pas envie de tomber sur une équipe de recherches au cours desa promenade. Elle avait donc décidé d'emmener Milo par-derrière les courts de tennis, en direction du ravin, puisqu'il avait été fouillé depuis plusieurs jours et qu'en plus c'était un des endroits préférés de son chien.

Voici ce qu'elle a raconté :

« Une fois hors de vue du campus, j'ai défait la laisse de Milo pour qu'il puisse courir tout seul. Il aime ça...

« Alors j'étais debout au bord du ravin, en train de l'attendre. Il avait dégringolé la pente et courait dans tous les sens en aboyant, comme d'habitude. Ce jour-là j'avais oublié sa balle de tennis. Je croyais qu'elle était dans ma poche mais elle n'y était pas, alors je suis allée chercher quelques bâtons pour les lui lancer. Quand je suis revenue au bord, j'ai vu qu'il avait quelque chose entre les dents, qu'il secouait de droite à gauche. Il n'a pas voulu venir quand je l'ai appelé. Je croyais qu'il avait attrapé un lapin ou je ne sais quoi...

« Je suppose que Milo avait déterré sa tête et sa, hum, poitrine, je suppose — je n'y voyais pas très bien. Ce sont les lunettes que j'ai remarquées... décrochées d'une [oreille] et qui ballottaient comme... oui, s'il vous plaît... lécher son visage... j'ai cru un moment qu'il était... » [Inintelligible].

---

Nous sommes descendus tous les trois très vite (les employés bouche bée, les cuisiniers lorgnant de la cuisine, les dames de la cafétéria dans leurs cardigans d'infirmières qui se penchaient sur la balustrade), nous avons dépassé le snack-bar, la poste où pour une fois la dame du standard à perruque rouge avait laissé de côté son afghan et son sac de laines multicolores — elle se tenait dans l'embrasure de la porte, un Kleenex froissé dans une main, et nous a suivis du regard quand nous avons traversé en courant l'entrée jusqu'à la grande salle du Collège où il y avait un groupe de policiers, le visage grave, le shérif, le garde-chasse, des gardes de la sécurité, une étrange fille qui pleurait, quelqu'un qui prenait des photos et tout le monde qui parlait à la fois jusqu'à ce que quelqu'un nous regarde et crie : « Hé ! Vous ! Vous connaissiez bien le garçon ? »

Des flashes ont jailli de partout et une forêt de micros et de Caméscopes nous a sauté au visage.

« Depuis combien de temps le connaissiez-vous ? »

« ... incident en rapport avec la drogue ? »

« ... voyagé dans toute l'Europe, c'est exact ? »

Henry s'est passé une main sur le visage ; je n'oublierai jamais l'allure qu'il avait, blanc comme du talc, avec des gouttes de sueur sur la lèvre supérieure et les éclairs qui ricochaient sur ses lunettes... « Laissez-moi tranquille », a-t-il marmonné en prenant Camilla par le poignet pour essayer d'atteindre la porte.

Ils se sont entassés pour lui barrer le passage.

« ... des commentaires ? »

« ... meilleurs amis ? »

Le museau noir d'un Caméscope lui est arrivé en pleine figure. Henry l'a écarté d'un grand geste, la caméra est tombée par terre avec un craquement retentissant et des piles ont roulé dans tous les sens. Le propriétaire — un gros bonhomme avec une casquette des Mets — a hurlé, a commencé à se baisser, consterné, puis s'est relevé d'un bond en criant des injures, comme pour attraper par le col Henry qui s'éloignait. Ses doigts ont frôlé le dos de sa veste, et Henry s'est retourné étonnamment vite.

L'homme a eu un mouvement de recul. C'était drôle, mais les gens ne se rendaient jamais compte à première vue de la taille d'Henry. Peut-être à cause de ses habits, qui lui faisaient un de ces déguisements de BD, débiles mais curieusement impénétrables (pourquoi nul ne voit jamais que le « studieux » Clark Kent, sans ses lunettes, est Superman ?). Ou bien fallait-il qu'il le leur fasse voir ? Henry avait le talent bien plus remarquable de se rendre invisible — dans une pièce, dans une voiture, virtuellement la faculté de se dématérialiser à volonté — et ce don n'était peut-être que l'inverse du précédent : la concentration subite de ses molécules errantes venait concrétiser sa forme indistincte, tout d'un coup, une métamorphose qui stupéfiait le spectateur.

---

L'ambulance était partie. Les routes étaient vides et luisantes sous la bruine. L'agent Davenport remontait en courant les marches du Collège, tête baissée, et ses chaussures noires claquaient sur le marbre mouillé. Quand il nous a vus, il s'est arrêté. Sciola, après lui, a monté laborieusement les deux ou trois dernières marches, retenant son genou du plat de la main. Il est resté derrière Davenport et nous a regardés un moment, le souffle court « Je suis désolé. »

« Alors il est mort », a dit Henry.

« Je crains que oui. »

Le bourdonnement de l'avion s'est éloigné dans le lointain pluvieux.

« Où était-il ? » a fini par demander Henry. Il était pâle, pâle, les tempes couvertes de sueur, mais parfaitement maître de lui. Sa voix était sans timbre.

« Dans la forêt », a dit Davenport.

« Pas loin », a précisé Sciola en se frottant un œil gonflé avec ses phalanges. « A huit cents mètres d'ici. »

« Vous étiez là ? »

Sciola a arrêté de se frotter les yeux. « Quoi ? »

« Vous étiez là quand on l'a trouvé ? »

« On était en train de déjeuner au Blue Ben », a dit Davenport d'un ton vif. Il respirait bruyamment par le nez et sa coupe en brosse poivre et sel était constellée de gouttes déposées par le brouillard. « Nous sommes allés jeter un coup d'œil. Maintenant, il faut aller voir la famille. »

« Ils ne le savent pas ? » a demandé Camilla, choquée, après un silence.

« Ce n'est pas ça », a dit Sciola. Il s'est tapoté la poitrine, a fouillé doucement avec ses longs doigts jaunes dans la poche de son manteau. « Nous leur apportons un formulaire d'autorisation. Nous voudrions qu'on l'envoie au labo de Newark, faire quelques tests. Dans des cas comme ça, pourtant... » — ses mains se sont refermées sur quelque chose, et très lentement il a sorti un paquet froissé de Pall Mall — « ... dans des cas comme ça, il est difficile de faire signer la famille. Peux pas dire que je leur en veux. Ces gens attendent déjà depuis une semaine, toute la famille est rassemblée, ils vont vouloir l'enterrer et en finir sans... »

« Qu'est-ce qui s'est passé ? a dit Henry. Vous le savez ? »

Sciola a fourragé pour chercher du feu, l'a trouvé, a réussi à allumer sa cigarette après deux ou trois tentatives. « Difficile à dire. » Il a laissé tomber l'allumette, qui brûlait encore, de ses doigts. « Il était au fond d'un trou, le cou brisé. »

« Vous ne pensez pas qu'il a pu vouloir se tuer ? »

Sciola n'a pas changé d'expression, mais un filet de fumée s'est déroulé de ses narines d'une façon indiquant subtilement sa surprise. « Pourquoi dites-vous ça ? »

« Parce que quelqu'un à l'intérieur vient de le dire. »

Sciola a jeté un coup d'œil à Davenport. « Si j'étais vous, je ne ferais pas attention à ces gens, fiston. Je ne sais pas ce que la police va découvrir, et la décision leur appartient, mais je ne pense pas qu'ils vont conclure à un suicide. »

« Pourquoi ? »

Il a battu des paupières, placide, les yeux gonflés et les paupières lourdes, comme une tortue. « Rien ne l'indique. Cela, je m'en rends compte. Le shérif pense qu'il est peut-être allé là-bas, pas assez chaudement vêtu, que le temps s'est gâté et que peut-être il était trop pressé de rentrer... »

« Et ils n'en sont pas sûrs, a dit Davenport, mais on dirait qu'il avait bu »

Sciola a fait un geste résigné, très italien. « Même si ce n'était pas le cas, le sol était boueux. Il pleuvait. Peut-être faisait-il nuit, pour ce qu'on en sait. »

Personne n'a rien dit pendant un long moment.

« Ecoute, fiston, a dit Sciola avec une certaine gentillesse. Ce n'est que mon opinion, mais si tu me le demandes, je dirais que ton ami ne s'est pas suicidé. J'ai vu l'endroit où il est tombé. Le buisson du bord était complètement... » Il a eu un vague geste en agitant les mains.

« Déchiré, a dit brusquement Davenport. De la terre sous les ongles. Quand ce gosse est tombé il s'est agrippé à tout ce qu'il a trouvé. »

« Personne ne prétend dire comment ça s'est passé, a ajouté Sciola. Je dis seulement, ne croyez pas tout ce que vous entendez dire. C'est dangereux, là-haut, on devrait y mettre une barrière ou quelque chose... Peut-être devriez-vous vous asseoir une minute, vous ne pensez pas, mon chou ? » a-t-il dit à Camilla, qui était un peu verdâtre.

« L'université va être coincée de toute façon, a repris Davenport. A la manière dont parlait la dame du bureau étudiant, je les vois déjà essayer d'échapper aux responsabilités. S'il s'est saoulé à cette fête... Il y a eu un procès de ce genre à Nashua, la ville d'où je viens, il y a deux ans. Un gosse s'est saoulé à une sorte de fête de fraternité, s'est évanoui dans un tas de neige, et on ne l'a retrouvé que quand le chasse-neige est passé. Je suppose que tout dépend de leur degré d'ivresse et d'où ils ont bu leur dernier verre, mais même s'il n'était pas saoul, ça se présente plutôt mal pour la fac, n'est-ce pas ? Un gosse est à son école, il a ce genre d'accident en plus sur le campus ? Avec tout le respect que je leur dois, j'ai rencontré les parents, et ils sont du genre à faire un procès. »

« Comment croyez-vous que ça s'est passé, vous ? » a demandé Henry à Sciola.

Il ne me paraissait pas vraiment judicieux de poser ce genre de questions, surtout à ce moment, et là où nous étions, mais l'Italien a souri, découvrant une longue rangée de dents jaunes, décolorées, tachées, comme un vieux chien ou un opossum.

« Moi ? »

« Oui. »

Il n'a rien dit pendant un moment, a seulement tiré une bouffée de sa cigarette et hoché la tête. « Ce que je pense n'a aucune importance, fiston. Ce n'est pas une affaire fédérale. »

« Quoi ? »

« Il veut dire que ce n'est pas une affaire fédérale », a dit sèchement Davenport. « Aucun délit fédéral n'a été commis. C'est aux flics du coin de décider. La raison pour laquelle ils nous ont appelés, c'est ce cinglé, vous savez, de la station-service, qui n'a rien à voir avec ça. Vous voulez savoir à quel point il est cinglé ? Dans les années soixante-dix, il s'est mis à envoyer des lettres de dingue à Sadate. Des vieilles capotes anglaises, des crottes de chien, des catalogues de vente par correspondance avec des Orientales à poil dessus. Personne ne faisait vraiment attention à lui, mais quand Sadate a été assassiné, en, quand était-ce, en 82, la CIA a fait une enquête sur Hundy et c'est eux qui nous ont montré son dossier. Jamais arrêté ni quoi que ce soit, mais quel cinglé ! Il se fait des notes de téléphone de mille dollars en faisant des appels bidon au Moyen-Orient. J'ai vu la lettre qu'il a écrite à Golda Meir, qu'il appelait sa cousine germaine... Je veux dire, il faut se méfier quand un type de ce genre-là se met en avant. Il a l'air plutôt inoffensif, ne court même pas après la récompense — quelqu'un de chez nous est venu le voir avec un chèque bidon, il n'a pas voulu y toucher. Mais avec des types comme lui, il y a vraiment de quoi s'étonner. Je me souviens de Morris Lee Harden en 78, y avait pas plus gentil garçon que lui, il réparait des tas de réveils et les donnait aux gosses des pauvres, mais je n'oublierai jamais le jour où ils ont creusé derrière sa boutique d'horloger avec une pioche... »

« Ces jeunes ne se souviennent pas de Morris, Harv », a dit Sciola en lâchant sa cigarette. « Ils n'étaient pas nés. »

Nous sommes encore restés un petit moment en demi-cercle sur les dalles, gênés, et au moment où il semblait que tout le monde allait ouvrir la bouche et dire qu'il était temps de partir, j'ai entendu Camilla faire un drôle de bruit étouffé. Stupéfait, je l'ai regardée. Elle pleurait.

Un moment, personne n'a paru savoir que faire. Davenport nous a lancé un regard dégoûté, à Henry et moi, et nous a à moitié tourné le dos comme pour dire : *tout est de votre faute.*

Sciola clignant des yeux, sombre et consterné, a deux fois tendu le bras pour la toucher, et la troisième fois le bout de ses doigts a lentement pris contact avec son coude. « Ma chère, ma chère, voulez-vous qu'on vous dépose chez vous au passage ? »

Leur voiture — une conduite intérieure Ford, noire, bien entendu — était garée au bas de la pente, dans le parking en gravier derrière le bâtiment des Sciences. Camilla marchait devant, entre les deux hommes. Sciola lui parlait, comme pour consoler un enfant ; on entendait sa voix mêlée aux crissements du gravier, au bruit de la pluie et du vent à la cime des arbres. « Votre frère est à la maison ? »

« Oui. » Il a lentement hoché la tête. « Vous savez, j'aime bien votre frère. C'est un bon garçon. C'est drôle, mais je ne savais pas que des jumeaux pouvaient être fille et garçon. Tu savais ça, Harv ? » a-t-il lancé par-dessus son épaule.

« Non. »

« Je ne le savais pas non plus. Vous vous ressembliez encore plus quand vous étiez petits ? C'est-à-dire, vous avez un air de famille, mais vos cheveux ne sont pas tout à fait de la même couleur. Ma femme a des cousins, des jumeaux. Ils sont tous les deux pareils et ils travaillent tous les deux au ministère de la Défense, en plus. » Paisible, il a fait une pause. « Vous et votre frère, vous vous entendez plutôt bien, n'est-ce pas ? »

Elle a répondu d'une voix sourde.

Gravement, il a hoché la tête. « C'est bien. Je parie que vous connaissez des histoires intéressantes, vous autres. A propos de perception extrasensorielle et de trucs comme ça. Les cousins de ma femme, ils vont à des congrès que font les jumeaux, des fois, et ce qu'ils viennent nous raconter, c'est à ne pas croire. »

Un ciel blanc. Le sommet des arbres effacé, les montagnes disparues. Mes mains pendaient aux poignets de ma veste comme si elles ne m'appartenaient pas. Je ne me suis jamais habitué, là-bas, à la façon dont l'horizon pouvait être gommé et vous abandonner à la dérive dans un paysage de rêve, incomplet, comme une esquisse de l'univers connu — la silhouette d'un arbre unique à la place d'un bosquet, des lampadaires et des cheminées flottant hors de tout contexte avant que la toile ne soit terminée — un pays de l'amnésie, une sorte de paradis déformé où les anciens repères sont reconnaissables, mais trop loin les uns des autres, désorganisés, rendus terrifiants par le vide qui les entourait.

Une vieille chaussure était restée sur l'asphalte, devant le quai de chargement que l'ambulance avait quitté une minute plus tôt. Ce n'était pas celle de Bunny. J'ignore à qui elle appartenait et comment elle était arrivée là. Je ne sais pas pourquoi je m'en souviens maintenant, ni pourquoi elle m'a fait une telle impression.

# CHAPITRE 7

Quoique Bunny n'ait pas connu beaucoup de gens, Hampden était une si petite université que presque tout le monde avait conscience de son existence d'une façon ou d'une autre ; certains le connaissaient de nom, d'autres de vue, se souvenaient du son de sa voix, qui était son signe particulier le plus notable. Curieusement, même si j'ai une ou deux photos de Bunny, ce n'est pas son visage mais sa voix, sa voix perdue, qui m'est restée au fil des ans — stridente, querelleuse, anormalement sonore, difficile à oublier une fois qu'on l'avait entendue, et pendant les jours qui ont suivi sa mort les salles à manger paraissaient étrangement silencieuses sans les hennissements qui résonnaient à sa place habituelle, près du distributeur de lait.

Il était donc normal que son absence soit regrettée, voire déplorée, car il est dur de voir mæourir quelqu'un dans une fac comme Hampden, où nous étions tous à la fois isolés et les uns sur les autres. Mais j'ai été surpris par le deuil ostentatoire et impudique qui s'est manifesté une fois sa mort devenue officielle. Cela me paraissait non seulement gratuit, mais un peu honteux, étant donné les circonstances. Personne n'avait paru vraiment bouleversé par sa disparition, même aux derniers jours, alors qu'il semblait que la nouvelle, quand elle viendrait, ne pourrait être que mauvaise ; et les recherches, du point de vue du public, avaient surtout été ressenties comme un désagrément massif. Alors que maintenant, en apprenant sa mort, les gens étaient pris d'une étrange frénésie. Tout le monde, soudain, l'avait connu, était anéanti par le chagrin et tâchait de vivre du mieux possible en se passant de lui. « Il aurait voulu que ce soit comme ça. » C'est une phrase que j'ai entendu plusieurs fois cette semaine-là, sur les lèvres de personnes n'ayant pas la moindre idée de ce que Bunny aurait voulu ; des officiels de l'université, des pleureurs anonymes, des inconnus qui se cramponnaient en sanglotant à l'extérieur des salles à manger ; du conseil d'administration, lequel, sur la défensive et dans une déclaration soigneusement mesurée, a annoncé « qu'en harmonie avec le courage spirituel de Bunny Corcoran ainsi qu'avec les idéaux humanistes et progressistes de l'université de Hampden », ils effectuaient en son nom une importante donation au profit de l'Union américaine des libertés civiles — une organisation qu'aurait certainement détestée Bunny s'il avait eu conscience de son existence.

Je pourrais remplir des pages sur ce genre de démonstrations publiques pendant les jours qui ont suivi l'annonce de sa mort. Les drapeaux étaient en berne. Les conseillers psychologiques étaient de service vingt-quatre heures sur vingt-quatre. Quelques excentriques du département des Sciences politiques portaient un brassard noir. Il y avait une frénésie d'arbres plantés, d'offices à sa mémoire, de quêtes et de concerts. Une fille de première année a fait une tentative de suicide — pour des raisons n'ayant aucun rapport — en mangeant les baies vénéneuses d'un buisson de nandina, derrière le bâtiment de la musique, mais en un sens tout venait se fondre dans l'hystérie générale. Pendant plusieurs jours, tout le monde a mis des lunettes noires. Frank et Jud, brandissant comme toujours l'étendard La Vie Continue, circulaient avec leur boîte de peinture pour financer une Fête de la bière en l'honneur de Bunny. Certains officiels de l'administration ont trouvé cela de mauvais goût, d'autant que la mort de Bunny avait attiré l'attention du public sur la fréquence des rassemblements liés à l'alcool dans l'université, mais les deux compères n'en avaient cure. « Il aurait voulu qu'on fasse la fête », disaient-ils, butés, ce qui n'était certainement pas le cas ; mais il se trouvait que le bureau étudiant vivait dans la terreur de Frank et Jud. Leurs pères étaient nommés à vie au conseil de direction ; celui de Frank avait contribué à financer la nouvelle bibliothèque et celui de Jud avait fait construire le bâtiment des sciences ; en théorie ils étaient tous les deux inexpulsables, et une réprimande du doyen des études ne les empêcherait jamais de faire ce qu'ils voulaient. De sorte que la Fête de la bière a eu lieu, exactement le genre d'événement dépourvu de tact et de cohérence auquel on pouvait s'attendre — mais j'anticipe sur la suite de mon récit.

L'université de Hampden, dans son ensemble, avait une tendance étrange à l'hystérie. Que ce fût l'isolement, la malveillance ou l'ennui pur et simple, les gens y étaient beaucoup plus crédules et excitables qu'on ne s'y attendrait en général de personnes bénéficiant d'une certaine éducation, et cette atmosphère hermétique, surchauffée, était un merveilleux bouillon de culture pour le mélodrame et les déformations de la vérité. Je me rappelle très bien, par exemple, la terreur animale et aveugle qui a jailli quand un fonctionnaire municipal a déclenché pour s'amuser les sirènes de la défense civile. Quelqu'un a dit que c'était une attaque nucléaire ; la réception de la télé et de la radio, jamais très bonne en montagne, était ce soir-là particulièrement mauvaise, et la ruée vers les téléphones qui a suivi a fait sauter le standard, plongeant la fac dans une panique d'une violence presque inimaginable. Des voitures se sont embouties sur le parking. Les gens hurlaient, pleuraient, distribuaient tout ce qu'ils possédaient, se pelotonnaient par petits groupes, en quête de réconfort et de chaleur. Des hippies se sont barricadés dans le bâtiment des sciences, dans l'unique abri anti-atomique, refusant de laisser entrer tous ceux qui ne connaissaient pas les paroles de *Sugar*

*Magnolia*. Quoique le monde, en réalité, n'eût pas été détruit, les gens se sont amusés comme des fous et ont parlé pendant des années de cet épisode comme d'un bon souvenir.

Sans être de loin aussi spectaculaire, les extériorisations du deuil de Bunny ont été sur plusieurs plans un phénomène du même ordre — une affirmation de la communauté, l'expression formelle de son hommage et de sa terreur. *Apprendre en faisant*, c'est la devise de Hampden. Les gens éprouvaient un sentiment d'invulnérabilité et de bien-être en assistant à des concerts de rap, des récitals de flûte en pleine nature, et profitaient de la sanction officielle pour comparer leurs cauchemars ou s'effondrer en public. D'une certaine façon, ils jouaient la comédie, mais à Hampden, où on mettait au-dessus de tout l'expression créative, jouer la comédie était en soi une sorte de travail, et les gens s'occupaient de leur deuil avec le sérieux que mettent parfois des petits enfants à jouer avec acharnement et sans plaisir dans des bureaux et des boutiques imaginaires.

Le chagrin des hippies, en particulier, avait presque une signification anthropologique. Bunny, dans sa vie, n'avait quasiment pas arrêté de leur faire la guerre : les hippies contaminaient la baignoire en teignant leurs tissus et mettaient leur chaîne à fond pour le provoquer ; Bunny les bombardait avec des boîtes vides et appelait les gardes chaque fois qu'il croyait les voir fumer de l'herbe. Maintenant qu'il était mort, ils marquaient son passage sur un autre plan d'une façon impersonnelle et quasiment tribale — ils chantaient, composaient des mandalas, jouaient du tambour, accomplissaient des rites mystérieux et impénétrables. Henry s'est arrêté pour les regarder de loin, posant le bout ferré de son parapluie sur la pointe de sa chaussure couverte d'une guêtre kaki.

« Mandala, c'est un mot Pali ? » lui ai-je demandé.

Il a secoué la tête. « Non. Sanskrit. Signifiant cercle. »

« Alors c'est un genre de truc hindou ? »

« Pas nécessairement. » Il examinait les hippies comme des animaux dans un zoo. « Elles ont été depuis associées au tantrisme — les mandalas, veux-je dire. Le tantrisme a eu une sorte d'influence corruptrice sur le panthéon bouddhiste indien, bien que certains éléments en aient été assimilés et restructurés par la tradition bouddhiste, jusqu'à ce que vers l'an 800, disons, le tantrisme acquière sa propre tradition académique — une tradition corrompue, selon moi, mais tout de même une tradition. » Il a fait une pause en regardant une fille avec un tambourin qui tournoyait dans l'herbe de façon vertigineuse. « Mais, pour répondre à ta question, je crois que la mandala possède en fait une place tout à fait respectable dans l'histoire du Theravada, le vrai bouddhisme. On trouve leurs représentations dans les tertres à reliques de la plaine du Gange et ailleurs dès le premier siècle avant J.-C. »

---

En relisant ces pages, j'ai l'impression d'avoir été un peu injuste avec Bunny. Les gens l'aimaient vraiment. Personne ne l'avait très bien connu, mais grâce à une facette bizarre de sa personnalité, moins on le connaissait, plus on croyait le connaître. Vu de loin, son personnage projetait une impression de solidité et d'intégrité qui était en fait aussi insubstantielle qu'un hologramme ; de près, il n'y avait plus que des taches de lumière, et on pouvait passer la main à travers. En reculant suffisamment loin, néanmoins, l'illusion se remettait en place et on le revoyait, plus grand que nature, qui vous épiait derrière ses petites lunettes et rejetait d'une main une mèche humide sur son front.

Un tel personnage, soumis à l'analyse, se désintègre. Il ne peut être défini que par une anecdote, une rencontre imprévue ou une phrase saisie au vol. Des gens qui ne lui avaient jamais adressé la parole se rappelaient soudain, avec un élan d'affection, l'avoir vu jeter des bâtons à un chien ou voler des tulipes dans le jardin d'un professeur. « *Il touchait la vie des gens* », a dit le président de la faculté, en se penchant pour agripper le podium des deux mains ; et même s'il a répété cette phrase mot pour mot, deux mois plus tard à l'office en mémoire de la fille de première année (à qui une lame de rasoir avait mieux réussi que les baies empoisonnées), elle était, du moins dans le cas de Bunny, curieusement juste. Il avait effectivement *touché* la vie des gens, de gens qui lui étaient inconnus, d'une façon totalement imprévue. C'était eux qui portaient véritablement son deuil — ou le deuil de celui qu'ils prenaient pour lui — avec un chagrin qui n'était pas moins vif de n'avoir jamais approché son objet de très près.

C'était cette irréalité du personnage, son côté dessin animé, si vous voulez, qui était le secret de sa séduction, et qui en fin de compte a rendu sa mort si triste. Comme n'importe quel grand comédien, il colorait son environnement partout où il se rendait, et afin de s'émerveiller de sa constance on voulait le voir dans toutes sortes de situations exotiques : Bunny à dos de chameau, Bunny babysitter, Bunny dans l'espace. Maintenant, dans la mort, sa constance se cristallisait et devenait quelque chose d'absolument différent : un vieux farceur familier employé — avec une efficacité surprenante — dans un rôle tragique.

---

Quand la neige a fini par fondre, elle a disparu aussi vite qu'elle était venue. En vingt-quatre heures tout est parti, sauf quelques jolies plaques à l'ombre de la forêt — où des gouttes tombées de branches festonnées de blanc trouaient leur croûte friable — et des tas gris et à moitié fondus au bord des routes. La vaste pelouse du Collège était déserte, telle un champ de bataille napoléonien : un sol retourné, sordide, maculé d'empreintes.

C'était une période étrange, fragmentée. Les jours précédant les funérailles, nous ne nous sommes presque pas vus. Les Corcoran avaient enlevé Henry pour le remmener dans le Connecticut ; Cloke, qui me paraissait au bord de la dépression nerveuse, est venu vivre sans y être invité chez Charles et Camilla, où il buvait des packs de six bières Grolsch et s'endormait sur le canapé avec une cigarette allumée. Moi-même, je m'étais encombré de Judy Poovey et de ses amies Tracy et Beth. Elles venaient régulièrement me chercher à l'heure des repas (« Richard », disait Judy, de l'autre côté de la table, en tendant le bras pour me serrer la main, « il *faut* que tu manges ») et le reste du temps j'étais captif des petites activités qu'elles m'avaient préparées — films dans des drive-in, cuisine mexicaine, aller chez Tracy boire des Margaritas et regarder MTV. Les drive-in ne me gênaient pas, mais je n'avais pas de goût pour le défilé incessant des *nachos* et des cocktails à base de tequila. Elles étaient folles d'un truc s'appelant Kamikaze, et adoraient teinter leurs Margaritas d'un horrible bleu électrique.

En fait, j'étais souvent content de les voir. Malgré ses défauts, Judy était pleine de bonté, et tellement autoritaire et bavarde qu'avec elle, bizarrement, je me sentais en sécurité. Beth me déplaisait. C'était une danseuse, venue de Santa Fé, avec un visage caoutchouteux, des gloussements imbéciles et des fossettes partout quand elle souriait. A Hampden, certains disaient que c'était une beauté, mais je détestais sa démarche d'épagneul pataud et sa voix de petite fille — très affectée, me semblait-il — qui dégénérait souvent en gémissement. Tracy était géniale. Elle était jolie, juive, avec un sourire éblouissant et un penchant pour les démonstrations à la Mary Tyler Moore telles que se serrer elle-même dans ses bras ou tourbillonner sur place en écartant les bras. Toutes les trois fumaient beaucoup, racontaient de longues histoires ennuyeuses (« Alors, genre, notre avion est juste resté sur la piste pendant *cinq heures* ») et parlaient de gens que je ne connaissais pas. Moi, l'endeuillé, le distrait, j'étais libre de regarder paisiblement par la fenêtre. Mais quelquefois elles me fatiguaient, et si je me plaignais d'un mal de tête ou d'avoir envie de dormir, Tracy et Beth disparaissaient avec une rapidité préméditée et je me retrouvais seul avec Judy. Elle ne voulait que mon bien, je suppose, mais le type de réconfort qu'elle souhaitait m'offrir ne m'attirait pas outre mesure, et au bout de dix ou vingt minutes de tête-à-tête j'étais à nouveau prêt à MTV et tous les Margaritas possibles chez Tracy.

Francis, le seul d'entre nous qui soit libre, passait me voir de temps en temps. Quelquefois, j'étais seul ; sinon il s'installait à mon bureau, très raide, et feuilletait mes livres de grec jusqu'à ce que même cette idiote de Tracy comprenne et s'en aille. Dès qu'il entendait la porte se fermer et des pas dans l'escalier il refermait le livre sur son doigt et se penchait vers moi, agité, en clignant des yeux. A l'époque, notre principale inquiétude tenait à l'autopsie demandée par la famille de Bunny ; nous avons reçu un choc lorsque Henry, au Connecticut, a appris qu'elle était en cours, et s'est glissé un après-midi hors de chez les Corcoran pour appeler Francis d'une cabine, sous les drapeaux qui claquaient et les marquises rayées d'un garage de voitures d'occasion, avec le grondement d'une nationale en bruit de fond. Il avait entendu Mme Corcoran dire à M. Corcoran que c'était pour le mieux, qu'autrement (et Henry jurait d'avoir entendu précisément ces mots) *ils ne seraient jamais sûrs*.

Quoi qu'on puisse dire de la culpabilité, elle nous prête sûrement une capacité d'invention diabolique, et j'ai passé deux ou trois des nuits les plus terribles de mon existence, couché tout éveillé, ivre, avec le goût infect de la tequila dans la bouche, terrorisé par des fibres textiles, des empreintes digitales, des cheveux perdus. Tout ce que je savais d'une autopsie venait des rediffusions de *Quincy*, mais, je ne sais pourquoi, il ne m'est jamais venu à l'esprit que ces informations pouvaient être inexactes parce qu'elles sortaient d'une émission de télé. Ne se documentaient-ils pas très soigneusement, n'avaient-ils pas un médecin sur le plateau ? Je me redressais, j'allumais la lumière, ma bouche était d'un bleu affreux. Quand je vomissais dans la salle de bains, le liquide était d'une teinte vive et limpide, un torrent turquoise et vibrant de la couleur du Ty-D-Bol.

Mais Henry, libre d'observer les Corcoran dans leur habitat naturel, a bientôt compris ce qui se passait. Francis, dans son impatience d'annoncer la bonne nouvelle, n'a même pas attendu que Tracy et Judy quittent la pièce, et me l'a aussitôt répétée dans un grec mal accentué tandis que la douce Tracy, ahurie, s'étonnait à haute voix de nous voir continuer notre travail scolaire à de tels moments.

« *Ne crains rien,* m'a-t-il dit. *C'est la mère. Elle s'inquiète du déshonneur de son fils en rapport avec le vin.* »

Je n'ai pas compris ce qu'il voulait dire. La forme de « déshonneur » (ατῑμῑα) qu'il avait employée signifiait aussi « perte des droits civiques ». « *Atimia* ? » ai-je répété.

« Oui. »

« *Mais les droits sont pour les vivants, non pour les morts.* »

« Οιμοι », a-t-il fait en secouant la tête. « Oh, là là. Non. Non. »

Il a regardé de tous les côtés en claquant des doigts, sous le regard intéressé des deux filles. Soutenir une conversation dans une langue morte est plus difficile qu'on ne pourrait le croire. « *Il y a eu de nombreuses rumeurs,* a-t-il fini par dire. *La mère s'afflige. Non pour son fils* », a-t-il ajouté très vite en voyant que j'allais parler, « *car c'est une mauvaise femme. Elle s'afflige plutôt de la honte qui s'est abattue sur sa maison.* »

« *Quelle honte est-ce là ?* »

« *Οινον* ». Il s'impatientait. « *Φάρμακον. Elle s'efforce de montrer que son corps ne contient pas de vin* » (il a employé une métaphore très élégante mais intraduisible : les dernières gouttes dans l'outre vide de son corps).

« *Et pourquoi, je te prie, s'en soucie-t-elle ?* »

« *Parce qu'il y a des rumeurs parmi les citoyens. Il est honteux pour un jeune homme de mourir en état d'ivresse.* »

C'était exact, du moins pour ce qui était des rumeurs. Mme Corcoran, qui au début s'était mise à la disposition de qui voulait bien l'écouter, enrageait de la position peu flatteuse où elle se trouvait désormais. Les premiers articles, qui la disaient « bien habillée », « éblouissante », et décrivaient une « famille parfaite », avaient fait place à d'autres, insinuants et vaguement accusateurs, du genre PAS MON FILS, DIT LA MÈRE. Même s'il n'y avait qu'une pauvre bouteille de bière pour suggérer la présence d'alcool, et aucune trace de drogue, les psychologues du journal télévisé parlaient de dysfonctionnement familial, de phénomène de dénégation, soulignaient que les tendances à la toxicomanie passaient souvent des parents aux enfants. Le coup était dur. Mme Corcoran, en quittant Hampden, a traversé la foule de ses ex-copains reporters les yeux baissés et les dents serrées sur un brillant sourire de haine.

Naturellement, c'était *vraiment* injuste. D'après les journalistes, on aurait cru que Bunny était le stéréotype du polytoxicomane ou de l'adolescent en danger. Peu importait que tous ceux qui le connaissaient (y compris nous : Bunny n'était pas un jeune délinquant) réfutaient cette version ; peu importait que l'autopsie n'ait mis en évidence qu'un infime pourcentage d'alcool et aucune espèce de drogue ; peu importait même qu'il ait dépassé l'adolescence : les rumeurs — qui avaient tournoyé dans le ciel comme des vautours au-dessus de son cadavre — avaient fini par descendre et planter leurs griffes une bonne fois pour toutes. Un paragraphe qui rapportait en termes neutres les résultats de l'autopsie a paru en dernière page de l'*Examiner* de Hampden. Mais, dans le folklore de la fac, on s'en souvient comme d'un jeune ivrogne adolescent ; son fantôme embrumé par la bière est encore évoqué à la tombée de la nuit, chez les étudiants de première année, avec les décapités par un accident de voiture, la fille des années quarante qui s'était pendue dans un grenier du pavillon Putnam et les rangées fantomatiques de tous les morts de Hampden.

---

L'enterrement était pour vendredi. Lundi matin, j'ai trouvé deux lettres dans ma boîte : une d'Henry, l'autre de Julian. J'ai d'abord ouvert celle-là. Le cachet était de New York et l'écriture hâtive, avec l'encre rouge dont il se servait pour corriger nos devoirs.

> Cher Richard — Comme je suis malheureux ce matin, et comme je vais l'être encore de nombreux matins. La nouvelle de la mort de notre ami m'a profondément attristé. Je ne sais pas si vous avez essayé de me joindre, j'étais en voyage, j'étais malade, je doute de pouvoir revenir à Hampden avant les funérailles...
>
> Quelle tristesse de penser que mercredi a été le dernier jour où nous nous sommes tous retrouvés. J'espère que cette lettre vous trouvera en bonne santé. Elle est tout amour.

En bas, ses initiales.

Celle d'Henry, du Connecticut, était aussi guindée qu'un cryptogramme venu du front de l'Est.

Cher Richard,

j'espère que tu vas bien. Je suis chez les Corcoran depuis plusieurs jours. Bien que je ne pense pas être le réconfort qu'ils s'imaginent, dans leur abattement, ils m'ont permis de les aider à de nombreuses petites tâches de la maison.

M. Corcoran m'a demandé d'écrire aux amis de Bunny, à l'université, et de les inviter à passer chez eux la nuit précédant les funérailles. Il apparaît que vous serez logés au sous-sol. Si tu ne penses pas y assister, je te prie de téléphoner à Mme Corcoran pour la prévenir.

Je compte te voir à l'enterrement, et sinon, j'espère, plus tôt.

Il n'y avait pas de signature, et à la place une citation de *L'Iliade*, en grec. Elle venait du onzième livre, là où Ulysse, séparé de ses amis, se retrouve seul en territoire ennemi.

Sois fort, dit mon cœur ; je suis soldat ;
j'ai vu spectacle pire que celui-ci.

---

Je suis descendu en voiture dans le Connecticut avec Francis. J'avais cru que les jumeaux nous accompagneraient, mais ils étaient partis la veille en compagnie de Cloke — qui, à la surprise générale, avait reçu une invitation personnelle de Mme Corcoran en personne. Nous avions cru qu'il n'aurait pas été invité. Après que Sciola et Davenport l'avaient surpris à quitter la ville, Mme Corcoran avait même refusé de lui adresser la parole. (« Pour ne pas perdre la face », avait dit Francis.) En tout cas, il avait reçu son invitation personnelle, et il y en avait eu d'autres, relayées par Henry, pour deux de ses amis, Rooney Wynne et Bram Guernsey.

De fait, les Corcoran avaient invité pas mal de gens de Hampden — des relations de pavillon, dont j'ignorais même que Bunny les connaissait. Une dénommée Sophie Dearbold, que j'avais aperçue au cours de français, devait venir avec Francis et moi.

« Comment Bunny l'a-t-il connue ? » ai-je demandé à Francis en allant au pavillon de la fille.

« Je crois qu'il ne la connaissait pas, ou mal. Mais il a eu le béguin pour elle en première année. Je suis sûr que Marion ne va pas apprécier qu'on l'ait invitée. »

J'avais craint que ce trajet se passe dans la gêne, mais en fait nous avons été merveilleusement soulagés de nous trouver en face d'une inconnue. Nous avons même failli nous amuser, avec la radio allumée, Sophie (yeux marron, voix rocailleuse) les bras croisés sur la banquette avant pour nous parler, et Francis que je n'avais pas vu d'aussi bonne humeur depuis une éternité. « Vous ressemblez à Audrey Hepburn, lui a-t-il dit, vous le savez ? » Elle nous a donné des Kool, des boules de gomme à la cannelle, nous a raconté des histoires drôles. Je riais, je regardais par la portière en priant pour qu'on manque un virage. Je n'étais jamais allé dans le Connecticut de ma vie. A un enterrement non plus.

Shady Brook se trouvait sur une petite route qui s'écartait brusquement de la nationale, franchissait des ponts, serpentait longuement parmi des fermes, des pâturages et des champs cultivés. A un moment, les vastes prairies ont laissé place à un terrain de golf. COUNTRY CLUB DE SHADY BROOK, disait l'enseigne en bois brûlé qui se balançait devant le club en faux style Tudor. Ensuite il y avait les résidences — grandes et belles, largement espacées, chacune posée sur ses trois ou quatre hectares de terre.

Cet endroit ressemblait à un labyrinthe. Francis regardait les numéros sur les boîtes aux lettres, prenait fausse piste sur fausse piste pour reculer une fois de plus, l'injure à la bouche, faisant craquer les vitesses. Il n'y avait aucun panneau, aucune logique apparente au numérotage, et après avoir cherché à tâtons pendant une demi-heure, je me suis pris à espérer que nous ne trouverions jamais, que nous allions tout simplement faire demi-tour et rentrer gaiement à Hampden.

Mais, naturellement, nous avons trouvé. Au bout de son propre cul-de-sac, c'était une grande maison moderne de style « architectural », en cèdre brut, avec des étages en quinconce et des balcons asymétriques d'une nudité voulue. La cour était en dalles noires, de l'ardoise, et il n'y avait aucune végétation, à part quelques gingkos dans des bacs post-modernes, placés à des intervalles stratégiques.

« Ouh », a fait Sophie, en vraie fille de Hampden, toujours prête à rendre hommage au Nouveau.

J'ai regardé Francis et il a haussé les épaules.

« Sa m'man aime l'architecture moderne. »

---

Je n'avais jamais vu celui qui a ouvert la porte mais aussitôt, dans une sorte de rêve nauséeux, je l'ai reconnu. Un visage rouge et large, avec une mâchoire épaisse et des cheveux entièrement blancs ; il nous a regardés fixement l'espace d'un instant, sa petite bouche formant un o bien rond et bien serré. Ensuite, d'un bond étonnamment vif, comme un jeune homme, il s'est emparé de la main de Francis. « Bien, a-t-il dit. Bien, bien, bien. » Il avait la voix nasale, le débit volubile de Bunny. « Si ce n'est pas ce vieux Poil de Carotte. Comment vas-tu, mon gars ? »

« Pas mal du tout », a répondu Francis, et j'ai été aussi surpris par son ton chaleureux et sincère que de la vigueur avec laquelle il lui a rendu sa poignée de main.

M. Corcoran lui a lourdement passé son bras sur les épaules pour l'attirer vers lui. « C'est mon gars, celui-là », nous a-t-il dit en ébouriffant les cheveux de Francis. « Tous mes frères étaient des rouquins et chez mes fils il n'y a pas un seul rouquin digne de ce nom. Comprends pas ça. Qui es-tu, ma belle ? » a-t-il dit à Sophie en dégageant son bras pour lui prendre la main.

« Salut. Je m'appelle Sophie DearFold. »

« Eh bien, tu es sacrément jolie. Elle n'est pas jolie, les gars ? Tu es tout le portrait de ta tante Jean, mon chou. »

« Quoi ? » a dit Sophie interloquée, après un bref silence.

« Voyons, ta tante, mon chou. La sœur de ton papa. Cette jolie Jean Lickfold qui a remporté le tournoi de golf au club l'année dernière. »

« Non, monsieur. Dearbold. »

« Dearfold. Comme c'est étrange. Je ne connais pas de Dearfold par ici. Oh, j'ai connu un type qui s'appelait Breedlow, mais ça doit remonter, oh, bien à vingt ans. Il était dans les affaires. On dit qu'il a carrément piqué un million à son associé. »

« Je ne suis pas d'ici. »

Il a haussé un sourcil d'une façon qui rappelait Bunny.

« Non ? »

« Non. »

« Pas de Shady Brook ? » Il l'a dit comme s'il pouvait à peine y croire.

« Alors d'où viens-tu, mon chou ? De Greenwich ? »

« De Detroit. »

« Sois bénie, alors. De venir de si loin. »

Sophie, en souriant, a secoué la tête et commencé à s'expliquer, quand, totalement à l'improviste, M. Corcoran s'est jeté dans ses bras et a fondu en larmes.

Horrifiés, nous sommes restés pétrifiés. Les yeux de Sophie, au-dessus des épaules houleuses de M. Corcoran, se sont écarquillés comme s'il venait de la transpercer d'un coup de poignard.

« Oh, chérie », pleurait-il, le visage enfoui dans son cou.

« Mon chou, comment allons-nous faire sans lui ? »

« Allons, M. Corcoran. » Francis l'a tiré par la manche.

« On l'aimait tellement, mon chou, a-t-il sangloté. Tellement. Il vous aimait, lui aussi. Il aurait voulu que tu le saches. Tu le sais, n'est-ce pas, chérie ? »

« M. Corcoran. » Francis l'a pris par les épaules et l'a secoué durement. « *M. Corcoran.* » Il s'est retourné et est tombé dans les bras de Francis en beuglant.

J'ai couru de l'autre côté et j'ai réussi à passer son bras autour de mon cou. Ses genoux ont plié, il a failli me faire tomber, mais Francis et moi, en titubant sous son poids, avons réussi je ne sais comment à le remettre sur pied, à le manœuvrer à l'intérieur de la maison (« Oh merde », a murmuré Sophie, *merde.* ») et à le traîner jusqu'à une chaise dans l'entrée.

Son regard fou, désespéré, m'a fait l'effet d'un coup de matraque. Soudain, et en fait pour la première fois, j'ai été frappé par la vérité amère, irrévocable, par le mal que nous avions fait. C'était comme de heurter à pleine vitesse un mur en brique. J'ai lâché son col, me sentant complètement impuissant. J'avais envie de mourir. « Oh, Dieu, ai-je marmonné. Que Dieu me vienne en aide, je regrette... »

J'ai reçu un grand coup sur le tibia. C'était Francis. Son visage était blanc comme de la craie.

Un rayon de lumière a fracassé douloureusement mon champ de vision. Je me suis cramponné au dossier de la chaise, j'ai fermé les yeux et vu une lueur rouge tandis que le bruit rythmé de ses sanglots continuait à me cogner comme un gourdin.

Tout d'un coup, de façon abrupte, ils se sont arrêtés. Plus un bruit. J'ai ouvert les yeux.

M. Corcoran, qui avait encore des larmes sur les joues mais avait repris contenance, regardait avec intérêt un petit chiot épagneul qui rongeait furtivement le bout de sa chaussure.

« *Jennie* », a-t-il dit d'un ton sévère. « *Vilaine* fille. Ta maman ne t'a pas fait sortir, peut-être ? Hein ? »

En faisant des bruits de bébé il a tendu le bras, ramassé le petit chien — dont les pieds ont furieusement pédalé dans le vide — et l'a emporté hors de la pièce.

« Maintenant, va-t'en », l'ai-je entendu dire d'un ton dégagé. « File. »

Une porte en grillage a grincé. L'instant d'après, il était de retour, calme, souriant, un vrai papa de pub.

« Vous les jeunes, vous voulez une bière ? »

Nous étions tous effarés. Personne n'a répondu. Je le regardais en tremblant, le visage cendreux.

« Allons, les gars. » Il nous a fait un clin d'œil. « Pas d'amateurs ? »

Finalement, Francis s'est éclairci la voix avec un raclement. « Ah, je crois que j'en prendrai une, oui. »

Un silence.

« Moi aussi », a dit Sophie.

« Trois ? » m'a demandé M. Corcoran d'un ton jovial, en levant trois doigts.

J'ai remué les lèvres, mais aucun son n'en est sorti.

Il a penché la tête de côté, comme pour me fixer de son bon œil. « Je ne pense pas qu'on se soit déjà rencontrés, n'est-ce pas, fiston ? »

J'ai secoué la tête.

« Macdonald Corcoran. » Il s'est penché pour me tendre la main. « Appelez-moi Mack. »

J'ai prononcé mon nom en bafouillant.

« Qu'est-ce que c'est ? » Il a mis sa main en cornet.

Je l'ai répété, plus fort cette fois.

« Ah ! Alors vous êtes celui de Californie ! Où est votre bronzage, fiston ? » Il a ri très fort de sa plaisanterie et est allé chercher nos bières.

Je suis tombé sur une chaise, épuisé, presque malade. Nous étions dans une pièce démesurée, style *Architectural Digest*, vaste comme un atelier, avec des verrières et une cheminée en pierres brutes, des chaises recouvertes en cuir blanc, une table à café en forme de haricot — des meubles italiens modernes et chers. Le long du mur du fond courait une longue vitrine pleine de coupes, de rubans, de souvenirs universitaires et sportifs ; tout près, inquiétantes, plusieurs grandes couronnes funéraires donnaient à cet angle de la pièce, ajoutées aux trophées, une sorte d'air de Derby du Kentucky.

« C'est un espace magnifique. » La voix de Sophie a résonné sur les angles vifs et les dalles polies.

« Oh, merci, mon chou », a dit M. Corcoran de la cuisine. « Nous sommes passés dans *House Beautiful* l'an dernier, et dans le cahier Demeures du *Times* l'année précédente. Pas vraiment ce que j'aurais choisi moi-même, mais c'est Kathy le décorateur de la famille, vous savez. »

Il y a eu un coup de sonnette. Nous nous sommes regardés. Il y en a eu deux autres, deux carillons mélodieux — Mme Corcoran a trottiné du fond de la maison et est passée devant nous sans nous accorder un mot ou un regard.

« Henry, a-t-elle appelé. Tes invités sont là. » Ensuite elle a ouvert la porte d'entrée. « Bonjour. » C'était un jeune livreur. « Lequel êtes-vous ? Vous êtes des Sunset Florists ? »

« Oui, m'dame. Signez, s'il vous plaît. »

« Attendez une minute. Je vous ai déjà appelé plus tôt. Je veux savoir pourquoi vous avez livré toutes ces couronnes ici ce matin pendant que j'étais sortie. »

« Ce n'est pas moi qui les ai livrées. Je viens de prendre mon service. »

« Vous êtes chez Sunset Florists, c'est ça ? »

« Oui, m'dame. » Je le plaignais. C'était un adolescent avec des morceaux de Clearasil collés sur le visage.

« J'ai demandé spécifiquement qu'on n'envoie ici que les arrangements floraux et les plantes vertes. Ces couronnes devraient toutes se trouver aux pompes funèbres. »

« Je regrette, madame. Si vous voulez appeler le directeur ou je ne sais... »

« Je crains que vous n'ayez pas compris. Je ne veux pas de ces couronnes chez moi. Je veux que vous les remettiez sur-le-champ dans votre camion pour les emmener aux pompes funèbres. Et n'essayez pas de me donner celle-là, en plus », a-t-elle dit alors qu'il soulevait une couronne aux couleurs criardes d'œillets rouges et jaunes. « Indiquez-moi seulement de qui ça vient. »

Le jeune homme a louché sur son cahier. « Avec notre sympathie, M. et Mme Robert Bartle. »

« Ah ! » s'est écrié M. Corcoran, revenu sans plateau, avec nos bières très maladroitement entassées dans ses mains. « C'est de Betty et Bob ? »

Mme Corcoran n'a pas répondu. « Vous pouvez rentrer ces fougères », a-t-elle dit au livreur en jetant un coup d'œil haineux aux pots enveloppés de papier aluminium.

Quand il est parti, elle s'est mise à inspecter les fougères, soulevant les palmes à la recherche de feuilles mortes, faisant des notes au dos des enveloppes avec un minuscule porte-mine en argent. « As-tu vu la gerbe envoyée par les Bartle ? » a-t-elle demandé à son mari.

« Non, chou. »

« Ces plantes, c'est incroyable, en plus. » Elle a planté le doigt dans la terre. « Cette violette d'Afrique est pratiquement morte. Louise serait humiliée de savoir ça. »

« C'est l'intention qui compte. »

« Je sais, mais quand même, si j'ai appris quelque chose de tout ceci, c'est de ne jamais plus commander des fleurs à Sunset Florists. Tout ce qui vient de Tina's Flowerland est tellement plus joli. *Francis* », a-t-elle dit du même ton ennuyé et sans lever les yeux. « Vous n'êtes pas venus nous voir depuis Pâques. »

Francis a pris une gorgée de bière. « Oh, tout allait bien », a-t-il lancé comme un cabotin. « Comment allez-vous ? »

Elle a soupiré et secoué la tête. « Ça a été terriblement dur. Nous essayons tous de prendre les choses comme elles se présentent. Je n'avais jamais compris comme il peut être difficile à un parent de simplement *lâcher prise* et... Henry, c'est toi ? » a-t-elle dit sèchement en entendant des pas traînants sur le palier.

Un silence. « Non, m'man, c'est juste moi. »

« Va le chercher, Pat, et dis-lui de venir ici. » Ensuite elle s'est tournée vers Francis. « Nous avons reçu ce matin de ta mère une adorable gerbe de lys blancs. Comment va-t-elle ? »

« Oh, elle va bien. Elle est revenue en ville, maintenant. Elle était vraiment bouleversée », a-t-il ajouté d'un air gêné, « quand elle a appris, pour Bunny. » (Francis m'avait dit qu'elle était devenue hystérique, au téléphone, et avait dû aller prendre une pilule.)

« C'est quelqu'un de tellement adorable, a dit Mme Corcoran d'une voix sucrée. J'ai eu tellement de peine en apprenant qu'elle était entrée au Centre Betty Ford. »

« Elle n'y est restée que deux jours », a précisé Francis.

Elle a arqué un sourcil. « Oh ? Elle a fait beaucoup de progrès, alors ? J'ai toujours entendu dire que c'était un endroit de premier ordre. »

Francis s'est éclairci la voix. « Eh bien, elle y est surtout allée pour se reposer. Beaucoup de gens font comme ça, vous savez. »

Mme Corcoran a pris l'air surpris. « Oh, cela ne vous gêne pas d'en parler, n'est-ce pas ? Je ne crois pas que vous devriez. Je trouve très moderne de la part de votre mère d'admettre qu'elle a besoin d'aide. Il n'y a pas si longtemps, absolument personne n'avouait des problèmes de cette nature. Quand j'étais jeune fille... »

« Eh bien, eh bien, en parlant du diable », a lancé M. Corcoran.

Henry, en costume noir, descendait l'escalier en grinçant, d'une démarche raide et mesurée.

Francis s'est levé. Moi aussi. Il nous a ignorés.

« Viens donc ici, mon fils, a dit M. Corcoran. Prends-toi un bretzel. »

« Merci, non. »

De près, j'ai été surpris de voir à quel point il était pâle. Il avait le teint plombé, le front couvert de gouttes de sueur.

« Qu'est-ce que vous avez fait là-haut tout l'après-midi, les garçons ? » a demandé M. Corcoran, la bouche pleine de glace.

Henry a cligné des yeux.

« Hein ? » a dit M. Corcoran, aimablement. « Regardé des magazines de nus féminins ? Construit un poste de radio-amateur ? »

Henry s'est passé une main — dont j'ai vu qu'elle tremblait un peu — sur le front. « Je lisais. »

« *Lire* ? » s'est écrié M. Corcoran comme s'il n'avait jamais entendu parler d'une chose pareille.

« Oui, monsieur. »

« Qu'est-ce que c'est ? Quelque chose de bien ? »

« Les Upanishad. »

« Ce que tu peux être malin. Tu sais, j'ai toute une étagère de livres à la cave, si tu veux jeter un coup d'œil. Même un ou deux vieux Perry Mason. Ils sont vachement bons. Exactement comme les émissions télé, sauf que Perry devient un peu sexy avec Della et qu'il dit parfois bon Dieu et des trucs. »

Mme Corcoran s'est éclairci la voix.

« Henry, a-t-elle dit suavement en prenant son verre à la main. Je suis sûre que ces jeunes gens aimeraient voir où ils vont loger. Peut-être ont-ils quelques bagages dans la voiture. »

« Très bien. »

« Vérifiez la salle de bains d'en bas pour être certain qu'il y a assez de gants et de serviettes. S'il en manque, prenez-en dans le placard à linge de l'entrée. »

Henry a hoché la tête, mais avant qu'il puisse répondre M. Corcoran a surgi derrière lui. « Ce garçon », a-t-il dit en lui donnant une claque sur l'épaule — j'ai vu le cou d'Henry se crisper et ses dents mordre sa lèvre inférieure — « il n'y en a pas un sur un million. C'est-y pas un vrai prince, Kathy ? »

« Il nous a certainement beaucoup aidés », a répondu froidement son épouse.

« Ça, on peut le dire. Je ne sais pas ce qu'on aurait fait sans lui, cette semaine. Vous, les jeunes » — il avait toujours la main plantée sur l'épaule d'Henry — « espérez trouver des amis comme celui-là. On n'en fait pas des comme lui tous les jours. Non, monsieur. Tiens, je n'oublierai jamais, c'était la première nuit de Bunny à Hampden, il m'a téléphoné, "P'pa, tu devrais voir le cinglé qu'on m'a donné pour compagnon de chambre". "Tiens le coup, mon fils, je lui ai dit, donne-lui une chance", et avant d'avoir eu le temps de cracher par terre c'était des Henry par ci, des Henry par là, et il change sa dominante, du diable ce que c'était, pour passer au grec ancien. Et il file en Italie. Heureux comme un pape. » Ses yeux se gonflaient de larmes. « C'est juste pour dire », et il a secoué l'épaule d'Henry avec une sorte d'affection bourrue, « ne jugez jamais un livre à sa couverture. Ce vieil Henry a peut-être l'air d'avoir un manche à balai dans le derrière, mais il y a pas mieux au monde. Tiens, à peu près la dernière fois que j'ai parlé avec ce vieux Bunny, il était tout excité à l'idée d'aller cet été en France avec ce gars... »

« Allons, Mack », a dit Mme Corcoran, mais c'était trop tard. Il s'était remis à pleurer.

Ça n'a pas été aussi dur que la première fois, mais ça a quand même été dur. Il s'est jeté dans les bras d'Henry et a sangloté dans ses revers tandis qu'Henry restait immobile, les yeux dans le vide, calme et hagard.

Tout le monde était gêné. Mme Corcoran s'est remise à soigner les plantes vertes, et moi, les yeux brûlants, je regardais mes genoux, quand une porte a claqué et deux jeunes hommes sont entrés d'un air nonchalant dans la grande pièce aux poutres apparentes. On ne pouvait pas se tromper un instant sur leur identité. La lumière était derrière eux, et je les voyais mal, mais ils parlaient en riant et, oh Dieu, j'ai senti un bref pincement au cœur à cet écho de Bunny — aigre, sarcastique, vibrant — qui résonnait à travers leur rire.

Ils ont ignoré les larmes de leur père et marché droit vers lui. « Hé, Pop », a dit l'aîné. Il avait environ trente ans, les cheveux frisés, et un visage très proche de celui de Bunny. Perché sur sa hanche, il portait un bébé avec une petite casquette des Red Sox.

L'autre frère — plus mince, avec plus de taches de rousseur, une peau trop bronzée et des cernes noirs sous ses yeux bleus — a pris le bébé. « Viens. Va voir grand-papa. »

M. Corcoran s'est arrêté instantanément de pleurer, à mi-sanglot, a levé le bébé en l'air et l'a regardé avec adoration. « Champion ! a-t-il crié. Tu es allé te promener avec Papa et l'oncle Brady ? »

« On l'a emmené au MacDonald, a dit Brady. On lui a pris un Menu Bonheur. »

D'étonnement, M. Corcoran est resté bouche bée. « Et tu as tout mangé ? a-t-il demandé au bébé. Tout le Menu Bonheur ? »

« Dis oui », a roucoulé le père du bébé. « *Oui, dranppa.* »

« C'est de la blague, Ted, a lancé Brady en riant. Il n'en a pas mangé une seule bouchée. »

« Il a eu un cadeau dans la boîte, en tout cas, pas vrai ? Pas vrai ? Huh ? »

« Montre-moi ça », a dit M. Corcoran en dépliant les doigts du bébé.

Mme Corcoran est intervenue. « Henry, peut-être pouvez-vous aider la jeune personne avec ses bagages et lui montrer sa chambre. Brady, tu peux conduire les garçons en bas. »

M. Corcoran avait réussi à prendre le cadeau — un avion en plastique — au bébé et le faisait voler en rond.

« Regarde ! » chuchotait-il, émerveillé.

« Comme ce n'est que pour un soir, nous a dit Mme Corcoran, je suis sûre que personne n'aura d'objection à partager son lit. »

Quand nous sommes descendus, M. Corcoran avait posé le bébé sur le tapis et se roulait par terre en le chatouillant. J'ai entendu les hurlements de terreur et de plaisir du bébé jusqu'au bas de l'escalier.

---

Nous devions coucher au sous-sol. Contre le mur du fond, près des tables de ping-pong et du billard, on avait installé plusieurs lits de camp, et il y avait une pile de sacs de couchage dans un coin.

« Quelle misère », a dit Francis dès que nous avons été seuls.

« Ce n'est que pour cette nuit. »

« Je ne peux pas dormir quand il y a plein de gens dans la pièce. Je ne vais pas fermer l'œil. »

Je me suis assis sur un lit de camp. La pièce sentait le renfermé, l'humidité, et la lampe, au-dessus du billard, donnait une lumière verdâtre et déprimante.

« Il y a de la poussière, en plus, a ajouté Francis. Je crois que nous devrions aller à l'hôtel. »

En reniflant bruyamment, il s'est plaint de la poussière et a cherché un cendrier, mais la pièce aurait pu se remplir d'un gaz mortel, je n'en avais cure. Tout ce que je me demandais c'était comment, au nom du ciel et du Dieu de miséricorde, j'allais supporter les heures à venir. Nous n'étions là que depuis vingt minutes, et j'avais déjà envie de me tirer une balle dans la tête.

Il se plaignait encore et j'étais toujours plongé dans mon désespoir quand Camilla est arrivée. Elle avait des boucles d'oreilles en jais, des souliers vernis, et un élégant costume moulant en velours noir.

« Salut. » Francis lui a offert une cigarette. « Allons prendre une chambre au Ramada. »

Quand elle a glissé la cigarette entre ses lèvres, je me suis rendu compte à quel point elle m'avait manqué les derniers jours.

« Oh, vous n'êtes pas si mal lotis, a-t-elle dit. La nuit dernière, j'ai dû dormir avec *Marion*. »

« Dans la même chambre ? »

« Le même *lit*. »

Francis a ouvert de grands yeux admiratifs et horrifiés. « Oh, vraiment ? Oh, ça alors. C'est terrible », a-t-il dit d'une voix empreinte de respect.

« Charles est en haut avec elle. Marion pique sa crise parce qu'on a fait venir la pauvre fille qui vous a accompagnés. »

« Où est Henry ? »

« Tu ne l'as pas vu ? »

« Si, mais je ne lui ai pas parlé. »

Elle a pris le temps de souffler un nuage de fumée.

« Comment va-t-il, à ton avis ? »

« Je l'ai vu en meilleure forme. Pourquoi ? »

« Parce qu'il est malade. Sa migraine. »

« Une grave ? »

« C'est ce qu'il dit. »

Francis l'a regardée d'un air incrédule. « Comment peut-il rester debout et se promener, alors ? »

« Je ne sais pas. Mme Corcoran vient de l'envoyer à la ferme Cumberland prendre un litre de lait pour ce foutu bébé. »

« Il peut *conduire* ? »

« Je n'en ai aucune idée. »

« Francis, ai-je dit. Ta cigarette. »

Il a bondi, l'a rattrapée trop vite et s'est brûlé les doigts.

Il l'avait posée sur le bord du billard et le mégot avait entamé le bois ; une tache noire s'élargissait sur le vernis.

« Les garçons ? » a crié Mme Corcoran du haut des marches. « Les garçons ? Cela vous gêne si je descends vérifier le thermostat ? »

« Vite, a chuchoté Camilla en écrasant sa cigarette. Ici, on ne doit pas fumer. »

« Qui est là ? » a demandé sèchement Mme Corcoran. « Il y a quelque chose qui brûle ? »

« Non, m'dame », a dit Francis qui a frotté la tache de brûlé et s'est précipité pour cacher son mégot au moment où elle descendait l'escalier.

---

Ce fut une des nuits les plus affreuses de ma vie. La maison se remplissait de gens et les heures se traînaient dans un sinistre brouillard accéléré de parents, voisins, enfants en pleurs, plats sous cloche, allées embouteillées, sonneries de téléphone, lumières vives, visages inconnus, dialogues malaisés. Un homme bestial, au visage dur, m'a bloqué dans un coin pendant des heures, se vantant de concours de pêche et de commerces à Chicago, Nashville et Kansas City, jusqu'à ce que je le prie de m'excuser pour aller m'enfermer dans une salle de bains du premier, ignorant les coups sur la porte et les plaintes pitoyables de je ne sais quel petit môme qui suppliait et pleurait pour qu'on le laisse entrer.

Le dîner a été servi à sept heures, un mélange peu appétissant de plats de luxe tout préparés — salade orzo, canard au Campari, canapés miniatures au foie gras — et de plats apportés par les voisins : cassolettes de thon, gelées moulées dans du Tupperware, et un effroyable dessert appelé « gâteau toqué » que je suis bien en peine de décrire. Les gens déambulaient avec des assiettes en papier.

Dehors, il faisait froid et il pleuvait. Hugh Corcoran, en manches de chemise, passait avec une bouteille pour remplir les verres, se frayant un chemin dans la foule sombre et agitée de murmures. Il m'a frôlé sans un regard. De tous les frères, c'est celui qui ressemblait le plus à Bunny (sa mort commençait à me faire l'effet d'une horrible génération spontanée, avec des Bunny qui jaillissaient dans tous les coins, des Bunny qui descendaient de la charpente) et c'était comme de voir l'avenir et la tête qu'aurait eue Bunny à trente-cinq ans, de même que son père avait la tête qu'il aurait eue à soixante ans. Je le connaissais, mais lui non. J'ai eu l'envie presque irrésistible de le prendre par le bras, de lui dire quelque chose, je ne savais pas quoi, juste pour voir ses sourcils tomber brusquement d'une façon dont je me souvenais si bien, et l'expression étonnée de ses yeux troubles et naïfs.

*C'est moi qui ai tué la vieille prêteuse sur gages et sa sœur Lizaveta à coups de hache pour les voler.*

Rire, vertige. Des inconnus m'abordaient sans arrêt. Je me suis dégagé d'un des cousins adolescents de Bunny — lequel, en apprenant que je venais de Californie, m'avait posé un tas de questions compliquées au sujet du surf — et j'ai nagé dans la foule sautillante pour retrouver Henry. Il était seul, debout près d'une des portes en verre, tournant le dos à la pièce, et fumait une cigarette.

Je me suis mis à côté de lui. Il ne m'a rien dit, ne m'a pas regardé. Les portes donnaient sur une terrasse déserte, inondée de lumière — du ciment noir, des troènes dans des urnes en béton, une statue brisée avec art, les morceaux disposés sur le sol. La pluie rayait les projecteurs, réglés pour faire des ombres longues, théâtrales. L'effet était très chic, à la fois antique et post-nucléaire, comme une cour pleine de cendres à Pompéi.

« C'est le jardin le plus laid que j'aie jamais vu », ai-je dit.

« Oui. » Henry était très pâle. « Cendres et gravats. »

Derrière nous, les gens riaient et bavardaient. Les lumières, entrant par la fenêtre tachée de pluie, projetaient l'ombre des gouttes qui ruisselaient sur son visage.

« Tu devrais peut-être aller te coucher », ai-je fini par dire.

Il s'est mordu la lèvre. La cendre de sa cigarette faisait presque trois centimètres. « Je n'ai plus de médicaments. »

Je lui ai jeté un coup d'œil en biais. « Tu peux tenir ? »

« Je suppose qu'il le faut, n'est-ce pas ? » Il est resté sur place.

---

Camilla a verrouillé derrière nous la porte de la salle de bains, et à quatre pattes, nous nous sommes mis à fouiller la masse de flacons entassés sous le lavabo.

« Contre l'hypertension », a-t-elle lu.

« Non. »

« Pour l'asthme. »

On a frappé à la porte.

« Il y a quelqu'un », ai-je crié.

Camilla s'était enfoncée dans le placard, contre les tuyaux, et son derrière en sortait. J'entendais le cliquetis des flacons. « Oreille interne ? » a dit sa voix étouffée. « Un comprimé deux fois par jour ? »

Quelqu'un a encore frappé et secoué la poignée. J'ai frappé, moi aussi, et j'ai ouvert à fond les deux robinets.

Nous n'avons rien trouvé de bon. Si Henry avait été empoisonné, avait eu la fièvre, des rhumatismes, une ophtalmie, nous aurions eu de la chance, mais le seul analgésique, c'était de l'Excedrine. Par pur désespoir j'en ai pris une poignée, avec deux capsules douteuses qui avaient une étiquette marquée « somnolences » mais que je soupçonnais d'être des antihistaminiques.

Je pensais que notre importun mystérieux était parti, mais en sortant j'ai été agacé de voir Cloke qui traînait dans les parages. Il m'a regardé avec des yeux méprisants qui se sont écarquillés quand Camilla, les cheveux ébouriffés et tirant sur sa jupe, est sortie derrière moi.

Si elle a été surprise de le voir, elle n'en a rien montré. « Oh, salut. » Et elle s'est penchée pour s'essuyer les genoux.

« Salut. » Il a détourné les yeux d'un faux air dégagé. Nous savions tous que Cloke s'intéressait à elle, mais même si ce n'avait pas été le cas, Camilla n'était pas exactement le genre de fille qu'on s'attend à voir s'enfermer à clef avec quelqu'un dans une salle de bains.

Elle nous a dépassés pour descendre l'escalier. J'ai voulu la suivre, mais Cloke a toussé pour attirer mon attention et je me suis retourné.

Il s'est adossé au mur et m'a regardé comme s'il me connaissait par cœur depuis le jour de ma naissance. « Alors », a-t-il dit. Sa chemise n'était pas repassée, les pans dépassaient et il avait les yeux injectés de sang, que ce soit par la drogue ou seulement la fatigue. « Comment ça se passe ? »

Je me suis arrêté sur le palier. Camilla était en bas des marches, hors de portée de voix. « Ça va. »

« C'est quoi, l'histoire ? »

« Quoi ? »

« Mieux vaut que Kathy ne vous trouve pas en train de baiser dans la salle de bains. Elle vous renverrait à pied jusqu'à l'arrêt du car. »

Il parlait d'une voix neutre, mais je me suis rappelé l'épisode avec le petit ami de Mona, la semaine d'avant. Pourtant, Cloke ne présentait quasiment aucun danger du point de vue physique, et par ailleurs il avait ses propres problèmes.

« Ecoute, tu te trompes », ai-je dit.

« Ça m'est égal. Je te le dis, c'est tout. »

« Eh bien, moi aussi je te le dis. Crois-le ou pas, ça m'est égal. »

Cloke a fouillé paresseusement dans sa poche, en a sorti un paquet de Marlboro tellement écrasé et aplati qu'il ne semblait pas qu'il puisse y rester une seule cigarette. « Je pensais bien qu'elle voyait quelqu'un. »

« Pour l'amour du ciel. »

Il a haussé les épaules. « Ça ne me regarde pas. » Il a extrait une cigarette tordue et a froissé le paquet dans sa main. « Les gens m'emmerdaient, à la fac, alors je dormais sur leur divan avant de venir ici. Je l'ai entendue parler au téléphone. »

« Et dire quoi ? »

« Oh, rien, mais vers deux ou trois heures du matin, en chuchotant — tu commences à t'étonner. » Il a eu un sourire sans joie. « Je suppose qu'elle croit que je suis défoncé, mais franchement j'ai plutôt mal dormi... Bon », a-t-il dit quand je n'ai pas répondu. « Tu n'es pas au courant. »

« Pas du tout. »

« Sûr. »

« Vraiment pas. »

« Alors qu'est-ce que vous faisiez là-dedans ? »

Je l'ai regardé un instant, puis j'ai sorti une poignée de comprimés que je lui ai montrée sur ma paume ouverte.

Il s'est penché, sourcils froncés, et tout d'un coup ses yeux embrumés sont devenus limpides, intelligents. Il a choisi un comprimé et l'a tenu à la lumière d'un air expert.

« Qu'est-ce que c'est ? Tu le sais ? »

« Du Sudafed. Te bile pas, il n'y a rien là-dedans. »

Il a gloussé et m'a regardé pour la première fois avec amitié. « Tu sais pourquoi ? C'est parce que tu ne cherches pas au bon endroit. »

« Quoi ? »

Il a regardé par-dessus son épaule. « Au bout du couloir. Donnant sur la chambre du maître de maison. Je te l'aurais dit si tu m'avais demandé. »

J'étais étonné. « Comment le sais-tu ? »

Il a empoché le comprimé et haussé un sourcil. « J'ai pratiquement grandi dans cette maison. La vieille Kathy marche à environ seize drogues différentes. »

J'ai regardé la porte fermée de la grande chambre.

« Non, a-t-il dit. Pas maintenant. »

« Pourquoi ? »

« La grand-mère de Bunny. Elle doit s'étendre après les repas. On reviendra plus tard. »

---

En bas, la situation s'était un peu éclaircie, mais pas beaucoup. On ne voyait nulle part Camilla. Charles, ivre et ennuyé, pressait un verre contre sa tempe pendant qu'une Marion en larmes n'arrêtait pas de jacasser — les cheveux tirés sur le côté en deux énormes couettes sorties du catalogue de chez Talbots. Je n'avais pas eu l'occasion de lui parler, parce que Marion l'avait presque constamment accaparé depuis notre arrivée ; j'ignorais pourquoi elle se cramponnait à lui avec une telle ténacité, si ce n'était qu'elle n'adressait pas la parole à Cloke, que les frères de Bunny étaient mariés ou fiancés, et que parmi les mâles de son groupe d'âge — les cousins de Bunny, Henry et moi, Bram Guernsey et Rooney Wynne — Charles était de loin le plus beau.

Il m'a regardé par-dessus l'épaule de Marion. Je n'avais pas le culot d'aller à son secours et j'ai détourné les yeux, mais à ce moment un petit enfant qui fuyait son frère — grimaçant, aux oreilles en feuille de chou — s'est pris dans mes jambes et a failli me renverser.

Ils se sont poursuivis en faisant des cercles autour de moi. Le plus petit, hurlant de terreur, a plongé par terre et s'est agrippé à mes genoux. « Trou du cul », a-t-il sangloté.

L'autre s'est arrêté, a fait un pas en arrière, et son visage a pris une expression méchante, presque lascive. « Oh, papa », a-t-il chanté d'une voix sirupeuse. « *Oh, Paa-pa.* »

De l'autre côté de la pièce, Hugh Corcoran s'est retourné, un verre à la main. « Ne me fais pas venir jusqu'ici, Brandon. »

« Mais Corey t'a traité de trou du cul, *Paa-pa.* »

« C'est toi le trou du cul, a sangloté le petit. Toi toi toi. »

Je les ai décollés de ma jambe et je suis allé à la recherche d'Henry. M. Corcoran et lui étaient dans la cuisine, devant un demi-cercle d'autres personnes. Le père de Bunny, son bras sur les épaules d'Henry, avait l'air d'avoir bu quelques verres de trop.

« Or Kathy et moi » — il parlait trop fort, d'un ton didactique — « avons *toujours ouvert notre porte aux jeunes gens.* Toujours gardé une place de plus à table. A la première occasion, ils viennent voir Kathy et moi avec leurs problèmes, en plus. Comme ce gars, a-t-il dit en secouant Henry. Je n'oublierai jamais la fois où il est venu me voir un soir après dîner. Il a dit, Mack — tous les gosses m'appellent Mack — je voudrais vous demander un conseil à propos de quelque chose, d'homme à homme. Eh bien, j'ai dit, avant que tu commences, fiston, je vais juste te dire une chose. Je crois connaître assez bien les garçons. J'en ai moi-même élevé cinq. Et j'avais quatre frères là où j'ai grandi, alors j'imagine qu'on peut trouver que je suis plutôt expert en garçons en général... »

Il a continué à débiter ce souvenir mensonger pendant qu'Henry, pâle et malade, supportait ses coups de coude et ses claques dans le dos comme un chien bien dressé tolère les brutalités d'un petit enfant. L'histoire elle-même était ridicule. On y voyait le jeune Henry, dynamique et bizarrement exalté, voulant se précipiter pour acheter un avion monomoteur d'occasion contre l'avis de ses parents.

« Mais ce gars était bien décidé. S'il n'achetait pas cet avion il allait exploser. Quand il m'a tout raconté j'ai réfléchi une minute, j'ai respiré un bon coup et j'ai dit, Henry, fiston, ça a l'air super, mais je vais tout de même devoir passer pour un cave et être d'accord avec tes parents. Laisse-moi te dire pourquoi. »

« Hé, papa », a lancé Patrick Corcoran qui venait d'entrer pour se resservir à boire. Il était plus mince que Bunny, avec beaucoup de taches de rousseur, mais il avait les cheveux du même blond cendré et le même petit nez pointu. « Papa, tu mélanges tout. Ce n'était pas Henry. C'était le vieux copain de Hugh, Walter Ballantine. »

« Bof. »

« Bien sûr que si. Et de toute façon il a fini par acheter l'avion. Hugh ? » Il a appelé dans la pièce voisine. « Hugh, tu te souviens de Walter Ballantine ? »

« Bien sûr. » Hugh est apparu dans la porte, tenant par le poignet le petit Brandon qui se tordait furieusement en essayant de lui échapper. « A quel sujet ? »

« Est-ce que Walter a fini par acheter le petit Bonanza ? »

« Ce n'était pas un Bonanza. » Hugh ignorait avec un calme glacial les coups et les glapissements de son fils.

« C'était un Beechcraft. Non, je sais ce que tu penses », a-t-il dit quand Patrick et son père ont voulu tous les deux faire une objection. « J'ai accompagné Walter à Danbury pour voir un petit Bonanza reconverti, mais le type en voulait bien trop cher. Ces trucs coûtent une fortune à entretenir, et il y avait pleins de choses qui n'allaient pas, en plus. Il le vendait parce qu'il n'avait plus les moyens de le garder. »

« Et le Beechcraft, alors ? » a demandé M. Corcoran, dont le bras avait glissé de l'épaule d'Henry. « J'ai entendu dire que c'est une excellente petite machine. »

« Walter a eu quelques ennuis avec. L'a trouvé par une annonce du *Pennysaver,* vendu par un sénateur du New Jersey à la retraite. Il s'en servait pour voyager pendant ses campagnes et... »

Le souffle coupé, il a vacillé quand le gosse, d'une torsion soudaine, s'est libéré et a foncé à travers la pièce comme un boulet de canon. Il a évité la main de son père ainsi que le barrage de Patrick, a jeté un coup d'œil en arrière et s'est jeté en plein dans le ventre d'Henry.

Le coup a été très violent. Le gosse s'est mis à pleurer. La bouche d'Henry s'est ouverte et le sang s'est retiré de son visage jusqu'à la dernière goutte. Un instant j'ai cru qu'il allait tomber, mais il a réussi à rester debout, au prix de l'effort digne et massif d'un éléphant blessé, tandis que M. Corcoran éclatait de rire, amusé par sa détresse.

---

Je n'avais pas cru tout ce que m'avait dit Cloke à propos des médicaments qui se trouvaient au premier, mais quand j'y suis retourné avec lui j'ai vu qu'il avait dit vrai. Il y avait une minuscule garde-robe donnant sur la chambre, une coiffeuse en laque noire avec des tas de petits compartiments et une petite clef, avec dans un des compartiments un rouleau de chocolats Godiva et une jolie collection bien entretenue de pilules colorées comme des bonbons. Le médecin qui les avait prescrites — E.G. Garr, de caractère apparemment plus aventureux que ne l'auraient suggéré ses initiales compassées — était un type généreux, surtout avec les amphétamines. Les dames ayant l'âge de Mme Corcoran tendaient en général fortement vers le Valium et autres, mais elle avait assez de speed pour envoyer toute une bande de Hell's Angels en expédition guerrière.

J'étais inquiet. La chambre sentait les vêtements neufs et le parfum ; sur le mur, de grands miroirs disco reproduisaient chacun de nos gestes en images multiples et paranoïaques ; il n'y avait pas d'autre sortie, et aucune excuse possible pour se trouver là si quelqu'un entrait. J'ai gardé un œil sur la porte pendant que Cloke, avec une efficacité admirable, inspectait les flacons.

Dalmane. Jaune et orange. Darvon. Rouge et gris.

Fiorinal. Nembutal. Miltown. J'en ai pris deux dans chaque flacon qu'il me tendait.

« Quoi, tu n'en veux pas plus, de ceux-là ? »

« Je n'ai pas envie qu'elle s'en aperçoive. »

« Merde », a-t-il dit en ouvrant un autre flacon et en en versant la moitié dans sa main. « Prends ce que tu veux. Elle croira que c'est une de ses belles-filles ou je ne sais qui. Tiens, prends un peu de speed. » Il a vidé presque tout le reste dans ma paume. « C'est un truc génial. Qualité pharmaceutique. Aux examens tu peux en tirer dix ou quinze dollars le bout, facile. »

---

Je suis redescendu, la poche droite de ma veste pleine de speed et la poche gauche de calmants. Francis était au bas des marches. « Ecoute, lui ai-je dit, sais-tu où est Henry ? »

« Non. Tu as vu Charles ? »

Il était presque hystérique. « Qu'est-ce qui ne va pas ? »

« Il m'a volé mes clefs de voiture. »

« Quoi ? »

« Il a pris les clefs dans la poche de mon manteau et il est parti. Camilla l'a vu sortir de l'allée. Il avait la capote baissée. Cette voiture cale sous la pluie, de toute façon, mais si... merde. » Il s'est passé la main dans les cheveux.

« Tu n'es au courant de rien, c'est sûr ? »

« Je l'ai vu il y a environ une heure. Avec Marion. »

« Oui, j'ai aussi parlé avec elle. Il a dit qu'il allait acheter des cigarettes, mais ça fait déjà une heure. Tu l'as vraiment vu ? Tu ne lui as pas parlé ? »

« Non. »

« Est-ce qu'il était saoul ? Marion m'a dit que oui. Est-ce qu'il en avait l'air ? »

Lui-même paraissait plutôt ivre. « Pas tellement, ai-je dit. Allez, aide-moi à trouver Henry. »

« Je te l'ai dit. Je ne sais pas où il est. Qu'est-ce que tu lui veux ? »

« J'ai quelque chose pour lui. »

« *Qu'est-ce que c'est* ? » a-t-il dit en grec. « *Des drogues* ? »

« Oui. »

« Alors donne-moi quelque chose, pour l'amour du ciel. » Il a vacillé vers moi, les yeux exorbités.

Il était beaucoup trop ivre pour des somnifères. Je lui ai donné une Excedrine.

« Merci. » Il l'a avalée avec une grande gorgée baveuse de whisky. « J'espère que je vais mourir dans la nuit. Où crois-tu qu'il soit allé ? Quelle heure est-il ? »

« Environ dix heures. »

« Tu ne crois pas qu'il a décidé de rentrer *à la maison*, non ? Peut-être qu'il a tout simplement pris la voiture pour aller à Hampden. Camilla dit sûrement pas, pas avec l'enterrement pour demain, mais je ne sais pas, il a carrément *disparu*. S'il était vraiment allé chercher des cigarettes, tu ne crois pas qu'il serait rentré ? A part ça je ne vois pas où il a pu aller. Qu'est-ce que tu en penses ? »

« On va le revoir. Ecoute, je suis désolé, il faut que j'y aille. On se verra plus tard. »

J'ai cherché Henry dans toute la maison et je l'ai trouvé tout seul à la cave, assis dans le noir sur un lit de camp.

Il m'a regardé du coin de l'œil, sans bouger la tête.

« Qu'est-ce que c'est ? » a-t-il dit quand je lui ai offert deux comprimés.

« Du Nembutal. Tiens. »

Il les a pris et les a avalées tout rond. « Tu en as d'autres ? »

« Oui. »

« Donne-les-moi. »

« Tu ne dois pas en prendre plus de deux. »

« Donne-les-moi. »

Je les lui ai données. « Je ne plaisante pas, Henry. Tu ferais mieux de faire attention. »

Il les a regardées, a sorti sa boîte en émail bleu de sa poche et les a soigneusement rangées. « Je n'irais pas jusqu'à croire que tu irais me chercher un verre là-haut. »

« Tu ne dois pas boire en prenant ce médicament. »

« J'ai déjà bu. »

« Je sais. »

Il y a eu un bref silence.

« Ecoute » — il a repoussé ses lunettes au bout de son nez — « j'ai envie d'un scotch-soda. Dans un grand verre. Beaucoup de scotch, pas beaucoup de soda, beaucoup de glace, et en plus un verre d'eau plate, sans glace. C'est ça dont j'ai envie. »

« Je n'irai pas te le chercher. »

« Si tu ne vas pas me le chercher, il va falloir que je me lève pour y aller moi-même. »

Je suis allé lui chercher le tout à la cuisine, mais j'ai mis beaucoup plus de soda, j'en étais sûr, qu'il ne l'aurait voulu.

« Ça c'est pour Henry », a dit Camilla qui est entrée dans la cuisine au moment où j'avais fini le premier verre et où je remplissais le deuxième au robinet.

« Oui. »

« Où est-il ? »

« En bas. »

« Comment est-il ? »

Nous étions seuls dans la cuisine. Sans quitter la porte des yeux, je lui ai parlé de la coiffeuse en laque.

« C'est bien du Cloke, a-t-elle dit en riant. Il n'est vraiment pas mal, n'est-ce pas ? Bun disait toujours que tu le faisais penser à lui. »

Etonné et un peu offensé par cette phrase, j'ai failli lui répondre, mais à la place j'ai reposé le verre. « A qui tu téléphones à trois heures du matin ? »

« Quoi ? »

Sa surprise paraissait totalement spontanée. Le problème, c'est qu'elle était si bonne actrice qu'on ne pouvait pas savoir si c'était vrai.

J'ai soutenu son regard. Elle m'a fixé sans ciller, les sourcils froncés, et juste quand j'ai senti que je me taisais un peu trop longtemps, elle a secoué la tête et s'est remise à rire.

« Qu'est-ce qui ne va pas chez toi ? De quoi parles-tu ? »

J'ai ri, moi aussi. A ce petit jeu, elle était imbattable.

« Je n'essaye pas de te coincer. Mais tu devrais faire attention au téléphone quand Cloke habite chez toi. »

Elle n'a rien laissé paraître. « Je fais attention. »

« J'espère que oui, parce qu'il t'a écoutée. »

« Il n'a rien pu entendre. »

« Bon, ce n'est pas faute d'avoir essayé. »

Nous nous sommes regardés. Elle avait un grain de beauté à vous briser le cœur, une pointe rouge rubis juste en dessous de l'œil. Pris d'un élan irrésistible, je me suis penché pour l'embrasser.

Elle a ri. « C'était pourquoi ? »

Mon cœur — qui, passionné par mon audace, avait retenu son souffle une seconde ou deux — s'est mis à cogner follement dans ma poitrine. Je me suis retourné et j'ai tripoté les verres. « Pour rien. Juste que tu es jolie. » J'ai failli lui dire autre chose mais Charles, trempé, est entré en trombe, suivi de Francis.

« Pourquoi tu ne me l'as pas dit, tout simplement ? » a chuchoté Francis. Il était rouge et il tremblait de colère.

« Peu importe que les sièges soient pleins d'eau, qu'ils vont probablement moisir et pourrir, et que je doive rentrer demain à Hampden. Peu importe. Je m'en moque. Ce que je n'arrive pas à croire c'est que tu es monté, que tu as délibérément cherché mon manteau, que tu as pris les clefs et... »

« Je t'ai déjà vu capote baissée sous la pluie », a sèchement dit Charles. Il était devant l'évier, tournant le dos à

Francis, et remplissait un verre d'eau. Ses cheveux étaient collés à son crâne et une petite mare se formait entre ses pieds sur le linoléum.

« *Quoi*, a lâché Francis entre ses dents. *Moi*, jamais. »

« Si, tu l'as fait. » Charles ne se retournait pas.

« Cite-moi une fois. »

« Okay. Et l'après-midi où on était tous les deux à Manchester, c'était quinze jours avant le début des cours, et on a décidé d'aller à Equinox House pour... »

« C'était un *après-midi d'été*. Une simple *bruine*. »

« Ce n'est pas vrai. Il pleuvait vraiment. C'est juste que tu ne veux pas en parler parce que c'est le jour où tu as essayé de me... »

« Tu es fou. Ça n'a rien à voir avec ça. Il fait nuit noire et il pleut à verse et tu es saoul comme une bourrique. C'est un miracle que tu n'aies pas écrasé quelqu'un. Où diable es-tu allé chercher tes cigarettes, en plus ? Il n'y a pas de boutique à des... »

« Je ne suis pas saoul. »

« Ha, ha. Dis-moi. Où as-tu trouvé ces cigarettes ? J'aimerais savoir. Je parie... »

« Je dis que je ne suis pas saoul. »

« Ouais, bien sûr. Je parie que tu n'as même pas acheté de cigarettes. Sans ça, elles doivent être trempées. Où sont-elles, à propos ? »

« *Laisse-moi tranquille.* »

« Non. Vraiment. Montre-les-moi. Je voudrais bien voir ces fameuses... »

Charles a posé son verre d'un grand coup et a fait demi-tour. « Laisse-moi tranquille », a-t-il dit d'une voix sifflante.

Ce n'est pas tellement le ton de sa voix, mais plutôt l'expression de son visage, qui était terrible. Francis l'a regardé fixement, la bouche entrouverte. Pendant dix longues secondes on n'a entendu que le tic-tac régulier de l'eau qui gouttait des vêtements trempés de Charles.

J'ai pris le scotch d'Henry, avec beaucoup de glace, son verre d'eau, sans glace, j'ai frôlé Francis en sortant par la porte battante et je suis descendu au sous-sol.

---

Il a plu à verse toute la nuit. La poussière du sac de couchage me chatouillait le nez, et le sol de la cave — une chape en béton sous une mince couche inconfortable de revêtement intérieur/extérieur — me faisait mal aux os dans toutes les positions où je me mettais. La pluie tambourinait sur les fenêtres près du plafond, et les projecteurs, à travers le verre, dessinaient un motif sur le mur comme si des ruisselets d'eau noire dégoulinaient jusqu'en bas.

Charles ronflait sur son lit de camp, la bouche ouverte ; Francis grommelait dans son sommeil. Parfois une voiture passait dans un chuintement et, en tournant, ses phares illuminaient momentanément la pièce — le billard, les raquettes accrochées au mur et la machine à ramer, la chaise où Henry était assis, immobile, un verre à la main, sa cigarette se consumant entre ses doigts. L'espace d'un instant, son visage pâle et attentif comme celui d'un fantôme était pris dans le pinceau lumineux avant de retomber peu à peu dans le noir.

---

Au matin, je me suis réveillé, désorienté et endolori, au son d'un volet mal fermé qui battait quelque part. Il pleuvait plus fort que jamais. La pluie tombait en vagues rythmées sur les fenêtres de la cuisine blanche, brillamment éclairée, quand nous nous sommes assis, les invités, autour de la table pour prendre un petit déjeuner silencieux et sans joie, fait de café et de Pop Tarts.

Les Corcoran étaient en haut, en train de s'habiller. Cloke, Bram et Rooney buvaient leur café, les coudes sur la table, et parlaient à voix basse. Ils étaient lavés et rasés de frais, se pavanaient dans leur costume du dimanche, mais en même temps gênés, comme s'ils allaient se présenter devant un tribunal. Francis — les yeux bouffis, ses cheveux roux se dressant ridiculement dans tous les sens — était encore en robe de chambre. Il s'était levé tard et avait peine à contenir son indignation parce que toute l'eau chaude du sous-sol avait été utilisée.

Charles et lui étaient en face l'un de l'autre, et prenaient grand soin d'éviter de se regarder. Marion — les yeux rouges, les cheveux dans des bigoudis encore chauds — était elle aussi morose et silencieuse. Elle était très chic, avec un ensemble bleu marine, mais portait des pantoufles en duvet rose sur ses bas Nylon couleur chair. De temps en temps elle posait une main sur les rouleaux pour voir s'ils étaient en train de refroidir.

Parmi nous, Henry était le seul à devoir porter le cercueil — les cinq autres étant des amis de la famille ou des associés de M. Corcoran. Je me demandais si le cercueil était très lourd et, en ce cas, comment Henry s'en tirerait. Il dégageait une légère odeur ammoniacale de sueur et de scotch, mais il n'avait pas l'air ivre le moins du monde. Les comprimés l'avaient plongé dans un calme vitreux, insondable. Des volutes de fumée montaient d'une cigarette sans filtre dont le bout incandescent se rapprochait dangereusement de ses doigts. Son aspect aurait pu faire soupçonner qu'il était sous l'emprise d'un stupéfiant, sauf qu'il était très proche de son état habituel.

Il était un peu plus de neuf heures et demie à l'horloge de la cuisine. L'enterrement était prévu pour onze heures. Francis est parti s'habiller et Marion est allée enlever ses bigoudis. Nous étions tous restés autour de la table de la cuisine, inertes et mal à l'aise, faisant semblant de savourer notre deuxième ou troisième tasse de café, quand la femme de Teddy est entrée à grands pas. C'était une jolie avocate d'affaires au visage dur qui fumait constamment et avait taillé ses cheveux blonds en bol. L'épouse de Hugh l'accompagnait : une petite femme aux manières aimables qui paraissait beaucoup trop jeune et fragile pour avoir mis au monde tous ces enfants. Par une malheureuse coïncidence, elles s'appelaient toutes les deux Lisa, ce qui créait de nombreux malentendus dans la maison.

« Henry », a dit la première Lisa, qui s'est penchée en écrasant sa Vantage à moitié fumée de sorte qu'elle s'est cassée à angle droit dans le cendrier. Elle s'était parfumée avec du Giorgio et en avait mis beaucoup trop. « Nous allons maintenant à l'église pour disposer les fleurs dans le chœur et ramasser les cartons avant l'office. La mère de Ted » — les deux Lisa détestaient Mme Corcoran, qui le leur rendait bien — « a dit que vous devriez venir avec nous afin de rencontrer les autres porteurs. Okay ? »

Henry, dont la monture en acier de ses lunettes reflétait des éclats de lumière, n'a donné aucun signe qu'il l'avait entendue. J'allais lui donner un coup de pied sous la table quand, très lentement, il a levé les yeux.

« Pourquoi ? »

« Les porteurs sont censés se retrouver dans le vestibule à dix heures quinze. »

« Pourquoi ? » a répété Henry avec un calme védique.

« Je ne sais pas pourquoi. Je vous dit simplement ce qu'elle a dit. Ce truc est synchronisé comme une course de natation ou Dieu sait quoi. Vous êtes prêt à nous suivre, ou vous avez besoin d'une minute ? »

« Allons, Brandon », a dit faiblement la femme de Hugh à son fils en bas âge qui était entré en courant et essayait de se balancer comme un singe au bras de sa mère. « S'il te plaît. Tu vas faire mal à Mère. *Brandon*. »

« Lisa, vous ne devriez pas le laisser se pendre à vous de

cette façon », a dit la première Lisa en consultant sa montre.
« *S'il te plaît*, Brandon. Mère doit y aller, maintenant. »
« Il est trop grand pour se conduire comme ça. Tu le sais. Si j'étais toi, je l'emmènerais dans la salle de bains pour lui donner une bonne fessée. »

---

Mme Corcoran est descendue environ vingt minutes plus tard, en crêpe de chine noir, fouillant dans un sac en cuir à coutures apparentes. « Où est tout le monde? » a-t-elle dit en voyant seulement Camilla, Sophie Dearbold et moi flâner près de la vitrine aux trophées.

Comme personne ne lui a répondu, elle s'est arrêtée sur une marche, agacée. « Eh bien ? Est-ce que tout le monde est parti ? Où est Francis ? »

« Je crois qu'il s'habille », ai-je dit, content qu'elle ait posé une question à laquelle je puisse répondre sans avoir à mentir. D'où elle était, sur l'escalier, elle ne voyait pas ce que nous pouvions voir, clairement, à travers les portes en verre du salon : Cloke, Bram, Rooney et Charles, tous les quatre en rond sur la partie abritée de la terrasse, en train de se défoncer. C'était étrange de voir Charles, surtout lui, fumer de l'herbe, et la seule raison pour laquelle il le faisait, m'a-t-il semblé, c'est qu'il pensait que cela le soutiendrait, de la même façon qu'un grand verre d'alcool. Si c'était le cas, j'étais sûr qu'il se préparait une mauvaise surprise. Quand j'avais douze et treize ans j'avais l'habitude de me défoncer tous les jours à l'école — non que j'aimais ça, cela me donnait des sueurs froides et une peur panique — mais parce que dans les petites classes il y avait un prestige fabuleux à être pris pour un camé, et aussi parce que je savais habilement cacher les symptômes paranoïaques analogues à la grippe que cela provoquait chez moi.

Mme Corcoran m'a regardé comme si j'avais prononcé une sorte de serment nazi. « *S'habiller* ? »

« Il me semble. »

« Il n'est pas encore habillé ? Qu'est-ce que tout le monde a fait de toute la matinée ? »

Je n'ai pas su quoi dire. Elle a glissé le long de l'escalier une marche à la fois, et, quand sa tête a été libérée de la balustrade, elle aurait joui d'une vue pleinement dégagée sur les portes du patio — le verre éclaboussé par la pluie, plus loin les fumeurs qui ne se rendaient compte de rien — si elle avait choisi de regarder dans cette direction. Le suspense nous a tous pétrifiés. Certaines mères ne reconnaissent pas l'herbe quand elles la voient, mais Mme Corcoran avait l'air d'être parfaitement au courant.

Elle a fait claquer le fermoir de son sac et promené tout autour un regard acéré de rapace — la seule chose chez elle, certainement, qui pouvait me rappeler mon père.

« Eh bien ? Quelqu'un veut-il aller lui dire de se presser ? »

Camilla a sauté sur ses pieds. « Je vais le chercher, Mme Corcoran », a-t-elle dit, mais dès qu'elle a tourné le coin elle a filé vers la porte de la terrasse.

« Merci, ma chère. » Mme Corcoran a trouvé ce qu'elle cherchait — ses lunettes de soleil — et elle les a mises. « Je ne sais pas ce que vous avez, les jeunes. Je ne parle pas de vous personnellement, mais c'est un moment très difficile et nous subissons tous une tension énorme et nous devons essayer de faire en sorte que les choses se passent aussi bien que possible. »

Cloke a levé ses yeux rouges, sans comprendre, quand Camilla a doucement tambouriné sur la vitre. Ensuite il a regardé en direction du salon, et d'un seul coup son visage a changé. *Merde,* l'ai-je vu dire sans bruit tandis qu'un nuage de fumée sortait de sa bouche.

Charles a vu, lui aussi, et a failli s'étouffer. Cloke a arraché le joint à Bram et l'a éteint entre le pouce et l'index.

Mme Corcoran, derrière ses grandes lunettes noires, ne s'est fort heureusement pas rendu compte du drame qui se déroulait dans son dos. « Pour l'église, le trajet est assez long, vous savez », a-t-elle dit pendant que Camilla faisait le tour derrière elle et allait chercher Francis. « Mack et moi nous partons devant dans la station-wagon, et vous autres, vous pouvez nous suivre ou suivre les garçons. Je crois qu'il va vous falloir trois voitures, mais vous pouvez peut-être vous serrer et n'en prendre que deux — *On ne court pas dans la maison de Grand-Mère* », a-t-elle soudain lancé à Brandon et à son cousin Neale, qui avaient dégringolé les marches et déboulaient dans le salon. Ils portaient des petits costumes bleus avec des nœuds papillons, et leurs souliers du dimanche faisaient un bruit d'enfer sur le parquet.

Brandon, haletant, s'est mis à l'abri derrière le canapé.

« Il m'a tapé, Grand-Mère. »

« Il m'a traité de lèche-bottes. »

« Pas vrai. »

« C'est vrai. »

« *Les garçons* », a-t-elle tonné. « Vous devriez avoir *honte de vous.* » Elle a fait une pause théâtrale pour observer leurs visages muets et terrorisés. « Votre oncle Bunny est mort et savez-vous ce que cela signifie ? Cela signifie qu'il est parti *pour toujours.* Vous ne le verrez plus jamais *de toute votre vie.* » Elle les a foudroyés du regard. « Aujourd'hui, c'est un jour spécial, un jour pour se souvenir de lui. Vous devriez être tranquillement assis quelque part pour vous rappeler toutes les gentillesses qu'il vous a faites au lieu de courir et de rayer ce beau parquet tout neuf que Grand-Mère vient de faire revernir. »

Il y a eu un silence. Neale, maussade, a donné un coup de pied à Brandon. « Une fois, oncle Bunny m'a traité de salaud. »

Je ne sais pas si elle l'a vraiment entendu ou si elle a choisi de l'ignorer ; l'expression figée de son visage me faisait pencher vers la deuxième hypothèse, mais les portes de la terrasse se sont ouvertes et Cloke est entré, suivi par Charles, Bram et Rooney.

« Oh. Alors vous voilà », a demandé Mme Corcoran, soupçonneuse. « Qu'est-ce que vous faisiez dehors sous la pluie ? »

« De l'air frais », a répondu Cloke. Il avait l'air vraiment défoncé. Le bout d'un flacon de Visine dépassait de sa poche de poitrine.

Elle les a regardés. Je me suis demandé si elle avait compris. Un instant, j'ai cru qu'elle allait leur parler, mais à la place elle a tendu la main et attrapé Brandon par le bras. « Eh bien, vous devriez tous vous presser un peu », a-t-elle dit sèchement, en se penchant pour passer la main dans les cheveux emmêlés du garçon. « Il se fait tard et on m'a fait comprendre qu'il pourrait y avoir un petit problème de places assises. »

---

L'église avait été construite en mille sept cents et quelques, d'après le Registre national des monuments historiques. C'était un bâtiment noirci par le temps, à l'allure de donjon, avec un petit cimetière délabré par-derrière, situé sur un chemin de campagne. Quand nous sommes arrivés, mouillés après nous être entassés sur les sièges gorgés d'eau de la voiture de Francis, des voitures bordaient le chemin de chaque côté, comme pour un bal de village ou une partie de bingo, et penchaient doucement dans les fossés herbeux. Il tombait une pluie fine et grise. Nous nous sommes garés près du country club, un peu plus bas, et nous avons fait quatre cents mètres en silence et dans la boue.

Le portail était mal éclairé, et en entrant j'ai été aveuglé par des cierges éblouissants. Quand ma vison s'est éclaircie, j'ai vu des lanternes en fer, un sol en pierre froide et humide, des fleurs partout. Surpris, j'ai remarqué qu'une des couronnes, tout près de l'autel, était mise à la forme du nombre 27.

« Je croyais qu'il avait vingt-quatre ans », ai-je murmuré à Camilla.

« Non. C'est son ancien numéro de footballeur. »

L'église était bondée. J'ai cherché Henry des yeux, sans le trouver ; vu quelqu'un que j'ai pris pour Julian et compris que je me trompais quand il s'est retourné. Il y avait des chaises pliantes en métal le long du mur du fond pour faire asseoir la foule, mais quelqu'un a repéré une travée à moitié vide et nous l'avons suivi, Francis, Sophie, les jumeaux et moi. Charles, qui ne lâchait pas Camilla, était visiblement en train de flipper. L'atmosphère de grand guignol funèbre qui régnait dans l'église ne l'arrangeait pas, et il regardait autour de lui avec une véritable terreur, quand Camilla l'a pris par le bras et a essayé de le pousser dans sa rangée. Marion était allée s'asseoir avec des gens venus de Hampden, et Cloke, Bram et Rooney avaient tout simplement disparu quelque part entre la voiture et l'église.

---

L'office était long. Le prêtre, qui avait pris ses remarques œcuméniques et — pour certains — un peu impersonnelles dans le sermon de saint Paul sur l'Amour, tiré de la première Epître aux Corinthiens, a parlé environ une demi-heure. (« N'avez-vous pas trouvé ce texte très peu approprié ? » a dit Julian, qui avait le point de vue pessimiste des païens sur la mort, ajouté à une horreur de l'imprécision.) Ensuite, il y a eu Hugh Corcoran (« C'était le meilleur petit frère qu'on puisse avoir ») ; et puis l'ancien entraîneur de football de Bunny, du genre dynamique, qui a longuement parlé de l'esprit d'équipe de Bunny, a raconté une anecdote édifiante sur la façon dont Bunny avait un jour sauvé la partie contre une équipe particulièrement brutale du « bas » Connecticut. (« Ça veut dire noir », a chuchoté Francis.) Il a conclu son histoire par une pause et fixé le lutrin en comptant jusqu'à dix, avant de nous regarder avec franchise. « Je ne sais pas grand-chose à propos du Paradis. Mon travail, c'est d'apprendre aux gosses à jouer et à jouer dur. Aujourd'hui nous sommes ici en l'honneur d'un garçon qui a été retiré trop tôt de la partie. Mais cela ne veut pas dire que, lorsqu'il était sur le terrain, *il ne nous a pas donné tout ce qu'il avait*. Ce n'est pas pour dire que ce n'était pas un gagnant. » Un long suspense. « Bunny Corcoran », a-t-il dit d'un ton bourru, « était un gagnant. »

Un long gémissement solitaire s'est élevé du milieu de la congrégation.

Sauf dans les films (*Knute Rockne, All-American*), je ne crois pas avoir jamais vu un tel morceau de bravoure. Quand il s'est rassis, la moitié des gens étaient en larmes — y compris l'entraîneur. Personne n'a prêté grande attention au dernier orateur, Henry en personne, qui est allé lire au podium, de façon inaudible et sans commentaire, un court poème de A. E. Housman.

Le poème était intitulé « De regret mon cœur est accablé ». J'ignore pourquoi il a choisi précisément celui-là. Nous savions que les Corcoran lui avaient demandé de lire quelque chose, et je pensais qu'ils lui avaient fait confiance pour choisir un texte approprié. Il lui aurait été si facile de choisir autre chose, le genre de choses qu'on s'attendait à le voir choisir, pour l'amour de Dieu, dans *Lycidas* ou les Upanishad ou n'importe quoi, en fait, sauf ce poème, que Bunny connaissait par cœur. Il avait eu beaucoup d'affection pour les vieux poèmes bébêtes qu'il avait appris à l'école primaire : « La Charge de la brigade légère », « Dans les prairies de Flandre », un tas de drôles de vieux trucs sentimentaux dont je n'ai jamais connu les auteurs et les titres. Le reste d'entre nous, qui sur ce sujet étions des snobs, trouvions cela d'un goût déplorable, comparable à son goût pour les King Dons et les Hostess Twinkies. J'avais très souvent entendu Bunny réciter ce Housman — sérieusement quand il était saoul, plus moqueur quand il était à jeun — de sorte que pour moi ces vers étaient coulés et solidifiés dans le rythme de sa voix ; et c'est peut-être pourquoi l'entendre dans ces circonstances, avec la voix monotone et universitaire d'Henry (c'était un très mauvais lecteur), les cierges qui dégoulinaient, le courant d'air qui faisait frissonner les fleurs et les gens qui pleuraient tout haut, a suscité chez moi une douleur brève mais réellement atroce, comme ce genre de tortures japonaises étrangement scientifiques, étudiées pour obtenir la plus grande souffrance dans le minimum de temps.

Le poème était très court.

De regret mon cœur est accablé
Pour les amis dorés que j'avais,
Plus d'une fille aux lèvres de rose
Et maints garçons au pied léger.
Par des rus trop larges pour sauter
Sont couchés les gars au pied léger ;
Les filles aux lèvres roses dorment
Dans des prés où les roses se fanent.

---

Pendant la prière de la fin (trop longue) je me suis senti chanceler, au point que le haut de mes chaussures neuves venait blesser un point sensible au bas de ma cheville. L'air était étouffant ; des gens pleuraient ; un bourdonnement continuel s'approchait de mon oreille et s'éloignait à nouveau. Un moment, j'ai eu peur de m'évanouir. Alors, j'ai compris qu'en réalité le bourdonnement venait d'une grande guêpe qui faisait au hasard des plongeons et des cercles au-dessus de nos têtes. Francis, en essayant vainement de l'atteindre avec le bulletin paroissial, n'a réussi qu'à la mettre en rage ; elle a piqué sur les cheveux de Sophie, en train de pleurer, mais, la voyant sans réaction, a fait demi-tour en l'air et s'est posée sur le dossier du banc pour reprendre ses esprits. Traîtreusement, Camilla s'est penchée pour ôter une de ses chaussures, mais avant qu'elle ait fini son geste, Charles l'a tuée d'un clac retentissant avec son Livre des prières usuelles.

Le pasteur, à un moment clef de son oraison, a sursauté, ouvert les yeux, et son regard est tombé sur Charles qui tenait toujours le livre délictueux. « *Qu'ils ne languissent pas dans un chagrin inutile* », a-t-il dit d'une voix légèrement amplifiée, « ni ne s'affligent tels que ceux qui sont sans espoir, mais à travers leurs larmes lèvent toujours les yeux vers Toi... »

Vite, j'ai incliné la tête. La guêpe était encore accrochée au dossier du banc par une antenne noire. Je l'ai regardée en pensant à Bunny, ce pauvre vieux Bunny, tueur expert d'insectes nuisibles, traquant les mouches avec un *Examiner* roulé comme un bâton.

---

Charles et Francis, qui ne se parlaient plus avant l'office, avaient réussi je ne sais comment à se réconcilier pendant. Après l'amen final, sans un mot et avec une complicité parfaite, ils ont filé dans un couloir désert partant d'une des travées. Je les ai vus marcher à grand pas et disparaître dans la pièce suivante, Francis jetant derrière lui un dernier regard inquiet et allant déjà chercher dans la poche de sa veste ce qu'il s'y trouvait — le flacon plat et rose contenant Dieu sait quoi que je l'avais vu prendre dans la boîte à gants.

Au cimetière, le jour était sombre et boueux. La pluie avait cessé mais le ciel était noir et le vent soufflait. Quelqu'un faisait retentir la cloche de l'église sans trop d'adresse ; elle sonnait irrégulièrement, comme la clochette d'une séance de spiritisme.

La file des gens s'étirait jusqu'aux voitures, robes gonflées, chapeaux maintenus sur la tête. Devant moi, un peu plus loin, Camilla s'efforçait, sur la pointe des pieds, de rabaisser son parapluie qui l'entraînait à petits pas glissants — une Mary Poppins en robe de deuil. Je me suis avancé pour l'aider, mais avant que j'y arrive le parapluie s'est retourné. Il a pris un moment une vie propre, horrible, croassant et agitant ses nervures comme un ptérodactyle ; avec un cri bref Camilla l'a lâché, et il s'est envolé aussitôt à trois mètres de haut, a fait un ou deux sauts périlleux et s'est pris dans les hautes branches d'un frêne.

« Bon Dieu », a-t-elle dit en le regardant avant d'inspecter son doigt d'où jaillissait un mince filet de sang. « Bon Dieu bon Dieu bon Dieu. »

« Ça va ? »

Elle a mis le doigt blessé dans sa bouche. « Ce n'est pas ça », a-t-elle pleurniché en jetant un coup d'œil aux branches. « C'est mon parapluie préféré. »

J'ai fouillé dans ma poche pour lui donner un mouchoir. Elle l'a secoué pour le déplier, l'a pressé contre son doigt (blanche palpitation, cheveux gonflés, ciel assombri), le temps s'est arrêté et j'ai été transpercé par la lame aiguë d'un souvenir : le ciel était du même gris orageux qu'il avait été alors, les feuilles nouvelles, ses cheveux avaient volé ainsi en travers de sa bouche...

(blanche palpitation)

(*... au ravin. Elle était descendue avec Henry et remontée avant lui tandis que nous attendions au bord, le vent froid, la tremblote,* *se précipiter pour la hisser; mort ? est-il...? Elle avait sorti un mouchoir de sa poche pour essuyer ses mains boueuses, ne regardant aucun de nous, vraiment, ses cheveux fous renvoyés vers le ciel et son visage vide de presque toute émotion qu'on puisse vouloir nommer...)*

Derrière nous, quelqu'un a dit, très fort, « Papa ? »

J'ai sursauté, surpris et coupable. C'était Hugh. Il marchait d'un pas vif, courait presque, et a bientôt rattrapé son père. « Papa ? » a-t-il répété, en posant une main sur l'épaule voûtée de son père. Il n'y a pas eu de réaction. Il l'a secoué doucement. Plus loin, les porteurs (Henry parmi eux, indiscernable) glissaient le cercueil dans les portes ouvertes du corbillard.

« Papa. » Hugh était extraordinairement agité. « Papa. Il faut que tu m'écoutes une seconde. »

Les portières ont claqué. Lentement, lentement, M. Corcoran s'est retourné. Il portait le bébé qui s'appelait Clamp, mais aujourd'hui cette présence ne semblait guère le réconforter. Son grand visage mou était hanté, perdu. Il a regardé son fils comme s'il ne l'avait jamais vu.

« *Papa*. Devine qui je viens de voir. Devine qui est venu. *M. Vanderfeller* », a-t-il dit très vite en pressant le bras de son père.

Les syllabes de ce nom illustre — un de ceux que les Corcoran invoquaient avec presque autant de respect qu'envers Dieu Tout-Puissant — ont eu, prononcées à haute voix, l'effet quasi miraculeux de guérir M. Corcoran. « Vanderfeller est là ? » Il a regardé autour de lui. « Où ça ? »

L'auguste personnage, qui dominait l'inconscient collectif des Corcoran, était à la tête d'une fondation charitable — fondée par son encore plus auguste grand-père — laquelle se trouvait être un des principaux actionnaires de la banque de M. Corcoran. Il s'ensuivait des conseils d'administration, voire à l'occasion des réunions mondaines, et les Corcoran avaient un répertoire inépuisable d'anecdotes « délicieuses » au sujet de Paul Vanderfeller, de son style si « européen », de ses célèbres « mots d'esprit », et même si ces mots qu'ils avaient souvent l'occasion de répéter me paraissaient bien médiocres (les gardes des guérites, à Hampden, étaient plus drôles) ils secouaient les Corcoran d'un rire poli et apparemment tout à fait sincère. Un des débuts de phrase favoris de Bunny avait été de laisser tomber négligemment : « Quand papa a déjeuné avec Paul Vanderfeller, l'autre jour... »

Et le voilà qui venait, le grand homme en personne, nous échaudant tous des rayons de sa gloire. J'ai regardé dans la direction indiquée par Hugh à son père et je l'ai vu — un homme d'aspect ordinaire avec l'expression bienveillante de celui qui a depuis toujours l'habitude qu'on s'occupe de lui ; proche de la cinquantaine ; bien habillé ; rien de particulièrement « européen » chez lui sauf ses affreuses lunettes et le fait qu'il était considérablement plus petit que la moyenne.

Une expression ressemblant beaucoup à la tendresse s'est répandue sur le visage de M. Corcoran. Sans un mot, il a rendu le bébé à Hugh et s'est élancé à travers la pelouse.

---

Peut-être grâce au fait que les Corcoran étaient des Irlandais, ou que Mme Corcoran était née à Boston, d'une certaine façon toute la famille se sentait une affinité mystérieuse avec les Kennedy. C'était une ressemblance qu'ils essayaient de cultiver, spécialement Mme Corcoran, avec ses coiffures et ses lunettes à la fausse-Jackie — mais elle avait aussi un petit élément concret : dans les grandes dents et la maigreur trop bronzée de Brady et Patrick on voyait l'ombre de Bobby Kennedy, tandis que les autres frères, dont Bunny, étaient bâtis sur le modèle de Ted Kennedy, beaucoup plus lourd, avec des petits traits arrondis tassés au milieu du visage. On n'aurait pas eu de mal à prendre les uns ou les autres pour des membres mineurs du clan, des cousins, par exemple. Francis m'avait raconté son entrée un jour dans un restaurant de Boston, très à la mode et bondé, avec Bunny. Ils avaient attendu longtemps, et le serveur leur avait demandé un nom. « Kennedy », avait dit Bunny avec entrain, en se balançant sur ses talons, et l'instant d'après le personnel s'était précipité pour débarrasser une table.

Peut-être était-ce ces anciennes associations qui cliquetaient dans mon esprit, ou bien que les seuls enterrements que j'avais jamais vus étaient des événements télévisés, des affaires d'État : en tout cas, le cortège funèbre — de longues voitures noires lavées par la pluie, dont la Bentley de M. Vanderfeller — se reliait pour moi comme en rêve à d'autres funérailles et à un autre cortège de voitures, beaucoup plus célèbre. Nous avons roulé lentement. Des camionnettes couvertes de fleurs — telles des décapotables dans une parade rose de cauchemar — rampaient derrière le corbillard aux rideaux tirés. Des glaïeuls, des chrysanthèmes teints, des gerbes de feuillage. Le vent soufflait, des pétales colorés se détachaient et volaient vers les voitures, se collaient aux pare-brise mouillés comme des confettis.

---

C'était un grand cimetière balayé par le vent, plat et anonyme. Les pierres tombales étaient alignées comme les pavillons d'un lotissement. Le chauffeur en uniforme de la Lincoln des pompes funèbres a fait le tour de la voiture pour ouvrir la portière de Mme Corcoran, qui portait, je ne sais pourquoi, un petit bouquet de roses en boutons. Patrick lui a offert son bras et elle a glissé une main gantée au creux de son coude, impénétrable derrière ses lunettes noires, aussi calme qu'une fiancée.

On a ouvert les portes arrière du corbillard et le cercueil a glissé à l'extérieur. Silencieusement, le cortège a suivi, et on l'a porté à hauteur d'épaule, sautillant comme un esquif sur l'océan herbeux. Sur le couvercle, des rubans jaunes voletaient gaiement. Le ciel était hostile, énorme. Nous sommes passés près d'une sépulture, celle d'un enfant, où souriait un gnome en plastique décoloré.

Un dais à rayures vertes, de ceux qui servent aux garden-parties, avait été installé au-dessus de la tombe. Il avait quelque chose d'imbécile et de stupide à claquer ainsi au milieu de nulle part, un objet vide, banal, grossier. Nous avons fait halte, maladroitement, par petits groupes. En un sens, j'aurais cru que ce serait autre chose. L'herbe était parsemée de débris déchiquetés par les tondeuses. Il y avait des mégots, un emballage de Twixt encore reconnaissable.

*C'est stupide*, me suis-je dit dans une bouffée de panique. *Comment cela a-t-il pu arriver* ?

Plus haut, la circulation s'écoulait sur la voie express.

La tombe était d'une horreur presque innommable. Je n'en avais encore jamais vu. C'était une chose barbare, un trou aveugle et glaiseux avec d'un côté des chaises pliantes pour la famille, en équilibre instable, et de l'autre la terre brute, amoncelée. *Mon Dieu*, ai-je pensé. J'étais surpris de tout voir, soudain, dans une clarté féroce. A quoi bon le cercueil, le dais et tout le reste si on allait simplement le jeter au fond, pelleter la terre et rentrer chez nous ? C'est tout ce dont il s'agissait ? De se débarrasser de lui comme d'un sac d'ordures ?

*Bun*, me suis-je dit, *oh Bun, je regrette.*

Le prêtre a expédié le service très vite, son visage affable teinté de vert par la toile rayée. Julian était présent — maintenant je le voyais, qui regardait dans notre direction.

Francis, d'abord, puis Charles et Camilla sont allés le rejoindre, mais je n'y pensais pas, j'étais pris de vertige. Les Corcoran étaient assis très calmement, les mains sur les genoux. *Comment peuvent-ils s'asseoir ici* ? me suis-je dit, *près de ce trou horrible, et ne rien faire* ? Nous étions un mercredi. Le mercredi à dix heures nous avions composition en prose grecque, et c'est là que nous aurions tous dû nous trouver. Le cercueil, muet, était près de la tombe. Je savais qu'on ne l'ouvrirait pas, mais j'aurais voulu qu'on le fasse. Je commençais à peine à comprendre que je ne le reverrais plus.

Les porteurs faisaient une sombre rangée derrière le cercueil, tel le chœur des anciens dans une tragédie. Henry était le plus jeune. Il était immobile, se tenant les mains — de grandes mains blanches de savant, capables et bien soignées, les mains qui avaient pressé le cou de Bunny pour chercher son pouls et avaient fait rouler sa tête en arrière et de côté sur sa pauvre tige brisée tandis que nous étions penchés sur le bord, le souffle coupé, pour regarder. Même de là-haut nous avions vu l'angle terrible du cou, la chaussure tournée du mauvais côté, le filet de sang coulant de la bouche et du nez. Henry avait relevé les paupières avec le pouce, s'était penché plus près en prenant garde de ne pas toucher les lunettes écrasées sur le haut de la tête. Une jambe avait tressauté, spasme solitaire devenu peu à peu tremblement, puis rien. La montre de Camilla avait une aiguille des secondes. Nous les avions vu se consulter en silence. Il avait regrimpé la pente après elle, poussant de la paume sur son genou, s'était essuyé les mains sur son pantalon et avait répondu à la clameur de nos murmures — *mort ? est-il ?* — avec le hochement de tête bref et impersonnel d'un médecin...

— *Oh Seigneur nous t'implorons, et alors que nous déplorons le départ de notre frère Edmund Grayden Corcoran votre serviteur ayant quitté ce monde, nous gardons à l'esprit que nous sommes presque certainement prêts à le suivre. Donnez-nous la grâce d'être préparés à cette dernière heure, et protégez-nous d'une mort subite et démunie...*

Il n'avait rien vu venir. Il n'avait même pas compris, il n'en avait pas eu le temps. Vacillant en arrière comme au bord de la piscine : une tyrolienne comique, les moulinets de ses bras. Ensuite l'étonnant cauchemar de la chute. Quelqu'un qui ne savait pas qu'il existait au monde une chose telle que la Mort ; qui n'y aurait pas cru même en la voyant, qui n'aurait jamais rêvé qu'elle viendrait à lui.

Vol de corbeaux. Scarabées luisant dans les broussailles. Une tache de soleil, figée sur une rétine embuée, reflétée dans une flaque d'eau. Yoo-hoo. Etre et néant.

... *Je suis la Résurrection et la vie ; qui a cru en Moi, même s'il meurt, vivra ; et qui a vécu et cru en Moi ne mourra jamais...*

Les porteurs ont descendu le cercueil dans la tombe avec de longues sangles qui grinçaient. Les muscles d'Henry frémissaient sous l'effort, il crispait la mâchoire. La sueur avait transpercé le dos de sa veste.

J'ai mis les mains dans la poche de la mienne pour m'assurer que les analgésiques y étaient encore. Le trajet de retour allait être très long.

On a relevé les sangles. Le prêtre a béni la tombe et l'a aspergée d'eau bénite. La terre et le noir.

M. Corcoran, le visage enfoui dans ses mains, sanglotait de façon monotone. Le vent faisait claquer la toile.

La première pelletée de terre. Le choc sourd sur le couvercle en bois m'a rendu malade, l'esprit noir et vide. Mme Corcoran — Patrick d'un côté, Ted, très sérieux, de l'autre — a fait un pas en avant. De sa main gantée elle a jeté le petit bouquet de roses dans la tombe.

Lentement, lentement, avec un calme hallucinant, sans fond, Henry s'est penché et a pris une poignée de terre. Il l'a tenue au-dessus de la tombe et l'a laissée s'écouler entre ses doigts. Ensuite, avec un sang-froid terrible, il a reculé et s'est machinalement passé la main en travers de la poitrine, tachant de boue son revers, sa cravate, la blancheur immaculée de sa chemise amidonnée.

Je l'ai alors contemplé, ainsi que Julian, Francis et les jumeaux, avec une sorte d'horreur tétanisée. Il ne paraissait pas se rendre compte d'avoir fait quoi que ce soit sortant de l'ordinaire. Il est resté parfaitement immobile, les cheveux soulevés par le vent, la sombre lumière se reflétant sur la monture de ses lunettes.

## CHAPITRE 8

Mes souvenirs de la réunion, après les funérailles, sont très embrumés, peut-être à cause du mélange de comprimés avalés à pleine poignée pendant le trajet. Mais même la morphine n'aurait pu vraiment émousser l'horreur de cette situation. Julian était là, ce qui était une sorte de bénédiction ; il voletait dans l'assemblée comme un bon ange, bavardait avec grâce, savait exactement ce qu'il fallait dire à chacun, et déployait avec les Corcoran (qui en réalité lui déplaisaient et vice versa) un tel charme et une telle diplomatie que même Mme Corcoran s'est adoucie. De plus — pinacle de la gloire du point de vue des Corcoran — il se trouvait qu'il connaissait Paul Vanderfeller de longue date, et Francis, qui passait non loin de là, a dit qu'il espérait ne jamais oublier la tête de Mme Corcoran quand Vanderfeller a reconnu Julian et l'a salué (« A l'européenne », comme on entendit Mme Corcoran l'expliquer à une voisine) d'une étreinte et d'un baiser sur la joue.

Les petits Corcoran — qui paraissaient curieusement égayés par les tristes événements de la matinée — dérapaient un peu partout, d'excellente humeur, hurlaient de rire, se jetaient des croissants et se poursuivaient au milieu de la foule avec un affreux jouet qui explosait un peu comme un pet. Le traiteur, en plus, s'était trompé — trop d'alcool, pas assez de nourriture, recette assurée pour avoir des problèmes. Ted et sa femme se disputaient sans arrêt. Bram Guernsey a vomi sur un canapé en lin. M. Corcoran oscillait entre l'euphorie et un désespoir total.

Au bout d'un moment, Mme Corcoran est montée dans sa chambre et en est redescendue avec une expression terrible à voir. A voix basse, elle a informé son mari qu'il y avait eu un « cambriolage », une remarque — bientôt répétée à son voisin par un indiscret — qui a fait très vite le tour de la pièce et engendré un déploiement d'inquiétude superflue. Quand était-ce arrivé ? Que manquait-il ? Avait-on appelé la police ? Les gens abandonnaient leurs conversations et gravitaient vers elle comme un essaim gros de murmures. Elle a magistralement esquivé leurs questions, d'un air de martyre. Non, il était inutile d'appeler la police : les objets manquants n'étaient que des petites choses, sans valeur autre que sentimentale, ne pouvant servir à personne d'autre.

Cloke a profité de cette occasion pour s'en aller peu après. Et bien que personne n'en ait rien dit, ou presque, Henry est parti lui aussi. Presque aussitôt après l'enterrement, il a fait ses valises, est monté en voiture et a pris la route en faisant des adieux très sommaires au Corcoran et sans dire un mot à Julian, qui attendait impatiemment de lui parler. « Il fait peine à voir », a-t-il dit à Camilla et moi (toujours sans réaction, stupéfié par le Dalmane). « Je crois qu'il devrait voir un médecin. »

« Cette dernière semaine a été dure pour lui », a répondu Camilla.

« Sûrement. Mais je pense qu'Henry est un être plus sensible qu'on ne le croit souvent. Sur plusieurs plans, il est difficile d'imaginer qu'il pourra jamais s'en remettre vraiment. Edmund et lui étaient plus proches, à mon avis, que vous semblez le penser. » Il a soupiré. « C'est un singulier poème qu'il a lu, vous ne trouvez pas ? J'aurais suggéré quelque chose tiré du *Phédon*. »

---

Les choses ont commencé à se disloquer vers deux heures de l'après-midi. Nous aurions pu rester dîner, nous aurions pu rester — si les invitations alcoolisées de M. Corcoran s'étaient avérées exactes (derrière son dos, le sourire glacial de Mme Corcoran nous informait que ce n'était pas le cas) — indéfiniment en tant qu'amis de la famille, dormir sur nos lits de camp au sous-sol ; libres de nous joindre à la vie de la maisonnée et de partager leurs joies et leurs chagrins quotidiens : vacances en famille, baby sitting pour les tout petits, participer à l'occasion aux tâches ménagères, travailler ensemble, *en équipe* (soulignait-il), à la façon des Corcoran. Nous n'aurions pas la vie douce — il n'était pas doux avec ses garçons — mais une vie incroyablement enrichissante en termes de choses telles que le caractère, le cran, des valeurs morales de premier ordre, dont il ne s'attendait pas, en ce qui concernait ces dernières, à ce que nos parents aient souvent pris la peine de nous les enseigner.

Il était quatre heures quand nous avons réussi à partir. Maintenant, pour une raison quelconque, c'était Charles et Camilla qui ne se parlaient plus. Ils s'étaient bagarrés pour Dieu sait quelle raison — je les avais entendus se disputer dans la cour — et pendant tout le trajet du retour, sur la banquette arrière, ils sont restés côte à côte, regardant droit devant eux, les bras comiquement croisés de façon identique, ce dont je suis sûr qu'ils ne se rendaient pas compte.

---

J'avais l'impression d'être parti plus longtemps qu'en réalité. Ma chambre m'a paru triste, abandonnée, comme si elle était restée vide pendant plusieurs semaines. J'ai ouvert la fenêtre et je me suis assis sur le lit défait. Les draps sentaient le moisi. Le crépuscule tombait.

C'était enfin fini, mais je me sentais étrangement déprimé. J'avais cours le lundi : grec et français. Je n'avais pas eu de cours de français depuis presque trois semaines et cette seule idée m'a donné un frisson d'angoisse. Les examens. Je me suis mis sur le ventre. Les examens. Et les vacances d'été dans un mois et demi, et comment diable allais-je pouvoir les passer ? A travailler pour le Dr Roland ? Dans une station-service à Plano ?

Je me suis levé, j'ai repris un Dalmane et je me suis recouché. Dehors, il faisait presque noir. A travers les murs j'entendais la chaîne de mon voisin : David Bowie. « Ici Tour de Contrôle pour le Maire Tom... »

J'ai contemplé les ombres du plafond.

Dans une étrange contrée entre le rêve et l'éveil, je me suis retrouvé dans un cimetière, pas celui où était enterré Bunny mais un autre, beaucoup plus ancien, et très connu — rempli de haies et de résineux, avec des pavillons en marbre craquelé. Je suivais une étroite allée en dallage. A un tournant, les fleurs blanches d'un hortensia inattendu — nuages pâles et lumineux qui flottaient dans l'ombre — m'ont effleuré la joue.

Je cherchais la tombe d'un écrivain célèbre — Marcel Proust, je crois, ou peut-être George Sand. Qui que ce fût, je savais qu'il était enterré dans cet endroit, mais la végétation était si dense que je distinguais à peine les noms sur les pierres tombales, et de plus la nuit tombait.

Je me suis retrouvé en haut d'une colline, dans l'ombre d'un petit bois de pins. Une vallée noyée dans le brouillard apparaissait en contrebas, très loin. Je me suis retourné et j'ai regardé par où j'étais venu : un piquetis de flèches en marbre, de mausolées pâles et indistincts dans l'obscurité grandissante. Beaucoup plus bas, une petite lumière — lanterne ou lampe de poche — sautillait vers moi à travers l'entassement des tombes. Je me suis penché pour mieux voir, et le bruit d'une chute dans les buissons, derrière moi, m'a fait sursauter.

C'était le bébé que les Corcoran appelaient Champion. Etalé de tout son long, il a essayé de se remettre debout en chancelant, avant d'abandonner et de rester immobile, pieds nus, haletant. Il n'avait sur lui qu'un emballage en plastique, ses bras et ses jambes portaient de longues entailles sanglantes. Consterné, j'ai ouvert de grands yeux. Les Corcoran étaient des inconscients, mais ceci était impensable ; *les monstres,* me suis-je dit, *les imbéciles, ils sont partis et l'ont laissé tout seul.*

Le bébé gémissait, les jambes bleuies par le froid. L'avion en plastique de son Menu Bonheur était serré dans l'étoile grasse de sa main gauche. Je me suis penché pour voir s'il allait bien, mais à ce moment j'ai entendu, tout près, quelqu'un se racler sèchement la gorge pour annoncer sa présence.

Ce qui s'est passé ensuite a eu lieu en un éclair. En regardant par-dessus mon épaule, je n'ai fait qu'apercevoir fugitivement la silhouette qui se tenait dans mon dos, mais cette vision m'a jeté en arrière, en hurlant, et fait tomber tomber jusqu'à finalement tomber sur mon propre lit, surgi de la nuit à ma rencontre. Le choc m'a réveillé en sursaut. Tremblant, je suis resté allongé un moment avant d'allumer à tâtons.

Le bureau, la porte, la chaise. Je me suis rallongé, toujours en tremblant. Il avait le visage fracassé, coagulé, couvert de croûtes épaisses dont je refusais de me souvenir, même avec la lumière allumée — néanmoins je savais très bien qui c'était, et dans le rêve il savait que je savais.

---

Après ce que nous avions enduré les semaines précédentes, il n'était pas étonnant que nous soyons tous un peu las les uns des autres. Les premiers jours, nous sommes surtout restés seuls, sauf en classe et dans les salles à manger. Bun mort et enterré, j'imagine, nous avions moins besoin de nous parler, et aucune raison de veiller jusqu'à quatre ou cinq heures du matin.

Je me sentais curieusement libre. J'allais me promener, j'allais au cinéma tout seul ; un vendredi soir je suis allé à une fête hors du campus, où je suis resté à boire de la bière sur la véranda de la maison d'un professeur pendant qu'une fille chuchotait à une autre, à mon sujet : « Il a l'air si triste, tu ne trouves pas ? » La nuit était claire, avec des criquets et un million d'étoiles. La fille était jolie, les yeux vifs, pleine d'enthousiasme, de celles qui m'attirent chaque fois. Elle a engagé la conversation, et j'aurais pu rentrer avec elle, mais il me suffisait de flirter sur le mode tendre et incertain qu'ont toujours les personnages tragiques dans les films (ancien combattant commotionné ou jeune veuf mélancolique ; attiré par la jeune inconnue et néanmoins hanté par un passé terrible qu'elle, dans son innocence, ne peut pas partager), d'avoir le plaisir de voir les étoiles de l'empathie s'épanouir dans ses yeux compatissants, de la sentir tendrement souhaiter me sauver de moi-même (et, oh, ma chère, me suis-je dit, si tu savais le boulot que tu entreprends, si seulement tu savais !) et de savoir que, si je voulais, je pourrais la ramener chez moi.

Ce que je n'ai pas fait. Car, quoi que puissent en penser des inconnues au cœur tendre, je n'avais besoin ni de compagnie, ni de réconfort. Tout ce que je voulais, c'était rester seul. Après la fête je n'ai pas retrouvé ma chambre, mais je suis allé dans le bureau du Dr Roland, où je savais que personne ne viendrait me chercher. La nuit, et pendant le week-end, c'était merveilleusement calme, et après notre retour du Connecticut j'y ai passé beaucoup de temps — à lire, faire la sieste sur le divan, finir son travail et le mien.

A cette heure de la nuit, même les concierges étaient partis. Le bâtiment était obscur. J'ai refermé à clef derrière moi. Sur le bureau du Dr Roland, la lampe a projeté un cercle de lumière chaude, onctueuse, et après avoir réglé la radio tout bas sur la station classique de Boston, je me suis installé sur le divan avec ma grammaire française. Plus tard, quand j'aurais sommeil, je prendrais un roman policier, une tasse de thé si j'en avais envie. Les rayonnages du Dr Roland luisaient mystérieusement dans la pénombre. Je ne faisais rien de mal, mais il me semblait que j'étais en quelque sorte dans la clandestinité, que j'avais une vie secrète qui, si agréable qu'elle fût, devait tôt ou tard me rattraper.

---

Entre les jumeaux, c'était toujours le règne de la discorde. A déjeuner, ils arrivaient parfois avec une heure d'écart. Je sentais que la faute en incombait à Charles, qui était hargneux, renfermé, et qui — on aurait pu s'y attendre — buvait un peu plus qu'il n'aurait dû. Francis prétendait ne pas être au courant, mais je le soupçonnais d'en savoir plus long qu'il n'en disait.

Je n'avais pas parlé avec Henry depuis l'enterrement, je ne l'avais même pas revu. Il ne se montrait pas aux repas et ne répondait pas au téléphone. Samedi, au déjeuner, j'ai posé la question. « Croyez-vous qu'Henry aille bien ? »

« Oh, il va très bien », a dit Camilla en jouant de la four chette et du couteau.

« Comment le sais-tu ? »

Elle s'est arrêtée, fourchette en l'air ; son regard m'a fait l'effet d'une lumière projetée soudain sur mon visage.

« Parce que je viens de le voir. »

« Où ? »

« Chez lui. Ce matin. » Elle s'est remise à manger.

« Alors comment va-t-il ? »

« Okay. Encore un peu secoué, mais okay. »

A côté d'elle, le menton sur la main, Charles regardait d'un air sombre son assiette intacte.

---

Ni l'un ni l'autre n'est venu dîner ce soir-là. Francis était en forme, d'humeur à bavarder. Il venait de rentrer de

Manchester, chargé de paquets, et il m'a montré ses achats un à un : vestes, chaussettes, bretelles, chemises avec une demi-douzaine de rayures différentes, une série de cravates fabuleuses, dont une — en soie vert bronze avec des pois oranges — était un cadeau pour moi. (Francis était toujours généreux de ses vêtements. Il nous donnait ses vieux costumes, à Charles et moi, à pleines brassées ; il était plus grand que Charles, et plus mince que nous deux, et nous les faisions retoucher en ville par un tailleur. J'ai encore beaucoup de costumes à lui : de chez Sulka, Aquascutum, Gieves et Hawkes.)

Il était aussi passé par la librairie et rapportait une biographie de Cortez, une traduction de Grégoire de Tours, un essai sur les meurtrières victoriennes publié par Harvard University Press. Il avait aussi acheté un cadeau pour Henry : un recueil d'inscriptions mycéniennes de Knossos.

Je l'ai feuilleté. C'était un livre énorme. Il n'y avait pas de texte, uniquement photo après photo des tablettes brisées avec en bas les inscriptions — en linéaire B — reproduites en fac similé. Quelques fragments n'avaient qu'un seul caractère inscrit.

« Il va aimer ça. »

« Oui, je crois, a dit Francis. C'est le livre le plus ennuyeux que j'aie pu trouver. Je me disais que je pourrais passer lui apporter après dîner. »

« Je pourrais aller avec toi. »

Francis a allumé une cigarette. « Tu peux, si tu veux. Mais je n'entre pas. Je vais juste le laisser sur la véranda. »

« Oh, alors. » J'étais étrangement soulagé.

---

J'ai passé tout mon dimanche dans le bureau du Dr Roland, à partir de dix heures du matin. Vers onze heures du soir je me suis rendu compte que je n'avais rien mangé de la journée, sauf le café et les biscuits du bureau étudiant, alors j'ai pris mes affaires, j'ai refermé à clef et je suis descendu voir si le Rathskeller était encore ouvert.

Il l'était. Le Rat était une extension du snack-bar, avec dans l'ensemble une nourriture déplorable, un jukebox et deux flippers, et si on ne pouvait pas y boire d'alcool, on vous servait tout de même un verre en plastique de bière insipide pour seulement soixante cents.

Ce soir-là il était bondé, très bruyant. Cet endroit me mettait mal à l'aise. Pour des gens comme Jud et Franck, qu'on y trouvait dès l'ouverture des portes, c'était le centre de l'univers. Ils étaient bien là, au milieu d'une tablée enthousiaste de lèche-bottes et de pique-assiette, en train de jouer, la bouche écumante de plaisir, à une sorte de jeu où il s'agissait apparemment de se poignarder les uns les autres sur la main avec un éclat de verre.

Je me suis frayé un chemin dans la foule et j'ai commandé une part de pizza et une bière. En attendant que la pizza sorte du four, j'ai vu Charles, seul à l'autre bout du bar.

J'ai dit salut, et il s'est à moitié tourné vers moi. Il était ivre, je le voyais à sa façon de s'asseoir, pas vraiment comme un ivrogne mais comme si quelqu'un d'autre — un être morose et léthargique — avait pris possession de son corps. « Oh. Bon. C'est toi. »

Je me demandais ce qu'il faisait dans cet endroit odieux à boire de la mauvaise bière alors qu'il avait chez lui un placard plein des meilleurs alcools du monde.

Il a dit quelques mots qui se sont noyés dans les cris et la musique. « Quoi ? » Je me suis penché vers lui.

« J'ai dit, est-ce que je peux t'emprunter un peu d'argent ? »

« Combien ? »

Il a compté sur ses doigts. « Cinq dollars. »

Je les lui ai donnés. Il n'était pas assez ivre pour les accepter sans s'excuser plusieurs fois et promettre de me les rendre.

« J'ai l'intention d'aller à la banque vendredi », a-t-il dit.
« C'est okay. »
« Non, vraiment. » Il a soigneusement sorti un chèque tout chiffonné de sa poche. « Ma Nana m'a envoyé ça. Je peux le toucher lundi sans problème. »
« Ne t'inquiète pas. Qu'est-ce que tu fais ici ? »
« J'avais envie de sortir. »
« Où est Camilla ? »
« Sais pas. »
Il n'était donc pas saoul au point d'être incapable de rentrer sans aide, mais le Rat ne fermait pas avant deux heures, et l'idée de le voir rester seul ne me plaisait guère. Depuis l'enterrement de Bunny, plusieurs inconnus — dont la secrétaire du bureau des Sciences sociales — avaient essayé de me soutirer des informations. Je les avais gelés sur place, truc que j'avais appris d'Henry (un regard impitoyable, sans expression, obligeant l'intrus, gêné, à battre en retraite) ; c'était une tactique presque infaillible, mais avoir affaire avec ces gens quand on est sobre est une chose, une autre, très différente, quand on est ivre. Je ne l'étais pas, mais je ne me voyais pas non plus rester au Rat jusqu'à ce que Charles soit disposé à s'en aller. Tout effort pour l'entraîner, je le savais, ne servirait qu'à le pousser un peu plus derrière ses retranchements ; lorsqu'il était saoul, il avait une façon perverse de toujours vouloir faire le contraire de ce qu'on lui suggérait.
« Camilla sait-elle que tu es là ? »
Il s'est penché, se soutenant d'une main à plat sur le bar. « Quoi ? »
J'ai répété, plus fort. Son visage s'est assombri. « Pas ses affaires. » Et il est retourné à sa bière.
Mon plat est arrivé. J'ai payé et dit à Charles : « Excuse-moi, je reviens. »
Les toilettes des hommes étaient dans un couloir humide et malodorant, perpendiculaire au bar. A l'intérieur, hors de la vue de Charles je me suis dirigé vers le taxiphone fixé au mur.

Une fille l'occupait, en train de parler allemand. J'ai attendu une éternité, et j'allais partir quand elle a fini par raccrocher. J'ai pris un quarter dans ma poche et j'ai appelé chez les jumeaux.

Charles et Camilla n'étaient pas comme Henry : s'ils étaient chez eux, en général, ils répondaient au téléphone. Mais personne n'est venu au bout du fil. J'ai recommencé en regardant ma montre. Onze heures vingt. Je n'avais aucune idée d'où pouvait être Camilla, à cette heure-là, à moins qu'elle ne soit en route pour venir chercher son frère.

J'ai raccroché. Le quarter a glissé dans sa niche. Je l'ai rempoché et je suis allé retrouver Charles au bar. Un moment, j'ai cru qu'il avait changé de place, au milieu de la foule, mais je me suis bientôt rendu compte que si je ne le voyais pas c'est qu'il n'était pas là. Il avait fini sa bière et il était parti.

---

Hampden, soudain, est redevenu d'un vert paradisiaque. La plupart des fleurs étaient mortes sous la neige, sauf les espèces tardives, chèvrefeuille, lilas et autres, mais les arbres étaient plus feuillus que jamais, semblait-il — un feuillage sombre et profond, si dense que le chemin de forêt pour aller au nord de la ville était tout d'un coup très étroit ; la verdure s'avançait des deux côtés et interdisait au soleil la piste boueuse et infestée d'insectes.

Lundi, je suis arrivé un peu en avance au Lyceum. Les fenêtres du bureau de Julian étaient ouvertes et Henry arrangeait des pivoines dans un vase blanc. Il avait l'air d'avoir perdu cinq à dix kilos, ce qui n'est rien pour quelqu'un de sa taille, mais je lui trouvais tout de même le visage amaigri, et même les mains et les poignets ; pourtant ce n'était pas tant cela qu'une autre chose, indéfinissable, qui avait changé en lui depuis que je ne l'avais vu.

Julian et lui bavardaient dans un latin enjoué, moqueur et pédant, comme deux prêtres qui rangent la sacristie avant la messe. Un sombre parfum de thé en train d'infuser planait dans l'air.

Henry a levé les yeux. « *Salve, amice.* » Une infime animation a fait frémir ses traits rigides, habituellement figés et distants. « *Valesne ? Quid est rei ?* »

« Tu as l'air en forme », lui ai-je dit, ce qui était vrai.

Il a légèrement incliné la tête. Ses yeux, brouillés et dilatés lorsqu'il était malade, étaient redevenus du bleu le plus limpide.

« *Benigne dicis.* Je me sens beaucoup mieux. »

Julian rangeait la confiture et les petits pains qui restaient — Henry et lui avaient déjeuné ensemble, assez copieusement, semblait-il. Il a ri et dit quelque chose que je n'ai pas vraiment saisi, une sorte de citation à la Horace comme quoi la viande était bonne pour le chagrin. J'étais content de le revoir aussi brillant et serein que jadis. Il avait éprouvé une affection presque inexplicable pour Bunny, mais les émotions fortes lui déplaisaient : il aurait pris toute démonstration, normale selon des critères contemporains, pour de l'exhibitionnisme, et en aurait été un peu choqué. J'étais convaincu que cette mort l'avait touché plus qu'il ne le laissait voir. Mais il est vrai que l'indifférence joyeuse et socratique de Julian envers les questions de vie ou de mort l'empêchait de s'attrister longtemps de quoi que ce soit.

Francis est arrivé, puis Camilla ; sans Charles, probablement au lit avec la gueule de bois. Nous nous sommes tous installés autour de la grande table ronde.

« Et maintenant, a dit Julian quand le silence est revenu, j'espère que nous sommes tous prêts à quitter le monde phénoménal pour entrer dans le sublime ? »

---

Maintenant que nous semblions être en sécurité, une énorme noirceur avait cessé de peser sur mon esprit ; le monde était de nouveau à mes yeux un endroit merveilleux, verdoyant, tonique, entièrement neuf. Je faisais de longues promenades, tout seul, jusqu'aux rives de la Battenkill. J'aimais particulièrement aller dans la petite épicerie de campagne du nord de Hampden (dont on disait que les antiques propriétaires, la mère et le fils, avaient inspiré une célèbre histoire de terreur des années cinquante, souvent reprise dans les anthologies) acheter une bouteille de vin pour aller la boire en traînant au bord de la rivière et errer ensuite, ivre, tout au long de ces après-midi dorés, splendides, radieux — une perte de temps, bien sûr. J'étais en retard, pour mes cours ; j'avais des devoirs à faire et les examens approchaient, mais tout de même, j'étais jeune, l'herbe était verte, l'air bruissait du vol des abeilles, j'étais allé jusqu'au bord du gouffre de la Mort, et je venais à peine de retrouver l'air et le soleil. J'étais libre, désormais, et ma vie, si précieuse, que j'avais crue perdue, s'étendait devant moi, d'une douceur inexprimable.

Un de ces après-midi, je suis passé devant chez Henry et je l'ai trouvé derrière la maison en train de bêcher une platebande. Il avait mis ses habits de jardinage — un vieux pantalon, les manches de sa chemise relevées au-dessus du coude — et il y avait dans sa brouette des plants de tomate et de concombre, des châssis de fraisiers, de tournesols et de géraniums écarlates. Trois ou quatre rosiers, les racines enveloppées dans de la toile, étaient posés contre la barrière.

Je suis entré par le petit portail, vraiment ivre. « Salut, ai-je dit, salut, salut, salut. »

Il s'est interrompu, appuyé à sa bêche. Un léger coup de soleil faisait briller son nez.

« Qu'est-ce que tu fais ? »

« Je repique quelques laitues. »

Il y a eu un silence prolongé, et j'ai aperçu les fougères cueillies l'après-midi où nous avions tué Bunny. Des asplénies, comme il les appelait, me suis-je souvenu ; Camilla avait remarqué que c'était une herbe de sorcière. Il les avait plantées à l'ombre de la maison, près de la cave, et elles faisaient une mousse sombre dans la fraîcheur de l'air.

J'ai chancelé un peu, me suis rattrapé au poteau de la barrière. « Tu penses rester ici cet été ? »

Il m'a regardé avec attention, s'est essuyé les mains sur son pantalon. « Je crois que oui. Et toi ? »

« Je ne sais pas. » Je n'en avais parlé à personne, mais la veille, je m'étais inscrit au bureau étudiant pour une garde d'appartement, à Brooklyn, chez un professeur d'histoire qui allait étudier en Angleterre pendant l'été. Cela m'avait paru idéal — un logement gratuit dans un quartier agréable de Brooklyn, rien à faire sinon arroser les plantes et m'occuper de deux terriers de Boston qui ne pouvaient pas entrer en Angleterre à cause de la quarantaine. Mes expériences avec Leo et les mandolines m'avaient rendu méfiant, mais l'employée m'avait assuré que non, que c'était différent, et elle m'avait montré une pile de lettres d'étudiants contents d'avoir fait le même travail. Je n'étais jamais allé à Brooklyn et je n'en avais même pas entendu parler, mais j'aimais l'idée de vivre dans une ville — n'importe laquelle, surtout une ville inconnue — l'idée des foules, de la circulation, l'idée de travailler dans une librairie, d'être serveur dans un café. Dieu sait dans quelle genre de vie bizarre et solitaire j'allais tomber ? Manger seul, promener les chiens, le soir, avec personne pour savoir qui j'étais.

Henry était toujours en train de me regarder. Il a remonté ses lunettes sur son nez. « Tu sais, nous ne sommes qu'au début de l'après-midi. »

J'ai ri. Je savais à quoi il pensait : d'abord Charles, ensuite moi. « Je suis okay. »

« Vraiment ? »

« Bien sûr. »

Il a repris son travail, a planté sa bêche dans la terre, appuyé fortement d'un côté avec son pied pris dans une guêtre kaki. Ses bretelles faisaient un X noir en travers de son dos. « Alors tu peux me donner un coup de main pour ces laitues. Il y a une autre bêche dans la cabane à outils. »

---

Tard, cette nuit-là — à deux heures — ma chef de pavillon est venue cogner à ma porte en hurlant qu'on m'appelait au téléphone. Embrumé de sommeil, j'ai passé une robe de chambre et dégringolé l'escalier.

C'était Francis. « Qu'est-ce que tu veux ? » ai-je dit.

« Richard, j'ai une crise cardiaque. »

J'ai regardé d'un œil ma chef de pavillon — Véronica, Valérie, j'ai oublié son nom — qui restait debout près du téléphone, les bras croisés, la tête penchée, pleine de sollicitude. Je lui ai tourné le dos. « Tu vas très bien. Retourne te coucher. »

« Ecoute-moi. » Sa voix était paniquée. « J'ai une crise cardiaque. Je crois que je vais mourir. »

« Non, sûrement pas. »

« J'ai tous les symptômes. Douleur du bras gauche. La poitrine oppressée. Du mal à respirer. »

« Qu'est-ce que tu veux que je fasse ? »

« Je veux que tu viennes et que tu m'emmènes à l'hôpital.

« Pourquoi n'appelles-tu pas une ambulance ? » J'avais tellement sommeil que mes yeux se fermaient.

« Parce que j'ai peur de l'ambulance... » Je n'ai pas entendu la suite parce que Véronica, qui avait dressé l'oreille au mot « ambulance », était intervenue, tout excitée. « Si vous avez besoin d'un paramédical, les types de la guérite de la sécurité sont des secouristes. Ils sont de service de minuit à six heures. Ils ont aussi une camionnette pour aller à l'hôpital. Si vous voulez, je vais... »

« Je n'ai pas besoin d'un paramédical », ai-je dit. Francis criait mon nom sans arrêt au bout du fil.

« Je suis là. »

« Richard ? » Il parlait d'une voix faible, le souffle court. « A qui tu parles ? Qu'est-ce qui ne va pas ? »

« Rien. Maintenant, écoute-moi... »

« Qui a parlé d'un paramédical ? »

« Personne. Maintenant, écoute. *Ecoute* », ai-je répété quand il a voulu parler. « Calme-toi. Dis-moi ce qui ne va pas. »

« Je veux que tu viennes. Je me sens vraiment mal. Je crois que mon cœur s'est arrêté de battre un moment. Je... »

« Un problème de drogue ? » a demandé Véronica sur le ton de la confidence.

« Ecoutez, lui ai-je dit. Je voudrais que vous vous taisiez pour que j'entende ce que cette personne essaye de me dire. »

« Richard ? Est-ce que tu vas venir me chercher ? S'il te plaît ? »

Il y a eu un bref silence.

« Très bien. Donne-moi quelques minutes. » J'ai raccroché.

---

J'ai trouvé Francis allongé tout habillé sur son lit, sans ses chaussures. « Prends-moi le pouls », a-t-il dit.

Je l'ai fait, pour ne pas le contrarier. Son pouls était fort et rapide. Il restait mollement couché, battant des paupières. « Qu'est-ce que tu crois que j'ai qui ne va pas ? »

« Je ne sais pas. » Il était un peu rouge, mais n'avait vraiment pas l'air en mauvais point. Tout de même — je savais qu'il était insensé de le mentionner sur le moment — il y avait la possibilité d'un empoisonnement alimentaire, d'une crise d'appendicite ou autre.

« Tu crois que je devrais aller à l'hôpital ? »

« Dis-moi, toi. »

Il a laissé passer un moment. « Je ne sais pas. Je crois vraiment que je devrais. »

« Bon, très bien. Si tu crois que tu te sentiras mieux. Allez. Assieds-toi. »

---

Il n'était pas malade au point de ne pas fumer en voiture pendant tout le trajet.

Nous avons fait le tour par l'allée et nous sommes arrivés à la grande entrée illuminée, les Urgences. J'ai arrêté le moteur. Nous avons attendu quelques instants.

« Tu es sûr que tu veux faire ça ? »

Il m'a regardé, stupéfait, d'un air méprisant.

« Tu crois que je *fais semblant* ! »

« Non, pas ça », ai-je dit, étonné ; à vrai dire, l'idée ne m'en était même pas venue. « Je t'ai seulement posé une question. »

Il est descendu de voiture et a claqué la portière.

---

Nous avons dû attendre une demi-heure. Francis a rempli un formulaire et a lu d'un air morose des vieux numéros du *Smithsonian*. Mais quand l'infirmière a fini par appeler son nom, il ne s'est pas levé.

« C'est pour toi. »

Il ne bougeait toujours pas.

« Eh bien, vas-y. »

Il n'a pas répondu. Son regard avait quelque chose d'affolé.

« Ecoute, a-t-il fini par dire, j'ai changé d'avis. »

« *Quoi ?* »

« J'ai dit que j'ai changé d'avis. Je veux rentrer à la maison. »

L'infirmière, debout dans l'embrasure de la porte, écoutait ce dialogue avec intérêt.

« C'est stupide, lui ai-je dit, exaspéré. Tu as attendu si longtemps. »

« J'ai changé d'avis. »

« C'est toi qui as voulu venir. »

Je savais que cela lui ferait honte. Contrarié, en évitant de croiser mon regard, il a jeté son magazine et a franchi la porte à deux battants sans regarder en arrière.

---

Environ dix minutes plus tard, un médecin apparemment épuisé, en blouse de chirurgien, a passé la tête dans la salle d'attente, où j'étais seul.

« Bonsoir, a-t-il dit sèchement. Vous êtes avec M. Abernathy ? »

« Oui. »

« Voulez-vous venir un moment avec moi, je vous prie ? »

Je me suis levé et je l'ai suivi. Francis était assis au bord d'une table d'examen, tout habillé, presque plié en deux, l'air pitoyable.

« M. Abernathy ne veut pas mettre de chemise. Et il ne veut pas que l'infirmière lui fasse une prise de sang. Je ne vois pas comment il s'attend à ce que nous puissions l'examiner s'il refuse de coopérer. »

Il y a eu un silence. La lumière de la pièce était très vive. J'étais affreusement gêné.

Le médecin est allé se laver les mains dans un lavabo. « Vous avez pris une drogue quelconque, ce soir, tous les deux ? » a-t-il demandé d'un ton ordinaire.

Je me suis senti rougir. « Non. »

« Un peu de cocaïne ? Du speed, peut-être ? »

« Non. »

« Si votre ami a pris quelque chose, ce serait d'une grande aide s'il nous disait ce que c'était. »

« Francis », ai-je dit faiblement, mais un regard de haine m'a fait taire : *et tu, Brute*.

« Comment osez-vous ? », a-t-il lancé.

« Calmez-vous, a dit le médecin. Personne ne vous accuse de rien. Mais vous vous comportez de façon un peu irrationnelle, vous ne trouvez pas ? »

« Non », a répondu Francis après un silence confus.

Le médecin s'est rincé les mains et s'est essuyé avec une serviette. « Non ? Vous venez ici au milieu de la nuit en disant que vous avez une crise cardiaque et vous ne voulez pas qu'on s'approche de vous ? Comment croyez-vous que je puisse savoir ce que vous avez ? »

Francis n'a pas répondu. Il respirait difficilement. Ses yeux étaient baissés et son visage rose vif.

« Je ne lis pas dans les esprits, a fini par dire le médecin. Mais d'après mon expérience, quand quelqu'un de votre âge dit qu'il a une crise cardiaque, c'est de deux choses l'une. »

« Quoi ? » ai-je finalement demandé.

« Eh bien. Première chose, l'empoisonnement aux amphétamines. »

« Ce n'est pas ça. » Francis a levé la tête, en colère.

« Très bien. Très bien. Il peut aussi s'agir d'un trouble panique. »

« Qu'est-ce que c'est ? » ai-je demandé en évitant soigneusement de regarder Francis.

« Ce n'est pas sans rapport avec une crise d'angoisse. Une soudaine poussée d'anxiété. Des palpitations. Des tremblements, de la transpiration. Cela peut être assez sévère. Les gens croient souvent qu'ils sont sur le point de mourir. »

Francis n'a rien dit.

« Alors ? Vous croyez qu'il peut s'agir de ça ? »

Francis a encore laissé passer un silence confus. « Je ne sais pas. »
Le docteur s'est adossé au lavabo. « Avez-vous souvent un sentiment de peur ? » a-t-il dit. « Sans avoir une bonne raison pour ça ? »

---

Quand nous sommes sortis de l'hôpital, il était trois heures moins le quart. Francis a allumé une cigarette sur le parking. De la main gauche, il froissait un morceau de papier où le médecin avait noté le nom d'un psychiatre de la ville.
« Tu m'en veux ? » a-t-il dit quand nous avons repris la voiture.
C'était la seconde fois qu'il me le demandait. « Non. »
« Je sais que si. »
Les rues étaient désertes, éclairées comme en rêve. La capote était baissée. Nous avons longé des maisons obscures, tourné sur un pont couvert. Les pneus ont tambouriné sur les planches du tablier.
« Je t'en prie, ne m'en veux pas. »
Je l'ai ignoré. « Iras-tu voir ce psychiatre ? »
« Cela ne me ferait aucun bien. Je sais ce qui me tracasse. »
Je n'ai rien dit. Quand le mot psychiatre était venu, j'avais eu peur. Je ne croyais pas tellement à la psychiatrie, mais tout de même, qui sait ce qu'un œil exercé peut trouver dans un test de personnalité, un rêve, ou même un lapsus ?
« J'ai été en analyse quand j'étais gosse », a dit Francis. Il paraissait au bord des larmes. « Je crois que je devais avoir onze ou douze ans. Ma mère était dans une sorte de période yoga, elle m'a arraché à ma vieille école de Boston et m'a expédié en Suisse, dans un endroit terrible. L'Institut Quelque Chose. Tout le monde portait des sandales et des

chaussettes. Il y avait des cours de danse derviche et de Cabale. Le Niveau Blanc — c'était le nom de ma classe, ma section ou je ne sais quoi — devait faire du *Qigong* chinois tous les matins, et quatre heures d'analyse reichienne par semaine. Je devais en faire six. »

« Comment analyse-t-on un gosse de douze ans ? »

« Des tas d'associations libres. Et des jeux bizarres qu'on vous faisait faire avec des poupées anatomiques. Ils nous ont pris, moi et deux petites Françaises, alors qu'on essayait de s'enfuir — on crevait de faim, le régime macrobiotique, tu sais, et on voulait seulement aller au bureau de tabac pour acheter du chocolat, mais naturellement ils ont insisté pour que ce soit une sorte d'épisode sexuel. Ce n'est pas que ce genre de choses les gênait, mais ils aimaient qu'on leur en parle, et j'étais trop ignorant pour leur complaire. Les filles en savaient plus long là-dessus, et elles ont inventé une histoire dingue à la française pour faire plaisir au psy — un *ménage à trois* dans une meule de foin, tu n'imagines pas comme ils m'ont cru malade pour avoir voulu réprimer une chose pareille. Mais je leur aurais dit n'importe quoi si j'avais cru qu'ils me renverraient chez moi. » Il a eu un rire pas vraiment joyeux. « Dieu. Je me rappelle encore que le chef de l'Institut m'a demandé un jour à quel personnage imaginaire je m'identifiais le plus, et j'ai répondu Davy Balfour dans *Kidnapped*. »

Nous étions dans un virage. Brusquement, dans la lumière des phares, j'ai vu un animal de grande taille en travers de ma route. J'ai freiné à fond. Une demi-seconde, à travers le pare-brise, j'ai aperçu deux yeux luisants. Puis, en un éclair, l'animal a bondi au loin.

Nous sommes restés un moment sur place, secoués.

« C'était quoi ? » a fini par dire Francis.

« Je ne sais pas. Un cerf, peut-être. »

« Ce n'était pas un cerf. »

« Alors un chien. »

« Ça avait l'air d'une sorte de chat, j'ai trouvé. »

En fait, c'est aussi ce que j'avais cru voir. « Mais c'était trop grand pour ça. »

« Peut-être un cougar ou autre. »

« Il n'y en a pas dans la région. »

« Il y en avait. On les appelait des catamounts. Chat de la montagne. Comme la rue Catamount, en ville. »

Le vent du soir était glacé. Quelque part, un chien a aboyé. Il n'y avait pas beaucoup de circulation, la nuit, sur cette route.

J'ai remis en prise.

---

Francis m'avait demandé de ne parler à personne de notre excursion au service des urgences, mais dimanche soir, chez les jumeaux, après un dîner où j'avais un peu trop bu, je me suis mis à raconter cette histoire à Charles dans la cuisine.

Charles a compati. Il avait bu, mais moins que moi. Il portait un vieux costume en velours qui pendait sur ses os — lui aussi avait perdu du poids — avec une vieille cravate usée de chez Sulka.

« Pauvre François, a-t-il dit. C'est un tel barjot. Il ira voir ce psychiatre ? »

« Je ne sais pas. »

Il a sorti d'une secousse une Lucky d'un paquet laissé par Henry au bord de l'évier. « Si j'étais toi », a-t-il dit en tapotant la cigarette sur l'intérieur de son poignet et en tordant le cou pour être sûr qu'il n'y ait personne dans le couloir, « si j'étais toi, je lui conseillerais de ne pas en parler à Henry. »

J'ai attendu qu'il continue. Il a allumé sa cigarette et soufflé un nuage de fumée.

« Voyons, je bois un peu plus que je ne devrais, a-t-il dit tranquillement. Je suis le premier à le reconnaître. Mais, mon Dieu, c'est moi qui ai dû m'occuper des flics, pas lui. C'est moi qui dois m'occuper de Marion, pour l'amour du ciel. Elle m'appelle presque tous les soirs. Qu'il essaye un peu de lui parler et qu'il voie ce qu'il va ressentir... Si je voulais boire une bouteille de whisky par jour, je ne vois pas ce qu'il aurait à redire. Je lui ai dit que cela ne le regardait pas, pas plus que ce que tu fais, d'ailleurs. »

« Moi ? »

Il m'a regardé, bouche bée, l'air d'un enfant. Et il s'est mis à rire.

« Oh, on ne t'a pas dit ? Maintenant c'est toi, en plus. Qui bois trop. Qui te promènes ivre au milieu de la journée. Glisses sur la pente savonnée de la déchéance. »

J'étais étonné. Il a ri à nouveau de voir mon expression, mais alors nous avons entendu des pas et le tintement des glaçons dans un verre — Francis. Il a passé la tête dans la porte, s'est mis à jacasser gaiement de choses et d'autres, et au bout de quelques minutes nous avons pris nos verres et nous l'avons suivi dans le living.

---

C'était une soirée heureuse, confortable ; la lueur des lampes, le reflet des verres, la nuit qui martelait le toit. Dehors, le haut des arbres tanguait et se bousculait avec un bruit mousseux comme le bouillonnement d'une eau gazeuse dans un verre. Les fenêtres étaient ouvertes, et un vent frais et humide, d'une douceur sauvage, ensorcelante, faisait voleter les rideaux.

Henry était d'excellente humeur. Détendu, assis dans un fauteuil, les jambes allongées devant lui, il paraissait alerte, dispos, le rire facile, la repartie aisée. Camilla était une vision ensorcelante. Elle portait une robe étroite, sans manches, couleur saumon, qui découvrait deux charmantes clavicules et les jolies vertèbres au bas de sa nuque — des genoux admirables, des jambes nues et musclées tout aussi admirables. La robe soulignait sa minceur, la grâce inconsciente et légèrement masculine de son attitude ; j'adorais Camilla, j'adorais la façon délicieuse et balbutiante dont elle clignait des yeux en racontant une histoire, la façon dont elle tenait sa cigarette (écho lointain de Charles), au milieu de ses doigts aux ongles rongés.

Elle et son frère semblaient s'être réconciliés. Ils ne se parlaient pas beaucoup, mais l'ancien fil muet de la gémellité s'était remis en place. Ils se perchaient sur le bras du fauteuil où l'autre était assis, allaient chacun chercher le verre de l'autre (un rituel propre aux jumeaux, complexe et lourd de sens). Même si je ne comprenais pas entièrement leurs cérémonies, elles étaient généralement le signe que tout allait bien. Camilla paraissait la plus conciliante des deux, ce qui tendait à démentir l'hypothèse qu'il avait été en faute.

Le miroir de la cheminée était au centre de l'attention — un vieux miroir terni dans un cadre en bois de rose, n'ayant rien de remarquable, qu'ils avaient trouvé dans un marché aux puces, mais c'était la première chose qu'on voyait en entrant chez eux, attirant d'autant plus les regards qu'il était désormais étoilé par des fentes spectaculaires qui rayonnaient à partir du centre comme une toile d'araignée. La manière dont c'était arrivé était une histoire si drôle que Charles a dû la raconter deux fois, quoique le plus comique, à vrai dire, fût la reconstitution qu'il en faisait — un ménage de printemps, la poussière qui le faisait éternuer et pleurer, l'éternuement qui l'avait fait tomber de l'escabeau et atterrir sur le miroir posé par terre, venant d'être lavé.

« Ce que je ne comprends pas, a dit Henry, c'est comment tu l'as remis en place sans faire tomber les morceaux. »

« C'est un miracle. Je n'y toucherai plus. Tu ne trouves pas qu'il est magnifique, maintenant ? »

C'était indéniable, et le verre obscur et tacheté fracturait l'image comme un kaléidoscope et renvoyait mille reflets de la pièce.

Ce n'est qu'au moment de partir que j'ai découvert, tout à fait par accident, par quoi le miroir avait été effectivement cassé. J'étais debout devant la cheminée, la main sur la tablette, et j'ai regardé à l'intérieur. On ne se servait plus de cette cheminée ; il y avait un pare-feu et des chenets, mais les bûches posées en travers étaient couvertes de poussière. Et tout en bas, j'ai aperçu autre chose ; des reflets argentés, les aiguilles pointues et brillantes du miroir brisé mêlées aux éclats plus grands et très reconnaissables d'un grand verre à bord doré, le même que celui que j'avais en main. C'étaient des verres anciens, lourds, avec un fond très épais. Quelqu'un l'avait lancé de l'autre côté de la pièce, en visant bien, assez fort pour le briser et fracasser le miroir.

---

Deux soirs plus tard, j'ai été de nouveau réveillé par des coups frappés à ma porte. Abruti, de mauvaise humeur, j'ai allumé et pris ma montre en clignant des yeux. Il était trois heures. « Qui est là ? »

« Henry. »

Surpris, je l'ai fait entrer un peu à contrecœur. Il ne s'est pas assis. « Ecoute, je suis désolé de te déranger, mais c'est très important. J'ai un service à te demander. »

Il avait une voix rapide et précise qui m'a inquiété. Je me suis assis au bord du lit.

« Tu m'écoutes ? »

« Qu'est-ce que c'est ? »

« Il y a environ un quart d'heure j'ai reçu un coup de téléphone de la police. Charles est en prison. Il a été arrêté pour conduite en état d'ivresse. Je voudrais que tu ailles le chercher. »

J'ai senti ma nuque se hérisser. « Quoi ? »

« C'est ma voiture qu'il conduisait. Ils ont trouvé mon nom sur la carte grise. Je n'ai pas idée de l'état dans lequel il est. » Henry a pris dans sa poche une enveloppe non cachetée qu'il m'a tendue. « J'imagine qu'il va falloir payer une certaine somme, je ne sais pas combien. »

J'ai ouvert l'enveloppe. Elle contenait un chèque en blanc, signé par Henry, et un billet de vingt dollars.

« J'ai déjà dit à la police que je lui avais prêté la voiture. S'il y a le moindre doute là-dessus, qu'ils m'appellent. » Il était debout près de la fenêtre et regardait dehors. « Demain matin je vais contacter un avocat. Tout ce que je veux, c'est que tu le fasses sortir le plus vite possible. »

Il m'a fallu un moment ou deux pour tout assimiler.

« Et cet argent ? » ai-je demandé.

« Pour payer ce que ça coûtera. »

« Je parle de ces vingt dollars. »

« Il va falloir que tu prennes un taxi. J'en ai pris un pour venir. Il attend en bas. »

Il y a eu un long silence. J'étais assis, en maillot de corps et caleçon, toujours pas réveillé.

Pendant que je m'habillais, il a continué à regarder la prairie obscure, les mains derrière le dos, sans voir le fouillis des cintres et mes tâtonnements maladroits, englués de sommeil, dans les tiroirs du bureau — serein, préoccupé, apparemment perdu dans l'abstraction de ses pensées.

---

La prison, à Hampden, était dans une annexe du tribunal. Au milieu de la nuit, c'était aussi le seul bâtiment de la place à avoir des lumières allumées. J'ai dit au chauffeur de m'attendre et je suis entré.

Deux policiers occupaient une grande salle bien éclairée, avec beaucoup de classeurs, des bureaux métalliques derrière des demi-cloisons, un antique distributeur d'eau potable, un distributeur de chewing-gum offert par le Club Civitan (« Vous Pouvez Changer les Choses »). J'avais déjà vu un des deux hommes — un type avec une moustache rousse — dans les équipes de recherches. Ils étaient tous les deux en train de manger un poulet rôti, du genre de ceux qu'on achète tout cuit dans une boutique, et regardaient « Sally Jessy Raphaël » sur une télé noir et blanc portable.

« Salut », ai-je dit.

Ils ont levé la tête.

« Je suis venu pour sortir mon copain de prison. »

L'homme à la moustache rousse s'est essuyé la bouche avec une serviette en papier. C'était un grand type sympathique d'une trentaine d'années. « Il s'agit de Charles Macaulay, je parie. »

Il l'a dit comme si Charles était un de ses vieux amis. Charles avait passé pas mal de temps ici quand ça se passait mal avec Bunny. Les flics, d'après lui, avaient été très gentils avec lui. Ils lui faisaient apporter des sandwiches, lui prenaient des cocas au distributeur.

« Ce n'est pas vous que j'ai eu au téléphone », a dit l'autre, qui était grand et relaxé, la quarantaine, avec des cheveux gris et une bouche de grenouille. « C'est votre voiture, dehors ? »

J'ai expliqué. Ils ont mangé leur poulet en m'écoutant : de grands types sympathiques avec de gros 38 sur la hanche. Les murs étaient couverts d'affiches du gouvernement : LUTTEZ CONTRE LES NAISSANCES ANORMALES, ENGAGEZ DES ANCIENS COMBATTANTS, SIGNALEZ LES FRAUDES POSTALES.

« Eh bien, vous savez, on ne peut pas vous laisser prendre la voiture », a dit l'homme aux moustaches rouges. « M. Winter devra venir la chercher lui-même. »

« La voiture, ça m'est égal. Je voudrais juste faire libérer mon ami. »

L'autre policier a consulté sa montre. « Eh bien, revenez donc dans six heures. »

Est-ce qu'il plaisantait ? « J'ai l'argent », ai-je dit.

« Nous ne pouvons pas fixer de caution. Le juge va s'en charger au moment de l'inculpation. A neuf heures précises. »

Inculpation ? Mon cœur a fait un bond. Que diable cela voulait-il dire ?

Les flics me regardaient d'un air aimable comme pour demander, « Ce sera tout ? »

« Qu'est-ce qu'il a fait, exactement ? » Ma propre voix sonnait étrangement à mes oreilles.

« Un policier d'Etat l'a arrêté sur Deep Kill Road », a dit l'homme aux cheveux gris comme s'il lisait un papier. « Visiblement en état d'ébriété. A accepté l'alcootest qui s'est avéré positif. Le policier l'a amené ici et nous l'avons bouclé. Il était environ deux heures vingt-cinq. »

Tout n'était pas encore clair, mais j'étais incapable de trouver les bonnes questions à poser. Finalement, je leur ai demandé : « Est-ce que je peux le voir ? »

« Il va très bien, fiston », a dit l'homme à la moustache rousse. « Vous le verrez demain matin à la première heure. »

Tout sourire, très amical. Il n'y avait rien d'autre à dire. Je les ai remerciés et je suis parti.

---

Quand je suis ressorti le taxi était parti. Il me restait quinze dollars sur les vingt dollars d'Henry, mais pour appeler un autre taxi il aurait fallu que je retourne à la prison, ce que je ne voulais pas. J'ai donc suivi Main Street vers le sud, où il y avait une cabine en face d'un restaurant. Elle ne marchait pas.

Si fatigué que j'avais l'impression de rêver, je suis revenu sur la place et j'ai continué, j'ai dépassé la poste, la quincaillerie, le cinéma et son fronton éteint : des vitrines, des trottoirs crevassés, des étoiles. Des panthères en bas relief rôdaient sur les frises de la bibliothèque municipale. J'ai marché longtemps, les boutiques se sont espacées, les rues sont devenues obscures, et je suis arrivé à la gare routière des cars Greyhound, sinistre sous le clair de lune, la première vision de Hampden que j'avais eue. Le bâtiment était fermé. Je me suis assis dehors, sur un banc, sous une ampoule jaunâtre, et j'ai attendu l'ouverture dans l'espoir d'une tasse de café.

L'employé — un gros homme au regard mort — est venu ouvrir à six heures. Nous étions seuls. Je suis allé aux toilettes me laver la figure, et j'ai pris non pas une mais deux tasses de café que l'employé m'a vendues à contrecœur, les tirant d'une bouilloire qu'il mettait à chauffer derrière le comptoir.

Le soleil avait fini par se lever, mais on ne voyait pas grand-chose à travers les vitres couvertes de crasse. Les murs étaient tapissés d'horaires défunts, le linoléum incrusté de mégots et de chewing gum. Les portes de la cabine téléphonique étaient maculées d'empreintes digitales. Je les ai refermées pour faire le numéro d'Henry, m'attendant à moitié à n'avoir aucune réponse, mais il a décroché, à ma grande surprise, à la deuxième sonnerie.

« Où es-tu ? Qu'est-ce qui ne va pas ? »

Je lui ai expliqué ce qui s'était passé. Lourd silence à l'autre bout du fil.

« Était-il seul dans sa cellule ? » a-t-il fini par dire.

« Je ne sais pas. »

« Était-il conscient ? Je veux dire, est-ce qu'il pouvait parler ? »

« Je ne sais pas. »

Encore un long silence.

« Ecoute, ai-je dit, il passe devant le juge à neuf heures. Tu n'as qu'à me retrouver au tribunal. »

Il a attendu avant de parler. « Il vaut mieux que tu t'en

charges. Il y a d'autres considérations qui entrent en jeu. »

« S'il y a d'autres considérations, j'aimerais savoir de quoi il s'agit. »

« Ne te mets pas en colère, a-t-il répondu très vite. C'est seulement que j'ai déjà eu trop souvent affaire avec la police. Ils me connaissent, et ils le connaissent aussi. En plus » — il a fait une pause — « je crains d'être la dernière personne que Charles ait envie de voir. »

« Et pourquoi ça ? »

« Parce qu'on s'est disputés, hier soir. C'est une longue histoire », a-t-il dit quand j'ai voulu l'interrompre. « Mais il était bouleversé quand nous nous sommes quittés. Et, de nous tous, je crois que c'est avec toi qu'il est en meilleurs termes, en ce moment. »

« Hmmph », ai-je répondu, quoique un peu réconforté.

« Charles t'aime beaucoup. Tu le sais. Par ailleurs, la police ignore qui tu es. Je crois très peu probable qu'ils fassent le lien avec notre autre affaire. »

« Je ne vois pas l'importance que ça aurait, au point où nous en sommes. »

« Je crains que ce soit toujours important. Plus que tu ne penses. »

Il y a eu un silence, pendant lequel j'ai ressenti de façon aiguë l'impossibilité de jamais pouvoir aller au fond des choses avec Henry. Machinalement, comme un propagandiste, il faisait de la rétention d'information, et ne laissait filtrer que ce qui servait à ses plans. « Qu'est-ce que tu essayes de me dire ? » ai-je fini par demander.

« Ce n'est pas le moment d'en discuter. »

« Si tu veux que j'y aille, tu ferais mieux de me dire ce dont il s'agit. »

Sa voix est devenue distante, grésillante. « Disons simplement que pendant quelque temps les choses étaient beaucoup plus risquées que tu n'as pu t'en rendre compte. Charles a passé un sale moment. Ce n'est la faute de personne, à vrai dire, mais il a dû supporter plus que sa part du fardeau. »

Silence.

« Je ne t'en demande pas tant. »

Seulement que je fasse ce que tu me dis, ai-je pensé en raccrochant l'appareil.

---

La salle d'audience était au bout du couloir, après les cellules, derrière une porte à deux battants dont le haut était vitré. Elle ressemblait beaucoup à ce que j'avais déjà vu du tribunal, datant des années cinquante, avec un sol en dalles de linoléum éraillées, des boiseries jaunes et couvertes d'un vernis couleur de miel qui paraissait poisseux.

Je n'aurais pas cru qu'il y aurait tellement de monde. Il y avait deux tables devant le siège du juge, deux policiers d'État devant la première, trois ou quatre personnes non identifiées devant la deuxième ; une sténographe de la cour avec sa drôle de petite machine à écrire ; encore trois hommes non identifiés du côté du public, assis à l'écart les uns des autres, ainsi qu'une pauvre femme hagarde dans un imperméable marron qui avait l'air d'être régulièrement battue.

Nous nous sommes levés à l'entrée du juge. L'affaire de Charles a été appelée en premier.

Charles est entré sans bruit comme un somnambule, en chaussettes, suivi de près par un greffier. Il avait les traits flous, le visage bouffi. On lui avait aussi pris sa ceinture et sa cravate, et on aurait presque cru qu'il était en pyjama.

Le juge l'a examiné de haut. C'était un homme d'environ soixante ans, l'air aigri, avec des lèvres minces et de grosses bajoues de chien de chasse. « Vous avez un avocat ? » a-t-il dit avec un fort accent du Vermont.

« Non, monsieur. »

« Épouse ou parents présents ? »

« Non, monsieur. »

« Vous pouvez déposer une caution ? »

« Non, monsieur. » Charles était en sueur, il paraissait désorienté.

Je me suis levé. Charles ne m'a pas vu, au contraire du juge. « Êtes-vous venu déposer une caution pour M. Macaulay ? »

« Oui, c'est cela. »

Charles a ouvert de grands yeux, comme en transe, avec l'air ahuri d'un gosse de douze ans.

« Cela fait cinq cents dollars que vous pouvez payer au guichet à gauche dans le couloir », a dit le juge d'un ton monotone et ennuyé. « Vous devrez à nouveau comparaître dans deux semaines et je vous suggère d'amener un avocat. Avez-vous un emploi qui nécessite l'usage de votre véhicule ? »

Un des hommes mal habillés d'un certain âge, au premier rang, a pris la parole. « Ce n'est pas sa voiture, Votre Honneur. »

Le juge, soudain féroce, a foudroyé Charles du regard. « Est-ce exact ? »

« Le propriétaire a été contacté. Un certain Henry Winter. Étudiant à l'université, là-haut. Il dit avoir prêté le véhicule à M. Macaulay pour la soirée. »

Le juge a reniflé, et dit à Charles d'un ton revêche : « Votre permis est suspendu en attendant la sentence et faites venir M. Winter le 28. »

---

Tout s'était passé à une vitesse stupéfiante. Nous sommes sortis du tribunal à neuf heures dix.

C'était une matinée humide, pleine de rosée, froide pour un mois de mai. Les oiseaux babillaient en haut des arbres noirs. Je titubais de fatigue.

Charles s'est frotté les épaules. « Dieu qu'il fait froid. »

De l'autre côté de la place et de la rue désertes, on commençait à relever les rideaux de la banque. « Attends-moi ici, ai-je dit. Je vais appeler un taxi. »

Il m'a pris par le bras. Charles était encore ivre, mais sa nuit de saoulerie avait plus abîmé ses vêtements qu'autre chose ; il avait le teint frais et les joues roses d'un enfant. « Richard. »

« Quoi ? »

« Tu es mon ami, n'est-ce pas ? »

Je n'étais pas d'humeur à rester sur les marches du tribunal pour écouter ce genre de choses. « Bien sûr. » J'ai voulu dégager mon bras.

Mais il m'a serré plus fort. « Bon vieux Richard. Je sais que tu l'es. J'étais tellement content que ce soit toi qui sois venu. Je veux juste que tu me rendes un petit service. »

« C'est quoi ? »

« Ne me ramène pas chez moi. »

« Qu'est-ce que tu veux dire ? »

« Emmène-moi à la campagne. Chez Francis. Je n'ai pas la clef mais Mme Hatch me laissera entrer ou je casserai un carreau ou autre — non, *écoute*. Ecoute ça. Je peux entrer par la cave. Je l'ai fait des millions de fois. Attends », s'est-il écrié quand j'ai tenté de l'interrompre. « Tu peux venir, toi aussi. Tu pourrais passer par la fac prendre des vêtements et... »

« Arrête », lui ai-je dit pour la troisième fois. Je ne peux t'emmener nulle part. Je n'ai pas de voiture. »

Il a changé de visage et m'a lâché le bras. « Oh, sûr », a-t-il dit d'un ton amer. « Merci beaucoup. »

« Ecoute-moi. Je ne peux pas. Je n'ai pas de voiture. Je suis venu en taxi. »

« On peut prendre celle d'Henry. »

« Non. La police a gardé les clefs. »

Ses mains tremblaient. Il les a passées dans ses cheveux ébouriffés. « Alors viens chez moi. Je ne veux pas rentrer tout seul. »

« Très bien. » J'étais fatigué au point de voir des taches devant mes yeux. « Très bien. Attends. J'appelle un taxi. »

« Non. Pas de taxi. » Il a failli tomber à la renverse. « Je ne me sens pas très bien. Je crois qu'il vaut mieux que je marche. »

---

Le trajet, depuis les marches du tribunal jusqu'à l'appartement de Charles au nord de la ville, n'avait rien d'insignifiant. Il fallait suivre la grande route une bonne partie du chemin.

Les voitures passaient en trombe avec des bouffées de gaz d'échappement. J'étais mort de fatigue. J'avais mal à la tête et les pieds lourds comme du plomb. Mais l'air matinal était rafraîchissant et Charles semblait se rétablir peu à peu. A mi-chemin, il s'est arrêté devant le guichet poussiéreux d'un Tastee Freeze, en face de l'hôpital des Anciens-Combattants, pour acheter un ice cream soda.

Le gravier crissait sous nos pas. Charles a fumé une cigarette et bu son soda avec une paille à rayures rouges et blanches. Des mouches nous bourdonnaient aux oreilles.

« Alors tu t'es disputé avec Henry ? » ai-je dit pour alimenter la conversation.

« Qui te l'a dit ? Lui ? »

« Oui. »

« Je n'arrivais pas à me souvenir. Peu importe. J'en ai marre qu'il me dise ce que j'ai à faire. »

« Tu sais ce qui m'étonne ? »

« Quoi ? »

« Pas qu'il nous dise ce qu'on doit faire. Mais qu'on fasse toujours ce qu'il nous dit. »

« Ça me dépasse, a dit Charles. Ce n'est pas que ça ait donné grand-chose de bon. »

« Oh, je ne sais pas. »

« Tu plaisantes ? Cette putain de bacchanale, d'abord — qui en a eu l'idée ? Qui a eu l'idée d'emmener Bunny en Italie ? Et ensuite de laisser traîner ce journal intime ? Le fils de garce. Il est entièrement à blâmer. En plus, il s'en est fallu de peu qu'on soit découverts, tu n'as pas idée. »

« Par qui ? » J'étais stupéfait. « Par la police ? »

« Les gens du FBI. Vers la fin, il y a beaucoup de choses dont on ne vous a pas parlé. Henry m'a fait jurer de ne rien dire. »

« Pourquoi ? Qu'est-ce qui s'est passé ? »

Il a jeté sa cigarette. « Eh bien, c'est-à-dire, ils ont tout mélangé. Ils ont cru que Cloke y était mêlé, ils ont cru des tas de choses. C'est drôle. On a tellement l'habitude d'Henry. Quelquefois on ne se rend pas compte de la façon dont les autres le voient. »

« Qu'est-ce que cela signifie ? »

« Oh, je ne sais pas. Je pourrais trouver un million d'exemples. » Il a ri, un peu endormi. « Je me souviens, l'été dernier, quand Henry était si excité à l'idée de louer une ferme, de l'avoir accompagné à une agence dans le nord de l'État. Tout était parfaitement en règle. Il avait en tête une maison précise — une grande vieille bâtisse construite vers 1880, très loin au bout d'un chemin de terre, avec des terres immenses, des communs, tout le cirque. Il avait même l'argent en liquide. Ils ont dû discuter pendant deux heures. L'employée a appelé son directeur chez lui et lui a demandé de venir au bureau. A vérifié chacune de ses références. Tout était en ordre mais ils n'ont quand même pas voulu la lui louer. »

« Pourquoi ? »

Il a ri. « Bon, Henry a l'air trop beau pour être vrai, n'est-ce pas ? Ils n'arrivaient pas à croire qu'un type de son âge, un étudiant, soit capable de payer un tel prix pour une maison aussi grande, aussi isolée, uniquement pour vivre seul et étudier les Douze Grandes Cultures. »

« Quoi ? Ils ont cru que c'était une sorte d'escroc ? »

« Ils ont cru qu'il n'était pas entièrement clair, disons-le comme ça. Apparemment les types du FBI ont eu la même réaction. Ils n'ont pas cru qu'il avait tué Bunny, mais ils pensaient qu'il en savait plus long qu'il ne disait. De toute évidence, en Italie, il y avait eu un désaccord. Marion le savait, Cloke le savait, même Julian le savait. Ils m'ont même obligé à le reconnaître, par ruse, bien que je ne l'aie pas dit à Henry. Si tu me le demandes, je crois que ce qu'ils pensaient vraiment, c'est que Bunny et lui avaient investi du fric dans le trafic de Cloke. Ce voyage à Rome a été une grave erreur. Ils auraient pu ne pas se faire remarquer, mais Henry a dépensé une fortune, a jeté l'argent par les fenêtres comme un fou, ils habitaient dans un *palazzo*, pour l'amour du ciel. Partout où ils sont passés, les gens se souviennent d'eux. Je veux dire, tu connais Henry, il est exactement comme ça, mais il faut le voir de leur point de vue. Sa maladie a dû leur paraître très louche, elle aussi. Télégraphier à un médecin aux États-Unis pour du Demerol ! Plus les billets pour l'Amérique latine. Il n'a jamais rien fait d'aussi bête que de les prendre avec sa carte de crédit. »

« Ils ont découvert ça ? » J'étais horrifié.

« Certainement. Quand ils soupçonnent quelqu'un de trafic de drogue, ils commencent par vérifier les comptes en banque — et Dieu du ciel, l'Amérique du Sud, en plus. Par chance, le père d'Henry possède vraiment quelques biens là-bas. Henry a réussi à bricoler une histoire à peu près plausible — non pas qu'ils l'aient cru ; la question, c'était qu'ils ne pouvaient pas prouver le contraire. »

« Mais je ne comprends pas comment ils ont trouvé ces trucs sur la drogue. »

« Imagine la façon dont ils ont dû voir ça. D'un côté, il y avait Cloke. La police savait que c'était un dealer d'une certaine envergure ; ils se disaient aussi qu'il était probablement l'intermédiaire d'un gros bonnet de la drogue. Il n'y avait pas de rapport évident avec Bunny, mais il y avait aussi le meilleur ami de Bunny, plein de fric, sans qu'ils puissent vraiment savoir d'où venait l'argent. Et tous ces derniers mois Bunny dépensait lui-même beaucoup d'argent. C'est Henry qui le lui donnait, bien sûr, mais ils n'en savaient rien. Des restaurants de luxe. Des costumes italiens. En plus, Henry a *l'air* suspect, tout simplement. Sa manière d'agir. Même sa façon de s'habiller. Il ressemble à un de ces types avec lunettes d'écaille et manchettes en lustrine dans un film de gangster, tu sais, celui qui truque les comptes pour Al Capone ou je ne sais quoi. » Il a allumé une autre cigarette. « Tu te rappelles le soir d'avant qu'on ait découvert le corps de Bunny ? Quand on est allés dans ce bar infect, celui avec une télé, et que je me suis saoulé ? »

« Oui. »

« J'ai rarement passé une nuit aussi terrible. On croyait tous les deux que c'était foutu. Henry était presque sûr d'être arrêté le lendemain. »

J'étais atterré au point d'en avoir la parole coupée. « Pourquoi, pour l'amour de Dieu ? » ai-je fini par dire.

Il a tiré longuement sur sa cigarette. « Les types du FBI sont venus le voir l'après-midi. Peu après qu'ils eurent arrêté Cloke. Ils ont dit à Henry qu'ils avaient de quoi arrêter une demi-douzaine de personnes, y compris lui, soit pour association de malfaiteurs, soit pour dissimulation de preuves. »

« Christ ! » J'étais abasourdi. « Une demi-douzaine de personnes ? Qui ? »

« Je ne sais pas exactement. Ils pouvaient aussi bien bluffer, mais Henry était malade d'inquiétude. Il m'a prévenu qu'ils allaient probablement venir chez moi et il a fallu que je m'en aille, je ne pouvais pas rester à les attendre. Il m'a fait promettre de ne pas t'en parler. Même Camilla n'en sait rien. »

Il y a eu un long silence.

« Mais vous ne vous êtes pas fait arrêter. »

Il a ri. J'ai remarqué que ses mains tremblaient encore un peu. « Je crois que nous devons en remercier cette chère vieille université de Hampden. Bien sûr, un tas de trucs ne collaient pas ; ils s'en sont rendu compte en parlant avec Cloke. Mais ils savaient quand même qu'on ne leur disait pas la vérité, et ils se seraient probablement accrochés si l'administration avait coopéré un peu plus. Or, une fois le corps de Bunny retrouvé, elle n'a plus voulu qu'étouffer l'affaire. Trop de publicité négative. Les inscriptions en première année avaient baissé de quelque chose comme vingt pour cent. Et la police municipale — dont c'est le travail, en fait — se montre toujours très compréhensive pour ce genre de choses. Cloke était dans un sale pétrin, tu sais — certaines de ses histoires de drogue étaient vraiment sérieuses, ils auraient pu le jeter en prison. Mais il s'en est tiré avec une mise à l'épreuve et cinquante heures de travail d'intérêt général. Ça n'est même pas inscrit sur son dossier universitaire. »

Il m'a fallu quelques moments pour digérer tout cela. Voitures et camions passaient en trombe.

Charles s'est remis à rire. « C'est drôle », a-t-il dit en enfonçant ses poings dans ses poches. « On croyait mettre notre champion au premier rang, mais si n'importe lequel d'entre nous s'en était chargé, tout se serait bien mieux passé. Si ça avait été toi. Ou Francis. Même ma sœur. On aurait pu en éviter la moitié. »

« Peu importe. C'est fini, maintenant. »

« Pas grâce à lui. C'est moi qui ai dû avoir affaire avec la police. Il s'en attribue le mérite, mais c'est moi qui ai dû passer des heures dans ce maudit commissariat à boire du café en essayant de faire en sorte qu'ils m'aiment bien, tu sais, de les convaincre que nous étions juste une bande de gosses ordinaires. Idem avec le FBI, et c'était encore pire. Servir de façade à tout le monde, tu vois, être sans arrêt sur ses gardes, devoir dire exactement le mot juste et faire de son mieux pour envisager les choses de leur point de vue, et il fallait absolument prendre le ton juste avec ces gens-là, en plus, impossible de baisser ta garde une seconde, tu devais être parfaitement communicatif et ouvert et en même temps préoccupé, tu sais, et en même temps pas trop inquiet, même si je pouvais à peine prendre ma tasse sans avoir peur de la renverser et une ou deux fois j'ai été pris de panique si bien que j'ai cru que j'allais m'évanouir ou m'écrouler ou je ne sais quoi. Est-ce que tu vois à quel point c'était dur ? Est-ce que tu crois qu'Henry se serait abaissé à faire une chose pareille ? Non. C'était normal que ce soit moi, bien sûr, pas question qu'on le dérange. Et ces gens n'avaient jamais vu de leur vie un mec pareil. Je vais te dire le genre de choses pour lesquelles il se tracassait. Le livre qu'il avait sous le bras, est-ce que c'était le bon, est-ce qu'Homère ferait meilleure impression que saint Thomas d'Aquin ? C'était comme un être d'une autre planète. S'ils n'avaient eu affaire qu'à Henry, ils nous auraient tous envoyés à la chambre à gaz. »

Un camion de bois de charpente est passé en cahotant.

« Dieu bon », ai-je fini par dire, vraiment secoué. « Je suis content de ne pas l'avoir su. »

Il a haussé les épaules. « Oh, tu as raison. On s'en est bien sortis. Mais je n'aime toujours pas la façon dont il essaye de faire le seigneur avec nous. »

Nous avons marché longtemps sans rien dire.

« Sais-tu où tu vas passer l'été ? » m'a demandé Charles.

« Je n'y ai pas beaucoup réfléchi. » En fait, je n'avais plus entendu parler de Brooklyn, ce qui me faisait penser que l'affaire était dans le lac.

« Je vais à Boston. La grand-tante de Francis a un appartement à Marlborough Street. A quelques maisons du parc municipal. Elle passe l'été à la campagne et Francis a dit que si je voulais y aller, je pouvais. »

« Ça a l'air bien. »

« C'est grand. Si tu veux, tu peux venir aussi. »

« Peut-être. »

« Ça te plaira. Francis sera à New York mais des fois il viendra. Tu es déjà allé à Boston ? »

« Non. »

« On ira au musée Gardner. Et au piano bar du Ritz. »

Il me parlait d'un musée de Harvard, un endroit où il y a un million de fleurs toutes faites en verre de couleur, quand brusquement, avec une rapidité inquiétante, une Volkswagen jaune a plongé de la voie opposée et a freiné juste à côté de nous.

C'était Tracy, l'amie de Judy Poovey. Elle a baissé sa vitre et nous a fait un grand sourire. « Salut, les gars. Je vous emmène ? »

---

Elle nous a laissés devant chez les jumeaux. Il était dix heures. Camilla n'était pas à la maison.

« Dieu », a dit Charles en laissant glisser sa veste qui est tombée par terre, en tas.

« Comment te sens-tu ? »

« Saoul. »

« Tu veux du café ? »

« Il y en a dans la cuisine. » Charles a bâillé et s'est passé la main dans les cheveux. « Ça t'ennuie si je prends un bain ? »

« Vas-y. »

« Je reviens dans une minute. La cellule était crasseuse. J'ai peur d'avoir attrapé des puces. »

Il a mis plus d'une minute. Je l'ai entendu éternuer, ouvrir les robinets d'eau chaude et froide, chantonner à mi-voix. Je suis allé dans la cuisine prendre un verre de jus d'orange et mettre du pain au raisin dans le grille-pain.

Le café était prêt et j'en étais à ma deuxième fournée de tartines quand j'ai entendu un bruit de clef et la porte qui s'ouvrait. Camilla a passé la tête.

« Salut, toi. » Elle avait les cheveux en désordre, le teint pâle, le regard attentif ; on aurait dit un petit garçon.

« Salut toi-même. Tu veux déjeuner ? »

Elle s'est assise avec moi. « Comment ça s'est passé ? »

Je lui ai raconté. Tout en écoutant, elle a tendu la main, pris un triangle de pain beurré sur mon assiette et l'a mangé.

———

« Il va bien ? »

Je ne savais pas exactement ce qu'elle voulait dire par « bien ». « Naturellement », ai-je dit.

Il y a eu un long silence. Très lointaine, venant d'une radio à un étage inférieur, une voix de femme chantait gaiement une chanson sur le yoghourt, soutenue par un chœur de vaches en goguette.

Elle a fini son toast et est allée se servir de café. Le réfrigérateur bourdonnait. Je l'ai regardée fouiller le placard pour chercher une tasse.

« J'avais cru t'entendre », a dit Charles, qui était debout derrière la porte depuis je ne savais pas combien de temps. Il était en peignoir, avec les cheveux mouillés, et sa voix gardait une trace de cette mollesse alcoolique que je connaissais bien. « Je croyais que tu avais cours. »

« Pas longtemps. Julian nous a laissés partir plus tôt. Comment te sens-tu ? »

« Merveilleusement. » Charles est entré dans la cuisine, ses pieds nus et mouillés laissant sur le carrelage luisant, rouge tomate, des empreintes qui s'évaporaient instantanément. Il est arrivé derrière elle, a posé les mains sur ses épaules, s'est penché très bas et a frôlé sa nuque de ses lèvres. « Un petit baiser pour ton frère qui sort de taule ? »

Elle s'est tourné à demi, comme pour toucher sa joue avec ses lèvres, mais Charles a glissé sa paume le long de son dos, lui a relevé le visage vers le sien et l'a embrassée en plein sur la bouche — pas un baiser fraternel, mais un long baiser mouillé, avide et voluptueux. Son peignoir s'est entrouvert tandis que sa main gauche est passée du menton à la gorge, à la clavicule, à la naissance des seins, le bout de ses doigts soulevant légèrement le bord du corsage à pois, frémissant sur la peau tiède.

J'étais frappé de stupeur. Elle n'a pas eu un sursaut, pas fait un geste. Quand il a repris son souffle elle a rapproché sa chaise de la table et pris le sucrier comme s'il ne s'était rien passé. La cuiller a tinté contre la porcelaine. L'odeur de Charles — mouillée, alcoolisée, adoucie par son eau de toilette au tilleul — remplissait la cuisine. Elle a levé sa tasse, bu une gorgée, et c'est seulement à ce moment que je m'en suis souvenu : Camilla buvait du café noir. Elle n'y mettait pas de sucre, juste un peu de lait.

J'étais stupéfait. Il me semblait que j'aurais dû dire quelque chose — n'importe quoi — mais aucune idée ne me venait.

C'est finalement Charles qui a brisé le silence. « Je meurs de faim. » Il a renoué la ceinture de son peignoir et a sautillé jusqu'au réfrigérateur. La porte blanche s'est ouverte avec un cri. Il s'est penché, le visage rayonnant de lumière glacée.

« Je pense que je vais me faire des œufs brouillés. Quelqu'un en veut ? »

---

En fin d'après-midi, après être rentré chez moi, avoir pris une douche et fait la sieste, je suis allé voir Francis.

« Entre, entre », m'a-t-il dit avec des gesticulations frénétiques. Ses livres de grec étaient étalés sur le bureau, une cigarette brûlait dans le cendrier déjà plein. « Qu'est-ce qui s'est passé hier soir ? Est-ce que Charles a été *arrêté* ? Henry n'a pas voulu me dire un mot. Camilla m'a raconté une partie de l'histoire mais elle ne connaissait pas les détails... Assieds-toi. Tu veux boire un verre ? Qu'est-ce que je t'apporte ? »

C'était toujours amusant de raconter une histoire à Francis. Il se penchait vers vous, buvait chacune de vos paroles, réagissait aux bons moments par l'ahurissement, la sympathie, l'angoisse. Quand j'ai eu fini, il m'a bombardé de questions. Normalement, profitant de son attention exclusive, j'aurais fait durer les choses en longueur, mais dès le premier silence d'une durée décente j'ai dit : « Maintenant je veux te demander quelque chose. »

Il était en train d'allumer une autre cigarette. Il a refermé le briquet d'un coup sec et froncé les sourcils. « Qu'est-ce que c'est ? »

Même si j'avais prévu différents moyens d'amener cette question, il m'a paru commode, pour plus de clarté, d'aller au vif du sujet. « Crois-tu qu'il arrive à Charles et Camilla de coucher ensemble ? »

Il venait d'aspirer profondément sur sa cigarette. Sur le coup il a recraché la fumée de travers.

« Crois-tu ? »

Il a commencé par tousser. « Qu'est-ce qui te fait poser une question pareille ? »

Je lui ai dit ce que j'avais vu le matin même. La fumée lui avait donné des yeux rouges et mouillés de larmes.

« Ce n'est rien. Il devait être encore saoul. »

« Tu n'as pas répondu à ma question. »

Il a posé sa cigarette dans un cendrier. « Très bien, a-t-il dit en clignant des yeux. Si tu veux mon opinion, c'est oui. Je crois que ça leur arrive quelquefois. »

Il y a eu un long silence. Francis a fermé les yeux, se les est frottés avec le pouce et l'index.

« Je ne pense pas que cela se produise très souvent. Mais on ne sait jamais. Bunny a toujours prétendu les avoir pris un jour sur le fait. »

J'ai ouvert de grands yeux.

« Il l'a dit à Henry, pas à moi. Je crains de ne pas connaître les détails. Apparemment, il avait la clef, et tu te souviens de sa façon d'entrer en trombe sans frapper... Allons, tu devais bien en avoir une petite idée. »

« Non. » En fait, cette idée m'était venue dès que je les avais rencontrés. Je l'avais attribuée à ma propre perversité mentale, à une sorte de caprice dégénéré de ma pensée, une projection de mes désirs personnels — parce que c'était son frère, qu'ils se ressemblaient énormément, et que de les imaginer ensemble avait provoqué en moi, en sus des tiraillements prévisibles dus à l'envie, aux scrupules, à la surprise, une très vive excitation.

Francis m'examinait avec attention. J'ai eu soudain le sentiment qu'il savait exactement ce que je pensais.

« Ils sont très jaloux l'un de l'autre, a-t-il dit. Lui beaucoup plus qu'elle. J'ai toujours pensé que c'était quelque chose de puéril, de charmant, tu vois, une sorte de chahut verbal, même Julian les taquinait là-dessus — je veux dire, je suis fils unique, Henry aussi, qu'est-ce que nous savons de ces choses-là ? On se disait que ça devait être amusant d'avoir une sœur. » Il a eu un petit rire. « Plus amusant qu'on ne l'avait rêvé, semble-t-il. Pas que je trouve ça si terrible, d'ailleurs — d'un point de vue moral — mais ce n'est pas du tout le genre de chose naturelle, dans la bonne humeur, à quoi on aurait pu s'attendre. C'est beaucoup plus dur et plus profond. »

Il a regardé dans le vide quelques instants. Puis il a secoué la tête et repris une cigarette.

« C'est impossible à expliquer. Mais on peut aussi le voir

à un niveau très simple. Ils ont toujours beaucoup tenu l'un à l'autre, ces deux-là. Et je ne suis pas prude, mais cette jalousie me paraît stupéfiante. Un bon point, pour Camilla, c'est qu'elle est plus raisonnable pour ce genre de choses. Peut-être y est-elle obligée. »

« Quel genre de choses ? »

« Charles allant coucher avec des gens. »

« Avec qui est-il allé coucher ? »

Il a levé son verre et bu une grande gorgée. « Moi, par exemple. Cela ne devrait pas t'étonner. Si tu buvais autant que lui, j'ose dire que j'aurais déjà couché avec toi. »

Malgré la dureté de sa voix — qui d'habitude m'aurait mis en colère — on y entendait une mélancolie sous-jacente. Il a vidé le reste de son whisky et reposé brutalement son verre sur la table. Puis, après un silence : « Ce n'est pas arrivé souvent. Trois ou quatre fois. La première fois quand j'étais en seconde année et lui en première. Il était tard, on s'est mis à boire dans ma chambre, une chose en a amené une autre. Une partie de rigolade par une nuit pluvieuse... mais tu aurais dû nous voir le lendemain au petit déjeuner. » Il a eu un rire sans joie. « Tu te rappelles le soir de la mort de Bunny ? Quand j'étais dans ta chambre ? Et que Charles nous a interrompus à un moment plutôt mal choisi ? »

Je savais ce qu'il allait me dire. « Tu es reparti avec lui. »

« Oui. Il était affreusement ivre. Un petit peu *trop* ivre. Ce qui lui convenait parfaitement puisque, le lendemain, il a prétendu ne pas s'en souvenir. Charles est souvent sujet à ces crises d'amnésie quand il passe la nuit chez moi. » Francis m'a regardé du coin de l'œil. « Il nie tout de façon très convaincante, et de plus il s'attend à ce que je joue le jeu, tu vois, à ce que je prétende qu'il ne s'est rien passé. Je ne crois même pas que ce soit par culpabilité. En fait, il le fait avec une sorte de gaieté qui me rend furieux. »

« Tu l'aimes beaucoup, n'est-ce pas ? »

J'ignore ce qui m'a fait dire ça. Francis n'a pas cillé. « Je ne sais pas », a-t-il dit froidement, en prenant une cigarette avec ses doigts tachés de nicotine. « Je l'aime bien, j'imagine. Nous sommes de vieux amis. Je ne me fais pas d'illusions, en tout cas, en me disant que c'est plus que ça. Mais je me suis bien amusé avec lui, ce qui est plus qu'on ne peut en dire à propos de Camilla. »

C'est ce que Bunny aurait appelé un tir en vache. J'ai été trop surpris, ne serait-ce que pour répondre.

Francis — bien que sa satisfaction fût évidente — n'a pas poussé son avantage. Il s'est renversé sur sa chaise, près de la fenêtre, et ses cheveux rouges ont lui d'un éclat métallique dans le soleil. « C'est dommage, mais c'est ainsi. Aucun des deux ne tient à personne qu'à lui-même — ou elle-même, selon le cas. Ils aiment présenter un front uni, mais je ne sais même pas à quel point ils tiennent l'un à l'autre. En tout cas ils prennent un plaisir pervers à faire marcher les autres — oui, elle te fait vraiment marcher », a-t-il dit quand j'ai voulu l'interrompre. « Je l'ai vu faire. Et pareil avec Henry. Il était fou d'elle, je suis certain que tu es au courant ; pour ce que j'en sais il l'est encore. Quant à Charles — eh bien, au fond, il aime les filles. Quand il est saoul, je fais l'affaire. Et puis — juste quand j'ai réussi à m'endurcir le cœur, il fait demi-tour et devient très tendre. Je me laisse toujours avoir. Je ne sais pas pourquoi. » Il n'a rien dit pendant un moment. « On n'est pas très doué pour la beauté physique, dans ma famille, tu sais, on est tout en os, en pommettes et en nez crochus. C'est peut-être pour ça que j'ai tendance à relier la beauté à des qualités qui n'ont absolument rien à y voir. Je vois une jolie bouche ou deux yeux mélancoliques et j'imagine toutes sortes d'affinités, d'affinités intimes. Peu importe qu'une douzaine de connards soient agglutinés autour de la même personne, juste parce qu'ils ont été dupés par le même regard. » Il s'est penché pour écraser énergiquement sa cigarette. « Elle se conduirait beaucoup plus comme Charles si on la laissait faire ; mais il est tellement possessif qu'il lui tient la bride très serrée. Tu peux imaginer pire, comme situation ? Il la guette comme un faucon. Et il est aussi assez pauvre — non que ce soit très important », a-t-il ajouté très vite, en se rappelant à qui il s'adressait, « mais ça le gêne beaucoup. Très fier de sa famille, tu sais, très conscient d'être lui-même un ivrogne. Il y a quelque chose de romain, dirait-on, dans la valeur qu'il accorde à l'honneur de sa sœur. Bunny n'approchait pas de Camilla, tu le sais, c'est à peine s'il daignait la regarder. Il disait qu'elle n'était pas son type, mais je crois plutôt que le Vieil Hollandais en lui savait que c'était du poison. Mon Dieu... Je me souviens d'une fois, il y a longtemps, où nous avons dîné dans un restaurant chinois ridicule à Bennington. La Pagode du Homard. Il a fermé, depuis. Des rideaux en perles rouges et un autel bouddhiste avec une cascade artificielle. On a bu des tas de cocktails avec des ombrelles piquées dedans et Charles s'est saoulé *abominablement* — non que ce soit sa faute ; nous étions tous ivres, les boissons sont toujours trop fortes dans un endroit pareil, et en plus, on ne sait jamais ce qu'ils mettent dedans, pas vrai ? Dehors, il y avait une passerelle allant au parking et passant au-dessus d'un fossé avec des canards apprivoisés et des poissons rouges. Je ne sais pas pourquoi, mais Camilla et moi avons été séparés des autres et on les a attendus là. On a comparé nos mini-horoscopes. Le sien disait un truc du genre « Attendez-vous à un baiser de l'homme de vos rêves », ce qui était trop beau pour le laisser passer, alors je — bon, on était ivres tous les deux, et on s'est un peu laissés aller — et alors Charles a jailli de nulle part, m'a attrapé par la peau du cou et j'ai cru qu'il allait me lancer par-dessus la balustrade. Bunny est arrivé, lui aussi, il lui a fait lâcher prise et Charles a eu le bon sens de dire qu'il plaisantait, mais ce n'est pas vrai, il m'a fait mal, il m'a tordu le bras derrière le dos et m'a presque démis l'épaule, bon Dieu. Je ne sais pas où était passé Henry. Probablement en train de contempler la lune et de réciter un poème de la dynastie Tang. »

Tous ces événements l'avaient chassé de mon esprit, mais le fait qu'il ait mentionné Henry m'a rappelé ce que m'avait dit Charles le matin même à propos du FBI — ainsi qu'une autre question elle aussi en rapport avec Henry. Je me demandais si c'était le moment de soulever l'un ou l'autre sujet quand Francis a dit, de façon abrupte, et qui suggérait d'autres mauvaises nouvelles : « Tu sais, aujourd'hui je suis allé chez le médecin. »

J'ai attendu qu'il continue, ce qu'il n'a pas fait.

« Pourquoi ? »

« Même truc. Vertiges. Douleurs à la poitrine. Je me réveille la nuit et je ne peux pas respirer. La semaine dernière je suis retourné à l'hôpital et je les ai laissés faire quelques tests mais ça n'a rien donné. Ils m'ont adressé à ce type. Un neurologue. »

« Et alors ? »

Il s'est agité sur sa chaise. « Il n'a rien trouvé. Pas un de ces médecins cul-terreux qui vaillent quelque chose. Julian m'a donné le nom d'un médecin de New York ; celui qui a guéri le Chah d'Isram, tu sais bien, d'une maladie du sang. C'était dans les journaux. Julian dit que c'est le meilleur diagnosticien du pays et un des meilleurs du monde. Il est pris deux ans à l'avance, mais si Julian l'appelle, il acceptera peut-être de me recevoir. »

Il tendait le bras vers une cigarette alors que la précédente, intacte, brûlait encore dans le cendrier.

« La façon dont tu fumes, ai-je dit, pas étonnant que tu aies le souffle court. »

« Cela n'a rien à voir », a-t-il répondu, agacé, en tapotant la cigarette sur son poignet. « C'est exactement ce que te disent ces crétins de Vermontois. Arrêtez de fumer, supprimez l'alcool et le café. J'ai fumé la moitié de ma vie.

Tu crois que je ne sais pas ce que ça me fait ? Ce ne sont pas les cigarettes qui te donnent ces crampes atroces dans la poitrine, ni de boire quelques verres. En plus, j'ai un tas d'autres symptômes. Des palpitations. Des bourdonnements dans les oreilles. »

« Fumer peut faire des trucs totalement dingues à ton corps. »

Francis se moquait souvent de moi quand j'employais une expression qu'il trouvait californienne. « *Totalement dingues* ? » a-t-il dit avec malice, en imitant mon accent banlieusard, creux et plat. « *Vliment* ? »

Je l'ai regardé, vautré sur sa chaise avec sa cravate à pois, ses chaussures pointues de chez Bally, son visage étroit de renard. Il avait aussi un sourire de renard, qui découvrait des dents trop nombreuses. Il me rendait malade. Je me suis levé. La pièce était tellement enfumée que j'avais les yeux qui coulaient. « Ouais. Il faut que je rentre. »

Son expression sournoise s'est effacée. « Tu es en colère, pas vrai ? » a-t-il dit d'un ton anxieux.

« Non. »

« Mais si. »

« Non, ce n'est pas vrai. » Ses tentatives soudaines de conciliation, inspirées par la panique, m'énervaient encore plus que ses insultes.

« Excuse-moi. N'écoute pas ce que je dis. Je suis saoul, je suis malade, je ne le pensais pas. »

Tout d'un coup j'ai eu la vision de Francis, vingt ans plus tard, cinquante, dans un fauteuil roulant. Et de moi-même, également plus âgé, assis avec lui dans une pièce enfumée, répétant tous les deux ce dialogue pour la millième fois. A un moment, l'idée que l'acte, en lui-même, au moins, nous avait rapprochés pour l'éternité, cette idée m'avait plu ; nous n'étions pas des amis ordinaires, mais des amis jusqu'à-ce-que-la mort-nous-sépare. Cette idée avait été ma seule consolation dans les remous de la mort de Bunny.

Maintenant, sachant qu'il n'y avait pas d'issue, elle me donnait la nausée. Je les avais sur le dos, chacun d'entre eux, et pour de bon.

---

En rentrant de chez Francis, tête basse, plongé dans un méli-mélo obscur et inarticulé d'angoisse et d'idées noires, j'ai entendu la voix de Julian qui m'appelait par mon nom.

Je me suis retourné. Il sortait du Lyceum. A la vue de son visage agréable et railleur — tellement aimable, gentil, content de me voir — quelque chose s'est déchiré au fond de ma poitrine.

« Richard », a-t-il répété, comme si rien au monde ne l'aurait ravi autant que de me voir. « Comment allez-vous ? »

« Très bien. »

« J'allais justement dans le nord de la ville. Voulez-vous m'accompagner ? »

J'ai regardé son visage heureux, innocent, et je me suis dit : *Si seulement il savait. Il en mourrait.*

« Julian, j'aimerais beaucoup, merci. Mais il faut que je rentre. »

Il m'a regardé attentivement. Ses yeux inquiets m'ont presque rendu malade de honte.

« Je vous vois si peu ces jours-ci, Richard. J'ai l'impression que vous devenez une ombre dans ma vie. »

La bienveillance, le calme spirituel qui rayonnait de Julian me paraissait si clairs, si justes, que pendant un instant vertigineux j'ai senti les ténèbres s'écarter de mon cœur de façon presque tangible. Ce fut un tel soulagement que j'ai failli éclater en sanglots ; et puis, en le regardant à nouveau, j'ai senti tout le poids du fardeau empoisonné revenir m'écraser de toutes ses forces.

« Etes-vous sûr que vous allez bien ? »

*Il ne doit jamais savoir. Il ne faut jamais lui dire.*
« Oh. Bien sûr que oui. Je vais très bien. »

---

Même si tout le bruit autour de Bunny avait fini par se calmer, l'université n'avait pas vraiment retrouvé son état normal — d'autant moins avec le nouvel esprit « Dragnet » anti-drogue qui s'était répandu sur le campus. Finies les nuits où, en rentrant du Rathskeller, il n'était pas impossible de voir un professeur debout sous l'ampoule nue dans la cave de Durbinstall — Arnie Weinstein, disons, l'économiste marxiste (Berkeley, 1969), ou l'Anglais hagard et échevelé qui donnait des cours sur Sterne et Defœ.

Finies, oh combien. J'avais vu des gardes au visage dur démanteler le laboratoire souterrain, en sortir des caisses de colonnes de distillation et de tuyaux en cuivre, tandis que le chimiste en chef de Durbinstall — un petit boutonneux venu d'Akron s'appelant Cal Clarken — pleurait en les regardant faire, toujours en blouse blanche et baskets montantes, son habit de travail. Le professeur d'anthropologie qui avait enseigné pendant vingt ans « Voix et Visions : la Pensée de Carlos Castaneda » (un cours couronné par un feu de camp rituel et obligatoire où on fumait de l'herbe) a annoncé brusquement qu'il partait pour le Mexique en année sabbatique. Arnie Weinstein s'est mis à fréquenter les bistrots bourgeois où il essayait de discuter la théorie marxiste avec des serveurs hostiles. L'Anglais échevelé est revenu à son passe-temps habituel, draguer des filles ayant vingt ans de moins que lui.

En accord avec la nouvelle politique antidrogue, Hampden a accueilli un tournoi interuniversitaire, sous forme de jeu-spectacle, où on testait les étudiants sur ce qu'ils savaient de la drogue et l'alcool. Les questionnaires étaient élaborés par le Conseil national contre l'alcoolisme et la toxicomanie. Les spectacles étaient animés par une personnalité de la télévision locale (Liz Ocavello) et diffusés en direct sur Canal 12.

Contre toute attente, ces jeux de questions et réponses ont eu un succès fou, mais dans un esprit tout autre que celui prévu par les sponsors. Hampden a réuni une équipe de choc, laquelle — à l'instar de ces commandos de cinéma, composés de fugitifs au bout du rouleau — s'est avérée pratiquement invincible. C'était une affiche de stars : Cloke Rayburn, Bram Guernsey, Jack Teitelbaum, Laura Stora, avec le légendaire Cal Clarken en personne pour diriger l'équipe. Cal participait dans l'espoir d'être admis à la fac au trimestre suivant ; pour Cloke, Bram et Laura, cela faisait partie de leurs heures d'intérêt général ; quant à Jack, il était là pour le plaisir. Ensemble, ils ont mené Hampden à la victoire après avoir écrasé Williams, Vassar, Sarah Lawrence, en traitant instantanément avec un talent éblouissant des questions telles que : Nommez cinq drogues de la famille de la Thorazine, ou : Quels sont les effets du PCP ?

Pourtant, bien que le trafic eût été sévèrement réduit, je n'ai pas été étonné de voir que Cloke poursuivait son commerce, quoique plus discrètement qu'au bon vieux temps. Un jeudi soir, avant une fête, je suis allé chez Judy lui demander une aspirine, et, après un bref et mystérieux interrogatoire derrière la porte fermée, j'ai trouvé Cloke dans la chambre, rideaux tirés, maniant le miroir et la balance de pharmacien.

« Salut », a-t-il dit en me faisant entrer très vite avant de refermer à clef derrière moi. « Qu'est-ce que je peux faire pour toi, ce soir ? »

« Euh, rien, merci. Je cherchais seulement Judy. Où est-elle ? »

« Oh. » Il s'est remis à son travail. « Judy est à l'atelier de costumes. Je croyais que c'est elle qui t'avait envoyé ici. J'aime bien Judy, mais elle fait une grosse superproduction de n'importe quoi, et c'est vraiment pas cool. Pas cool » — il a soigneusement tapoté une dose de poudre dans un sachet en papier — « du tout. » Ses mains tremblaient ; il était évident qu'il avait goûté allègrement à sa propre marchandise. « Mais il a fallu que je vire ma balance, tu piges, après toute cette merde, et putain, qu'est-ce que je suis censé faire ? Me pointer à l'infirmerie ? Elle passe son temps à courir, au déjeuner et tout, en se frottant le nez et en disant, "*Gram'man* est là, *Gram'man* est là", coup de chance que personne comprenne de quoi elle cause, putain, mais quand même. » Il a indiqué d'un signe le livre ouvert devant lui — l'*Histoire de l'art* de Janson, pratiquement découpé en lambeaux. « Même ces putains de sachets. Elle a eu l'idée fixe que je devais faire ces trucs bidon, Jésus, on les ouvre et il y a dedans un putain de Tintoret. Et elle se fout en rogne si je les coupe et que le cul du cupidon ou je ne sais quoi n'est pas juste au milieu. » Il a levé les yeux. « Comment va Camilla ? »

« Très bien. » Je n'avais pas envie de penser à Camilla. Je n'avais pas envie non plus de penser au grec ou au cours de grec ou à tout ce qui s'y rapportait.

« Son nouvel endroit lui plaît ? »

« Quoi ? »

Il a ri. « Tu ne savais pas ? Elle a déménagé. »

« Quoi ? Où ça ? »

« Sais pas. Au bout de la rue, probablement. Je suis passé voir les jumeaux — passe-moi ce cutter, tu veux ? — je suis passé les voir hier et Henry l'aidait à mettre ses affaires dans des cartons. » Il a arrêté de peser sa marchandise et fait des lignes sur le miroir. « Charles va passer l'été à Boston, mais elle reste là. Dit qu'elle n'a pas envie de rester seule et que c'est trop ennuyeux de sous-louer. On dirait qu'on va être pas mal à passer l'été ici. » Il m'a tendu le miroir avec un billet de vingt enroulé. « Bram et moi on cherche justement un endroit. »

« C'est très bon », ai-je dit environ une demi-minute plus tard, quand les premières étincelles d'euphorie ont court-circuité mes synapses.

« Ouais. C'est excellent, n'est-ce pas ? Surtout après cette affreuse merde que Laura faisait circuler. Ces types du FBI l'ont analysée et ont dit que c'était quatre-vingts pour cent de talc ou je ne sais quoi. » Il s'est essuyé le nez. « A propos, ils sont venus te voir ? »

« Le FBI ? Non. »

« Ça m'étonne. Avec toutes ces conneries de radeau de sauvetage qu'ils faisaient avaler à tout le monde. »

« De quoi est-ce que tu parles ? »

« Christ. Ils disaient toutes sortes de trucs dingues. Qu'il y avait une bande. Qu'ils savaient qu'Henry et Charles et moi y étions mêlés. Qu'on avait des ennuis sérieux et qu'il n'y avait qu'une seule place sur le radeau de sauvetage. Et que ce type serait celui qui parlerait le premier. » Il a sniffé une deuxième fois, s'est frotté le nez d'un doigt plié. « En un sens, c'est devenu pire après que mon vieux a envoyé un avocat. "Pourquoi avez-vous besoin d'un avocat si vous êtes innocent", toutes ces merdes. Le truc, c'est que même ce putain d'avocat n'arrivait pas à piger ce qu'ils voulaient que j'avoue. Ils n'arrêtaient pas de dire que mes amis — Henry et Charles — m'avaient dénoncé. Que c'étaient *eux* les coupables et que si je ne mettais pas à table je pourrais être accusé d'un truc que je n'avais même pas fait. »

Mon cœur battait, pas seulement sous l'effet de la cocaïne. « Avouer ? Mais quoi ? »

« Va savoir. Mon avocat m'a dit de ne pas m'inquiéter, que c'étaient des tas de merde. J'en ai parlé à Charles qui m'a dit qu'ils lui chantaient la même chanson, en plus. Et je veux dire — je sais que tu aimes bien Henry — mais je crois qu'il a salement flippé avec ce truc. »

« Quoi ? »

« Eh bien, je veux dire, lui qui est tellement cave, qui n'a probablement jamais rendu un livre en retard à la bibliothèque, et tout d'un coup voilà le putain de FBI qui lui tombe dessus. Je ne sais pas ce qu'il a foutrement pu leur dire, mais il a essayé de les envoyer partout sauf dans sa propre direction. »

« Vers qui, par exemple ? »

« Vers moi. » Il a pris une cigarette. « Et, j'ai horreur de dire ça, mais vers toi, je crois. »

« *Moi* ? »

« Je n'ai jamais prononcé ton nom, mec. Putain, c'est à peine si je te connais. Mais ils l'ont eu quelque part. Et pas de moi. »

« Tu veux dire qu'ils ont effectivement *mentionné mon nom* ? » ai-je dit, abasourdi, après un bref silence.

« Le tien seulement une ou deux fois, vers la fin. Ne me demande pas pourquoi, mais je croyais que les Feebees étaient venus te parler. Un soir, à la veille de la découverte du corps de Bunny, je suppose. Ils allaient revenir voir Charles pour l'interroger, je l'ai su, mais Henry l'a appelé et lui a dit qu'ils étaient en route. Ça s'est passé quand j'habitais chez les jumeaux. Bon, moi non plus, je n'avais pas envie de les voir, alors je suis allé chez Bram, et Charles, j'imagine, s'est trouvé un bar en ville pour se rétamer la gueule. »

Mon cœur battait si follement dans ma poitrine que j'ai cru qu'il allait éclater comme un ballon rouge. Henry aurait pris peur, aurait lancé le FBI sur moi ? C'était absurde. Il n'avait aucun moyen, du moins à première vue, de me mettre en cause sans s'accuser lui-même. Néanmoins (*de la paranoïa*, me suis-je dit, *il faut arrêter ça*) ce n'était peut-être pas une coïncidence que Charles soit passé chez moi ce soir-là en se rendant au bar. Peut-être, informé de la situation, et sans en prévenir Henry, était-il venu pour me mettre à l'abri du danger.

« Tu as l'air d'avoir besoin d'un verre, mec », a dit Cloke.

« Ouais. » J'étais resté longtemps assis sans dire un mot. « Ouais, je crois que oui. »

« Pourquoi tu n'irais pas au Villager, ce soir ? Le Jeudi de la Soif. Deux pour le prix d'un. »
« Tu y vas ? »
« Tout le monde y va. Merde. Tu essayes de me dire que tu n'es encore jamais allé à un Jeudi de la Soif ? »

---

Je suis donc allé au Jeudi de la Soif avec Cloke et Judy, Bram, Sophie Dearbold, quelques amis de Sophie et des tas de gens que je ne connaissais pas, et bien que j'ignore à quelle heure je suis rentré chez moi, je ne me suis réveillé qu'à six heures, le lendemain soir, quand Sophie a frappé à ma porte. J'avais mal à l'estomac et la tête fendue en deux, mais j'ai enfilé ma robe de chambre et je suis allé ouvrir. Elle sortait de son cours de céramique, en tee-shirt et vieux jean délavé, et m'avait apporté un bagel du snack-bar.
« Tu vas bien ? »
« Oui. » En fait, je devais me retenir au dossier de la chaise pour ne pas tomber.
« Tu étais vraiment saoul la nuit dernière. »
« Je sais. » Une fois sorti du lit, tout d'un coup, je me sentais beaucoup plus mal. Des taches rouges dansaient devant mes yeux.
« J'étais inquiète. Je me suis dit qu'il valait mieux prendre de tes nouvelles. » Elle a ri. « Personne ne t'a vu de la journée. Quelqu'un m'a dit qu'on avait vu le drapeau des gardes mis en berne, et j'avais peur que tu sois mort. »
Je me suis assis sur le lit, en respirant à fond, et je l'ai regardée fixement. Son visage était comme un fragment de rêve à moitié oublié — un bar, me suis-je dit ? Il y avait eu un bar — du whisky irlandais et des parties de flipper avec Bram, le visage de Sophie bleui par les tubes au néon. Encore de la cocaïne, des lignes faites avec une carte de la fac, sur l'emballage d'un disque compact. Ensuite une

virée à l'arrière d'un camion, une enseigne Gulf sur la grand-route, un appartement ? Le reste de la soirée avait sombré. Il était certain — j'ai eu le ventre noué par la peur — certain que je n'avais pas parlé de Bunny. Certain. Frénétiquement, j'ai fouillé mes souvenirs. Si je l'avais fait, elle ne serait pas en ce moment dans ma chambre, me regardant de cette façon, ne m'aurait pas apporté ce petit pain grillé sur une assiette en papier dont l'odeur (c'était un bagel à l'oignon) me donnait envie de vomir.

« Comment suis-je rentré ? »

« Tu ne te rappelles pas ? »

« Non. » Le sang martelait mes tempes d'une façon cauchemardesque.

« Alors tu étais saoul. On a pris un taxi. »

« Et où sommes-nous allés ? »

« Ici. »

Est-ce qu'on avait couché ensemble ? Elle gardait un visage neutre, ne laissait rien paraître. Si oui, je ne le regrettais pas — j'aimais bien Sophie, je savais qu'elle m'aimait bien, et en plus c'était une des plus jolies filles de Hampden — mais c'est le genre de choses dont on aime être sûr. J'essayais d'imaginer comment lui poser la question avec tact, quand on a frappé à la porte. On aurait dit une volée de coups de fusil, qui a ricoché à l'intérieur de mon crâne.

« Entrez », a fait Sophie.

Francis a passé la tête. « Eh bien, regardez-moi ça, voulez-vous. » Il aimait bien Sophie. « C'est le groupe du voyage en voiture et on ne m'a pas invité. »

Sophie s'est levée. « Francis ! Salut ! Comment vas-tu ? »

« Bien, merci. On ne s'est pas parlé depuis l'enterrement. »

« Je sais. Je pensais justement à toi l'autre jour. Comment ça s'est passé ? »

Je suis resté sur le lit, l'estomac en ébullition. Ils ont

bavardé avec animation. J'aurais voulu qu'ils s'en aillent.

« Bien, bien », a dit Francis après un interlude prolongé, me jetant un coup d'œil par-dessus l'épaule de Sophie. « Qu'est-ce qui ne va pas, chez notre petit malade ? »

« Trop bu. »

Il s'est approché du lit. De près, il avait l'air plutôt agité.

« Eh bien, j'espère que tu as appris ta leçon », a-t-il dit gaiement. Ensuite, en grec, il a ajouté : « *D'importantes nouvelles, ami.* »

Mon cœur a sombré. J'avais tout gâché. Par négligence, parce que j'avais trop parlé, dit des trucs dingues. « Qu'est-ce que j'ai fait ? »

J'avais parlé en anglais. Si Francis a été contrarié, il ne l'a pas laissé voir. « Je n'en ai aucune idée. Tu veux du thé ou autre chose ? »

J'ai essayé de comprendre ce qu'il voulait dire. La torture qui cognait contre mes tempes m'empêchait de me concentrer sur quoi que ce soit. La nausée s'enflait comme une grande vague verte qui tremblait à son point culminant, s'effondrait et montait à nouveau. J'étais saturé de désespoir. Tout irait bien, ai-je pensé en frissonnant, tout irait bien si seulement je pouvais avoir quelques moments de tranquillité et si je restais complètement immobile.

« Non », ai-je fini par dire. « Je t'en prie. »

« Prie de quoi ? »

La vague s'est de nouveau gonflée. J'ai roulé sur le ventre et poussé un long gémissement d'agonie.

Sophie a compris la première. « Viens, a-t-elle dit à Francis, allons-nous-en. Je crois qu'on devrait le laisser se rendormir. »

---

Je suis tombé dans une sorte de supplice à la limite du rêve dont j'ai émergé plusieurs heures plus tard, quand on a frappé doucement. Il faisait noir. La porte s'est ouverte en grinçant, une lame lumineuse est tombée du couloir. Francis s'est glissé dans ma chambre et a refermé derrière lui.

Il a allumé la petite lampe de mon bureau et a approché la chaise du lit. « Je m'excuse, mais il faut que je te parle. Il s'est passé quelque chose de très bizarre. »

J'avais oublié ma terreur précédente ; elle est revenue comme un remous bilieux, acide. « Quoi ? »

« Camilla a déménagé. Elle a quitté son appartement. Toutes ses affaires ont disparu. Charles est sur place, presque ivre mort. Il dit qu'elle habite à l'hôtel Albemarle. Tu imagines ça ? L'Albemarle ? »

Je me suis frotté les yeux pour m'éclaircir les idées. « Mais j'étais au courant. »

« Toi ? » Il était stupéfait. « Qui te l'a dit ? »

« Je crois que c'est Cloke. »

« *Cloke* ? Quand ça ? »

J'ai expliqué, dans la mesure de ce que je me rappelais. « Je l'avais oublié. »

« *Oublié* ? Comment peux-tu oublier une chose pareille ? »

J'ai voulu m'asseoir. La douleur a transpercé ma tête. « Quelle différence ça fait ? » ai-je dit, agacé. « Si elle veut s'en aller, je ne la blâme pas. Charles va juste devoir se tenir un peu mieux. C'est tout. »

« Mais l'Albemarle ? As-tu une idée de ce que ça coûte ? »

« Bien sûr que oui. » J'étais en colère. L'Albemarle était le plus bel hôtel de la ville. Les présidents y descendaient, et les stars de cinéma. « Et alors ? »

Francis s'est pris la tête entre les mains. « Richard, tu es obtus. Tu dois avoir le cerveau touché. »

« Je ne sais pas de quoi tu parles. »

« Que dirais-tu de deux cents dollars la nuit ? Crois-tu que les jumeaux aient ce genre de fric ? Qui diable crois-tu qui paye la note ? »

J'ai ouvert de grands yeux.

« Henry, bien sûr. Il est venu quand Charles était sorti et l'a emmenée là-bas avec armes et bagages. Quand Charles est rentré, tout avait disparu. Tu vois ça ? Il ne peut même pas la joindre, elle est inscrite sous un faux nom. Henry ne veut rien lui dire. D'ailleurs, il ne me dit rien à moi non plus. Charles est absolument hors de lui. Il m'a demandé d'appeler Henry et de voir si je pouvais en tirer quelque chose, mais je n'ai pas pu, naturellement, c'était comme parler à un mur. »

« Pourquoi en faire toute une histoire ? Une sorte de secret ? »

« Je ne sais pas. J'ignore la version de Camilla mais je crois qu'Henry est en train de faire l'idiot. »

« Elle a peut-être ses raisons. »

« Ce n'est pas comme ça qu'elle pense », a dit Francis, exaspéré. « Je connais Henry. C'est juste le genre de choses qu'il fait et la façon dont il les fait. Mais même s'il a une bonne raison c'est la mauvaise façon de s'y prendre. *Surtout* maintenant. Charles est dans tous ses états. Après l'autre jour, Henry devrait faire attention avant de se le mettre à dos. »

Avec un malaise, j'ai repensé à la manière dont nous étions revenus du tribunal. « Tu sais, il y a quelque chose que j'avais envie de te dire. » Et je lui ai répété le discours de Charles.

« Oh, il en veut à Henry, c'est sûr », a dit sèchement Francis. « Il m'a raconté la même chose — en bref, qu'Henry avait tout fait reposer sur lui. Mais à quoi peut-il s'attendre ? En y regardant de près, je ne trouve pas qu'Henry lui en ait tant demandé. Ce n'est pas la raison de sa colère. La vraie raison, c'est Camilla. Tu veux que je te dise ma théorie ? »

« Laquelle ? »

« Je crois qu'Henry et Camilla ont une histoire ensemble depuis un bout de temps. Je pense que Charles a eu des soupçons pendant longtemps, mais pas de preuve. Et qu'il a récemment découvert quelque chose. Je ne sais pas quoi, exactement » — il a levé la main quand j'ai voulu l'interrompre — « mais ce n'est pas difficile à deviner. Je pense que c'est quelque chose qu'il a découvert chez les Corcoran. Qu'il a vu ou entendu. Et je crois que ça a dû se passer avant notre arrivée. »

J'ai répété à Francis ce que m'avait dit Cloke dans le couloir du premier.

« Dieu sait ce qui s'est passé, alors, si Cloke est assez malin pour s'en apercevoir. Henry était malade, n'avait probablement pas les idées très claires. Et la semaine où nous sommes revenus, tu sais, quand nous nous sommes terrés dans son appartement, je crois que Camilla y a passé beaucoup de temps. Elle y était, je le sais, le jour où je lui ai apporté ce bouquin sur Mycènes, et je crois même qu'elle a dû y passer la nuit deux ou trois fois. Et puis il s'est rétabli, Camilla est rentrée chez elle, et pendant quelque temps tout s'est bien passé. Tu te rappelles ? Vers l'époque où tu m'as emmené à l'hôpital ? »

« Ça, je n'en suis pas sûr. » Je lui ai parlé des éclats de verre brisé dans la cheminée des jumeaux.

« Bon, qui sait ce qui s'est réellement passé. En tout cas ils avaient *l'air* d'aller mieux. Et Henry était de bonne humeur, lui aussi. Ensuite, il y a eu une dispute, le soir où Charles s'est retrouvé en prison. Personne ne semble vouloir dire exactement de quoi il s'agissait, mais je parie qu'il s'agissait d'elle. Et maintenant, voilà. Bonté divine. Charles est dans une rage folle. »

« Tu crois qu'il couche avec elle ? Henry ? »

« Si ce n'est pas le cas, en tout cas il a fait son possible pour persuader Charles du contraire. » Francis s'est levé. « J'ai encore essayé de l'appeler avant de venir. Il n'était pas là. J'imagine qu'il est à l'Albemarle. Je vais y passer et regarder si sa voiture est garée là-bas. »

« Il doit y avoir moyen de trouver dans quelle chambre elle est. »

« J'y ai déjà pensé. Je n'ai rien pu tirer du type de la réception. J'aurais peut-être plus de chance avec une des femmes de chambre, mais je crains de ne pas être très doué pour ce genre de choses. » Il a soupiré. « Je voudrais seulement pouvoir lui parler cinq minutes. »

« Si tu la trouves, tu crois que tu peux la persuader de rentrer ? »

« Je ne sais pas. Je dois dire que je n'aurais aucune envie de vivre avec Charles, en ce moment. Mais je pense tout de même que tout irait mieux si seulement Henry ne se mêlait de rien. »

---

Après le départ de Francis, je me suis rendormi. Quand je me suis réveillé, il était quatre heures du matin. J'avais dormi quasiment vingt-quatre heures.

Les nuits, ce printemps-là, étaient d'un froid inhabituel ; celle-ci plus froide que jamais, et on avait rallumé le chauffage dans les dortoirs — un chauffage à la vapeur, mis à fond, et la chaleur était étouffante, même avec les fenêtres ouvertes. Mes draps étaient trempés de sueur. Je me suis levé et j'ai passé la tête par la fenêtre pour respirer un peu. L'air frais était si rafraîchissant que je me suis habillé pour aller me promener.

La lune était pleine, très lumineuse. Tout était silencieux, à part le crissement des grillons et la houle mousseuse qui agitait la cime des arbres. Au centre de puériculture, où travaillait Marion, les balançoires oscillaient doucement en grinçant, et le toboggan en tire-bouchon prenait au clair de lune des reflets argentés.

Ce qu'il y avait de plus frappant, sur le terrain de jeux, c'est sans aucun doute l'escargot géant. Des étudiants en art l'avaient construit sur le modèle de celui qu'on voit dans *Doctor Dolittle*. Il était en fibre de verre rose, d'environ trois mètres de haut, avec une coquille creuse pour que les gosses puissent jouer à l'intérieur. Silencieux sous la lune, il prenait des airs de créature préhistorique descendue des montagnes : une bête solitaire et muette, attendant son moment, indifférente aux ustensiles de récréation juvénile qui l'entouraient.

Un tunnel de la taille d'un enfant, d'environ deux pieds de haut, à la base de la queue, donnait accès à l'escargot. J'ai été extrêmement surpris d'en voir dépasser les deux pieds d'un mâle adulte, chaussés de souliers bicolores marrons et blancs, étrangement familiers.

A quatre pattes, je me suis penché pour passer la tête dans le tunnel, où j'ai été submergé par une puissante odeur de whisky. Un léger ronflement résonnait dans l'obscurité alcoolique. La coquille, apparemment, s'était comportée comme un verre ballon, avait renvoyé et concentré les vapeurs à un tel degré que j'ai eu la nausée à la première respiration.

J'ai attrapé et secoué un genou osseux. « Charles. » Ma voix a retenti et s'est réverbérée dans la cavité obscure. « *Charles.* »

Il s'est débattu dans tous les sens, comme s'il s'était réveillé sous trois mètres d'eau. Finalement, après l'avoir rassuré plusieurs fois sur mon identité, il est retombé sur le dos en respirant bruyamment.

« Richard », a-t-il dit d'une voix pâteuse. « Dieu merci. Je croyais que tu étais une sorte de créature de l'espace. »

Au début, à l'intérieur, il faisait complètement noir, mais mes yeux s'étaient habitués et je discernais maintenant une faible lueur rosâtre, juste assez pour y voir, grâce au clair de lune qui traversait les parois translucides. « Qu'est-ce que tu fais là ? »

Il a éternué. « J'étais déprimé. J'ai pensé qu'en venant dormir ici je me sentirais mieux. »

« Et alors ? »

« Non. » Il a encore éternué, cinq ou six fois de suite. Ensuite il est retombé lourdement sur le sol.

Je me suis représenté les gosses de la maternelle entassés autour de Charles le lendemain matin comme des Lilliputiens autour de Gulliver endormi. La dame qui dirigeait le centre de puériculture — une psychiatre, qui avait son bureau dans le même couloir que le Dr Roland — m'avait l'air d'une femme agréable, genre grand-mère, mais comment prévoir sa réaction en découvrant un ivrogne endormi sur son terrain de jeux. « Réveille-toi, Charles. »

« Laisse-moi tranquille. »

« Tu ne peux pas dormir ici. »

« Je peux faire tout ce dont j'ai envie », a-t-il dit d'un ton hautain.

« Pourquoi tu ne rentrerais pas avec moi ? Prendre un verre ? »

« Je suis très bien. »

« Oh, allez. »

« Bon — un seul, alors. »

Il s'est cogné la tête, durement, en rampant vers la sortie. Les gosses allaient certainement adorer se frotter à cette odeur de Johnnie Walker quand ils arriveraient à l'école, d'ici quelques heures.

Il a dû s'appuyer sur moi en remontant la pente jusqu'à Monmouth.

« Un seul », m'a-t-il rappelé.

---

Je n'étais pas moi-même dans une forme splendide, et j'ai eu du mal à le hisser en haut des marches. Finalement je suis arrivé à ma chambre et je l'ai déposé sur mon lit. Presque sans résistance, il est resté sur place, à grommeler, pendant que je descendais à la cuisine.

Lui offrir un verre avait été une ruse. J'ai fouillé rapidement le réfrigérateur mais je n'ai trouvé qu'une bouteille d'un truc kasher sirupeux, parfumé à la fraise, qui était là depuis Hannoukah. J'y avais goûté une fois, dans l'intention de le voler, mais je l'avais recraché en vitesse et j'avais remis la bouteille sur l'étagère. Il y avait plusieurs mois de cela. Je l'ai glissée sous ma chemise, mais quand je suis remonté dans ma chambre, la tête de Charles avait roulé contre le mur, là où il y aurait dû y avoir une tête de lit, et il ronflait.

Sans bruit, j'ai posé la bouteille sur la table, j'ai pris un livre et je suis sorti. Ensuite je suis allé dans le bureau du Dr Roland, j'ai lu sur le divan, en me couvrant avec ma veste, jusqu'au lever du soleil, puis j'ai éteint la lampe et je me suis endormi.

---

Je me suis réveillé vers dix heures. C'était samedi, ce qui m'a un peu étonné ; j'avais perdu le compte des jours. Je suis allé dans la salle à manger prendre un petit déjeuner tardif, du thé et des œufs pochés — je n'avais rien mangé depuis jeudi. Quand je suis revenu me changer dans ma chambre, vers midi, Charles dormait toujours. Je me suis rasé, j'ai mis une chemise propre, j'ai pris mes livres de grec et je suis retourné chez le Dr Roland.

J'étais ridiculement en retard dans mes études, mais pas autant (comme c'est souvent le cas) que je ne l'avais cru. Les heures ont passé sans que je m'en rende compte. Quand j'ai eu faim, vers six heures, je suis allé au réfrigérateur du bureau des Sciences sociales où j'ai trouvé des restes de *hors-d'œuvre* et un morceau de gâteau d'anniversaire, que j'ai mangé avec les doigts, dans une assiette en plastique, sur le bureau du Dr Roland.

Comme je voulais prendre un bain, je suis revenu chez moi vers onze heures, et quand j'ai ouvert le verrou et poussé la porte, j'ai eu la surprise de trouver Charles encore au lit. Il dormait, mais la bouteille de vin kasher, sur la table, était à moitié vide. Il avait le visage rose et rouge. Quand je l'ai secoué, je l'ai trouvé fiévreux.

« Bunny », a-t-il dit en se réveillant en sursaut. « Où est-il allé ? »

« Tu es en train de rêver. »

« Mais il était là. » Charles a lancé des regards affolés dans tous les sens. « Longtemps. Je l'ai vu. »

« Tu rêves, Charles. »

« Mais *je l'ai vu*. Il était là. Il était assis au pied du lit. »

Je suis allé emprunter un thermomètre chez les voisins. Il avait presque 40 de fièvre. Je lui ai donné deux Tylenol avec un verre d'eau, et je l'ai laissé, en train de se frotter les yeux et de débiter des absurdités, pour aller appeler Francis.

Francis n'était pas chez lui. J'ai décidé d'essayer chez Henry. A ma grande surprise c'est Francis, et non Henry, qui a décroché l'appareil.

« Francis ? Qu'est ce que tu fais là ? »

« Oh, salut, Richard », a-t-il dit d'un ton théâtral, au bénéfice d'Henry, semblait-il.

« J'imagine que tu ne peux pas vraiment parler. »

« Non. »

« Ecoute. J'ai besoin de te demander quelque chose. » Je lui ai raconté le terrain de jeux, Charles et ainsi de suite. « Il a l'air assez malade. Qu'est-ce que tu penses que je devrais faire ? »

« L'escargot ? Tu l'as trouvé dans l'escargot géant ? »

« Au centre de puériculture, Francis. Ecoute, ça n'a pas d'importance. Qu'est-ce que je dois faire ? Je suis plutôt inquiet. »

Francis a posé la main sur l'appareil. J'ai entendu le bruit étouffé d'une discussion. Ensuite, j'ai eu Henry au bout du fil. « Salut, Richard. Qu'est-ce qui se passe. »

J'ai dû tout expliquer une seconde fois.

« Quelle température, dis-tu ? Près de quarante ? »

« Oui. »

« C'est beaucoup, n'est-ce pas ? »

J'ai dit que oui, à mon avis.

« Tu lui as donné de l'aspirine ? »

« Il y a quelques minutes. »

« Eh bien, alors, pourquoi ne pas attendre et voir ce qui se passe. Je suis sûr qu'il va bien. »

C'était exactement ce que j'avais envie d'entendre.

« Tu as raison. »

« Il a probablement pris froid en dormant dehors. Je suis sûr qu'il ira mieux demain matin. »

---

J'ai passé la nuit sur le divan du Dr Roland, et après le petit déjeuner je suis revenu dans ma chambre avec des petits pains aux mûres et un carton de deux litres de jus d'orange que j'avais réussi, au prix de difficultés extraordinaires, à voler dans le buffet de la salle à manger.

Charles était réveillé, mais toujours vague et fiévreux. D'après le lit en désordre, les couvertures par terre et la toile tachée du matelas là où il avait arraché les draps, j'ai pensé que son sommeil n'avait pas dû être de tout repos. Il m'a dit qu'il n'avait pas faim, mais il est parvenu à boire quelques maigres gorgées de jus d'orange. Le reste du vin kasher, ai-je remarqué, avait disparu au cours de la nuit.

« Comment te sens-tu ? »

Sa tête a ballotté sur l'oreiller froissé. « Mal à la tête. » Il parlait d'une voix endormie. « J'ai rêvé de Dante. »

« Alighieri ? »

« Oui. »

« Et quoi ? »

« Nous étions chez les Corcoran, a-t-il marmonné. Dante était là. Il avait un ami, un gros en chemise à carreaux, qui nous criait après. »

J'ai pris sa température ; trente-huit cinq. Un peu plus basse, mais quand même assez forte pour un début de matinée. Je lui ai donné encore de l'aspirine et j'ai noté mon numéro chez le Dr Roland au cas où il voudrait m'appeler, mais quand il a compris que je repartais, il a laissé aller sa tête en arrière et m'a lancé un regard tellement vide et désespéré, que je me suis arrêté net au milieu de mes explications sur la façon dont le standard dirigeait les appels vers les bureaux administratifs pendant le weekend.

« Ou bien, je peux rester là. Si cela ne te gêne pas, bien sûr. »

Il s'est redressé sur ses coudes, les yeux brillants, injectés de sang. « Ne t'en va pas. J'ai peur. Reste un peu. »

Il m'a demandé de lui faire la lecture, mais je n'avais que des livres en grec, et il ne voulait pas que j'aille à la bibliothèque. Alors nous avons joué à l'euchre sur un dictionnaire en équilibre sur ses genoux, et quand ça s'est avéré trop dur nous sommes passés au Casino. Il a gagné les deux premières parties. Ensuite il a commencé à perdre. A la dernière partie — c'était à lui de donner — il a si mal battu les cartes qu'elles sont revenues virtuellement dans le même ordre, ce qui n'aurait pas dû faire une partie très excitante, mais il avait l'esprit tellement absent qu'il est resté à la traîne alors qu'il aurait facilement pu faire des séries ou tout ramasser. Quand j'ai tendu le bras pour compléter une série, ma main a frôlé la sienne et j'ai sursauté en trouvant sa peau si sèche et si brûlante. Il faisait chaud, dans la chambre, et pourtant il frissonnait. J'ai pris sa température. Elle était remontée à trente-neuf.

Je suis descendu appeler Francis, mais ni lui ni Henry n'étaient chez eux. Alors je suis remonté. Il n'y avait aucun doute : Charles avait l'air très mal. Je l'ai regardé un moment de la porte. « Attends une minute », ai-je dit, et j'ai suivi le couloir jusqu'à la chambre de Judy.

Je l'ai trouvée allongée sur son lit, en train de regarder un film de Mel Gibson sur un VCR emprunté au département vidéo. Elle réussissait je ne sais comment à se faire les ongles, à fumer une cigarette et à boire un coca sans sucre, le tout à la fois.

« Regarde Mel, a-t-elle dit. Tu ne le trouves pas adorable ? S'il me demandait en mariage par téléphone, je n'hésiterais pas une seconde. »

« Judy, qu'est-ce que tu ferais si tu avais trente-neuf de fièvre ? »

« J'irais voir un putain de médecin », a-t-elle répondu sans quitter la télé des yeux.

Je lui ai parlé de Charles. « Il est vraiment malade. Que crois-tu que je doive faire ? »

Elle a agité une main aux griffes ensanglantées pour la sécher, le regard toujours fixé sur l'écran. « Emmène-le aux urgences. »

« Tu crois ? »

« Tu ne vas pas trouver un seul médecin le samedi après-midi. Tu veux ma voiture ? »

« Ce serait génial. »

« Les clefs sont sur le bureau », a-t-elle dit, absente. « Bye. »

---

J'ai conduit Charles à l'hôpital dans la Corvette rouge. Sans un mot, les yeux brillants, il regardait droit devant lui, la joue droite appuyée contre la fraîcheur de la vitre. Dans la salle d'attente, pendant que je feuilletais des magazines que j'avais déjà vus, il est resté assis sans bouger, le regard fixé sur une photographie en couleurs passées des années soixante accrochée au mur, l'image d'une infirmière avec un doigt à l'ongle blanc pressé contre une bouche peinte en blanc, vaguement pornographique, invitant de façon sexy au silence hospitalier.

Le médecin de service était une femme. Elle n'est restée avec Charles que cinq ou dix minutes avant de revenir avec son dossier, se pencher sur le comptoir et échanger quelques mots avec la réceptionniste qui m'a montré du doigt.

La doctoresse est venue s'asseoir à côté de moi. Elle ressemblait à une de ces jeunes femmes médecin en chemise hawaïenne et chaussures de tennis qu'on voit dans les émissions de télévision. « Bonjour. Je viens d'examiner votre ami.

Je crois que nous allons devoir le garder au moins deux jours. »

J'ai reposé mon magazine. C'était inattendu. « Qu'est-ce qui ne va pas ? »

« Ça ressemble à une bronchite, mais il est très déshydraté. Je veux le mettre sous perfusion. Et nous devons aussi faire baisser cette fièvre. Il va se rétablir, mais il a besoin de repos et d'une bonne série d'antibiotiques, et pour les mettre en œuvre aussitôt que possible il nous faut les administrer par voie intraveineuse, du moins pendant les premières quarante-huit heures. Vous êtes tous les deux à l'université ? »

« Oui. »

« Est-ce qu'il est sous tension ? Qu'il travaille à sa thèse, ou autre chose ? »

« Il travaille beaucoup », ai-je répondu prudemment. « Pourquoi ? »

« Oh, rien. C'est juste qu'il n'a pas l'air d'avoir mangé convenablement. Des bleus sur les bras et les jambes, qui ressemblent à une carence en vitamine C, et il manque aussi peut-être de vitamine B. Dites-moi. Est-ce qu'il fume ? »

Je n'ai pas pu m'empêcher de rire. En tout cas, elle n'a pas voulu me laisser le voir, parce qu'elle voulait qu'on s'occupe de son sang avant que les techniciens du labo aient fini leur journée, et je suis allé chercher ses affaires chez les jumeaux. L'endroit était d'une propreté inquiétante. Je lui ai pris un pyjama, une brosse à dents, un nécessaire de rasage, deux livres de poche (P.G. Wodehouse, en pensant que ça le mettrait de bonne humeur), et j'ai laissé la valise à la réceptionniste.

---

Tôt, le lendemain matin, avant d'aller au cours de grec, Judy a frappé à ma porte et m'a dit qu'on m'appelait au téléphone. Je croyais que c'était Francis ou Henry — que j'avais essayé de joindre à plusieurs reprises pendant la nuit — ou peut-être même Camilla, mais c'était Charles.

« Salut. Comment te sens-tu ? »

« Oh, très bien. » Sa voix avait une sorte de gaieté forcée, étrange. « C'est très confortable, ici. Merci d'avoir apporté la valise. »

« Pas de problème. Est-ce que tu as un de ces lits qu'on peut monter ou rabaisser ? »

« En fait, c'est le cas. Ecoute. Je voudrais te demander quelque chose. Tu peux me rendre un service ? »

« Bien sûr. »

« Je voudrais que tu fasses une chose ou deux pour moi. » Il a parlé d'un livre, de papier à lettre, et d'un peignoir que je trouverais accroché derrière la porte de sa penderie... « Et aussi, a-t-il dit très vite, une bouteille de scotch. Tu la trouveras dans le tiroir de ma table de nuit. Tu crois que tu peux y aller ce matin ? »

Je lui ai dit qu'il fallait que j'emprunte une voiture.

« Ne t'occupe pas de ça. Prends un taxi. Je te donnerai l'argent. Je te suis vraiment reconnaissant, tu sais. A quelle heure je peux t'attendre ? Dix heures et demie ? Onze heures ? »

« Probablement plutôt onze heures et demie. »

« C'est parfait. Ecoute. Je ne peux rien dire, je suis dans le salon des malades. Il faut que je me remette au lit avant qu'on s'en aperçoive. Tu vas venir, n'est-ce pas ? »

« Je serai là. »

« Peignoir et papier à lettre. »

« Oui. »

« Et scotch. »

« Naturellement. »

---

Camilla n'était pas venue au cours, mais Francis et Henry

étaient là. Julian aussi, quand je suis arrivé, et je leur ai expliqué que Charles était à l'hôpital.

Quoique Julian pût être d'une gentillesse merveilleuse dans toutes sortes de circonstances difficiles, j'avais parfois l'impression que ce n'était pas tant la gentillesse elle-même qui lui plaisait que l'élégance du geste. Mais ces nouvelles ont paru le chagriner sincèrement. « Pauvre Charles. Ce n'est pas *grave*, n'est-ce pas ? »

« Je ne pense pas. »

« Les visites sont-elles autorisées ? De toute façon, je lui téléphonerai cet après-midi. Avez-vous idée de ce qui lui plairait ? On mange terriblement mal à l'hôpital. Je me souviens il y a des années, à New York, lorsqu'une de mes amies très chères était au Columbia Presbyterian — dans ce maudit pavillon Harkness, pour l'amour du ciel — le chef du vieux Le Chasseur lui envoyait de quoi dîner chaque soir sans exception... »

Henry, de l'autre côté de la table, était absolument impénétrable. J'ai voulu croiser le regard de Francis ; il m'a jeté un coup d'œil, s'est mordu la lèvre et a tourné la tête.

« ... ainsi que des fleurs, disait Julian, on n'avait jamais vu autant de fleurs, elle en avait tellement que j'ai dû la soupçonner de s'en envoyer au moins une partie elle-même. » Il a ri. « En tout cas, ce matin, je suppose qu'il est inutile de demander où est Camilla. »

J'ai vu les yeux de Francis s'ouvrir d'un coup. Moi aussi, j'ai d'abord été surpris, avant de comprendre qu'il avait supposé — tout naturellement, bien sûr — qu'elle était avec Charles à l'hôpital.

Les sourcils de Julian se sont abaissés. « Qu'est-ce qui ne va pas ? »

Le vide absolu qu'a rencontré sa question l'a fait sourire.

« Il ne sied guère d'être trop spartiate sur ces sujets », a-t-il dit avec bonté, après un très long silence ; et je lui étais reconnaissant de voir qu'il projetait, comme d'habitude, sa propre interprétation sur la confusion ambiante. « Edmund était votre ami. Moi aussi, je regrette beaucoup sa mort. Mais je pense que vous vous en affligez au point de vous rendre malades, et non seulement cela ne l'aide pas, mais cela vous fait du mal. De plus, la mort est-elle quelque chose de si terrible ? Elle vous paraît terrible parce que vous êtes jeunes, mais qui peut dire que son sort est moins enviable que le vôtre ? Ou bien — si la mort est un voyage vers un autre lieu — que vous ne le reverrez jamais ? »

Il a ouvert son lexique et s'est mis à chercher sa marque. « Il ne convient pas de s'effrayer de ce dont on ne sait rien. Vous êtes comme des enfants qui ont peur du noir. »

---

Francis n'avait pas pris sa voiture, et à la fin du cours j'ai demandé à Henry de me conduire chez Charles. Francis — qui nous a accompagnés — était agité, sur les nerfs, il faisait les cent pas dans l'entrée en fumant à la chaîne tandis qu'Henry, debout dans la chambre, me regardait prendre les affaires de Charles : muet, sans expression, ses yeux plongés dans des calculs abstraits me suivaient de telle façon qu'ils m'interdisaient toute question à propos de Camilla — que j'avais pourtant décidé de poser dès que nous serions seuls — ou, en fait, sur n'importe quel sujet.

J'ai trouvé le livre, le papier à lettre, le peignoir. Devant le scotch, j'ai hésité.

« Qu'y a-t-il ? » a demandé Henry.

J'ai remis la bouteille dans le tiroir, que j'ai refermé. « Rien. » Charles serait furieux, j'en étais sûr. Il faudrait que j'invente une bonne excuse.

Il a indiqué le tiroir d'un signe de tête. « Il t'a demandé de lui apporter ça ? »

Je n'avais pas envie de discuter des affaires personnelles de Charles avec Henry. « Il m'a demandé des cigarettes, en plus, mais je ne pense pas qu'il doive en avoir. »

Francis, qui marchait de long en large comme un fauve en cage, s'est arrêté pour nous écouter de l'autre côté de la porte. Je l'ai vu lancer un coup d'œil inquiet vers Henry. « Eh bien, tu sais...? » a-t-il dit d'un ton hésitant.

« S'il la veut, m'a conseillé Henry — la bouteille — je crois que tu ferais mieux de la lui donner. »

Le ton de sa voix m'a agacé. « Il est malade. Tu ne l'as même pas vu. Si tu crois lui rendre service en... »

« Richard, il a raison. » Francis, nerveux, m'a interrompu tout en tapotant sa cendre dans le creux de sa main. « Je suis un petit peu au courant. Quelquefois, pour ceux qui boivent, il est dangereux d'arrêter brutalement. Ça vous rend malade. On peut en mourir. »

Cela m'a fait un choc. Je ne savais pas que Charles était alcoolique à ce point. Mais je n'ai pas fait de commentaires. « Eh bien, si c'est si grave, il vaut mieux qu'il soit à l'hôpital, pas vrai ? »

« Qu'est-ce que tu veux dire ? » a demandé Francis. « Tu veux qu'ils le mettent en désinto ? Est-ce que tu sais comment ça se passe ? Quand ma mère a arrêté de boire, la première fois, elle a perdu la tête. S'est mise à voir des choses. A se battre avec l'infirmière en hurlant des insanités de toutes ses forces. »

« J'aurais horreur de voir Charles en crise de DT à l'hôpital Catamount. » Henry est allé prendre la bouteille dans la table de nuit. Il y en avait un peu plus d'un quart de litre. « Il aura du mal à la cacher », a-t-il dit en soulevant la bouteille par le goulot.

« On pourrait le verser dans autre chose », a suggéré Francis.

« Il serait plus facile, à mon avis, de lui en acheter une autre. On risque moins d'avoir des fuites. Et si on lui apporte une bouteille plate, il pourra la garder sous son oreiller sans problème. »

---

Il tombait une pluie fine, le ciel était gris et couvert. Henry n'est pas venu à l'hôpital. Nous avons dû le déposer chez lui — il avait une excuse relativement plausible, je ne me rappelle plus quoi — et en sortant de la voiture il m'a donné un billet de cent dollars.

« Tiens. Dis à Charles que je l'embrasse. Veux-tu lui acheter des fleurs ou autre chose ? »

J'ai regardé le billet, un peu ahuri. Francis me l'a pris des mains et le lui a rendu. « Allons, Henry », a-t-il dit avec une colère qui m'a étonné, « arrête-ça. »

« Je veux que vous le preniez. »

« *C'est ça*. On est censé lui apporter pour cent dollars de fleurs. »

« N'oubliez pas de passer chez le marchand de vins », a dit Henry froidement. « Faites ce que vous voulez avec ce qui reste. Donnez-lui la monnaie, si ça vous chante. Je m'en moque. »

Il m'a rendu le billet et a refermé la portière avec un déclic encore plus méprisant que s'il l'avait claquée. J'ai regardé son dos raide et carré s'éloigner dans l'allée.

---

Nous avons apporté à Charles son whisky — une flasque de Cutty Sark — une corbeille de fruits, une boîte de petits fours, un jeu d'échecs chinois, et au lieu de rafler le stock d'œillets du fleuriste, une orchidée Oncidium, jaune avec des tigrures roussâtres, dans un pot en terre rouge.

Sur le trajet de l'hôpital, j'ai demandé à Francis ce qui s'était passé pendant le week-end.

« Trop énervant. Je n'ai pas envie d'en parler maintenant. Je l'ai vue. Chez Henry. »

« Comment va-t-elle ? »

« Bien. Un peu préoccupée mais très bien, au fond. Elle a dit qu'elle ne voulait pas que Charles sache où elle habite, un point c'est tout. J'aurais voulu pouvoir lui parler seul à seul, mais, bien sûr, Henry n'a pas quitté la pièce une seule seconde. » Ne tenant pas en place, il a pris une cigarette dans sa poche. « Tu peux trouver ça cinglé, mais je m'inquiétais un peu, tu sais ? S'il lui était arrivé quelque chose. »

Je n'ai rien dit. La même idée m'avait traversé l'esprit plus d'une fois.

« Je veux dire — ce n'est pas que je croyais qu'Henry l'aurait *tuée* ou quoi que ce soit, mais tu sais — c'était étrange. Qu'elle disparaisse comme ça, sans un mot à personne. Je... » Il a secoué la tête. « J'ai horreur de dire ça, mais quelquefois je me pose des questions sur Henry. Surtout quand il s'agit de... bon, tu vois ce que je veux dire. »

Je n'ai pas répondu. En fait, je voyais très bien ce dont il parlait. Mais c'était trop horrible pour que lui ou moi puissions le dire à voix haute.

---

Charles avait une chambre semi-particulière. Il occupait un lit près de la porte ; un rideau le séparait de l'autre malade, le Receveur des postes du comté de Hampden, avons-nous appris plus tard, venu se faire opérer de la prostate. De ce côté-là, il y avait une masse d'arrangements floraux FTD, des cartes de bons vœux idiotes scotchées au mur, et le Receveur était assis dans son lit en train de bavarder bruyamment avec des gens de sa famille ; des odeurs de nourriture, des rires, une atmosphère douillette et guillerette. D'autres visiteurs sont entrés derrière Francis et moi, s'arrêtant un instant pour jeter un regard curieux par-dessus le rideau à un Charles muet, seul, allongé sur le dos avec une perfusion dans le bras. Il avait les cheveux si sales qu'ils paraissaient bruns, le visage bouffi, la peau rêche et le teint brouillé, tavelé par une sorte d'éruption. Il regardait les dessins animés de la télévision, des films violents où des petits animaux qui avaient l'air de belettes démolissaient des voitures et s'assommaient les uns les autres.

Il s'est efforcé de se redresser à notre arrivée. Francis a tiré le rideau derrière nous, pratiquement au nez des visiteurs indiscrets du Receveur, dont deux dames d'un certain âge qui mouraient d'envie de voir Charles, et dont l'une avait tendu le cou par la fente du rideau pour croasser un Bonjour dans l'espoir d'engager la conversation.

« Dorothy ! Louise ! » a-t-on appelé de l'autre côté. « Par ici ! »

Il y a eu des pas rapides sur le linoléum, des gloussements de vieilles poules et des cris de joie.

« Qu'ils aillent au diable », a dit Charles, d'une voix rauque, à peine plus forte qu'un murmure. « Il a des gens qui viennent sans arrêt. Ils n'arrêtent pas d'entrer et de sortir et d'essayer de me regarder. »

Pour le distraire, je lui ai offert l'orchidée.

« Vraiment ? Tu m'as acheté ça, Richard ? » Il a paru touché. J'allais lui expliquer que c'était de notre part à tous — sans vraiment mentionner Henry, à vrai dire — mais Francis m'a lancé un coup d'œil et je n'ai pas ouvert la bouche.

Nous avons vidé notre sac de cadeaux. Je m'attendais à moitié à ce qu'il se jette sur le Cutty Sark et déchire le sac en papier sous nos yeux, mais il s'est contenté de nous remercier et a mis la bouteille dans un casier, sous le plateau de son lit.

« As-tu parlé avec ma sœur ? » a-t-il demandé à Francis, d'une voix glaciale, comme s'il disait, *As-tu parlé avec mon avocat ?*

« Oui. »

« Elle va bien ? »

« On dirait. »

« Qu'est-ce qu'elle a à dire ? »

« Je ne vois pas ce que tu veux dire. »

« J'espère que tu lui as dit que je lui ai dit d'aller au diable. »

Francis n'a pas répondu. Charles a pris un des livres que j'avais apportés et s'est mis à le feuilleter capricieusement. « Merci d'être venu. Maintenant, je suis un peu fatigué. »

---

« Il a l'air terrible », a dit Francis dans la voiture.

« Il doit y avoir un moyen de les réconcilier. Nous pouvons sûrement faire en sorte qu'Henry l'appelle pour s'excuser. »

« Quel bien crois-tu que ça lui fasse ? Tant que Camilla reste à l'Albemarle. »

« Bon, elle ignore qu'il est à l'hôpital, n'est-ce pas ? Il s'agit un peu d'une urgence. »

« Je ne sais pas. »

Les essuie-glace cliquetaient de gauche à droite. Au carrefour, un flic en ciré dirigeait la circulation. C'était l'homme à la moustache rousse. En reconnaissant la voiture d'Henry, il nous a souri et nous a fait signe de passer. Nous lui avons souri en le saluant de la main, belle journée, deux copains en balade — et nous avons continué à rouler dans un silence lugubre, superstitieux.

« On doit pouvoir faire quelque chose », ai-je fini par dire.

« Je crois qu'on ferait mieux de ne pas s'en mêler. »

« Tu ne vas pas me dire que si elle apprenait à quel point il est malade, elle ne serait pas à l'hôpital dans les cinq minutes qui suivent ? »

« Je ne plaisante pas. Je pense que nous ferions mieux de rester en dehors de tout ça. »

« Pourquoi ? »

Il a seulement allumé une autre cigarette et, malgré mon insistance, n'a rien voulu dire de plus.

---

Quand je suis rentré dans ma chambre, j'ai trouvé Camilla installée à mon bureau, en train de lire. « Salut. » Elle a levé la tête. « Ta porte était ouverte. J'espère que cela ne t'ennuie pas. »

La voir m'a fait comme un choc électrique. J'ai senti une bouffée de colère inattendue. La pluie entrait par le grillage et je suis allé fermer la fenêtre.

« Qu'est-ce que tu fais là ? »

« Je voulais te parler. »

« De quoi ? »

« Comment va mon frère ? »

« Pourquoi ne vas-tu pas le voir toi-même ? »

Elle a reposé son livre — ah, adorable, ai-je pensé, complètement désarmé. Je l'aimais, j'aimais la voir : elle portait un pull en cachemire gris-vert très doux, et ses yeux gris et lumineux avaient un reflet vert pâle. « Tu crois que tu dois te mettre dans un camp, a-t-elle dit. Mais non. »

« Je ne choisis pas mon camp. Je pense seulement que quoi que tu fasses, tu as choisi le mauvais moment pour le faire. »

« Et quel serait le bon moment ? Je veux te montrer quelque chose. Regarde. »

Elle a soulevé les cheveux très fins qui poussaient près de sa tempe. Dessous, j'ai vu une croûte grande comme une pièce d'un quarter, là où quelqu'un, semblait-il, lui avait arraché une mèche de cheveux. J'ai été trop surpris pour dire le moindre mot.

« Et ceci. » Elle a remonté la manche de son pull. Le poignet était enflé, la peau un peu décolorée, mais ce qui m'a horrifié c'est une affreuse petite blessure sous son avant-bras : une brûlure de cigarette qui avait rongé profondément la chair couleur ivoire.

Il m'a fallu un moment pour retrouver ma voix. « Bonté divine, Camilla ! C'est Charles qui a fait ça ? »

Elle a rabaissé sa manche. « Vois ce que je veux dire ? » Elle parlait d'une voix neutre, le visage attentif, presque ironique.

« Depuis combien de temps ça dure ? »

Elle a éludé ma question. « Je connais Charles. Mieux que toi. Rester à l'écart, pour l'instant, c'est le plus sage. »

« Qui a eu l'idée de te faire habiter à l'Albemarle ? »

« Henry. »

« Qu'est-ce qu'il vient faire là-dedans ? »

Elle n'a pas répondu.

Une pensée horrible m'a traversé l'esprit. « Ce n'est pas *lui* qui t'a fait ça, n'est-ce pas ? »

Elle m'a regardé, très étonnée. « Non. Pourquoi penses-tu ça ? »

« Comment est-ce que je peux savoir ce qu'il faut penser ? »

Le soleil a surgi brusquement derrière un nuage noir, et a inondé la pièce d'une lumière splendide qui ondulait sur les murs comme de l'eau. Le visage de Camilla a rayonné de tout son éclat. Une terrible douceur m'a submergé. Tout, pendant un instant — le miroir, le plafond, le parquet — est devenu instable et radieux comme en rêve. J'ai ressenti le désir violent, presque irrésistible, de prendre Camilla par son poignet blessé, de lui tordre le bras jusqu'à la faire crier, de la jeter sur mon lit pour l'étrangler ou la violer, je ne savais pas quoi. Puis le nuage est repassé devant le soleil et la vie a déserté les choses.

« Pourquoi es-tu venue ici ? »

« Parce que j'avais envie de te voir. »

« Je ne sais pas si tu t'inquiètes de ce que je pense... » Je détestais le son de ma voix, me sentant incapable de la maîtriser, tout sortait de ma bouche sur le même ton hautain, blessé. « ... Mais je crois que tu en rajoutes en restant à l'Albemarle. »

« Et que crois-tu que je devrais faire ? »

« Pourquoi n'habites-tu pas chez Francis ? »

Elle a ri. « Parce que Francis crève de trouille devant Charles. Il veut bien faire, je sais. Mais il ne tiendrait pas cinq minutes devant Charles. »

« Si tu le lui demandais, il te donnerait de quoi aller habiter ailleurs. »

« Je sais. Il me l'a proposé. » Elle a pris une cigarette dans sa poche ; avec un pincement au cœur, j'ai vu que c'était un paquet de Lucky, la marque d'Henry.

« Tu pourrais prendre l'argent et aller où tu veux, ai-je dit. Tu n'aurais pas à lui dire où c'est. »

« Francis et moi avons discuté de tout ça. » Elle a fait une pause. « Ce qu'il y a, c'est que j'ai peur de Charles. Et Charles a peur d'Henry. Ça se réduit à ça. »

J'ai été choqué par la froideur de sa voix.

« Alors c'est comme ça ? »

« Qu'est-ce que tu veux dire ? »

« Tu protèges tes intérêts ? »

« Il a essayé de me tuer », a-t-elle dit très simplement. Son regard, clair et sincère, a croisé le mien.

« Et Henry n'a pas peur de Charles, lui aussi ? »

« Pourquoi ça ? »

« Tu sais bien. »

Après avoir compris ce que je venais de dire, j'ai été surpris de la voir bondir pour prendre sa défense avec la vivacité d'une enfant. « Charles ne ferait jamais ça. »

« Disons qu'il le ferait. Qu'il irait voir la police. »

« Mais il ne le ferait pas. »

« Comment le sais-tu ? »

« Pour impliquer tout le monde ? Et lui aussi ? »

« A ce point, je crois que cela lui est égal. »

J'ai dit cela dans l'intention de la blesser, et j'ai vu avec plaisir que j'y étais parvenu. Ses yeux stupéfaits ont rencontré les miens. « Peut-être. Mais il faut que tu te souviennes que Charles est *malade*, en ce moment. Il n'est pas lui-même. Et en plus, je crois qu'il le sait. » Elle a hésité. « J'aime Charles. Je l'aime, et je le connais mieux que personne au monde. Mais il a subi des pressions terribles, et quand il se met à boire de cette façon, je ne sais pas, il devient quelqu'un d'autre. Il n'écoute plus personne ; je ne sais même pas s'il se rappelle la moitié des choses qu'il fait. Voilà pourquoi je remercie Dieu qu'il soit à l'hôpital. S'il est obligé d'arrêter un jour ou deux, il va peut-être se remettre la tête à l'endroit. »

Que penserait-elle, me suis-je dit, en apprenant qu'Henry lui envoie du whisky ?

« Et crois-tu qu'Henry se préoccupe vraiment de ce qui vaut mieux pour Charles ? »

« Bien sûr. » Ma question la surprenait.

« Et pour toi ? »

« Certainement. Pourquoi non ? »

« Tu as énormément confiance en lui, n'est-ce pas ? »

« Il ne m'a jamais laissée tomber. »

Sans savoir pourquoi, j'ai ressenti une nouvelle bouffée de colère. « Et Charles, alors ? »

« Je ne sais pas. »

« Il va bientôt sortir de l'hôpital. Tu seras obligée de le voir. Qu'est-ce que tu vas faire ? »

« Pourquoi es-tu en colère contre moi, Richard ? »

J'ai regardé ma main. Elle tremblait. Je ne m'en étais même pas rendu compte. Je tremblais de rage.

« Va-t'en, s'il te plaît. Je voudrais que tu t'en ailles. »

« Qu'est-ce qui ne va pas ? »

« Va-t'en. Je t'en prie. »

Elle s'est levée et a fait un pas vers moi. Je me suis écarté. « Très bien, a-t-elle dit. Très bien. » Elle s'est retournée et elle est partie.

---

Il a plu toute la journée et le restant de la nuit. J'ai pris des somnifères et je suis allé au cinéma. Un film japonais, que je n'arrivais pas à suivre. Les personnages musardaient dans des pièces désertes, sans dire un mot, le silence durait plusieurs minutes de suite, à part le crachotement du projecteur et la pluie qui tambourinait sur le toit. La salle était vide ; il n'y avait qu'un homme dans l'ombre, tout au fond. Des grains de poussière flottaient dans le faisceau du projecteur. Quand je suis sorti, il pleuvait, le ciel était noir, sans étoiles, comme le plafond de la salle de cinéma. Les lumières de la façade fondaient sur le trottoir mouillé en longues lueurs blanchâtres. Je suis retourné derrière les portes en verre pour attendre mon taxi, sur la moquette du hall qui sentait le pop-corn. J'ai appelé Charles de la cabine, mais la standardiste de l'hôpital n'a pas voulu me le passer : les visites étaient terminées, m'a-t-elle dit, tout le monde dormait. Je discutais encore avec elle quand le taxi s'est garé, illuminant de ses phares les voiles obliques de la pluie tandis que les roues faisaient jaillir des gerbes liquides au ras du sol.

---

Cette nuit-là, j'ai rêvé encore une fois de l'escalier. C'était un rêve que j'avais souvent fait pendant l'hiver, mais rarement depuis. Une fois de plus, je me retrouvais sur l'escalier en fer de chez Leo — aminci par la rouille, sans rampe — mais cette fois il plongeait dans une obscurité infinie et les marches étaient toutes de taille différente : des grandes, des petites, certaines aussi étroites que ma chaussure. De chaque côté, un abîme sans fond. Sans savoir pourquoi, il fallait que je me dépêche, même si j'avais très peur de tomber. Je descendais sans arrêt. Les marches étaient de plus en plus précaires, jusqu'à ne plus être vraiment des marches ; plus bas — et pour quelque raison c'était ce qu'il y avait de plus terrifiant — un homme descendait, lui aussi, très loin de moi et très vite...

Je me suis réveillé vers quatre heures, sans pouvoir me rendormir. Trop pris les tranquillisants de Mme Corcoran : ils commençaient à faire l'effet inverse. Je les prenais de jour, maintenant, et ils n'arrivaient plus à m'assommer. Je me suis levé et je suis allé près de la fenêtre. Mon cœur tremblait au bout de mes doigts. Derrières les vitres obscures et mon fantôme dans la fenêtre (*Pourquoi si pâle et si triste, bel amoureux ?*), j'entendais le vent dans les arbres, je sentais les montagnes m'étouffer dans le noir.

J'aurais voulu pouvoir ne plus penser. Mais toutes sortes de choses me venaient en tête. Par exemple : pourquoi Henry m'avait-il mis au courant, à peine deux mois (des années, me semblait-il, une vie entière) plus tôt ? Car il était désormais évident que le fait de me parler avait été un choix délibéré. Il avait fait appel à ma vanité, m'avait fait croire que j'avais tout deviné de moi-même (*un bon point pour toi,* avait-il dit en s'adossant à sa chaise) et je m'étais félicité à la chaleur de ses louanges, alors qu'en fait — je m'en rendais compte, maintenant, j'avais été trop vaniteux pour le voir plus tôt — il m'y avait conduit tout droit, sans arrêter de me flatter et de me cajoler. Peut-être — cette idée a rampé sur mon corps comme une sueur froide — peut-être la fois où il m'avait découvert par accident n'était qu'un préliminaire, un hasard prémédité. Le lexique déplacé, par exemple : Henry l'avait-il pris, sachant que je viendrais le chercher ? Et l'appartement en désordre où j'allais sûrement entrer ; les numéros de vol et autres laissés volontairement, m'avait-il alors semblé, près du téléphone ; deux négligences indignes d'Henry. Peut-être avait-il voulu que je sache. Peut-être avait-il deviné chez moi — à juste titre — cette lâcheté, cet odieux instinct grégaire qui me ferait rentrer dans le rang sans poser de questions.

Et il ne s'agissait pas seulement de garder le silence, me suis-je dit avec une sorte de nausée en regardant mon reflet brouillé dans la vitre. *Parce qu'ils ne l'auraient pas fait sans moi.* Bunny était venu me voir, et je l'avais livré directement à Henry. En plus, je ne m'étais même pas posé la moindre question.

« *Tu as été la sonnette d'alarme, Richard* », avait dit Henry. « Je savais que s'il en parlait à quelqu'un, tu serais le premier. Maintenant que c'est fait, je pense que les événements vont se suivre avec une extrême rapidité. »

*Une extrême rapidité.* J'avais la chair de poule en me rappelant le tour ironique, presque comique de ces derniers mots — oh Dieu, ai-je pensé, mon Dieu, comment ai-je pu l'écouter ? Il avait eu raison, en plus, du moins pour la rapidité. Moins de vingt-quatre heures plus tard, Bunny était mort. Et même si ce n'était pas moi qui l'avais poussé — ce qui m'avait paru sur le moment une distinction essentielle — cela n'avait plus grande importance.

J'essayais encore de refouler l'idée la plus sombre, celle dont la simple évocation faisait courir les rats de la panique le long de mon dos. Est-ce qu'Henry avait eu l'intention de se servir de moi comme bouc émissaire, si son plan avait fait long feu ? Si oui, je ne voyais pas bien comment il se serait arrangé, mais s'il l'avait voulu, je ne doutais pas qu'il en aurait été capable. Une si grande partie de ce que je savais n'était que des ouï-dire, ou ce qu'il m'avait lui-même raconté, et c'était incroyable, en y réfléchissant, le nombre de choses que j'ignorais. De plus — même si tout danger immédiat était apparemment écarté — rien ne garantissait que cela ne referait pas surface dans un an, vingt ans, ou cinquante ans. Je savais, grâce à la télévision, qu'il n'existe pas de prescription pour un meurtre. En cas de faits nouveaux, l'enquête est rouverte. On voyait cela partout dans les livres.

Il faisait encore nuit. Des oiseaux gazouillaient au bord du toit. J'ai ouvert le tiroir du bureau et compté ce qu'il me restait de somnifères : des petites pilules colorées comme des bonbons, luisantes, sur une feuille de papier machine. Il y en avait encore pas mal, bien assez pour ce que je voulais en faire. (Mme Corcoran se porterait-elle mieux en apprenant cette ironie du sort : que ses pilules volées avaient tué l'assassin de son fils ?) Si facile, de les sentir glisser dans ma gorge — mais soudain, en clignant des yeux sous l'éclat aveuglant de la lampe, j'ai été saisi par une vague de dégoût si violent que j'ai failli vomir. Si terrible que fût la nuit actuelle, je craignais de la quitter pour une autre nuit, éternelle — boursouflé, liquéfié, dans le puits boueux. J'avais aperçu son ombre sur le visage de Bunny — une terreur stupéfiante ; le monde entier s'ouvrant à l'envers ; sa vie explosant dans un tonnerre de corbeaux et le ciel qui se vidait sur son ventre, vaste comme un océan de blancheur. Puis rien. Des souches pourries, des cloportes qui rampent dans les feuilles mortes. La terre et le noir.

Je me suis allongé. Je sentais mon cœur boiter dans ma poitrine, et j'étais révolté par ce muscle pitoyable, misérable et sanglant, qui battait contre mes côtes. La pluie ruisselait sur les vitres. Dehors la pelouse était trempée, marécageuse. Quand le soleil s'est levé, j'ai vu, à la lumière timide et froide de l'aurore, que les dalles étaient couvertes de vers de terre délicats, répugnants, des centaines de vers qui se tordaient, aveugles et impuissants, sur les plaques d'ardoise noircies par la pluie.

---

Les médecins comprenaient mal ce qui n'allait pas chez Charles. Ils avaient essayé deux antibiotiques dans la même semaine, mais l'infection — si c'en était une — n'avait pas réagi. La troisième tentative a été la bonne. On a dit à Francis, qui est allé le voir mercredi et jeudi, que son état s'améliorait, et que si tout allait bien il pourrait sortir pour le week-end.

Vers dix heures du matin, vendredi, après encore une nuit sans sommeil, je suis allé à pied chez Francis. Le ciel était couvert, il faisait trop chaud, les arbres frémissaient dans l'atmosphère brûlante. Je me sentais hagard, épuisé. Le bourdonnement des guêpes et des tondeuses faisait vibrer l'air surchauffé. Dans le ciel, les martinets voltigeaient en couples, se pourchassaient en pépiant.

J'avais mal à la tête. J'aurais voulu avoir des lunettes noires. Je n'étais censé rencontrer Francis qu'à onze heures et demie, mais ma chambre était un désastre ; il y avait une semaine que je n'avais pas fait la lessive ; j'avais trop chaud pour faire quoi que ce soit de plus fatigant que rester sur mon lit en désordre, transpirer, essayer d'ignorer les pulsations graves de la chaîne de mon voisin qui traversaient les murs. Jud et Frank étaient en train de construire une énorme structure branlante et moderniste sur la pelouse du Collège ; les marteaux et les perceuses avaient commencé dès le matin. Je ne savais pas ce que c'était — on m'avait dit que c'était une scène, une sculpture, un monument au Grateful Dead, type Stonehenge — mais la première fois que j'avais regardé par la fenêtre, abruti par le Fiorinal, et vu les supports verticaux se dresser verticalement sur l'herbe, j'avais été submergé par une terreur obscure, irrationnelle : *un gibet,* m'étais-je dit, *ils dressent un gibet, on va assister à une pendaison sur la pelouse du Collège...* Cette hallucination s'était dissipée aussitôt, mais en un sens elle avait persisté, s'était manifestée dans différents objets comme une de ces images en couverture des livres d'horreur au supermarché : tournée d'un côté, un enfant blond et souriant, tournée de l'autre, un crâne en flammes. Parfois la structure était ordinaire, idiote, parfaitement inoffensive ; mais au petit matin, par exemple, ou au crépuscule, le monde s'évanouissait et des potences apparaissaient, noires et médiévales, avec des oiseaux qui décrivaient des cercles, très bas dans le ciel. La nuit, elle projetait sa grande ombre sur le peu de sommeil que j'arrivais à glaner.

---

Le problème, au fond, c'était que je prenais trop de pilules ; désormais je mélangeais régulièrement les excitants, de jour, avec les calmants, parce que si ces derniers n'arrivaient plus vraiment à m'endormir, ils m'abrutissaient pendant la journée, de sorte que j'errais dans un crépuscule perpétuel. Dormir sans somnifères était impossible, un conte de fées, un vague rêve d'enfant. Mais ma provision commençait à baisser, et même en sachant que je pourrais probablement en obtenir de Cloke, Bram ou quelqu'un d'autre, j'ai décidé de m'en passer pendant deux ou trois jours — une bonne idée, dans l'abstrait, mais une sensation atroce, quand j'ai dû émerger de mon étrange existence sous-marine dans cette débandade frénétique de bruit et de lumière. Le monde s'entrechoquait dans une clarté violente, discordante : du vert partout, la sueur et la sève, des herbes qui jaillissaient des crevasses étoilées du vieux trottoir en marbre, des dalles blanches et veinées, tordues et soulevées par un siècle de gels au mois de janvier.

Un millionnaire les avait fait poser, ces dalles de marbre, un homme qui venait passer l'été au nord de Hampden et s'était jeté d'une fenêtre de Park Avenue dans les années vingt. Derrière les montagnes, le ciel était d'un noir d'encre, l'horizon bouché. Il y avait une pression dans l'air ; la pluie qui s'annonçait, la pluie pour bientôt. Les géraniums s'embrasaient sur les façades blanches, d'un rouge ardent, déchirant, qui contrastait avec la blancheur crayeuse.

J'ai tourné dans Water Street, qui passait devant chez Henry, vers le nord, et en approchant j'ai vu une ombre noire au fond de son jardin. *Non*, ai-je pensé.

Mais si. Il était à genoux avec un linge et un seau d'eau, et en m'approchant j'ai vu qu'il ne lavait pas les dalles, comme je l'avais cru, mais un rosier. Il était plié en deux et essuyait chaque feuille avec un soin méticuleux, comme un jardinier fou sorti d'Alice au pays des merveilles.

Je me disais qu'il allait s'arrêter d'un moment à l'autre, mais il continuait, et finalement je suis entré par le portail du fond. « Henry, qu'est-ce que tu fais ? »

Il a levé la tête, calmement, pas du tout surpris de me voir. « Des larves d'araignées. On a eu un printemps humide. Je les ai traitées deux fois, mais pour avoir les œufs il vaut mieux les laver à la main. » Il a laissé tomber son chiffon dans le seau. J'ai remarqué, pas pour la première fois, ces derniers temps, qu'il avait l'air très en forme, que son allure triste et raide était plus détendue, plus naturelle. Je ne l'avais jamais trouvé beau — à vrai dire, j'avais toujours soupçonné que seules ses postures cérémonieuses le sauvaient de la médiocrité, du moins physique — mais maintenant qu'il était moins rigide, les gestes moins coincés, il avait une grâce certaine, féline, une aisance et une vivacité qui m'étonnaient. Une mèche de cheveux est tombée sur son front. « C'est une Reine des Violettes, a-t-il dit en indiquant l'arbuste. Un vieux rosier adorable. Introduit en 1860. Et voici une Madame Isaac Pereire. Ses fleurs sentent la framboise. »

« Camilla est là ? »

Il n'y avait pas trace d'émotion sur son visage, ni d'effort pour la dissimuler. « Non. » Il est retourné à son travail. « Elle dormait quand je suis sorti. Je n'ai pas voulu la réveiller. »

L'entendre parler d'elle avec une telle intimité m'a choqué. Pluton et Perséphone. J'ai regardé son dos, guindé comme celui d'un pasteur, essayé de les imaginer ensemble. Ses grandes mains blanches aux ongles carrés.

A l'improviste, il m'a demandé : « Comment va Charles ? »

« Ça va », ai-je dit après un silence embarrassé.

« Il va rentrer bientôt, je suppose. »

Une bâche sale a claqué bruyamment sur le toit. Il continuait à travailler. Son pantalon noir avec les bretelles qui se croisaient sur son dos lui donnaient vaguement l'air d'un Amish.

« Henry. »

Il n'a pas levé la tête.

« Henry, cela ne me regarde pas, mais pour l'amour de Dieu j'espère que tu sais ce que tu fais. » J'ai fait une pause, en espérant une réponse, mais rien n'est venu. « Tu n'as pas vu Charles, mais moi si, et je ne pense pas que tu te rendes compte dans quel état il est. Demande à Francis, si tu ne me crois pas. Même Julian l'a remarqué. Je veux dire, j'ai essayé de t'en parler, mais je ne crois pas que tu comprennes, tout simplement. Il est hors de lui, Camilla n'en a aucune idée, et je ne sais pas ce qu'il va faire en rentrant. Je ne suis même pas sûr qu'il sera capable de vivre seul. Je veux dire... »

« Excuse-moi, m'a demandé Henry, mais cela t'ennuierait de me passer le sécateur ? »

Il y a eu un long silence. Finalement, il a tendu le bras et les a pris. « Très bien », a-t-il dit aimablement. « Peu importe. » Très consciencieusement, il a écarté les tiges et en a coupé une par le milieu, tenant le sécateur de biais, soigneusement, et prenant garde de ne pas blesser une grande tige adjacente.

« Qu'est-ce qui ne va pas chez toi, bon Dieu ? » J'avais du mal à ne pas hausser la voix. Il y avait des fenêtres ouvertes à l'appartement du dessus, donnant sur le jardin ; j'entendais des gens qui parlaient, qui bougeaient, qui écoutaient la radio. « Pourquoi faut-il que tu rendes les choses si dures pour tout le monde ? » Il ne s'est pas retourné. J'ai arraché le sécateur de ses mains et je l'ai lancé sur les briques où il s'est écrasé. « Réponds-moi. »

Nous nous sommes regardés un long moment. Derrière ses lunettes, son regard était très calme et très bleu.

Finalement, il a dit à voix basse : « Dis-moi. »

L'intensité de son regard m'a fait peur. « Quoi ? »

« Tu ne ressens pas beaucoup d'émotion envers les autres gens, n'est-ce pas ? »

J'ai été pris de court. « De quoi parles-tu ? Bien sûr que si. »

« Vraiment ? » Il a haussé un sourcil. « Je ne pense pas. Cela n'a pas d'importance », a-t-il dit après un long silence tendu. « Moi non plus. »

« Où essayes-tu d'en venir ? »

Il a haussé les épaules. « Nulle part. Sinon que ma vie, pour sa plus grande part, a été sans couleur et sans goût. Morte, je veux dire. Le monde a toujours été pour moi un endroit désert. J'étais incapable de prendre plaisir même aux choses les plus simples. Dans tout ce que je faisais, j'étais mort. » Il a essuyé la terre de ses doigts. « Mais ça a changé. La nuit où j'ai tué cet homme. »

J'ai été secoué — un peu halluciné, même — par une référence aussi crue à quelque chose qu'on ne désignait presque exclusivement, par accord mutuel, que par des mots codés, des allusions, une centaine d'euphémismes en tout genre.

« Ça a été la nuit la plus importante de ma vie », a-t-il dit tranquillement. « Elle m'a permis de faire ce dont j'avais le plus envie depuis toujours. »

« Qui est ? »

« De vivre sans penser. »

Les abeilles vrombissaient bruyamment dans le chèvrefeuille. Il s'est remis à son rosier pour tailler le haut des petites branches.

« Avant, j'étais paralysé, même si je ne le savais pas vraiment. C'est parce que je pensais trop, je vivais trop dans ma tête. J'avais du mal à prendre des décisions. Je me sentais immobilisé. »

« Et maintenant ? »

« Maintenant, je sais que je peux faire tout ce que je veux. » Il a levé les yeux. « Et, sauf si je me trompe de beaucoup, tu as toi-même vécu une expérience similaire. »

« Je ne sais pas de quoi tu parles. »

« Oh, mais je crois que si. Cette onde de puissance et de plaisir, d'assurance, de maîtrise. Cette appréhension soudaine de la richesse du monde. De ses possibilités infinies. »

Il parlait du ravin. Et, à ma grande horreur, j'ai compris qu'en un sens il avait raison. Si effroyable qu'avait été ce moment, il était indéniable que le meurtre de Bunny avait transformé la suite des événements en une sorte de Technicolor éblouissant. Et bien que cette nouvelle lucidité de ma vision fût parfois éprouvante pour les nerfs, on ne pouvait nier que c'était une sensation pas complètement désagréable.

« Je ne comprends pas ce que ça a à voir avec le reste », ai-je dit dans son dos.

« Moi non plus, je n'en suis pas sûr. » Il a jaugé l'équilibre de son rosier avant de couper très soigneusement une tige vers le centre. « Sauf qu'il n'y a plus grand-chose qui ait tellement d'importance. Les six derniers mois ont rendu cela évident. Et récemment, il m'a paru important de trouver une ou deux choses qui le soient. C'est tout. »

En disant ces mots, il s'est reculé. « Voilà », a-t-il fini par

dire. « Est-ce que ça va ? Ou est-ce qu'il faut que je l'ouvre un peu plus au milieu ? »
« Henry. Ecoute-moi. »
« Je ne veux pas en enlever trop », a-t-il répondu d'un ton vague. « J'aurais dû le faire il y a un mois. Les tiges saignent quand on les taille aussi tard, mais mieux vaut tard que jamais, comme on dit. »
« Henry. *Je t'en prie.* » J'étais au bord des larmes. « Qu'est-ce que tu as ? As-tu perdu l'esprit ? Ne comprends-tu pas ce qui se passe ? »
Il s'est levé, s'est essuyé les mains sur son pantalon. « Il faut que je rentre, maintenant. »
Je l'ai regardé accrocher le sécateur à une cheville et s'éloigner. Au moins, ai-je pensé, il va finir par se retourner, par dire quelque chose, au revoir, n'importe quoi. Mais il ne l'a pas fait. Il est entré. La porte s'est fermée derrière lui.

---

J'ai trouvé l'appartement de Francis dans l'ombre. Des rais lumineux passaient par les fentes étroites des jalousies. Il dormait. L'endroit sentait le rance et la cendre. Des mégots flottaient dans un verre de gin. Près de son lit, une brûlure avait noirci et cloqué le vernis de la table de nuit.
J'ai ouvert les volets pour faire entrer un peu de lumière. Il s'est frotté les yeux, m'a appelé d'un drôle de nom. Puis il m'a reconnu. « Oh. » Son visage d'une pâleur d'albinos s'est tordu. « *Toi.* Qu'est-ce que tu fais ici ? »
Je lui ai rappelé que nous étions convenus d'aller rendre visite à Charles.
« Quel jour sommes-nous ? »
« Vendredi. »
« Vendredi. » Il est retombé sur son lit. « Je déteste les vendredis. Les mercredis aussi. Porte malheur. Mystère douloureux du Rosaire. »

Il est resté sur son lit, les yeux au plafond. « As-tu parfois le sentiment qu'il va se passer quelque chose de vraiment épouvantable ? »

Je me suis inquiété. « Non », ai-je dit, sur la défensive, et c'était loin d'être vrai. « Que crois-tu qu'il va se passer ? »

« Je ne sais pas, a-t-il dit sans bouger. Je me trompe peut-être. »

« Tu devrais ouvrir une fenêtre. Ça sent mauvais. »

« Ça m'est égal. Je ne sens rien. J'ai une infection des sinus. » D'une main distraite, il a cherché à tâtons ses cigarettes sur la table de nuit. « Jésus, je suis déprimé. Je suis incapable de voir Charles en ce moment. »

« Il le faut. »

« Quelle heure est-il ? »

« Dans les onze heures. »

Il n'a rien dit d'abord. « Ecoute un peu. J'ai une idée. Allons déjeuner. Ensuite, on ira. »

« Ça va tout le temps nous trotter dans la tête. »

« Demandons à Julian, alors. Je parie qu'il viendra. »

« Pourquoi veux-tu lui demander de venir ? »

« Je suis déprimé. Toujours bien de le voir, en tout cas. » Il s'est mis sur le ventre. « Ou peut-être que non. Je ne sais pas. »

---

Julian a répondu — la porte à peine entrouverte, comme la toute première fois que j'avais frappé chez lui — et a ouvert tout grand en voyant qui nous étions. Aussitôt, Francis lui a demandé s'il avait envie d'aller déjeuner.

« Bien sûr. J'en suis ravi. » Il a ri. « Cette matinée a été bizarre, en vérité. Des plus étranges. Je vais vous en parler en chemin. »

Des choses bizarres, d'après la définition qu'en faisait Julian, s'avéraient souvent d'une amusante banalité. Par choix, il avait si peu de contacts avec le monde extérieur qu'il trouvait bizarres les choses les plus ordinaires, comme un distributeur de billets, par exemple, ou un détail dans un supermarché — des céréales en forme de vampire, ou un yoghourt non réfrigéré vendu dans des pots à capsules. Comme nous avions tous plaisir à l'entendre raconter ses mini-expéditions dans le vingtième siècle, Francis et moi l'avons pressé de nous dire ce qui s'était passé.

« Eh bien, la secrétaire du département Langues et Littérature vient de passer. Elle avait une lettre pour moi. Il y a des casiers entrée et sortie, vous savez, dans le bureau littérature — on peut y laisser des textes à taper à la machine ou y prendre des messages, bien que je ne le fasse jamais. Tous ceux avec qui j'ai le moindre désir de m'entretenir savent où me joindre. Cette lettre » — il nous l'a montrée, ouverte sur la table à côté de ses lunettes de lecture — « qui m'était destinée, est arrivée je ne sais comment dans le casier d'un certain M. Morse, qui est apparemment en année sabbatique. Son fils est passé prendre son courrier ce matin, a trouvé qu'elle avait été mise par erreur avec celles de son père. »

« Quel genre de lettre ? » a dit Francis en se penchant.

« De qui est-elle ? »

« De Bunny. »

Une lame de terreur éclatante a plongé dans mon cœur. Nous avons regardé Julian, frappés de stupeur. Il nous a souri, ménageant une pause théâtrâle pour laisser pleinement s'épanouir notre stupéfaction.

« Eh bien, naturellement, elle n'est pas réellement d'Edmund. C'est un faux, et plutôt mal fait. La lettre est tapée à la machine, sans date ni signature. Ce qui ne paraît pas très légitime, n'est-ce pas ? »

Francis a retrouvé sa voix. « Tapée à la machine ? »

« Oui. »

« Bunny n'avait pas de machine. »

« Eh bien, je l'ai eu comme étudiant pendant presque quatre ans, et il ne m'a jamais rien rendu qui soit tapé à la machine. Ou bien si ? » a-t-il demandé, l'air malin.

« Non », a dit Francis après avoir sérieusement réfléchi. « Non, je pense que vous avez raison » ; ce à quoi j'ai fait écho, alors que je savais — et Francis aussi — qu'en vérité Bunny savait taper à la machine. Il n'en possédait pas lui-même, c'était parfaitement exact, mais il empruntait souvent celle de Francis, ou se servait d'une des vieilles machines manuelles de la bibliothèque. Le fait était que, même si aucun d'entre nous n'allait le souligner, nul n'avait jamais rien rendu à Julian qui fût tapé à la machine. Il y avait pour cela une raison très simple. On ne peut pas écrire l'alphabet grec sur une machine anglaise ; et quoique Henry ait eu quelque part une petite portable grecque, qu'il avait achetée en vacances à Mycènes, il ne s'en était jamais servi parce que, m'avait-il expliqué, le clavier était si différent du clavier anglais qu'il lui fallait cinq minutes pour épeler son propre nom.

« Il est affreusement triste qu'on ait voulu me jouer ce genre de tour, a dit Julian. Je ne vois pas qui a pu faire une chose pareille. »

« Depuis combien de temps était-ce dans le casier ? » a demandé Francis. « Vous le savez ? »

« Cela, c'est autre chose. On a pu l'y mettre n'importe quand. La secrétaire a dit que le fils de M. Morse n'était pas venu prendre le courrier de son père depuis le mois de mars. Ce qui veut dire, naturellement, qu'on a pu la mettre hier. » Il a montré l'enveloppe, sur la table. « Vous voyez. Il n'y a que mon nom, tapé à la machine, sur le recto, pas d'adresse d'expéditeur, pas de date, et bien sûr pas de cachet postal. C'est évidemment l'œuvre d'un mauvais plaisant. Cela étant, néanmoins, je ne vois pas pourquoi quelqu'un ferait une plaisanterie aussi cruelle. J'aurais presque envie d'en parler au doyen, quoique, Dieu merci, je ne veuille pas remuer à nouveau les choses après toutes ces histoires. »

Maintenant que l'horreur du premier choc s'était estompée, je commençais à respirer un peu mieux. « De quel genre de lettre s'agit-il ? »

Julian a haussé les épaules. « Vous pouvez y jeter un œil, si vous voulez. »

Je l'ai prise. Francis l'a lue par-dessus mon épaule. Elle était tapée à simple interligne, sur cinq ou six petites feuilles, dont certaines ressemblaient assez à un papier à lettres ayant appartenu à Bunny. Mais si les feuilles étaient en gros de la même taille, elles étaient désassorties. Je me suis rendu compte, par la façon dont le ruban avait parfois tapé une lettre à moitié en rouge, à moitié en noir, qu'elle avait été écrite dans la salle de lecture ouverte la nuit.

Le texte lui-même était décousu, incohérent, et — à mes yeux stupéfaits — incontestablement authentique. Je l'ai à peine parcouru, et je m'en souviens si peu que je suis incapable de le restituer, mais je me rappelle avoir pensé que si Bunny l'avait écrit, il était beaucoup plus près de s'effondrer qu'aucun de nous ne l'avait cru. Il était même rempli d'injures de toutes sortes qu'on voyait difficilement Bunny employer, même dans les circonstances les plus désespérées, dans une lettre destinée à Julian. La lettre n'était pas signée, mais il y avait plusieurs allusions transparentes qui rendaient manifeste que Bunny Corcoran, ou quelqu'un se faisant passer pour lui, en était l'auteur. Elle était mal orthographiée, avec une grande quantité des erreurs caractéristiques de Bunny, qui par bonheur n'avaient pas dû attirer l'attention de Julian, car Bunny écrivait si mal qu'il demandait habituellement à quelqu'un de revoir sa copie avant de la rendre. Moi-même, j'aurais pu avoir des doutes sur son authenticité — tellement ce discours était tronqué — paranoïaque, s'il n'avait fait référence au meurtre de Battenkill : « Il — (c'est-à-dire Henry, ce qu'indiquait approximativement un passage du texte) — « est un putain de Monstre. Il a tué un homme et il veut me tuer, Moi aussi. Tout le monde est dans le coup. L'homme qu'ils ont tué en octobre, dans le comté de Battenkill. Il s'appelait McRee. Je crois qu'ils l'ont battu à mort je ne suis pas sûr. » Il y avait d'autres accusations — certaines étaient exactes (les pratiques sexuelles des jumeaux), d'autres non ; toutes étaient à ce point forcenées qu'elles ne faisaient que discréditer l'ensemble. Mon nom n'était pas mentionné. Toute cette lettre avait un ton d'ivresse désespérée qui ne m'était pas étranger. Bien que je n'y aie pensé que plus tard, je crois maintenant qu'il avait dû aller l'écrire dans la salle de lecture la même nuit où il était venu me voir, saoul, dans ma chambre — juste avant ou juste après, probablement après — auquel cas c'était un pur hasard que nous ne nous soyons pas rencontrés quand j'étais allé téléphoner à Henry au Pavillon des sciences. Je me rappelle encore une chose, la dernière ligne, la seule qui m'ait fait un pincement au cœur : « S'il vous plaît, Aidez-moi, c'est pour ça que je vous écris, vous êtes la seule personne qui puisse. »

« Eh bien, je ne sais pas qui a écrit ça », a fini par dire Francis, d'un ton désinvolte et parfaitement normal, « mais qui que ce soit, il a une orthographe déplorable. »

Julian a ri. J'ai compris qu'il n'avait aucune idée de l'authenticité de cette lettre. Francis a pris la lettre et l'a feuilletée, l'air de ruminer. Il s'est arrêté sur l'avant-dernière page — qui était d'une couleur légèrement différente des autres — et l'a retournée négligemment. « On dirait que... » Il s'est interrompu.

« On dirait que quoi ? » a dit Julian d'un ton aimable.

Il y a eu un bref silence avant que Francis ne continue. « On dirait que celui qui a écrit ça a eu besoin de changer de ruban. » Mais ce n'était pas ce qu'il pensait, ce que je pensais, ni ce qu'il avait été sur le point de dire et qui avait été chassé de son esprit quand, lorsqu'il avait retourné la feuille de forme irrégulière, nous avions vu avec horreur ce qui était au dos. C'était le papier à lettre d'un hôtel, avec en haut, gravé, le nom et l'adresse de l'Excelsior : l'hôtel où Henry et Bunny étaient descendus à Rome.

Henry nous a dit plus tard, la tête dans les mains, que Bunny lui avait demandé de lui acheter un autre coffret de papier à lettres la veille de sa mort. Du papier de luxe, importé d'Angleterre, le plus cher qu'on puisse trouver en ville. « Si seulement je l'avais acheté. Il me l'a demandé une douzaine de fois. Mais je me disais que ça ne rimait pas à grand-chose, vous voyez... » Le papier de l'Excelsior était moins épais, moins beau. Henry supposait — probablement avec raison — que Bunny était arrivé au fond de la boîte, qu'il avait fouillé son bureau et trouvé cette feuille, à peu près de la même taille, et qu'il l'avait retournée pour se servir du verso.

J'essayais de ne pas la regarder, mais elle ne cessait de faire intrusion dans mon champ de vision. Un palais, dessiné à l'encre bleue, avec une écriture gracieuse, comme celle d'un menu italien. Un papier à marges bleues. Impossible de s'y tromper.

« A dire vrai, a repris Julian, je n'ai même pas fini de la lire. De toute évidence le perpétrateur de cet acte est sérieusement dérangé. On ne pourrait en jurer, bien sûr, mais je pense qu'elle a dû être écrite par un étudiant, vous ne trouvez pas ? »

« Je n'imagine pas qu'un membre de la faculté écrirait une chose pareille, si c'est ce que vous voulez dire », a répondu Francis, en retournant encore une fois la lettre. Nous ne nous sommes pas regardés. Je savais exactement ce qu'il pensait : *comment pouvons-nous voler cette page ? comment la retirer ?*

« Oui », a dit poliment Julian, « il fait un temps adorable » — or sa voix ne venait pas d'où je l'attendais, mais de plus loin, près des rayonnages. Je me suis retourné et je l'ai vu enfiler son manteau. D'après l'expression de Francis, je savais qu'il n'avait pas réussi. De profil, il surveillait Julian du coin de l'œil ; à un moment, quand Julian a tourné la tête pour tousser, il a semblé qu'il allait pouvoir s'en tirer, mais dès qu'il a sorti la feuille Julian s'est retourné, et il n'a eu d'autre choix que de la replacer négligemment là d'où elle venait, comme si les pages étaient en désordre et qu'il se contentait de les ranger.

Julian, près de la porte, nous a souri. « Vous êtes prêts, les garçons ?

« Certainement », a dit Francis avec un enthousiasme que je savais joué. Il a reposé la lettre pliée sur la table et nous sommes sortis en riant et en bavardant, alors que je voyais la tension raidir les épaules de Francis, et que moi-même, sous le coup de la frustration, je me mordais l'intérieur de la lèvre.

---

Le déjeuner a été sinistre. Je m'en souviens à peine, sinon que c'était une très belle journée, que nous avions une table trop près de la fenêtre, et que le soleil dans mes yeux ne faisait qu'ajouter à ma gêne et à ma confusion. Et, tout au long du repas, nous avons parlé de la lettre, de la lettre, de la lettre. Est-ce que celui qui l'avait envoyée en voulait à Julian ? Ou était-il en colère après nous ? Francis faisait meilleure contenance que moi, mais il descendait l'un après l'autre des verres de vin maison, et des gouttes de sueur perlaient sur son front.

Julian pensait que la lettre était un faux. C'était évident. Mais s'il apercevait l'en-tête, tout était fichu, parce qu'il savait aussi bien que nous que Bunny et Henry étaient restés quinze jours à l'Excelsior. Le mieux que nous puissions espérer, c'était qu'il jette cette lettre, sans la montrer à quelqu'un d'autre ni l'examiner de plus près. Mais Julian adorait les intrigues, le secret, et c'était le genre de choses qui pouvait le faire rêver longtemps. (« *Non*. Ce pourrait être un membre de la faculté ? Vous croyez ? ») J'ai repensé à ce qu'il avait dit plus tôt, la possibilité qu'il la montre au doyen. Il fallait qu'on s'en empare d'une façon ou d'une autre. En cambriolant son bureau, peut-être. Mais même en supposant qu'il la laisse là-bas, à un endroit où nous puissions la trouver, cela signifiait qu'il nous fallait attendre six ou sept heures.

J'ai beaucoup bu, mais à la fin du repas j'étais encore tellement nerveux que j'ai pris un cognac avec mon dessert, au lieu d'un café. Deux fois, Francis s'est éclipsé pour aller téléphoner. Je savais qu'il essayait de joindre Henry, pour lui demander d'aller au bureau faucher la lettre pendant que nous retenions Julian captif à la Brasserie ; je savais aussi, à voir son sourire tendu, qu'il n'avait pas eu de chance. La deuxième fois qu'il est revenu, une idée m'a traversé l'esprit. Puisqu'il pouvait aller téléphoner, pourquoi ne pourrait-il pas sortir par-derrière, prendre sa voiture et aller s'en emparer ? Je l'aurais fait moi-même si j'avais eu les clefs de la voiture. Trop tard — au moment où Francis payait l'addition — j'ai compris ce que j'aurais dû dire : que j'avais oublié quelque chose dans la voiture et que j'avais besoin des clefs pour le prendre.

En revenant à la fac, dans un silence chargé, je me suis rendu compte que nous avions toujours compté sur le fait de pouvoir communiquer chaque fois que nous en avions envie. Avant, au cours d'une urgence quelconque, nous pouvions lancer toujours quelques mots en grec, en guise d'aphorisme ou de citation. Mais là, c'était impossible.

Julian ne nous a pas invités à venir dans son bureau. Nous l'avons vu suivre l'allée, nous faire signe du bras en entrant par la porte de derrière du Lyceum. Il était environ une heure et demie.

---

Quand il a disparu, nous sommes restés un moment immobiles dans la voiture. Le sourire amical de Francis s'était figé sur son visage. Tout à coup, et avec une violence qui m'a fait peur, il s'est frappé le front contre le volant. « Merde ! » a-t-il crié. « Merde ! Merde ! »

Je l'ai pris par le bras pour le secouer. « Ferme-la. »

« Oh, merde. » Sa tête a roulé en arrière, les mains pressées contre ses tempes. « Merde. Ça y est, Richard. »

« Ferme-la. »

« C'est fini. On est pris. On va aller en prison. »

« Ferme-la. » Sa panique, curieusement, m'avait calmé. « Il faut qu'on voie ce qu'on va faire. »

« Ecoute, allons-nous-en, c'est tout. En partant maintenant on sera à Montréal à la nuit. Personne ne nous retrouvera jamais. »

« Tu dis des absurdités. »

« On reste à Montréal deux ou trois jours. On vend la voiture. Ensuite on prend le car pour, je ne sais pas, Saskatchewan ou quelque part. On va à l'endroit le plus dingue qu'on puisse trouver. »

« Francis, je voudrais que tu te calmes un peu. Je crois que nous pouvons régler ça. »

« *Qu'est-ce que nous allons faire ?* »

« Eh bien, d'abord, il faut qu'on trouve Henry. »

« Henry ? » Il m'a regardé, stupéfait. « Qu'est-ce qui te fait croire qu'il va nous aider à quoi que ce soit ? Il est tellement sonné qu'il ne sait même pas de quel côté... »

« Est-ce qu'il n'a pas la clef du bureau de Julian ? »

Il s'est tu un instant. « Oui. Oui, je crois qu'il l'a. Ou qu'il l'avait. »

« Alors, voilà. On trouve Henry et on l'amène ici. Il trouvera une excuse pour faire sortir Julian de son bureau. Et l'un de nous peut monter par l'escalier de derrière avec la clef. »

---

Le plan était bon. Le seul problème, c'est qu'il n'a pas été si facile de coincer Henry. Il n'était pas chez lui et quand nous sommes passés à l'Albemarle, sa voiture n'y était pas. Nous sommes retournés au campus voir à la bibliothèque, et encore revenus à l'Albemarle. Cette fois, nous sommes descendus de voiture pour faire le tour du bâtiment

L'hôtel avait été construit au dix-neuvième siècle pour servir de maison de repos à de riches convalescents. C'était une bâtisse ombragée, luxueuse, avec de grands volets et une vaste et fraîche véranda — tout le monde y avait habité, depuis Rudyard Kipling jusqu'à FDR — mais guère plus grande qu'une demeure particulière de bonnes proportions.

« Tu as essayé à la réception ? » ai-je demandé à Francis.

« N'y pense même pas. Ils sont inscrits sous un faux nom, et je suis sûr qu'Henry a raconté une histoire à la concierge, parce que quand j'ai essayé de lui parler, l'autre soir, elle s'est refermée comme une huître. »

« Y a-t-il un moyen d'entrer sans passer par le hall ? »

« Je n'en ai aucune idée. Ma mère et Chris y sont descendus, une fois. Ce n'est pas tellement grand. Il n'y a qu'un seul escalier, à ma connaissance, et il faut passer devant la réception pour y arriver. »

« Et au rez-de-chaussée ? »

« L'ennui, c'est que je crois qu'ils sont dans les étages. Camilla a parlé de valises à monter. Il y a peut-être un escalier d'incendie, mais je ne saurais pas comment le trouver. »

Nous sommes montés sur la véranda. Par le grillage de

la porte on pouvait voir un hall sombre et froid, et derrière le bureau une homme d'une soixantaine d'années, ses lunettes en demi-lunes posées au bout de son nez, en train de lire le *Banner* de Bannington.

« C'est le type à qui tu as parlé ? » ai-je chuchoté.

« Non. Sa femme. »

« Il t'a déjà vu ? »

« Non. »

J'ai poussé la porte, passé la tête à l'intérieur, et je suis entré. Le réceptionniste a levé les yeux et m'a examiné de haut en bas d'un air dédaigneux. C'était un de ces retraités guindés qu'on voit souvent en Nouvelle-Angleterre, de ceux qui s'abonnent à des magazines d'antiquités et trimballent le genre de sacs à provisions en toile qu'on donne en prime à la télé publique.

Je lui ai fait mon plus beau sourire. Derrière le bureau, j'ai aperçu un tableau avec les clefs des chambres. Elles étaient disposées en rangées selon l'étage. Trois clefs — 2B, C et E — manquaient au premier, et une seule — 3A — au deuxième.

Il nous a toisés d'un regard glacial. « Que puis-je faire pour vous ? »

« Excusez-moi, ai-je dit, mais savez-vous si nos parents sont arrivés de Californie ? »

Surpris, il a ouvert un registre. « Quel nom ? »

« Rayburn. M. et Mme Cloke Rayburn. »

« Je ne vois pas de réservation. »

« Je ne suis pas sûr qu'ils aient réservé. »

Il m'a regardé par-dessus ses lunettes. « En général, nous demandons une réservation, avec des arrhes, au moins quarante-huit heures à l'avance. »

« Ils croyaient ne pas en avoir besoin à cette époque de l'année. »

« Eh bien, il n'y a aucune garantie qu'ils trouvent une chambre libre à leur arrivée », a-t-il dit d'un ton sec.

J'aurais aimé souligner que son hôtel était plus qu'à

moitié vide, et que je ne voyais pas les clients se battre pour entrer, mais j'ai encore souri. « Je suppose qu'ils vont devoir prendre ce risque, alors. Leur avion a atterri vers midi à Albany. Ils devraient être là d'une minute à l'autre. »

« Très bien. »

« Cela vous ennuie si nous les attendons ? »

Évidemment oui. Mais il ne pouvait pas le dire. Il a hoché la tête, la bouche pincée — se répétant sans doute le sermon sur les réservations obligatoires qu'il allait faire à nos parents — et, avec une toux ostentatoire, est retourné à son journal.

Nous nous sommes installés sur un petit canapé victorien, aussi loin que possible du bureau.

Francis, qui ne tenait pas en place, regardait de tous les côtés. « Je ne veux pas rester ici », m'a-t-il chuchoté à l'oreille, sans presque remuer les lèvres. « J'ai peur que sa femme revienne. »

« Ce type sort tout droit de l'enfer, pas vrai ? »

« Sa femme est pire. »

L'hôtelier affectait de ne pas regarder dans notre direction. En fait, il nous tournait le dos. J'ai posé une main sur le bras de Francis. « Je reviens tout de suite, ai-je murmuré. Dis-lui que je suis allé aux toilettes. »

L'escalier était recouvert de moquette et j'ai réussi à monter sans faire trop de bruit. J'ai couru au bout du couloir, vu la 2C puis la 2B. Les portes étaient neutres, hostiles, mais ce n'était pas le moment d'hésiter. J'ai frappé à la 2C. Pas de réponse. J'ai frappé encore, plus fort. « Camilla ! »

Sur ce, un petit chien s'est mis à faire du vacarme du côté de la 2E. *Nix that*, ai-je pensé, et j'allais frapper à la troisième porte quand elle s'est ouverte d'un seul coup, découvrant une dame d'un certain âge en costume de golf « Excusez-moi, a-t-elle dit. Vous cherchez quelqu'un ? »

C'est drôle, ai-je pensé en grimpant au deuxième, mais j'avais pressenti qu'ils étaient au dernier étage. Dans le couloir j'ai croisé une femme maigre d'une soixantaine d'années — robe rose, lunettes pailletées, visage étroit et pointu de crocodile — portant une pile de serviettes. « Attendez ! » a-t-elle glapi. « Où allez-vous ? »

Mais j'étais déjà plus loin, au bout du couloir, en train de cogner sur la porte 3A. « Camilla ! » Je criais. « C'est Richard ! Ouvre ! »

Et elle est apparue comme par miracle, le soleil la suivant dans le couloir, pieds nus et clignant des yeux sous le coup de la surprise. « Salut », a-t-elle dit. « Salut ! Qu'est-ce que tu fais là ? » Dans mon dos, la femme de l'hôtelier : « Qu'est-ce que vous croyez faire ici ? Qui êtes-vous ? »

« Tout va bien », a dit Camilla.

J'étais essoufflé. « Laisse-moi entrer. »

Elle a refermé la porte. La pièce était magnifique — boiseries en chêne, cheminée, un seul lit, ai-je noté, dans la chambre à coucher, les draps en tas au pied du lit... « Est-ce qu'Henry est là ? »

« Qu'est-ce qui ne va pas ? » Elle avait des taches rouge vif sur les joues. « C'est Charles, n'est-ce pas ? Qu'est-ce qui s'est passé ?

*Charles*. Je l'avais complètement oublié. Je me suis efforcé de reprendre mon souffle. « Non. Pas le temps d'expliquer. Il faut qu'on trouve Henry. Où est-il ? »

« Mais... » Elle a jeté un coup d'œil à la pendule. « Je crois qu'il est au bureau de Julian. »

*« Chez Julian ? »*

« Oui. Qu'y a-t-il ? » a-t-elle dit en voyant ma stupéfaction. « Il avait rendez-vous, je crois, à deux heures. »

---

Je me suis dépêché de rejoindre Francis avant que l'hôtelier et sa femme aient l'occasion de comparer leurs versions.

« Qu'est-ce qu'on doit faire ? » a dit Francis sur le trajet de la fac. « Attendre à l'extérieur et le guetter ? »

« J'ai peur de le perdre. Je crois qu'il vaut mieux que l'un de nous monte le chercher. »

Il a allumé une cigarette. La flamme de l'allumette a vacillé. « Peut-être que tout va bien. Peut-être qu'Henry a réussi à la prendre. »

« Je ne sais pas. » Mais j'avais eu la même idée. Si Henry voyait l'en-tête, j'étais certain qu'il essayerait de voler la page, et certain qu'il s'en sortirait mieux que Francis ou moi. En plus — cela paraît mesquin, mais c'était vrai — Henry était le préféré de Julian. S'il s'en donnait la peine, il pouvait lui extorquer la lettre complète sous prétexte de la donner à la police, d'en faire analyser l'écriture, qui sait ce qu'il pouvait inventer ?

Francis m'a regardé de biais. « Si Julian apprenait tout, que crois-tu qu'il ferait ? »

« Je ne sais pas », ai-je dit, et c'était vrai. C'était une éventualité impensable au point que je n'imaginais que des réactions mélodramatiques et invraisemblables. Julian mourant d'une crise cardiaque. Julian brisé, sanglotant sans retenue.

« Je ne peux pas croire qu'il nous dénoncerait. »

« Je ne sais pas. »

« Mais il ne pourrait pas. Il nous adore. »

Je n'ai rien dit. Sans compter ce que Julian éprouvait envers moi, on ne pouvait nier que je lui vouais un amour et une confiance des plus sincères. A mesure que mes parents s'étaient éloignés — une retraite qu'ils avaient entamée depuis de longues années — Julian était devenu la seule image de bienveillance paternelle qui existait au monde, ou même de bienveillance tout court. Pour moi, il était l'unique protecteur que j'avais.

« C'était une erreur, a dit Francis. Il faut qu'il comprenne. »

« Peut-être. » Je ne concevais pas qu'il puisse le découvrir, mais en essayant de me voir en train d'expliquer cette catastrophe à quelqu'un, je me suis rendu compte qu'il nous serait plus facile d'en parler à Julian qu'à qui que ce soit d'autre. Peut-être, me suis-je dit, sa réaction serait-elle semblable à la mienne. Peut-être verrait-il ces meurtres comme une histoire triste, folle, hantée, pittoresque (« J'ai tout fait », se vantait souvent le vieux Tolstoï, « j'ai même tué un homme. »), et non comme l'acte fondamentalement égoïste et vil qu'il avait été.

« Tu sais ce truc que Julian disait toujours ? » a dit Francis.

« Quel truc ? »

« A propos d'un saint hindou capable d'en tuer mille sur le champ de bataille et que ce n'est pas un péché sauf s'il a des remords. »

J'avais entendu Julian prononcer cette phrase, mais je n'avais jamais compris ce qu'elle signifiait. « Nous ne sommes pas des hindous. »

---

« *Richard* », a dit Julian d'un ton qui me souhaitait la bienvenue et me disait en même temps que j'avais mal choisi mon moment.

« Henry est là ? J'ai besoin de lui parler de quelque chose. »

Il a eu l'air surpris. « Bien sûr », et il a ouvert la porte.

Henry était assis à la table où nous faisions du grec. La chaise vide de Julian, d'un côté de la fenêtre, était tirée près de la sienne. Il y avait d'autres papiers sur la table, mais la lettre était devant eux. Henry a levé les yeux, sans avoir l'air heureux de me voir.

« Henry, je peux te parler ? »

« Certes », a-t-il répondu fraîchement.

Je me suis retourné pour aller dans le couloir, mais il n'a pas eu un geste pour me suivre, et a évité de croiser mon regard. Bon Dieu, ai-je pensé. Il croyait que je voulais continuer la conversation qu'on avait eue dans son jardin.

« Tu peux venir une minute ? »

« Qu'est-ce que c'est ? »

« J'ai besoin de te dire quelque chose. »

Il a haussé un sourcil. « Tu veux dire, quelque chose dont tu veux me parler en privé ? »

Je l'aurais tué. Julian, par politesse, faisait semblant de ne pas écouter, mais sa curiosité lui faisait dresser l'oreille. Il attendait, debout, près de sa chaise. « Oh, très cher. J'espère qu'il n'y a pas d'ennuis. Dois-je sortir ? »

« Oh non, Julian », a dit Henry sans le regarder, les yeux fixés sur moi. « Ce n'est pas la peine. »

« Est-ce que tout va bien ? » m'a demandé Julian.

« Oui, oui. J'ai juste besoin de voir Henry une seconde. C'est important. »

« Cela ne peut pas attendre ? » a dit Henry.

La lettre était étalée sur la table. Horrifié, j'ai vu qu'il la parcourait lentement, comme un livre, prétendant examiner les pages une à une. Il n'avait pas vu l'en-tête. Il ignorait son existence.

« Henry. C'est urgent. Il faut que je te parle *maintenant*. »

Henry a été frappé par l'inflexion de ma voix. Il s'est arrêté, a pivoté sur sa chaise pour me regarder — ils avaient tous les deux les yeux fixés sur moi — et ce faisant, en accompagnant son virage, sa main a retourné la page. Mon cœur a fait un saut périlleux. L'en-tête était en pleine lumière. Un palais blanc avec des fioritures bleues.

« Très bien », a dit Henry. Puis, à Julian : « Je m'excuse. Je reviens dans un instant. »

« Certainement. » Julian avait l'air sombre, inquiet. « J'espère que ce n'est rien de grave. »

J'avais envie de pleurer. J'avais attiré l'attention d'Henry, j'avais réussi, mais je n'en voulais pas plus. L'en-tête était visible, en pleine lumière.

« Qu'est-ce qui ne va pas ? » Henry ne me quittait pas des yeux, attentif, en suspens, comme un chat. Julian me regardait. La lettre était sur la table, entre eux, dans le champ de vision de Julian. Il n'avait qu'à regarder vers le bas.

J'ai jeté un rapide coup d'œil à la lettre, puis à Henry. Il a compris instantanément, s'est tourné sans heurt, très vite, mais pas assez vite, et dans cette fraction de seconde Julian a baissé les yeux — négligemment, comme s'il venait d'y penser, mais une seconde trop tôt.

Je n'aime pas me rappeler le silence qui a suivi. Julian s'est penché et a longuement regardé l'en-tête. Ensuite il a ramassé la page et l'a examinée. *Excelsior. Via Veneto.* Des remparts à l'encre bleue. J'avais la tête vide, curieusement légère.

Julian a mis des lunettes et s'est assis. Il a inspecté soigneusement la feuille de papier, à l'endroit et à l'envers. J'entendais des gosses rire quelque part, dehors. Finalement, il a plié la lettre et l'a mise dans la poche intérieure de sa veste.

« Eh bien », a-t-il fini par dire. « Eh bien, eh bien, eh bien. »

Comme il est vrai de toutes les catastrophes qui menacent notre vie, je ne m'étais pas vraiment préparé à cette possibilité. Et ce que je ressentais, debout devant eux, n'était ni de la peur ni du remords, mais uniquement une humiliation terrible, écrasante, une honte abominable, à en rougir, que je n'avais pas connue depuis l'enfance. Et ce qui était pire encore, c'était de voir Henry et de comprendre qu'il éprouvait les mêmes sentiments, de façon plus aiguë encore, si possible, que moi-même. Je le haïssais — ma colère était telle que je l'aurais tué — mais en un sens je n'étais pas préparé à le voir ainsi.

Personne n'a rien dit. Des grains de poussière flottaient dans un rayon de soleil. J'ai pensé à Camilla, dans son hôtel, à Charles, à l'hôpital, à Francis qui attendait dans la voiture, plein de confiance.

« Julian, a dit Henry, je peux vous expliquer ça. »

« Je vous en prie, faites. »

Sa voix m'a glacé jusqu'aux os. Même si Henry et lui avaient en commun une certaine froideur — parfois, près d'eux, la température semblait presque baisser brutalement — je n'avais jamais pris celle d'Henry pour quelque chose d'essentiel, allant jusqu'à la moelle des os, et celle de Julian ne me paraissait qu'un vernis sur ce qui était, au fond, une nature chaleureuse et tendre. Or, désormais, l'étincelle de ses yeux m'a paru mécanique, sans vie. C'était comme si le charmant rideau de théâtre était tombé et que je le voyais pour la première fois tel qu'il était : non pas le vieux sage bienveillant, le grand-parent indulgent et protecteur de mes rêves, mais un personnage ambigu, moralement neutre, dont les dehors séduisants dissimulaient un être aux aguets, capricieux et sans cœur.

Henry s'est mis à parler. Il était si douloureux de l'entendre — Henry ! — buter sur les mots, que je crains d'avoir effacé une grande partie de ce qu'il a dit. Il a commencé, de façon typique, par se justifier, mais cela n'a pas fait long feu sous l'éclat blanc du silence de Julian. Ensuite — je frémis encore à ce souvenir — un ton suppliant, désespéré, s'est insinué dans sa voix. « Il me déplaît d'avoir à mentir, bien sûr » — déplaît ! comme s'il parlait d'une cravate affreuse ou d'un dîner ennuyeux ! — « nous n'avons jamais *voulu* vous mentir, mais c'était nécessaire. C'est-à-dire, je sentais que c'était nécessaire. La première fois, c'était un accident ; inutile de vous inquiéter pour une chose pareille, n'est-ce pas ? Et ensuite, avec Bunny... Il n'était pas très heureux ces derniers mois. Je suis sûr que vous le savez. Il avait un tas de problèmes personnels, des problèmes avec sa famille... »

Il a continué, continué. Julian gardait un silence immense, arctique. Un bourdonnement noir résonnait dans ma tête. *Je ne peux pas le supporter*, ai-je pensé, *il faut que je m'en aille.* Mais Henry continuait à parler, et je restais là, de plus en plus malade, à force d'entendre cette voix et de voir l'expression de Julian.

N'en pouvant plus, j'ai finalement voulu m'en aller. Julian m'a vu me retourner.

D'un ton abrupt, il a coupé la parole à Henry. « Ça suffit. »

Il y a eu un silence affreux. Je l'ai scruté, le regard fixe. Ça y est, me suis-je dit, avec une sorte d'horrible fascination. Il ne veut plus écouter. Je ne veux pas rester seul avec lui.

Julian a mis la main dans sa poche. L'expression de son visage était impossible à déchiffrer. Il a sorti la lettre et l'a tendue à Henry. « Je pense que vous feriez mieux de garder ceci. »

Il ne s'est pas levé. Nous avons quitté son bureau sans un mot. C'est drôle, quand j'y pense maintenant. C'est la dernière fois de ma vie que je l'ai vu.

---

Dans le couloir, nous n'avons rien dit. Lentement, détournant les yeux comme des inconnus, nous avons flotté vers la sortie. Quand j'ai descendu les marches il est resté sur le palier, près d'une fenêtre, le regard perdu, aveugle et vide.

---

Francis a été pris de panique en voyant l'expression de mon visage. « Oh, non. Oh, mon Dieu. Qu'est-ce qui s'est passé ? »

Il a fallu longtemps avant que je puisse lui répondre. « Julian l'a vu. »

« Quoi ? »

« Il a vu l'en-tête. Maintenant c'est Henry qui l'a. »

« Comment l'a-t-il obtenu ? »

« Julian le lui a donné. »

Francis jubilait. « Il le lui a donné ? Il a donné la lettre à Henry ? »

« Et il ne va en parler à personne ? »

« Non, je ne pense pas. »

Il a été surpris par mon ton funèbre.

« Mais qu'est-ce que tu as ? » s'est-il écrié d'une voix aiguë. « Tu l'a eue, n'est-ce pas ? C'est okay. Tout va bien, maintenant. Pas vrai ? »

Je regardais par la portière la fenêtre du bureau de Julian.

« Non. Non, je ne crois pas. »

---

Il y a des années, dans un vieux carnet, j'ai écrit : « Une des qualités les plus séduisantes de Julian, c'est son incapacité à voir qui que ce soit, ou quoi que ce soit, sous son vrai jour. » Et dessous, d'une encre différente : « Peut-être aussi une de mes qualités les plus séduisantes. »

Il m'a toujours été difficile de parler de Julian sans donner dans le romanesque. Sur beaucoup de plans, c'est lui que j'aimais le plus ; et c'est à son sujet que je suis le plus tenté de broder, d'enjoliver, voire de réinventer. Cela vient, me semble-t-il, de ce que Julian lui-même était constamment en train de réinventer les événements et les gens de son entourage, d'attribuer de la bonté, de la sagesse, du courage ou du charme à des actions qui n'avaient rien de tout cela. C'est une des raisons qui me le faisaient aimer : la lumière flatteuse sous laquelle il me voyait, la personne que j'étais en sa présence, qu'il me permettait d'incarner en face de lui.

Maintenant, bien sûr, il me serait facile de tomber dans l'excès contraire. Je pourrais dire que le secret de son charme était de s'attacher à des jeunes gens qui voulaient se croire meilleurs que les autres ; qu'il avait le don étrange de transformer des sentiments d'infériorité en superbe et en arrogance. Je pourrais dire aussi qu'il ne le faisait pas par altruisme mais par égoïsme, afin de satisfaire sa propre pulsion égotiste. Je pourrais enfin développer longuement ce discours avec, j'imagine, suffisamment d'exactitude. Mais cela n'expliquerait toujours pas la magie fondamentale de sa personnalité, ni pourquoi — même à la lumière d'événements subséquents — j'ai encore le désir poignant de le revoir tel que je l'ai vu la première fois : le vieil homme sorti de nulle part, devant moi sur une route déserte, avec l'offre ensorcelante de réaliser le moindre de mes rêves.

Or, même dans les contes de fées, ces vieux messieurs pleins de bonté avec leurs offres fascinantes ne sont pas toujours ce qu'ils paraissent être. Ce ne devrait pas être pour moi une vérité particulièrement difficile à accepter, mais pourtant, je ne sais pourquoi, il se trouve que si. Je souhaiterais plus que tout pouvoir dire que le visage de Julian s'est décomposé en apprenant ce que nous avions fait. Je souhaiterais pouvoir dire qu'il a posé sa tête sur la table et pleuré, pleuré pour Bunny, pleuré pour nous, pleuré pour les mauvaises décisions et les vies gâchées, pour avoir été aussi aveugle, pour avoir si souvent refusé d'ouvrir les yeux.

Et, à vrai dire, je suis quand même tenté de dire qu'il a fait tout cela, même si c'est très loin de la vérité.

George Orwell — un observateur attentif de ce qu'on trouve derrière le clinquant des façades que nous nous construisons, sociales et autres — avait rencontré Julian à plusieurs occasions et il lui avait déplu, comme il l'a écrit à un ami : « En rencontrant Julian Morrow, on a l'impression que c'est un homme extrêmement sympathique et chaleureux. Mais ce qu'on appelle sa "sérénité asiatique" n'est à mon avis que le masque d'une grande froideur. Il vous renvoie invariablement le visage qu'on lui présente, créant ainsi une illusion de chaleur et de profondeur, alors qu'en fait il est creux et cassant comme un miroir. Acton — il s'agit apparemment d'Harold Acton, qui habitait aussi Paris et était l'ami d'Orwell et de Julian — n'est pas d'accord. Mais je ne pense pas qu'on puisse lui faire confiance. »

J'ai beaucoup réfléchi à ce passage, et aussi à une remarque particulièrement perspicace faite une fois, chose incroyable, par Bunny. « T'sais, Julian est comme ces gens qui prennent leurs chocolats favoris dans la boîte et laissent le reste. » Ce qui paraît à première vue plutôt énigmatique, mais en fait je ne vois pas de meilleure métaphore pour la personnalité de Julian. Elle se rapproche d'une autre remarque que m'a faite un jour Georges Laforgue, un jour que je portais Julian aux nues. « Julian », a-t-il dit d'un ton bref, « ne sera jamais un lettré de premier ordre, et cela parce qu'il est uniquement capable de voir les choses de façon sélective. »

Comme j'objectais vigoureusement en demandant le mal qu'il y avait à concentrer toute son attention sur deux choses, s'il s'agissait de l'Art et de la Beauté, Laforgue a répondu : « Il n'y a rien de mal à aimer la Beauté. Mais la Beauté — à moins d'être alliée à quelque chose de plus profond — est toujours superficielle. Ce n'est pas que votre Julian choisisse de s'attacher uniquement à certains sujets exaltés, c'est qu'il choisit d'en ignorer d'autres d'une importance égale. »

C'est drôle. En racontant ces événements, je me suis battu contre ma tendance à sentimentaliser Julian, à le présenter comme un saint — au fond, à le falsifier — pour rendre plus explicable la vénération que nous avions pour lui, et qu'il ne s'agisse pas seulement, en bref, de mon penchant fatal à vouloir que les gens intéressants soient des gens bien. Et il m'est arrivé, je le sais, de dire qu'il était parfait, même il ne l'était pas, loin de là ; il pouvait se montrer bête, vaniteux, lointain et souvent cruel, et pourtant nous l'aimions, malgré et à cause de ça.

---

Charles est sorti le lendemain de l'hôpital. Bien que Francis ait insisté pour qu'il vienne habiter quelque temps chez lui, il a tenu à réintégrer son propre appartement. Il avait les joues creuses, beaucoup maigri, et besoin d'aller chez le coiffeur. Il était aussi morose et déprimé. Nous ne lui avons pas dit ce qui s'était passé.

Je plaignais Francis. Je voyais qu'il se faisait du souci pour Charles, s'alarmait de le voir si hostile, si peu communicatif. « Tu veux déjeuner ? » lui a-t-il demandé.

« Non. »

« Allez. On va à la Brasserie. »

« Je n'ai pas faim. »

« On y mange bien. Je t'offrirai pour le dessert un de ces trucs en rouleaux que tu aimes bien. »

Nous sommes allés à la Brasserie. Il était onze heures du matin. Par une coïncidence malheureuse, le serveur nous a mis à la table, près de la fenêtre, où Francis et moi avions déjeuné la veille avec Julian. Charles n'a pas voulu regarder le menu. Il a commandé deux Bloody Mary et les a bus coup sur coup. Ensuite il en a commandé un troisième.

Francis et moi avons posé nos couverts pour échanger un regard inquiet.

« Charles, a dit Francis, pourquoi ne prendrais-tu pas une omelette ou quelque chose ? »

« Je t'ai dit que je n'ai pas faim. »

Francis a pris le menu et l'a inspecté rapidement. Ensuite il a fait signe au serveur.

« J'ai dit *putain j'ai pas faim* », a dit Charles sans lever les yeux. Il avait du mal à faire tenir sa cigarette entre l'index et le majeur.

Après cela, personne n'a eu grand-chose à dire. Nous avons fini de manger et demandé l'addition, pas avant que Charles ait eu le temps de boire son troisième Bloody Mary et d'en commander un quatrième. Il a fallu l'aider à monter en voiture.

———

Je ne me faisais pas vraiment une fête d'aller au cours de grec, mais quand le lundi est arrivé je me suis levé et j'y suis allé. Henry et Camilla sont arrivés séparément — au cas où Charles aurait décidé de venir, je crois, ce qu'il n'a pas fait, Dieu merci. Henry avait le visage gonflé, très pâle. Il s'est mis à regarder par la fenêtre et nous a ignorés, Francis et moi.

Camilla était nerveuse — peut-être gênée par la façon dont Henry se conduisait. Elle était impatiente d'avoir des nouvelles de Charles et a posé beaucoup de questions dont plusieurs sont restées sans réponse. Dix heures dix sont passées, puis dix heures et quart.

« Je n'ai jamais vu Julian avoir un tel retard », a dit Camilla en consultant sa montre.

Brusquement, Henry s'est raclé la gorge. Il avait une voix étrange, rouillée, comme restée à l'abandon. « Il ne viendra pas. »

Nous nous sommes tournés vers lui.

« Quoi ? » a dit Francis.

A ce moment nous avons entendu des pas, et on a frappé à la porte. Ce n'était pas Julian, mais le doyen des études. Il a entrouvert le battant et glissé un œil à l'intérieur.

« Bien, bien. » C'était un type chauve, rusé, au début de la cinquantaine, qui avait un peu la réputation d'un poseur. « Ainsi voilà à quoi ressemble le sanctuaire. Le Saint des Saints. On ne m'a jamais permis de venir ici. »

Nous l'avons regardé. « Pas mal, a-t-il dit d'un ton méditatif. Je me souviens d'il y a quinze ans, avant qu'on ait construit le nouveau bâtiment des sciences, on avait dû fourrer ici quelques conseillers pédagogiques. Il y avait une psychologue qui aimait laisser sa porte ouverte, elle trouvait que ça donnait aux choses un air amical. Bonjour, disait-elle à Julian chaque fois qu'il passait devant sa porte, Bonne journée. Le croyez-vous, mais Julian a téléphoné à Channing Williams, mon affreux prédécesseur, et a menacé de démissionner si on ne la faisait pas déménager ? » Il a eu un petit rire. « "Cette femme épouvantable." C'est comme ça qu'il l'appelait. "Je ne supporte pas que cette femme épouvantable m'accoste chaque fois que je passe par là." »

Cette histoire était encore en circulation à Hampden, et le doyen en avait omis une partie. La psychologue, non seulement laissait sa porte ouverte, mais avait poussé Julian à en faire autant.

« A dire vrai, a continué le doyen, je m'attendais à quelque chose de plus classique. Des lampes à huile. Des lanceurs de disque. Des adolescents nus en train de lutter par terre. »

« Qu'est-ce que vous voulez ? » a dit Camilla, guère polie.

Il s'est interrompu, pris de court, et lui a fait un sourire huileux. « Il faut que nous ayons une petite conversation. Mon bureau vient d'apprendre que Julian a été appelé loin de Hampden de façon très soudaine. Il a pris un congé de durée indéterminée et ne sait pas quand il sera en mesure de revenir. Inutile de dire » — phrase qu'il a prononcée avec un ton délicatement sarcastique — « que ceci vous met dans une position plutôt intéressante, en termes universitaires, d'autant que le trimestre prend fin dans trois semaines. On m'a dit qu'il n'avait pas l'habitude de procéder à un examen écrit ? »

Nous avons ouvert de grands yeux.

« Ecriviez-vous des devoirs ? *Chantiez-vous des chansons* ? Comment avait-il coutume de fixer vos notes finales ? »

« Un examen oral pour les matières principales, a dit Camilla, ainsi qu'une composition écrite pour le cours de Civilisation. » Elle était la seule d'entre nous assez maîtresse d'elle-même pour pouvoir parler. « Pour les cours de composition, la traduction, de l'anglais au grec, d'un assez long passage de son choix. »

Le doyen a fait semblant de réfléchir, puis il a repris son souffle. « Le problème auquel vous faites face, comme vous devez le savoir, c'est que nous n'avons pas actuellement de professeur capable de reprendre ce cours. Julian lui-même n'a été d'aucune aide sur ce point. Je lui ai demandé de proposer un remplaçant possible et il m'a dit qu'à sa connaissance il n'en existait pas. »

Il a sorti de sa poche un morceau de papier. « Voici donc les trois possibilités qui se sont présentées à moi. La première, c'est que vous passiez des partiels pour terminer ensuite le programme à l'automne. Cela dit, je suis loin d'être sûr que le département Langues et Littérature veuille engager un autre professeur de lettres classiques. Il y a très peu d'intérêt pour ce sujet, et le consensus semble indiquer qu'il doit être rayé des listes, d'autant que nous essayons actuellement de faire décoller le nouveau département de Sémiotique. »

Il a respiré profondément. « La seconde possibilité, c'est de passer les partiels et de terminer le programme au trimestre d'été. La troisième, c'est que nous fassions venir —de façon *temporaire*, notez-le — un professeur remplaçant. Comprenez bien une chose. Etant donné l'époque, il est extrêmement douteux que nous puissions continuer à proposer un diplôme de lettres classiques à Hampden. Pour ceux d'entre vous qui choisirez de rester avec nous, je suis certain que le département d'Anglais peut vous absorber en perdant un minimum de crédits horaires, quoique, à mon avis, chacun d'entre vous, afin de satisfaire aux exigences du département, doive compter sur deux semestres de travail en plus et au-delà de ce que vous auriez pu vous attendre avant votre diplôme. De toute façon. » Il a regardé sa liste. « Je suis sûr que vous avez entendu parler de Hackett, l'école préparatoire pour garçons. Hackett offre de nombreux choix dans le champ des lettres classiques. J'ai contacté le directeur, ce matin, et il m'a dit qu'il serait heureux d'envoyer deux fois par semaine un assistant pour vous superviser. Quoique cela puisse paraître la meilleure solution, de votre point de vue, elle n'est en aucun cas idéale, dépendant, de fait, des auspices... »

C'est le moment que Charles a choisi pour entrer à grand fracas.

Il est arrivé en titubant, a regardé autour de lui. Même s'il n'était peut-être pas ivre, techniquement, à cet instant précis, il l'avait été si récemment que c'était une question académique. Sa chemise dépassait, ses cheveux tombaient sur ses yeux en longues mèches sales.

« Quoi ? » a-t-il dit au bout d'un moment. « Où est Julian ? »

« Vous ne frappez jamais ? » a demandé le doyen.

Charles s'est retourné en vacillant et l'a regardé.

« Qu'est-ce que c'est que ça ? Qui diable êtes-vous ? »

« Moi », a dit d'un ton doucereux le doyen, « je suis le doyen des études. »

« Qu'est-ce que vous avez fait de Julian ? »

« Il vous a quittés. Il vous a même laissés dans le pétrin, si j'ose dire. Il a été appelé très soudainement à quitter le pays et ignore — ou n'a pas prévu — la date de son retour. Il m'a fait comprendre que c'était en rapport avec le ministère de la Défense, le gouvernement isramien et tout ça. Je pense que nous pouvons nous féliciter de ne pas avoir eu de problèmes de cet ordre, la princesse ayant fait ses études ici. Sur le moment, on ne pense qu'au prestige d'une telle élève, hélas, et pas un instant aux répercussions possibles. Quoique je sois bien incapable d'imaginer ce que les Isramiens pourraient bien vouloir à Julian. Le Salman Rushdie d'Hampden. » Il a gloussé de plaisir, consulté à nouveau sa liste. « De toute façon. J'ai fait en sorte que l'assistant de Hackett puisse vous rencontrer demain, ici même, à trois heures. J'espère que ce n'est en contradiction avec l'horaire de personne. S'il se trouve que ce soit le cas, néanmoins, vous auriez avantage à réévaluer vos priorités, car c'est le seul moment où il sera en mesure de répondre à vos... »

Je savais que Camilla n'avait pas vu Charles depuis plus d'une semaine, et je savais qu'elle n'était pas préparée à le voir en si mauvais état, mais elle le contemplait avec une expression non pas tant de surprise que d'horreur, et de panique. Même Henry a paru déconcerté.

« ... et, naturellement, ceci exigera de votre part un certain esprit de compromis, ainsi... »

« Quoi ? » Charles l'a interrompu. « Qu'avez-vous dit ? Vous dites que Julian est *parti* ? »

« Je dois vous féliciter, jeune homme, de votre maîtrise de la langue anglaise. »

« Qu'est-ce qui s'est passé ? Il a fait ses valises et il est parti ? »

« En substance, oui. »

Il a eu une pause. Et puis Charles a dit d'une voix forte et claire : « Henry, pourquoi est-ce que je pense que, d'une manière ou d'une autre, c'est ta faute ? »

Il s'est ensuivi un long silence pas très agréable. Ensuite Charles a tourné les talons et est sorti en trombe, claquant la porte derrière lui.

Le doyen s'est éclairci la voix.

« Comme je disais... »

---

Il est étrange, mais vrai, de rapporter qu'à cette époque j'étais encore capable d'être bouleversé par le fait que ma carrière à Hampden était pratiquement liquidée. Quand le doyen avait dit « deux semestres de plus », le sang s'était glacé dans mes veines. Je savais, aussi sûr que la nuit précède le jour, que je n'avais aucun moyen d'obliger mes parents à apporter leur contribution mesquine, mais indispensable, à une année supplémentaire. J'avais déjà perdu du temps, en changeant trois fois de dominante, en me faisant transférer de Californie, et j'en perdrais encore plus avec un autre transfert — en supposant que je sois admis dans une autre fac, que je bénéficie d'une nouvelle bourse, avec mon dossier plein de trous, mes notes inégales : pourquoi, me suis-je alors demandé, oh, pourquoi avais-je été si bête, pourquoi ne pas m'en être tenu à mon premier choix, comment se faisait-il que j'étais en troisième année d'université sans rien qui puisse en témoigner ?

Ce qui me mettait le plus en colère, c'était qu'aucun des autres ne paraissait s'en soucier. Pour eux, je le savais, cela ne faisait pas la moindre différence. Quelle importance, pour eux, un semestre de plus ? Quelle importance, s'ils n'avaient jamais leur diplôme, s'ils devaient rentrer chez eux ? Du moins ils avaient où aller. Ils avaient des fonda tions, des pensions, des dividendes, des grands-mères gâteuses, des oncles bien introduits, des familles aimantes. L'université, pour eux, n'était qu'une étape, une sorte de diversion juvénile. Mais c'était la chance de ma vie, la seule. Et j'avais tout gâché.

J'ai passé deux heures à faire frénétiquement les cent pas dans ma chambre — disons que j'en étais venu à penser que c'était la « mienne », mais c'était faux, j'allais devoir la quitter dans trois semaines, et il me semblait déjà qu'elle prenait une allure impersonnelle, impitoyable — et à rédiger une note pour l'Office des bourses. La seule façon dont je pouvais finir mon diplôme — en substance, la seule façon dont je pouvais acquérir le moyen de gagner ma vie d'une manière à peu près tolérable — c'était qu'Hampden accepte de prendre entièrement à sa charge le coût de mon éducation pendant cette année supplémentaire. J'ai souligné, avec un peu d'agressivité, que ce n'était pas ma faute si Julian avait décidé de s'en aller. J'ai rappelé le moindre misérable éloge, la moindre récompense reçue depuis la classe de première. J'ai affirmé qu'une année de lettres classiques ne pouvait que soutenir et enrichir des études en littérature anglaise devenues hautement désirables.

Finalement, ayant achevé mon plaidoyer, mon écriture réduite à un gribouillis passionné, je suis tombé sur le lit et je me suis endormi. Je me suis réveillé à onze heures, j'ai modifié quelques passages et je suis allé à la salle de lecture de nuit pour la taper à la machine. En chemin je me suis arrêté au bureau de poste où, à mon immense satisfaction, un mot dans ma boîte m'informait que j'avais obtenu l'emploi de garde d'appartement à Brooklyn, et que le professeur voulait me rencontrer au cours de la semaine prochaine pour discuter de mes horaires.

---

Bon, me suis-je dit, pour cet été, c'est réglé.

La nuit était magnifique, la lune était pleine, la prairie argentée et les façades projetaient sur l'herbe des ombres noires et carrées comme des découpages. La plupart des fenêtres étaient obscures : tout le monde dormait, s'était couché tôt. J'ai traversé la pelouse en courant vers la bibliothèque, où les lumières de la salle de lecture de nuit — « La Maison de l'Etude Éternelle », disait Bunny dans ses bons jours — brillaient haut et clair au dernier étage et jaunissaient la cime des arbres. J'ai pris l'escalier extérieur — en fer, comme un escalier d'incendie, comme celui de mon cauchemar — et mes chaussures ont claqué sur le métal d'une façon qui m'aurait flanqué la trouille si j'avais été moins affolé.

Alors, par la fenêtre, j'ai aperçu une silhouette en costume noir. C'était Henry. Des livres étaient entassés devant lui mais il ne travaillait pas. Je ne sais pourquoi, j'ai repensé à cette nuit de février où je l'avais vu debout dans l'ombre, sous les fenêtres du Dr Roland, sombre et solitaire, les mains dans les poches de son manteau, avec la neige qui tourbillonnait dans les faisceaux vides des lampadaires.

J'ai refermé la porte. « Henry. Henry, c'est moi. »

Il n'a pas tourné la tête. « Je reviens de chez Julian », a-t-il dit d'une voix monotone.

Je me suis assis. « Et ? »

« L'endroit est fermé. Il est parti. »

Il y a eu un long silence.

« J'ai du mal à croire qu'il l'a fait, tu sais. » La lumière se reflétait sur ses lunettes ; sous ses cheveux noirs et luisants, son visage était d'une pâleur mortelle. « C'est une telle lâcheté d'avoir fait ça. C'est pour cela qu'il est parti, tu sais. Parce qu'il avait peur. »

Les volets en grillage étaient ouverts. Une brise humide faisait bruire les arbres. Plus loin, les nuages couraient sur la lune à toute vitesse.

Henry a ôté ses lunettes. Je ne m'habituais jamais à le voir sans ses lunettes, à l'aspect vulnérable, nu, qu'il avait chaque fois.

« C'est un lâche. Dans les mêmes circonstances, il aurait fait exactement ce que nous avons fait. Il est simplement trop hypocrite pour le reconnaître. »

Je n'ai rien dit.

« Cela ne le touche même pas que Bunny soit mort. Je pourrais lui pardonner si c'était pour cela qu'il réagissait ainsi, mais non. Il se moquerait qu'on ait tué une demi-douzaine de personnes. Tout ce qui compte pour lui, c'est de garder son nom à l'abri. C'est ce qu'il a dit, en substance, quand j'ai parlé avec lui hier soir. »

« Tu es allé le voir ? »

« Oui. On aurait pu espérer que cette affaire ait été pour lui autre chose qu'une question de confort personnel. Même le fait de nous dénoncer aurait montré une certaine force de caractère — non que j'aurais souhaité qu'il nous dénonce. Mais ce n'est que de la lâcheté. Prendre la fuite de cette manière. »

Même après tout ce qui s'était passé, son amertume et sa déception m'ont percé le cœur.

« Henry. » J'aurais voulu dire quelque chose de profond, que Julian n'était qu'un être humain, qu'il était vieux, que la chair et le sang sont faibles, qu'il vient un moment où nous devons surpasser nos maîtres. Mais j'étais incapable de prononcer le moindre mot.

Il a tourné vers moi ses yeux aveugles et vides.

« Je l'aimais plus que mon propre père. Je l'aimais plus que personne au monde. »

Le vent se levait. La pluie a doucement crépité sur le toit. Nous sommes restés très longtemps assis sans bouger, sans rien dire.

---

Le lendemain après-midi à trois heures, je suis allé trouver le nouveau professeur.

Quand j'ai pénétré dans le bureau de Julian, j'ai reçu un choc. Il était complètement vide. Les livres, les tapis, la grande table ronde avaient disparu. Tout ce qui restait, c'était les rideaux des fenêtres et une reproduction japonaise agrafée au mur, cadeau de Bunny. Camilla était là, ainsi que Francis, l'air mal à l'aise, et Henry, debout près de la fenêtre, qui faisait de son mieux pour ignorer le nouveau venu.

Le professeur avait apporté quelques chaises de la salle à manger. C'était un blond d'une trentaine d'années, au visage rond, avec un pull à col roulé et un jean. Une alliance brillait, bien en évidence, sur son doigt rose ; il dégageait une forte odeur d'after-shave. « Bienvenue », a-t-il dit en se levant pour me serrer la main, et dans sa voix j'ai perçu l'enthousiasme et la condescendance d'un homme habitué à travailler avec des adolescents. « Je m'appelle Dick Spence. Et vous ? »

Ce fut une heure cauchemardesque. Je n'ai pas vraiment le cœur d'en parler : son ton paternaliste au début (nous tendant une page du Nouveau Testament en disant, « Bien sûr, je ne m'attends pas à vous voir relever les nuances les plus fines, si vous traduisez le sens, cela me suffira »), un ton qui s'est graduellement métamorphosé en surprise (« Eh bien ! Plutôt évolué, pour des étudiants ! »), s'est mis sur la défensive (« Il y a bien longtemps que je n'ai vu d'étudiants d'un niveau pareil »), et a fini dans la honte. C'était l'aumônier de Hackett, et son grec, qu'il avait surtout appris au séminaire, était grossier, et même inférieur au mien. C'était un de ces professeurs de langues qui s'appuient essentiellement sur la mnémotechnique. (« *Agathon*. Savez-vous comment je me rappelle ce mot ? Agatha Christie écrit de bons policiers. ») Henry lui a lancé un regard d'un mépris indescriptible. Les autres n'ont rien dit, humiliés. Charles n'a pas été d'une grande aide en entrant d'une démarche instable — visiblement ivre — avec vingt minutes de retard. Son arrivée a déclenché une version réchauffée des formalités précédentes (« Bienvenue ! Je m'appelle Dick Spence. Et vous ? ») et même, à n'y pas croire, une répétiton de l'embarras autour d'*Agathon*.

Henry a dit froidement, dans un grec magnifique : « Sans votre patience, excellent ami, nous serions vautrés dans l'ignorance comme une porcherie pleine de pourceaux. »

---

Le cours terminé (le professeur a jeté un coup d'œil en douce sur sa montre : « Eh bien ! On dirait que nous allons être à court de temps ! ») nous sommes sortis en file indienne, dans un silence sinistre.

« Bon, ce n'est que pour quinze jours », a dit Francis quand nous sommes tous sortis.

Henry a allumé une cigarette. « Je ne reviendrai pas. »

« Ouais », a dit Charles, sarcastique, « c'est ça. Ça leur apprendra. »

« Mais Henry », a répondu Francis, « il faut que tu viennes. »

Henry fumait sa cigarette en serrant les lèvres, d'un air résolu. « Non, je ne reviens pas. »

« Quinze jours, c'est tout. »

« Pauvre type, a dit Camilla. Il fait du mieux qu'il peut. »

« Mais ce n'est pas assez bon pour lui », a lancé Charles. « A quoi il s'attendait ? A ce putain de Richmond Lattimer ? »

« Henry, si tu n'y vas pas tu ne passes pas », a insisté Francis.

« Ça m'est égal. »

« Lui n'a pas besoin de faire des études », a dit Charles. « Il peut foutrement faire ce qui lui plaît. Il peut échouer à n'importe quel putain d'examen et son papa lui enverra toujours le gros chèque de sa pension tous les mois... »

« Arrête de dire putain », a répondu Henry d'une voix calme, mais menaçante.

« *Putain* ? Qu'est-ce qui se passe, Henry ? Tu n'as jamais entendu ce mot-là ? Ce n'est pas ce que fait ma sœur tous les soirs dans ton lit ? »

Je me souviens, quand j'étais gosse, d'avoir vu une fois mon père frapper ma mère sans aucune raison. Même s'il faisait parfois de même avec moi, je ne comprenais pas que cela venait uniquement de sa mauvaise humeur, et je croyais que ses justifications spécieuses (« Tu parles trop » ; « Ne me regarde pas comme ça ») motivaient en quelque sorte les punitions. Mais un jour où je l'ai vu frapper ma mère (parce qu'elle avait fait innocemment la remarque que les voisins agrandissaient leur maison ; plus tard, il avait prétendu qu'elle l'avait provoqué, qu'elle lui reprochait d'être un mauvais soutien de famille, et elle, les larmes aux yeux, avait aquiescé) j'ai compris que l'image que j'avais toujours eu de mon père, celle du Législateur Impartial, était entièrement fausse. Nous dépendions totalement de cet homme, qui, outre qu'il se faisait des illusions, était ignorant et incompétent sur tous les plans. De plus, je savais que ma mère était incapable de lui tenir tête. C'était comme entrer dans la cabine d'un avion et trouver pilote et copilote ivres morts sur leurs sièges. Debout devant le Lyceum, j'ai été saisi d'un doute horrible et ténébreux, qui en fait n'était pas si différent de ce que j'avais ressenti à l'âge de douze ans, assis sur un tabouret de bar dans notre petite cuisine ensoleillée de Plano. *Qui contrôle les choses, ici ?* avais-je pensé, angoissé. *Qui pilote l'avion ?*

---

Et de plus, Henry et Charles devaient comparaître ensemble devant le tribunal dans moins d'une semaine, à cause du problème avec la voiture d'Henry.

Camilla, je le savais, était plongée dans l'inquiétude. Elle — que je n'avais jamais vue avoir peur — était maintenant terrifiée ; et si, avec une certaine perversité, je prenais plaisir à sa détresse, on ne pouvait nier que lorsque Henry et Charles — qui en arrivaient pratiquement aux coups chaque fois qu'ils se trouvaient dans la même pièce — seraient obligés de se présenter devant le juge, de faire preuve d'une certaine coopération, d'un peu d'amitié, la seule issue possible serait une catastrophe.

Henry avait engagé un avocat de la ville. L'espoir qu'un tiers serait capable de régler leur différend avait redonné quelque espoir à Camilla, mais l'après-midi du jour où ils avaient eu rendez-vous, elle m'a passé un coup de fil.

« Richard, il faut que je te parle, et à Francis. »

Sa voix m'a fait peur. Quand je suis arrivé chez Francis, je l'ai trouvé très ébranlé, et Camilla en larmes.

Je ne l'avais vue pleurer qu'une seule fois, et uniquement, avais-je pensé, à cause de la fatigue et de son état nerveux. Ce jour-là, c'était autre chose. Elle avait les joues creuses, le regard vide, les traits marqués par une sorte de désespoir. Les larmes coulaient sur ses joues.

« Camilla. Qu'est-ce qui ne va pas ? »

Elle n'a pas répondu immédiatement. Elle a fumé une cigarette, puis une autre. Peu à peu son histoire s'est déroulée. Charles était allé voir l'avocat, et Camilla, en qualité de conciliatrice, l'avait accompagné. Au début, il avait semblé que tout se passerait bien. Henry, apparemment, n'avait pas pris un avocat uniquement par altruisme, mais parce que le juge devant qui ils devaient comparaître avait la réputation d'être sévère avec les conducteurs en état d'ivresse et qu'il était possible — Charles n'ayant pas de permis valide et n'étant pas couvert par l'assurance d'Henry — que celui-ci se voie retirer son permis, sa voiture, ou les deux. Charles, bien qu'il se sentît martyrisé par toute cette affaire, avait accepté de jouer le jeu ; non pas, comme il le disait à qui voulait bien l'écouter, qu'il eût aucune espèce d'affection pour Henry, mais parce qu'il en avait assez d'être accusé alors que ce n'était pas sa faute, et que si l'on retirait à Henry son permis il en entendrait parler jusqu'à la fin des temps.

Mais la rencontre avait été désastreuse. Charles, dans le cabinet, s'était d'abord montré buté, hostile. Ce n'était que gênant, mais lorsque l'avocat avait insisté avec un peu trop d'énergie, il avait tout d'un coup, sans prévenir, totalement perdu la tête. « Vous auriez dû l'entendre », a dit Camilla. « Il a dit à Henry qu'il s'en moquait s'il n'avait plus de voiture. Qu'il s'en moquait si le juge les condamnait tous les deux à cinquante ans de prison. Et Henry — oh, vous imaginez quelle a pu être sa réaction. Il a explosé. L'avocat a cru qu'ils étaient devenus fous. Il essayait sans arrêt de calmer Charles, de le ramener à la raison. Et Charles a dit : "Je me moque de ce qui va lui arriver. Ou qu'il meure. Je voudrais qu'il soit mort."

C'en était arrivé à un tel point que l'avocat les avait chassés de son bureau. Des portes s'étaient ouvertes tout le long du couloir : un agent d'assurances, un conseiller fiscal, un dentiste en blouse blanche, ils avaient tous passé la tête pour voir la cause de ce tumulte. Charles était parti en trombe — il était rentré à pied ou en taxi, elle ignorait ce qu'il avait fait.

« Et Henry ? »

Elle a secoué la tête. « Il était en rage. » Sa voix était épuisée, sans espoir. « Quand je l'ai suivi pour m'en aller, l'avocat m'a prise à part. "Écoutez, a-t-il dit, je ne connais pas la situation, mais votre frère n'est visiblement pas dans un état normal. Je vous en prie, essayez de lui faire comprendre que s'il ne se calme pas, il va avoir des ennuis beaucoup plus graves qu'il ne peut le penser. Le juge ne va pas être particulièrement bien disposé, même s'ils se présentent comme deux agneaux. Votre frère va être très probablement condamné à suivre une cure de désintoxication, ce qui n'est peut-être pas une mauvaise idée d'après ce que j'ai pu voir aujourd'hui. Il y a de très bonnes chances pour que le juge lui accorde le sursis, ce qui n'est pas si simple que ça en a l'air. Mais il risque sérieusement d'être condamné à une peine de prison ou enfermé dans le centre pour alcooliques de Manchester." »

Camilla était bouleversée. Francis avait le visage terreux.

« Que dit Henry ? » lui ai-je demandé.

« Il dit que ça lui est égal, pour la voiture. Que tout lui est égal. Qu'il aille en prison, voilà ce qu'il dit. »

« Tu as vu ce juge ? » m'a dit Francis.

« Oui. »

« Comment est-il ? »

« A vrai dire, il m'a paru un type assez duraille. »

Francis a allumé une cigarette. « Qu'est-ce qui peut arriver, si Charles ne se présente pas ? »

« Je n'en suis pas sûr. Je suis presque certain qu'on va venir le chercher. »

« Mais si on ne le trouve pas ? »

« Qu'est-ce que tu proposes ? »

« Je crois qu'on devrait éloigner Charles de la ville pendant un certain temps. » Francis avait l'air tendu, inquiet. « La fac est presque finie. Ce n'est pas comme si quelque chose le retenait ici. Je pense qu'on devrait l'envoyer passer une quinzaine de jours à New York, chez ma mère et Chris. »

« Avec la façon dont il se comporte ? »

« Qu'il se saoule, tu veux dire ? Tu crois que les ivrognes gênent ma mère ? Il sera au chaud, comme un bébé. »

« Je ne crois pas, a dit Camilla, que vous arriviez à le faire partir. »

« Je pourrais l'emmener moi-même », a suggéré Francis.

« Mais s'il t'échappait ? » ai-je souligné. « Le Vermont, c'est une chose, mais à New York il pourrait avoir de sacrés ennuis. »

« Très bien. » Francis a pris un ton agacé. « Très bien, c'était juste une idée. » Il s'est passé la main dans les cheveux. « Tu sais ce qu'on pourrait faire ? L'emmener à la campagne. »

« Chez toi, tu veux dire ? »

« Oui. »

« Qu'est-ce que ça réglerait ? »

« Facile de l'emmener là-bas, déjà. Et une fois sur place, qu'est-ce qu'il peut faire ? Il n'aura pas de voiture. La route est a plusieurs kilomètres. Jamais un taxi de Hampden ne viendrait te chercher là-bas, ni par amour ni pour l'argent. »

Camilla le regardait d'un air pensif.

« Charles adore la campagne. »

« Je sais », a dit Francis, content de lui. « Quoi de plus simple ? Et nous n'aurons pas à le garder longtemps. Richard et moi pouvons rester avec lui. J'achèterai une caisse de champagne. On fera comme si c'était une fête. »

---

Il n'a pas été facile de faire venir Charles à sa porte. Nous avons frappé pendant peut-être une demi-heure. Camilla nous avait donné une clef, mais nous ne voulions pas nous en servir, sauf si nous y étions obligés. Au moment où nous pensions le faire, le verrou a claqué et Charles a entrebâillé la porte.

Il avait l'air malade, dans un sale état. « Qu'est-ce que vous voulez ? »

« Rien », a dit Francis avec naturel, malgré un bref silence étonné d'environ une seconde. « On peut entrer ? »

Le regard de Charles oscillait entre lui et moi. « Il y a quelqu'un avec vous ? »

« Non. »

Il a ouvert la porte et nous a fait entrer. Les stores étaient baissés et il y avait une odeur aigre de pourriture. Quand mes yeux se sont faits à la pénombre j'ai vu des assiettes sales, des trognons de pomme et des boîtes de soupe répandus absolument partout. Derrière le réfrigérateur, bien rangées, par pure perversité, il y avait une rangée de bouteilles de scotch vides.

Une ombre agile a filé sur l'évier en serpentant parmi les casseroles sales et les cartons de lait : *Jésus*, ai-je pensé, *c'est un rat ?* Mais elle a sauté par terre, la queue en l'air, et j'ai vu que c'était un chat. Ses yeux brillaient dans le noir.

« L'ai trouvé dans un terrain vague », a dit Charles. J'ai remarqué que son haleine n'était pas chargée d'alcool, mais d'une odeur mentholée suspecte. « Il est un peu sauvage. »

Il a remonté la manche de son peignoir pour nous montrer un entrecroisement jaunâtre de griffures apparemment infectées sur son avant-bras.

« Charles. » Francis agitait nerveusement ses clefs de voiture. « On est passés parce qu'on allait à la campagne. On trouvait que c'était une bonne idée de prendre un peu l'air. Tu veux venir ? »

Charles a plissé les yeux, rabaissé sa manche. « Henry vous a envoyés ? »

« Dieu, non. »

« Tu es sûr ? »

« Je ne l'ai pas vu depuis plusieurs jours. »

Charles n'avait toujours pas l'air convaincu.

« On ne s'adresse même plus la parole », ai-je ajouté.

Il s'est tourné vers moi, les yeux larmoyants et un peu flous. « Richard. Salut. »

« Salut. »

« Tu sais, je t'ai toujours bien aimé. »

« Je t'aime bien, moi aussi. »

« Tu ne me ferais pas un tour en vache, n'est-ce pas ? »

« Bien sûr que non. »

« Parce que », il a hoché la tête en direction de Francis, « parce que je sais qu'il le ferait »

Francis a ouvert la bouche, l'a refermée. On aurait cru qu'il avait été giflé.

« Tu sous-estimes Francis », ai-je dit d'une voix calme, tranquille. Les autres faisaient souvent l'erreur de vouloir raisonner avec lui de façon méthodique, agressive, alors qu'il voulait seulement qu'on le rassure, comme un enfant. « Francis t'aime beaucoup. C'est ton ami. Moi aussi. »

« C'est vrai ? »

« Bien sûr que oui. »

Il a tiré une chaise de cuisine et s'est assis lourdement. Le chat s'est avancé furtivement et s'est mis à se frotter contre ses jambes. « J'ai peur », a-t-il dit d'une voix rauque. « J'ai peur qu'Henry vienne me tuer. »

Francis et moi avons échangé un coup d'œil.

« Pourquoi ? » a demandé Francis. « Pourquoi voudrait-il faire ça ? »

« Parce que je l'encombre. » Il a levé les yeux vers nous.

« Il le ferait, en plus, vous savez. Pour trois sous. » Il a indiqué un petit flacon sans étiquette sur l'évier. « Vous voyez ça ? Henry me l'a donné. Il y a deux jours. »

Je l'ai pris. Avec un frisson, j'ai reconnu le Nembutal que j'avais volé pour Henry chez les Corcoran.

« Je ne sais pas ce que c'est », a dit Charles en écartant ses cheveux sales de ses yeux. « Il m'a dit que cela m'aiderait à dormir. Dieu sait que j'en ai besoin, mais je n'y touche pas. »

J'ai tendu le flacon à Francis. Il l'a examiné, puis m'a regardé d'un air horrifié.

« Des capsules en plus », a ajouté Charles. « Va savoir ce qu'il a mis dedans. »

Mais ce n'était même pas la peine, c'était là l'horreur. Je me suis rappelé, le ventre noué, avoir tenté d'expliquer à Henry le danger de mélanger le Nembutal avec l'alcool.

Charles s'est passé une main devant les yeux. « Je l'ai vu rôder par ici, la nuit. Par-derrière. Je ne sais pas ce qu'il fabrique. »

« *Henry ?* »

« Oui. Et s'il essaye quoi que ce soit avec moi, ce sera la plus grave erreur qu'il aura fait de sa vie. »

Nous avons eu moins de mal que je ne l'aurais cru à l'attirer dans la voiture. Il divaguait, d'humeur paranoïde, un peu réconforté par notre sollicitude, mais il n'arrêtait pas de demander si Henry savait où nous allions. « Vous ne lui en avez pas parlé, n'est-ce pas ? »

« Non », lui disions-nous, « bien sûr que non. »

Il a insisté pour emmener le chat. Nous avons eu le plus grand mal à l'attraper — Francis et moi en train de ruser dans la cuisine, de faire tomber des assiettes par terre, d'essayer de le coincer derrière la chaudière pendant que Charles, sur le côté, répétait anxieusement « Viens donc » et « Gentil minet ». Finalement, en dernier recours, je l'ai attrapé par son arrière-train osseux — il s'est débattu et m'a planté ses dents dans le bras — et nous avons réussi à l'envelopper dans un torchon d'où sa tête dépassait, les yeux exorbités et les oreilles plaquées sur le crâne, crachant de toutes ses forces. Nous avons donné le chat momifié à Charles. « Tiens-le bien », répétait Francis dans la voiture, en jetant des coups d'œil angoissés dans le rétroviseur, « surveille-le, ne le laisse pas s'échapper. »

Mais, naturellement, il s'est échappé, s'est catapulté sur la banquette avant et a failli nous faire quitter la route. Ensuite, après s'être faufilé sous les pédales d'accélérateur et de frein — Francis, consterné, essayait à la fois de ne pas le toucher et de l'écarter à coups de pied — il s'est installé à mes pieds sur le plancher, a succombé à une crise de diarrhée et a fini par tomber en transe, le poil hérissé et le regard furibond.

---

Je n'étais pas allé chez Francis depuis la semaine qui avait précédé la mort de Bunny. Les arbres de l'allée s'étaient couverts de feuillage, et la cour était obscurcie par la végétation. Des abeilles vrombissaient dans les lilas. M. Hatch, qui tondait la pelouse trente mètres plus loin, a hoché la tête et nous a fait signe du bras.

La maison était fraîche, ombreuse, certains meubles étaient recouverts d'un drap, et il y avait des flocons de poussière sur les parquets en chêne. Nous avons enfermé le chat dans une des salles de bains du premier et Charles est descendu à la cuisine, pour se faire quelque chose à manger, a-t-il prétendu. Il est remonté avec un bocal de cacahouètes et un double martini dans un grand verre, a emporté le tout dans sa chambre et s'est enfermé.

---

Nous ne l'avons guère vu pendant les trente-six heures qui ont suivi. Il restait dans sa chambre, buvait, mangeait ses cacahouètes et regardait par la fenêtre, comme le vieux pirate dans *L'Ile au trésor*. Une fois il est descendu à la bibliothèque où Francis et moi étions en train de jouer aux cartes, mais il a refusé de se joindre à nous, a fouillé machinalement les rayons et a fini par se replier au premier sans prendre de livre. Le matin, il descendait boire son café dans un vieux peignoir appartenant à Francis, et restait près de la fenêtre de la cuisine à regarder la pelouse d'un air morose comme s'il attendait quelqu'un.

« Quand crois-tu qu'il a pris un bain pour la dernière fois ? » m'a chuchoté Francis.

Le chat n'avait plus aucun intérêt pour lui. Francis avait envoyé Mme Hatch chercher des aliments pour chats, et chaque matin et chaque soir il entrait lui donner à manger dans la salle de bains (« Va-t'en », je l'entendais marmonner, « pousse-toi, espèce de démon. ») et en ressortait avec un journal froissé et souillé qu'il tenait à bout de bras.

---

Le troisième jour, vers six heures de l'après-midi, alors que Francis était au grenier en train de chercher partout un bocal de monnaies anciennes que sa tante lui donnerait s'il réussissait à le trouver, et que j'étais allongé sur le canapé du rez-de-chaussée en train de boire du thé glacé et d'essayer d'apprendre par cœur le subjonctif des verbes irréguliers français (l'examen final était dans moins d'une semaine), j'ai entendu le téléphone sonner dans la cuisine et je suis allé répondre.

C'était Henry. « Alors vous êtes là. »

« Oui. »

Il y a eu un long silence plein de grésillements. « Puis-je parler à Francis ? » a-t-il fini par dire.

« Il ne peut pas venir au téléphone. Qu'est-ce qu'il y a ? »

« Je suppose que vous avez emmené Charles avec vous. »

« Ecoute, Henry. Quelle brillante idée t'a fait donner ces somnifères à Charles ? »

Il m'a répondu froidement, sèchement. « Je ne sais pas de quoi tu parles. »

« Mais si, tu le sais. Je les ai vues. »

« Les pilules que tu m'avais données, tu veux dire ? »

« Oui. »

« Eh bien, s'il les a, c'est qu'il les a prises dans mon armoire à pharmacie. »

« Il dit que tu les lui a données. Il croit que tu essayes de l'empoisonner. »

« C'est absurde. »

« Vraiment ? »

« Il est là, n'est-ce pas ? »

« Oui. Nous sommes venus avant-hier... » Je me suis interrompu, parce qu'il m'avait semblé entendre, vers le début de ma phrase, un déclic léger mais reconnaissable, comme si on avait décroché un autre appareil.

« Alors écoute, a dit Henry. Je vous serais reconnaissant de pouvoir le garder encore un jour ou deux. Tout le monde a l'air de croire que c'est un grand secret, mais crois-moi, je suis heureux de ne pas l'avoir dans les jambes pendant quelque temps. Charles est sur le point de se transfomer en Lady Macbeth. S'il ne se présente pas au tribunal, il sera condamné par défaut, mais je ne pense pas qu'ils puissent lui faire grand-chose de terrible. »

J'ai cru entendre le bruit d'une respiration.

« Qu'est-ce que c'est ? » a demandé Henry, soudain méfiant.
Nous n'avons pas parlé pendant un moment.
« Charles ? » ai-je dit. Charles, c'est toi ? »
Au premier, on a raccroché violemment.
Je suis monté frapper à sa porte. Pas de réponse. Quand j'ai voulu ouvrir, c'était fermé à clef.
« Charles. Laisse-moi entrer. »
Pas de réponse.
« Charles, ce n'était rien. Il a appelé par hasard. Tout ce que j'ai fait, c'est répondre au téléphone. »
Toujours pas de réponse. Je suis resté quelques minutes dans le couloir. Le soleil de l'après-midi avait des reflets dorés sur le parquet ciré.
« Vraiment, Charles, je crois que tu fais un peu l'idiot. Henry ne peut pas te faire de mal. Tu es parfaitement en sécurité ici. »
« Conneries », a été la réponse étouffée qui est venue de la chambre.
Il n'y avait plus rien à dire. Je suis redescendu et je me suis remis à mes verbes irréguliers.

---

J'avais dû m'endormir sur le canapé, et au bout d'un certain temps — pas trop longtemps, parce qu'il faisait encore jour — Francis m'a réveillé en me secouant sans trop de douceur.
« Richard. Richard, il faut que tu te réveilles. Charles est parti. »
Je me suis redressé en me frottant les yeux. « Parti ? » Mais où a-t-il pu aller ? »
« Je ne sais pas. Il n'est pas dans la maison. »
« Tu es sûr ? »
« J'ai regardé partout. »
« Il faut qu'il soit dans le coin. Peut-être dans la cour. »
« Je n'arrive pas à le trouver. »
« Peut-être qu'il se cache ? »

« Lève-toi et aide-moi à le chercher. »

Je suis allé au premier. Francis a couru hors de la maison. La porte en grillage a claqué derrière lui.

La chambre de Charles était en désordre, et il y avait une demi-bouteille de gin de Bombay — prise dans le placard de la bibliothèque — sur la table de nuit. Toutes ses affaires étaient là.

Je suis passé dans toutes les chambres du premier, et je suis monté dans le grenier. Des abat-jour, des cadres, des robes de bal en organdi jaunies par l'âge. Un plancher à larges lames, si usé qu'il était presque floconneux. Un rayon poussiéreux de lumière de cathédrale filtrait par l'œil-de-bœuf en verre dépoli au fronton de la maison.

Je suis redescendu par l'escalier du fond — bas de plafond, claustrophobique, faisant à peine un mètre de large — et j'ai traversé la cuisine et l'office jusqu'à la véranda de derrière. Un peu plus loin, Francis et M. Hatch étaient dans l'allée. M. Hatch était en train de lui parler. Je ne l'avais jamais entendu dire grand-chose à qui que ce soit, et Francis était visiblement mal à l'aise. Il n'arrêtait pas de se passer la main sur le crâne, courbant l'échine, l'air de s'excuser.

Je l'ai croisé quand il revenait vers la maison.

« Eh bien, a-t-il dit, voilà un sacré truc. M. Hatch m'apprend qu'il a donné les clefs de sa camionnette à Charles il y a environ une heure et demie. »

« *Quoi ?* »

« Il a dit que Charles était venu le trouver parce qu'il avait une course à faire. Qu'il avait promis de rapporter la camionnette dans un quart d'heure. »

Nous nous sommes regardés.

« Où crois-tu qu'il est allé ? » ai-je dit.

« Comment le saurais-je ? »

« Tu crois qu'il est tout simplement parti ? »

« Ça en a l'air, pas vrai ? »

Nous sommes rentrés dans la maison — assombrie par le crépuscule — et nous nous sommes installés près de la fenêtre, sur un long canapé recouvert d'un drap. L'air tiède sentait le lilas. De l'autre côté de la pelouse, on voyait M. Hatch qui essayait de faire redémarrer sa tondeuse.

Francis avait les bras croisés sur le dossier du canapé et le menton posé sur les mains. Il regardait par la fenêtre. « Je ne sais pas quoi faire. Il a volé cette camionnette, tu sais. »

« Il va peut-être revenir. »

« J'ai peur qu'il ait un accident. Ou qu'il soit contrôlé par un flic. Je te parie tout ce que tu veux qu'il est bourré. C'est juste ce qu'il lui faut, se faire arrêter pour conduite en état d'ivresse. »

« Est-ce qu'on devrait partir à sa recherche ? »

« Je ne saurais pas par où commencer. Il peut être à mi-chemin de Boston, pour ce que j'en sais. »

« Qu'est-ce qu'on peut faire d'autre ? Rester assis en attendant que le téléphone sonne ? »

---

D'abord nous avons essayé les bars : le Farmer's Inn, le Villager, le Boulder Tap et le Notty Pine. Le Notch. Le Four Squires. Le Man of Kent. C'était une splendide et brumeuse soirée d'été, et les parkings en gravier étaient bourrés de camionnettes, mais aucune n'était celle de M. Hatch.

Uniquement pour marquer le coup, nous sommes allés jusqu'à l'Office des spiritueux de l'État. Les allées bien éclairées étaient désertes, les vitrines bariolées des rhums (« Grand Prix des Iles Tropicales ! ») faisaient concurrence aux sombres rangées de bouteilles de gin et de vodka. Un carton découpé vantant des glacières pour le vin tournoyait au plafond. Il n'y avait aucun client, et un gros vieux Vermontois avec une femme nue tatouée sur l'avant-bras, accoudé derrière la caisse, tuait le temps avec un jeune qui travaillait au Mini-Mart, la porte à côté.

« Alors », l'ai-je entendu dire à voix basse, « alors le type a sorti un fusil à canon scié. Emmett était debout à côté de moi, juste là où je suis maintenant. Nous n'avons pas la clef de la caisse, il a dit. Alors le type a appuyé sur la gâchette et j'ai vu la cervelle d'Emmett » — il a fait un geste — « éclabousser tout le mur du fond là-bas... »

Nous avons fait le tour du campus, en allant même au parking de la bibliothèque, et nous sommes revenus aux bars.

« Il a quitté la ville, a dit Francis. J'en suis sûr. »

« Tu crois que M. Hatch va appeler la police ? »

« Qu'est-ce que tu ferais, si c'était ta camionnette ? Il ne fera rien sans m'en parler, mais si Charles n'est pas rentré, disons demain après-midi... »

Nous avons décidé de passer devant l'Albemarle. La voiture d'Henry était garée devant l'hôtel. Nous sommes entrés dans le hall en hésitant, ne sachant pas comment nous serions accueillis par le réceptionniste, mais, par miracle, il n'y avait personne derrière le bureau.

Nous sommes montés au 3A, au cas où Camilla serait chez elle. Henry et elle étaient en train de dîner dans leur chambre — côtelettes d'agneau, bouteille de bourgogne, une rose jaune dans un petit vase rond.

Henry n'a pas été content de nous voir. « Que puis-je faire pour vous ? » a-t-il dit en posant sa fourchette.

« C'est Charles, a répondu Francis. Il a déserté. »

Il leur a parlé du camion. Je me suis assis à côté de Camilla. J'avais faim, et ses côtelettes me paraissaient délicieuses. Elle m'a vu les regarder et a poussé l'assiette vers moi d'un air dégagé. « Tiens, prends-en un peu. »

Ce que j'ai fait, avec en plus un verre de vin. Henry a continué de manger tout en écoutant. « Où crois-tu qu'il soit allé ? » a-t-il dit quand Francis a terminé.

« Comment diable le saurais-je ? »

« Tu peux empêcher M. Hatch de porter plainte, non ? »

« Pas si on ne lui rend pas sa camionnette. Ou si Charles l'a emboutie. »

« Combien peut coûter un véhicule de ce genre ? En supposant déjà que ta tante ne l'a pas acheté pour lui ? »

« C'est à côté de la question. »

Henry s'est essuyé la bouche avec une serviette et a pris une cigarette dans sa poche. « Charles commence à devenir un vrai problème. Vous savez ce que je pense ? Je me demande combien cela coûterait d'engager une infirmière particulière. »

« Pour le faire arrêter de boire, tu veux dire ? »

« Naturellement. On ne peut pas l'envoyer à l'hôpital, de toute évidence. Peut-être que si on prenait une chambre d'hôtel — pas ici, bien sûr, mais ailleurs — et si on trouvait quelqu'un de confiance, peut-être même une personne ne parlant pas très bien anglais... »

Camilla avait l'air malade. Elle était écroulée sur sa chaise. « Henry, qu'est-ce que tu veux faire ? Le kidnapper ? »

« *Kidnapper* n'est pas le mot que j'emploierais. »

« J'ai peur qu'il ait un accident. Je crois qu'on devrait aller à sa recherche. »

« On a déjà cherché dans toute la ville, a dit Francis. Je ne pense pas qu'il soit à Hampden. »

« Tu as téléphoné à l'hôpital ? »

« Non. »

« Ce que je crois que nous devrions vraiment faire, a continué Henry, c'est appeler la police. Demander s'il y a eu un accident de la route. Penses-tu que M. Hatch acceptera de dire qu'il a prêté sa camionnette ? »

« Il la lui a effectivement prêtée. »

« Dans ce cas, il ne devrait pas y avoir de problème à moins, bien sûr, qu'il se fasse arrêter pour ivresse au volant. »

« Ou qu'on réussisse à le trouver. »

« De mon point de vue, a dit Henry, la meilleure chose que puisse faire Charles, actuellement, c'est disparaître entièrement de la surface du globe. »

Soudain, on a frappé frénétiquement à la porte. Nous nous sommes regardés.

Le soulagement a vidé le visage de Camilla de toute expression. « Charles. *Charles.* » Elle a sauté de sa chaise et couru vers la porte, mais personne n'avait tiré le verrou, et avant qu'elle ne l'atteigne elle s'est ouverte à grand fracas.

C'était Charles. Il est resté sur place, clignant des yeux comme un ivrogne en regardant autour de lui, et j'étais si surpris et si content de le voir qu'il m'a fallu un moment pour comprendre qu'il avait un revolver.

Il est entré et a refermé la porte d'un coup de pied. C'était le petit Beretta que la tante de Francis gardait dans le tiroir de sa table de nuit, celui avec lequel nous avions tiré à la cible l'automne dernier. Nous l'avons regardé bouche bée, frappés de stupeur.

Finalement Camilla, d'une voix plutôt ferme, lui a demandé : « Charles, qu'est-ce que tu crois que tu es en train de faire ? »

« Sors-toi de là. » Il était complètement ivre.

« Alors tu es venu me tuer ? » a dit Henry, qui tenait toujours sa cigarette. Il gardait un sang-froid remarquable.

« C'est cela ? »

« Oui. »

« Et qu'est-ce que tu crois que ça va régler ? »

« Tu as foutu ma vie en l'air, fils de pute » Il braquait le revolver sur la poitrine d'Henry. Avec un serrement de cœur, je me suis rappelé qu'il était très bon tireur, et qu'il avait fait éclater les bocaux l'un après l'autre.

« Ne fais pas l'idiot », a lancé Henry ; et j'ai senti un début de panique me hérisser la nuque. Ce ton brutal et belliqueux pouvait faire de l'effet sur Francis, peut-être même sur moi, mais il était désastreux de l'employer avec

Charles. « Si on peut blâmer quelqu'un pour tes problèmes, ça ne peut être que toi. »

Je voulais lui dire de se taire, mais avant que je puisse ouvrir la bouche, Charles a fait une embardée brutale pour se mettre en position de tir. Camilla s'est mise en face de lui. « Charles, donne-moi ce revolver. »

Il a écarté les cheveux de son front avec le bras, braquant toujours son arme d'une main étonnamment ferme. « Je te l'ai dit, Milly. » C'était un petit nom qu'il lui réservait, et qu'il employait rarement. « Tu ferais mieux de t'écarter. »

« Charles », a fait Francis, blanc comme un spectre. « Assieds-toi. Prends un verre de vin. Oublions tout ça. »

La fenêtre était ouverte, et on entendait le bruit strident des criquets.

« Salaud », a dit Charles, qui a reculé en titubant, et il s'est passé un moment avant que je comprenne qu'il ne s'adressait pas à Francis, ni à Henry, mais à moi. « Je te faisais confiance. Tu lui as dis où j'étais. »

J'étais pétrifié, incapable de répondre. J'ai cligné des yeux.

« La plus grande bêtise de ma vie a été de t'écouter. »

Ce qui s'est passé ensuite n'a duré qu'un instant. Charles a levé le bras, et en un éclair, Francis, qui était le plus proche de lui, lui a lancé un verre de vin à la figure. En même temps Henry a bondi de sa chaise et s'est précipité vers lui. Quatre petites détonations, comme celles d'un pistolet à amorce, se sont suivies de près. Au second *plop*, j'ai entendu une vitre se briser. Et au troisième j'ai ressenti une sorte de brûlure au ventre, à gauche de mon nombril.

Henry tenait à deux mains le bras de Charles au-dessus de sa tête, le tordait en arrière ; Charles a essayé de prendre l'arme dans sa main gauche, mais Henry lui a tordu le poignet et le revolver est tombé sur la moquette. Charles a plongé pour le reprendre, mais Henry a été plus rapide.

J'étais toujours debout. *On m'a tiré dessus*, ai-je pensé, *on m'a tiré dessus*. J'ai baissé une main pour me toucher le ventre. Du sang. Il y avait un petit trou, un peu noirci, dans ma chemise blanche : *ma chemise de chez Paul Smith*, me suis-je dit avec un pincement au cœur. Elle m'avait coûté une semaine de salaire, à San Francisco. Mon ventre était brûlant. Des vagues de chaleur rayonnaient depuis le trou.

Henry avait pris le revolver. Il a tordu le bras de Charles — qui se débattait dans tous les sens — derrière son dos, lui a enfoncé le canon dans la colonne vertébrale et l'a poussé loin de la porte.

Je n'avais toujours pas vraiment saisi ce qui s'était passé. *Je devrais peut-être m'asseoir*, ai-je pensé. Avais-je encore la balle dans le corps ? Est-ce que j'allais mourir ? C'était une idée ridicule, et cela paraissait impossible. Mon ventre me brûlait mais je me sentais étrangement calme. Etre touché par une balle, avais-je toujours pensé, devrait faire beaucoup plus mal que ça. Prudemment, j'ai fait un pas en arrière, et j'ai senti le bord de ma chaise me heurter les jambes. Je me suis assis.

Charles, malgré son bras cloué dans le dos, essayait de donner des coups de coude dans l'estomac d'Henry, lequel l'a repoussé en chancelant au milieu de la pièce et l'a fait asseoir. « Assieds-toi. »

Charles a voulu se lever. Henry l'a repoussé de force. Il a essayé une seconde fois et Henry l'a giflé en plein visage avec une claque retentissante, qui a résonné plus fort que les coups de feu. Ensuite, le revolver braqué sur lui, il est allé vers la fenêtre et a baissé les stores.

J'ai posé la main sur le trou de ma chemise. En me pen chant un peu, j'ai senti une douleur aiguë. Je croyais que tout le monde allait s'arrêter pour me regarder. Personne ne l'a fait. Je me suis demandé si je devais attirer leur attention

La tête de Charles avait roulé sur le dossier de la chaise. J'ai vu qu'il avait du sang sur les lèvres, et les yeux vitreux.

Maladroitement — tenant toujours l'arme de sa main

droite — Henry a levé le bras, enlevé ses lunettes, les a essuyées sur le devant de sa chemise. Puis il les a remises. « Eh bien, Charles. Tu as fini par le faire. »

Par la fenêtre ouverte, j'ai entendu une sorte de tumulte au rez-de-chaussée — des pas, des voix, une porte qui claquait.

« Tu crois qu'on nous a entendus ? » a demandé Francis, angoissé.

« Il me semble que oui », a répondu Henry.

Camilla s'est approchée de Charles. D'un geste d'ivrogne, il a voulu la repousser.

« Ecarte-toi de lui », a lancé Henry.

« Qu'est-ce qu'on va faire pour la fenêtre ? » a demandé Francis.

« Qu'est-ce qu'on va faire pour *moi* ? » ai-je dit.

Ils se sont tous tournés vers moi.

« Il m'a tiré dessus. »

Bizarrement, cette remarque n'a pas provoqué la réaction spectaculaire à laquelle je m'étais attendu. Avant que j'aie pu entrer dans les détails, il y a eu des pas dans l'escalier et quelqu'un a donné de grands coups sur la porte.

« Qu'est-ce qui se passe là-dedans ? » J'ai reconnu la voix de l'hôtelier. « Qu'est-ce qui s'est passé ? »

Francis s'est pris le visage entre les mains. « Oh, merde. »

« Ouvrez, là-dedans. »

Charles a marmonné quelque chose et essayé de lever la tête. Henry s'est mordu la lèvre. Il est allé près de la fenêtre et a regardé par le coin du store.

Ensuite il s'est retourné. il avait toujours le revolver. « Viens ici », a-t-il dit à Camilla.

Elle l'a regardé avec horreur, de même que Francis et moi.

Il lui a fait signe de sa main armée. « Viens ici. Vite. »

J'ai failli m'évanouir. *Qu'est-ce qu'il fait ?* ai-je pensé, affolé.

Camilla a reculé d'un pas, terrifiée. « Non, Henry, ne... »

A ma grande surprise, il lui a souri. « Tu crois que je te ferais du mal ? Viens ici. »

Elle est allée vers lui. Il l'a embrassée entre les yeux et lui a chuchoté quelques mots — lesquels, je me le suis toujours demandé — à l'oreille.

« J'ai une clef », a crié l'hôtelier en cognant sur la porte. « Je vais m'en servir. »

La pièce tournoyait. « *Idiot*, ai-je pensé de façon absurde, *appuie donc sur la poignée*. »

Henry a encore embrassé Camilla. « Je t'aime », a-t-il dit, avant de crier : « Entrez. »

La porte s'est ouverte d'un coup. Henry a levé son revolver. *Il va les abattre,* me suis-je dit, pris de vertige ; l'hôtelier et sa femme, derrière lui, ont eu la même idée, car ils se sont figés sur place après avoir fait trois pas — mais j'ai entendu Camilla hurler, « *Non*, Henry ! », et, trop tard, j'ai compris ce qu'il allait faire.

Il a posé le revolver contre sa tempe et tiré deux fois. Deux détonations sèches. Sa tête a basculé sur la gauche. C'est le recul de l'arme, me suis-je dit, qui a tiré la deuxième balle.

Sa bouche s'est ouverte. Un courant d'air, venu de la porte, a poussé les rideaux dans l'ouverture de la fenêtre. Pendant une ou deux secondes, ils ont frissonné contre le grillage, et puis ils se sont dégonflés avec une sorte de soupir. Henry, les yeux fermés, ses genoux se dérobant sous lui, est tombé sur la moquette avec un bruit sourd.

# ÉPILOGUE

> Hélas, pauvre gentleman,
> Il ne ressemble pas aux ruines de sa jeunesse
> Mais aux ruines de ces ruines.
>
> - John Ford
> *The Broken Heart*

J'ai réussi à échapper à mon examen de français, la semaine suivante, grâce à l'excellente excuse d'avoir reçu une balle dans le ventre.

A l'hôpital, on m'a dit que j'avais eu de la chance, et je suppose que c'est vrai. La balle m'a traversé de part en part, a manqué la paroi intestinale d'un ou deux millimètres et le foie de guère plus, avant de ressortir cinq centimètres plus à droite qu'elle n'était entrée. Dans l'ambulance, allongé sur le dos, je sentais la nuit d'été filer au passage, chaude et mystérieuse — des gosses à vélo, des papillons de nuit qui hantaient les réverbères — et je me demandais si c'était bien ainsi, si la vie s'accélérait quand on était sur le point de mourir. Les sensations se brouillaient sur les bords. Je trouvais très drôle cette descente obscure aux enfers, un tunnel illuminé par la Shell, le Burger King. Le paramédical qui m'accompagnait n'était guère plus âgé que moi ; un gosse, en fait, avec de l'acné et un duvet à la place de la moustache. Il n'avait jamais vu de blessure par balle, et n'arrêtait pas de me demander quelle douleur je ressentais ? Aiguë ou sourde ? Élancement ou brûlure ? La tête me tournait, et naturellement je ne pouvais lui faire aucune réponse cohérente, mais je me rappelle vaguement que cela ressemblait à la première fois que je m'étais saoulé, ou que j'avais couché avec une fille ; pas vraiment ce qu'on aurait cru, en fait, mais une fois que c'était fait on comprenait que cela n'aurait pas pu être autrement. Des néons : le Motel 6, la Dairy Queen. Des couleurs si vives que j'en avais presque le cœur brisé.

Henry est mort, bien sûr. Avec deux balles dans la tête, je ne pense pas qu'il aurait pu faire grand-chose d'autre. Pourtant, il a survécu plus de douze heures, un exploit qui a stupéfié les médecins. (J'étais sous anesthésie, m'a-t-on dit après.) Des blessures aussi graves, d'après eux, auraient tué instantanément la plupart des gens. Je me demande si cela signifie qu'il ne voulait pas mourir ; et si oui, pourquoi il s'est suicidé. Si grave que la situation nous paraissait, à l'Albemarle, je pense toujours que nous aurions pu la régler d'une manière ou d'une autre. Ce n'est pas par désespoir qu'il a fait cela. Ni, à mon avis, par peur. Ce qui s'était passé avec Julian lui pesait lourdement, et l'avait profondément marqué. Je crois qu'il a senti le besoin de faire un geste noble, un acte qui nous prouverait, ainsi qu'à lui-même, qu'il était réellement possible de mettre en œuvre les principes élevés que nous avait enseignés Julian. *Devoir, piété, loyauté, sacrifice.* Je me rappelle son reflet dans le miroir alors qu'il levait le revolver vers sa tête. Il avait une expression de concentration extatique, presque de triomphe, celle d'un plongeur de haut vol courant à l'extrémité du tremplin : joyeux, les yeux fermés, dans l'attente du grand plongeon.

Je pense assez souvent, en fait, à l'expression de son visage. Je pense à beaucoup de choses. A la première fois que j'ai vu un bouleau ; à la dernière fois que j'ai vu Julian ; à la première phrase de grec que j'ai apprise. *Χαλεπὰ τὰ καλά.* Dure est la beauté.

---

J'ai bien fini par passer mon diplôme à Hampden, une licence de littérature anglaise. Et je suis allé à Brooklyn, les tripes bandées comme un gangster (« Oh, a dit le professeur. Nous sommes à Brooklyn Heights, pas à Bensonhurst ! ») J'ai passé l'été à faire la sieste sur son toit en terrasse, à fumer, à lire Proust, à rêver à la mort, à l'indolence, au temps et à la beauté. La blessure a guéri, laissant une trace noire sur mon ventre. Je suis retourné à la fac en automne : un mois de septembre splendide et sec — vous n'imaginez pas comme les arbres étaient magnifiques, cette année-là — un ciel clair, des futaies jonchées de feuilles, des gens qui chuchotaient partout sur mon passage.

Francis n'est pas revenu. Ni les jumeaux. L'histoire de l'Albemarle était simple, et se racontait d'elle-même : un Henry suicidaire, une lutte pour le revolver où je suis blessé et où il meurt. En un sens, je trouvais cela injuste envers Henry, mais, par ailleurs, pas tellement. Et, obscurément, je me sentais mieux de pouvoir m'imaginer en héros, me précipitant courageusement sur le revolver, au lieu d'avoir simplement traîné sur le trajet de la balle, en spectateur, ce qui est visiblement ma nature profonde.

---

Camilla a emmené Charles en Virginie le jour où on a enterré Henry. C'était par ailleurs le jour où Charles et Henry auraient dû comparaître devant le tribunal. Les funérailles ont eu lieu à Saint Louis. Aucun d'entre nous, sauf Francis, n'y assistait. J'étais encore à l'hôpital, à moitié délirant, et je revoyais sans cesse le verre de vin rouler sur la moquette et le papier peint à feuilles de chêne de l'Albemarle.

Quelques jours plus tôt, la mère d'Henry était passée me voir, après avoir rendu visite à son fils au fond du couloir, à la morgue. Tout ce dont je me souviens, c'est d'une jolie dame avec des cheveux noirs et les yeux d'Henry, perdue dans un flot de visiteurs, réels ou imaginaires, morts et vivants, qui flottaient au travers de ma chambre, s'attroupaient autour de mon lit à toutes les heures. Julian. Mon grand-père mort. Bunny, indifférent, se coupant les ongles.

Elle m'a pris la main. J'avais essayé de sauver la vie de son fils. Il y avait un médecin dans la chambre, une ou deux infirmières. J'ai vu aussi Henry, par-dessus son épaule, debout dans un coin, avec ses vieux habits de jardinage.

Ce n'est qu'en sortant de l'hôpital, et en trouvant dans mes affaires les clefs de la voiture d'Henry, que je me suis rappelé quelque chose qu'elle essayait de me dire. En triant les affaires de son fils, elle avait découvert qu'avant sa mort il était en train de transférer les papiers de sa voiture à mon nom (ce qui colle très bien avec la version officielle — un jeune homme suicidaire, distribuant ses biens ; personne, pas même la police, n'a tenté de rapprocher cette générosité avec le fait qu'au moment de sa mort Henry se croyait en danger de perdre sa voiture.) En tous cas, la BMW était pour moi. Elle l'avait choisie elle-même, m'a-t-elle dit, comme cadeau pour son dix-neuvième anniversaire. Elle ne supportait pas l'idée de la vendre, ou de la revoir. C'est ce qu'elle avait essayé de me dire, en pleurant doucement sur une chaise à côté de mon lit, tandis qu'Henry marchait sans bruit dans l'ombre derrière son dos — préoccupé, invisible pour les infirmières, en train d'arranger méticuleusement des fleurs dans un vase.

---

On aurait cru, après tout ce que nous avions vécu, que Francis, les jumeaux et moi aurions gardé le contact au fil des ans. Mais après la mort d'Henry, c'est comme si le fil qui nous reliait avait été brutalement coupé, et très vite nous nous sommes éloignés les uns des autres.

Francis est resté à Manhattan tout l'été que j'ai passé à Brooklyn. Pendant ce temps, nous avons parlé peut-être cinq fois au téléphone et nous nous sommes vus deux fois. Chaque fois dans un bar de l'Upper Side, juste en bas de l'appartement de sa mère. Il n'aimait pas s'aventurer loin de chez lui, m'a-t-il dit ; la foule le rendait nerveux ; deux pâtés de maisons plus loin, et il avait l'impression que les immeubles allaient s'écrouler sur lui. Ses mains n'arrêtaient pas de tripoter un cendrier. Il voyait un médecin. Il lisait beaucoup. Tous les clients du bar paraissaient le connaître.

Les jumeaux étaient en Virginie, *incomunicados*, séquestrés par leur grand-mère. Camilla m'a envoyé trois cartes postales et m'a téléphoné deux fois. Plus tard, en octobre, quand je suis rentré à la fac, une lettre pour me dire que Charles avait arrêté de boire, n'avait pas bu une goutte depuis un mois. Et une carte de Noël. En février, une carte pour mon anniversaire — où les nouvelles de Charles brillaient par leur absence. Et puis, ensuite, pendant longtemps, plus rien.

---

A l'époque où j'ai passé mon diplôme, il y a eu reprise sporadique de la communication. « Qui aurait pensé, a écrit Francis, que tu serais le seul d'entre nous à récolter un parchemin. » Camilla a envoyé ses félicitations, et appelé une ou deux fois. Ils ont parlé tous les deux de venir à Hampden, pour me voir remonter la travée à la remise des diplômes, mais cela ne s'est pas concrétisé et je n'en ai guère été surpris.

J'avais commencé à fréquenter Sophie Dearbold, cette année-là, et au dernier trimestre j'ai emménagé dans son appartement en ville ; sur Water Street, à quelques pas de la maison d'Henry, où ses rosiers Madame Pereire revenaient à l'état sauvage dans le jardin (il n'a pas vécu le temps de les voir fleurir, me vient-il à l'esprit, ces roses qui sentent la framboise), et où le boxer, seul survivant de ses expériences de chimie, courait m'aboyer dessus quand je passais dans la rue. Sophie a trouvé du travail, après la fac, dans une compagnie de ballet de Los Angeles. Nous croyions être amoureux. Nous avons parlé de nous marier. Quoique mon subconscient me prévînt de n'en rien faire (la nuit, je rêvais d'accidents de voiture, de tireurs embusqués sur l'autoroute, des yeux luisants des chiens sauvages dans les parkings de banlieue) j'ai restreint mes demandes de bourse aux universités de la Californie du Sud.

Nous n'étions pas là-bas depuis six mois que Sophie et moi avons rompu. J'étais trop peu communicatif, selon elle. Elle ne savait jamais ce que je pensais. La façon dont je la regardais, parfois, le matin au réveil, lui faisait peur.

---

Je passais mon temps à la bibliothèque, à lire les dramaturges du dix-septième siècle. Webster et Middleton, Tourneur et Ford. C'était une spécialisation obscure, mais l'univers de traîtrise et d'éclairage aux chandelles où ils se déplaçaient — le péché impuni, l'innocence perdue — me plaisait bien. Même les titres de leurs pièces étaient étrangement séduisants, tels des trappes donnant sur une beauté perverse qui suinte sous la surface de la mortalité : *Le Mécontent. Le Diable blanc. Le Cœur brisé.* Je m'y plongeais, je mettais des notes en marge. Les Élisabéthains avaient le sens de la catastrophe. Non seulement ils comprenaient le mal, semblait-il, mais les détours extravagants par lesquels le mal se déguise en bien. A mon sens, ils allaient droit au cœur du sujet, à la pourriture essentielle du monde.

J'avais toujours aimé Christopher Marlowe, et je me suis aperçu que je pensais beaucoup à lui. Ce "Gentil Chaton de

Marlowe", comme disait un contemporain. C'était un lettré, l'ami de Raleigh et de Nash, le plus brillant et le plus érudit des esprits de Cambridge. Il fréquentait les sphères littéraires et politiques les plus élevées ; de tous ses collègues en poésie, c'est le seul à qui Shakespeare a fait directement allusion ; et pourtant c'était aussi un faussaire, un meurtrier, un homme ayant la compagnie et les mœurs les plus dissolues, « mort en jurant » dans une taverne à l'âge de vingt-neuf ans. Ses compagnons du jour étaient un espion, un pickpocket et un « domestique paillard ». L'un d'eux l'avait poignardé, mortellement, juste au-dessus de l'œil « de quelle blessure le susdit Christ Marlowe est mort sur le coup. »

J'ai souvent pensé à ses vers du *Doctor Faustus* :

> Je crois que mon maître veut mourir bientôt
> Puisqu'il m'a distribué tous ses biens...

et à cet autre, dit en aparté le jour où Faustus, dans sa robe noire, se rend à la cour de l'Empereur :

> Ma foi, il a tout l'air d'un conspirateur.

---

Alors que j'écrivais une dissertation sur *La Tragédie de la vengeance*, de Tourneur, j'ai reçu de Francis la lettre suivante.

Le 24 avril

Cher Richard,

Je souhaiterais pouvoir dire que je trouve cette lettre difficile à écrire, mais en fait ce n'est pas le cas. Ma vie est depuis de nombreuses années en cours de dissolution, et il me semble qu'il est temps, désormais, de me conduire de façon honorable.

C'est donc la dernière occasion que j'aurais de te parler, du moins en ce monde. Voici ce que je désire te dire. Travaille dur. Sois heureux avec Sophie. (Il ignorait notre rupture.) Pardonne-moi pour tout ce que j'ai fait mais surtout pour tout ce que je n'ai pas fait.

*Mais vrai, j'ai trop pleuré ! Les aubes sont navrantes.* Quel vers triste et magnifique que celui-là. J'avais toujours espéré avoir un jour l'occasion de l'employer. Et peut-être les aubes seront-elles moins navrantes au pays où je vais me rendre d'ici peu. Encore que pour les Athéniens, la mort ne soit qu'un long sommeil. Je serai bientôt en mesure de le savoir.

Je me demande si je verrai Henry, sur l'autre rive. Si oui, j'attends de lui demander pourquoi diable il ne nous a pas tous abattus pour en finir avec tout ça.

Ne prends pas cela trop au tragique. Vraiment

Joyeusement,
Francis

Je ne l'avais pas vu depuis trois ans. Le cachet de la poste était de Boston, trois jours plus tôt. J'ai tout lâché pour aller à l'aéroport et prendre le premier avion pour Logan, où j'ai trouvé Francis à l'hôpital Brigham and Women, en train de se remettre de ses poignets tailladés à coups de rasoir.

Il était pâle comme un mort, et dans un état affreux La bonne, m'a-t-il dit, l'avait trouvé dans la baignoire. Il avait une chambre particulière. La pluie tambourinait sur les vitres grises. J'étais terriblement content de le voir, et lui aussi, je crois. Nous avons parlé pendant des heures, de tout et de rien.

« Sais-tu que je vais me marier ? » m'a-t-il annoncé.

« Non. » J'étais stupéfait.

Je croyais qu'il plaisantait. Mais il s'est un peu redressé dans son lit, a farfouillé sur sa table de nuit et a trouvé une photo d'elle, qu'il m'a donnée. Une blonde aux yeux bleus, vêtue avec goût, bâtie un peu comme Marion.

« Elle est jolie. »

« Elle est stupide », a dit Francis avec passion. « Je la déteste. Tu sais comment l'appellent mes cousins ? Le Trou Noir. »

« Pourquoi ça ? »

« Parce que la conversation tombe dans le vide chaque fois qu'elle entre dans une pièce. »

« Alors pourquoi vas-tu l'épouser ? »

D'abord, il n'a pas répondu. Puis : « Je fréquentais quelqu'un. Un avocat. Un peu ivrogne, mais ça allait. Il est sorti de Harvard. Tu l'aimerais bien. Il s'appelle Kim. »

« Et alors ? »

« Et alors mon grand-père l'a découvert. De la façon la plus mélodramatique et imaginable. »

Il a pris une cigarette. Il a fallu que je la lui allume, à cause de ses mains. Un des tendons de son pouce était endommagé.

« Ainsi donc » — il a soufflé un nuage de fumée — « il faut que je me marie. »

« Ou quoi ? »

« Ou mon grand-père me laisse sans un sou. »

« Tu ne peux pas t'en tirer tout seul ? »

« Non. »

Il a dit ce mot avec une telle certitude que cela m'a agacé.

« Moi, si », ai-je dit.

« Mais tu as l'habitude. »

A ce moment la porte de sa chambre s'est entrouverte. C'était son infirmière — pas celle de l'hôpital, une infirmière particulière engagée par sa mère.

« M. Abernathy ! » a-t-elle dit gaiement. « Il y a là quelqu'un qui désire vous voir ! »

Francis a fermé les yeux, puis les a rouverts. « C'est elle. »
L'infirmière s'est retirée. Nous nous sommes regardés.
« Ne fais pas ça, Francis. »
« Il le faut. »
La porte s'est ouverte, et la blonde de la photo, tout sourire, est entrée en valsant, vêtue d'un pull rose brodé de flocons de neige, les cheveux noués en arrière avec un ruban. Elle était très jolie. Dans sa brassée de cadeaux il y avait un ours en peluche, des pâtes de fruits enveloppées dans de la cellophane, *The Atlantic Monthly, GQ, Esquire* — bonte divine, ai-je pensé, depuis quand Francis lit-il des magazines ?
Elle s'est approchée du lit, l'a embrassé lestement sur le front. « Allons, mon petit chou », a-t-elle dit, « je croyais que nous avions décidé d'arrêter de fumer. »
Sous mon regard étonné, elle a ôté la cigarette de ses doigts et l'a mise dans le cendrier. Ensuite, elle m'a regardé avec un grand sourire.
Francis s'est passé une main bandée dans les cheveux. « Priscilla », a-t-il dit d'une voix sans timbre, « voici mon ami Richard. »
Elle a ouvert en grand ses yeux bleus. « Salut ! J'ai tellement entendu parler de vous ! »
« Et moi de vous », ai-je répondu poliment.
Elle a tiré une chaise près du lit, aimable et souriante, et s'est assise.
Comme par magie, la conversation s'est arrêtée.

---

Camilla est arrivée à Boston le lendemain, ayant elle aussi reçu une lettre de Francis.
Je sommeillais sur une chaise au chevet du lit. J'avais essayé de faire la lecture à Francis, *Un ami commun* — drôle, maintenant que j'y pense, comme les moments que j'ai

passés à l'hôpital de Boston avec Francis ressemblent à ceux qu'Henry avait passés avec moi à l'hôpital, dans le Vermont — et quand je me suis réveillé, secoué par une exclamation de surprise poussée par Francis, et que je l'ai vue debout dans la lumière lugubre de Boston, j'ai cru que je rêvais.

Elle avait l'air d'avoir vieilli. Les joues un peu plus creuses. Les cheveux coiffés très court. Sans m'en rendre compte, j'en étais arrivé à penser à elle aussi comme à un fantôme : mais de la voir en chair et en os, pâle mais toujours belle, mon cœur a fait un tel bond de bonheur que j'ai cru qu'il allait éclater, que j'allais mourir sur place, à l'instant même.

Francis s'est assis dans son lit et lui a tendu les bras. « Ma chérie. Viens ici. »

---

Nous avons passé tous les trois quatre jours à Boston. Il a plu constamment. Francis est sorti de l'hôpital le deuxième jour — il se trouvait que c'était le mercredi des cendres.

Je n'étais encore jamais venu à Boston ; et j'ai cru que cela ressemblait à Londres, que je n'avais jamais vu. Un ciel gris, des maisons en briques noires de suie, des magnolias dans le brouillard. Camilla et Francis ont voulu assister à la messe, et je les ai suivis. L'église était bondée et pleine de courants d'air. Je suis allé avec eux à l'autel recevoir les cendres, en traînant les pieds dans la queue qui serpentait. Le prêtre était voûté, vêtu de noir, très âgé. Il a fait un signe de croix sur mon front avec son pouce. *Tu es poussière, tu retourneras en poussière.* Je me suis redressé au moment de la communion, mais Camilla m'a pris par le bras et m'a fait reculer en hâte. Nous sommes restés tous les trois à notre place quand les travées se sont vidées et que la longue file a recommence à onduler vers l'autel.

---

« Vous savez », a dit Francis en sortant, « une fois j'ai fait l'erreur de demander à Bunny s'il avait jamais réfléchi au Péché. »

« Qu'est-ce qu'il a dıt ? » a demandé Camilla.

Francis a reniflé. « Il a dit, "Non, bien sûr que non. Je ne suis pas catholique". »

---

Nous avons traîné tout l'après-midi dans la pénombre d'un petit bar de Boylston Street, à fumer et à boire du whisky irlandais. La conversation est tombée sur Charles Il avait, semblait-il, ces dernières années, rendu visite à Francis de façon intermittente.

« Francis lui a prêté pas mal d'argent il y a environ deux ans, a dit Camilla. C'était gentil de sa part, mais il a eu tort de le faire. »

Francis a haussé les épaules et vidé son verre. Il était clair que le sujet le mettait mal à l'aise. « J'en avais envie. »

« Tu ne reverras jamais cet argent. »

« Ça ne fait rien. »

Je brûlais de curiosité. « Où est Charles ? »

« Oh, il se débrouille », a dit Camilla. Visiblement, ce sujet la gênait, elle aussi. « Il a travaillé quelque temps pour mon oncle. Ensuite, on l'a embauché pour jouer du piano dans un bar — ce qui, tu t'imagines, n'a pas très bien marché. Notre Nana se désolait. Finalement elle a demandé à mon oncle de lui dire que s'il ne se ressaisissait pas, il faudrait qu'il parte de chez elle. Ce qu'il a fait. Il a trouvé une chambre en ville et a continué au bar. Mais ils ont fini par le renvoyer et il a fallu qu'il rentre à la maison. C'est là qu'il a commencé à venir ici. C'est bien de ta part », a-t-elle dit à Francis, « de l'avoir supporté comme tu l'as fait. »

Il avait les yeux plongés dans son verre. « Oh, ça va »

« Tu as été très gentil avec lui. »

« C'était mon ami. »

« Francis a prêté à Charles de quoi aller se faire soigner. Dans un hôpital. Mais il n'y est resté qu'une semaine. Il s'est sauvé avec une femme d'une trentaine d'années qu'il a rencontrée en détox. Personne n'a entendu parler d'eux pendant deux mois. Finalement le mari de la femme... »

Elle s'est arrêtée pour boire une gorgée de whisky.

« Alors ? » ai-je demandé.

« Et ils sont toujours là-bas. Au Texas. Mais ils n'habitent plus San Antonio. Ils sont restés un bout de temps à Corpus Christi. Aux dernières nouvelles ils avaient emménagé à Galveston. »

« Il n'appelle jamais ? »

Il y a eu un long silence. « Charles et moi nous ne nous parlons plus vraiment », a-t-elle fini par dire.

« Plus du tout ? »

« Pas vraiment, non. » Elle a bu une autre gorgée. « Ma Nana en a eu le cœur brisé. »

---

Au crépuscule, sous la pluie, nous sommes revenus chez Francis par le jardin public. Les réverbères étaient allumés.

Francis, tout d'un coup, nous a dit : « Vous savez, je m'attends toujours à voir surgir Henry. »

Cela m'a un peu effrayé. Même si je n'en avais rien dit, j'avais la même pensée. En outre, depuis que j'étais à Boston, je n'arrêtais pas d'entrevoir des gens que je prenais pour lui : des silhouettes noires plongeant dans un taxi, disparaissant dans un immeuble de bureaux.

« Vous savez, quand j'étais dans la baignoire, j'ai cru le voir. Le robinet qui coulait, du sang dans toute la pièce. J'ai cru le voir debout dans sa robe de chambre — vous savez, celle avec des poches où il mettait ses cigarettes et ses trucs — près de la fenêtre, me tournant à moitié le dos, et il m'a dit, d'un ton vraiment dégoûté : "Eh bien, Francis, j'espère que tu es content, maintenant". »

Nous avons continué à marcher sans rien dire.

« C'est drôle. J'ai du mal à croire qu'il est vraiment mort. Je veux dire — je sais qu'il n'y a pas moyen qu'il ait *fait semblant* de mourir — mais, vous savez, si quelqu'un réussissait à revenir, ce serait lui. C'est un peu comme Sherlock Holmes. Tombant dans les chutes de Reichenbach. Je m'attends à découvrir qu'il y avait un truc, qu'il va surgir d'un jour à l'autre avec une sorte d'explication compliquée. »

Nous avons traversé un pont. Les traînées jaunes des réverbères ondulaient brillamment dans l'eau noirâtre.

« C'est peut-être vraiment lui que tu as vu », ai-je dit.

« Qu'est-ce que tu veux dire ? »

« Moi aussi j'ai cru le voir », ai-je répondu après avoir longuement réfléchi. « Dans ma chambre. Quand j'étais à l'hôpital. »

« Eh bien, tu sais ce que dirait Julian. Les fantômes, ça existe. Partout, les gens le savent depuis toujours. Et nous y croyons tout autant qu'y croyait Homère. Sauf que maintenant on leur donne d'autres noms. La mémoire. L'inconscient. »

« Cela vous ennuierait de changer de sujet ? » a brusquement dit Camilla . « S'il vous plaît ? »

---

Camilla devait repartir le vendredi matin. Sa grand-mère n'allait pas bien, disait-elle, il fallait qu'elle rentre. Je n'avais pas besoin de retourner en Californie avant la semaine suivante.

Debout avec elle sur le quai — Camilla impatiente, tapant du pied, se penchant pour regarder les rails, au loin — je trouvais insupportable de la voir partir. Francis était allé lui acheter un livre pour le voyage.

« Je n'ai pas envie que tu partes », ai-je dit.

« Moi non plus, je n'en ai pas envie. »

« Alors, reste. »

« Il le faut. »

Nous nous sommes regardés. Il pleuvait. Elle me fixait de ses yeux couleur de pluie.

« Camilla, je t'aime. Marions-nous. »

Elle n'a pas répondu pendant un temps infini. Finalement, elle a dit : « Richard, tu sais que je ne peux pas faire ça. »

« Pourquoi pas ? »

« Je ne peux pas. Je ne peux tout simplement pas faire mes bagages et partir pour la Californie. Ma grand-mère est vieille. Elle ne peut plus se déplacer seule. Elle a besoin de quelqu'un pour s'occuper d'elle. »

« Alors oublie la Californie. Je reviendrai dans l'Est. »

« Richard, tu ne peux pas. Et ta dissertation ? La fac ? »

« La fac, je m'en moque. »

Nous sommes restés longtemps les yeux dans les yeux. Puis elle a tourné la tête.

« Richard, tu devrais voir la façon dont je vis, maintenant. Ma Nana ne se porte pas bien. Je passe mon temps à m'occuper d'elle et de cette grande maison. Je n'ai pas un seul ami de mon âge. Je ne me rappelle même pas la dernière fois que j'ai lu un livre. »

« Je pourrais t'aider. »

« Je ne veux pas que tu m'aides. » Elle a levé la tête et m'a fixé : son regard m'a transpercé, aussi doux et brûlant qu'une piqûre de morphine.

« Je peux me mettre à genoux, si tu veux. Vraiment, je le ferais. »

Elle a baissé ses paupières sombres sur ses yeux cernés de noir ; elle était vraiment plus âgée, ce n'était plus la fille aux yeux vifs dont j'étais tombé amoureux, mais elle n'en était pas moins belle, d'une beauté qui maintenant excitait moins mes sens qu'elle ne venait me déchirer le cœur.

« Je ne peux pas t'épouser », a-t-elle dit.

« Pourquoi ? »

Je croyais qu'elle allait dire Parce que je ne t'aime pas, ce qui aurait été plus ou moins la vérité, mais, à ma grande surprise, elle a dit : « Parce que j'aime Henry. »

« Henry est mort. »

« Je n'y peux rien. Je l'aime toujours. »

« Je l'aimais aussi. »

L'espace d'un instant, je l'ai sentie hésiter. Mais elle a détourné la tête.

« Je sais que tu l'aimais. Mais cela ne suffit pas. »

---

La pluie ne m'a pas quitté jusqu'à la Californie. Partir brutalement, ai-je pensé, ce serait trop dur ; s'il fallait que je quitte la côte Est, je ne pouvais le faire que peu à peu ; j'ai donc loué une voiture, j'ai conduit sans arrêt jusqu'à ce que le paysage ait enfin changé. Une fois dans le Midwest, tout ce qui m'est resté du baiser d'adieu de Camilla, c'est la pluie. Des gouttes sur le pare-brise, les stations de radio qui s'éloignaient, renaissaient. La tristesse des champs de blé, des grands espaces découverts. Je lui avais déjà dit au revoir une fois, mais il m'a fallu toutes mes forces pour lui dire au revoir encore une fois, une dernière fois, tel le pauvre Orphée qui se retourne pour jeter un dernier regard en arrière au fantôme de son amour perdu, et du même battement de cœur, la perd pour toujours : *hinc illae lacrimae*, d'où ces larmes.

---

Je suppose désormais qu'il ne me reste plus qu'à vous raconter ce qui est arrivé, pour ce que j'en sais, aux autres personnages de notre histoire.

Cloke Rayburn, c'est extraordinaire, a fini par faire des études de droit. Il est maintenant associé dans les fusions et acquisitions chez Milbank Tweed à New York, où, chose intéressante, Hugh Corcoran vient d'être nommé directeur. On dit qu'il a eu la place grâce à Hugh. Ce qui peut ou non être vrai, mais j'ai tendance à le croire, car Cloke ne s'est certes jamais distingué dans les disciplines où il a été inscrit. Il n'habite pas loin de chez Francis et Priscilla, au coin de Lexington et de la 81e Rue (Francis d'ailleurs a, paraît-il un appartement incroyable ; le papa de Priscilla, qui est dans l'immobilier, le leur a donné en cadeau de mariage) et Francis, qui a toujours le sommeil difficile, dit qu'il tombe sur lui de temps en temps aux petites heures du matin, chez l'épicier coréen où ils achètent leurs cigarettes.

Judy Poovey est maintenant une sorte de célébrité de second ordre. Instructrice diplômée d'aérobic, elle passe régulièrement — avec un essaim d'autres beautés musclées — dans une émission de gymnastique, *Power Moves* !, sur la télé câblée.

Après l'université, Frank et Jud se sont associés pour acheter le Farmer's Inn, qui est devenu la boîte en vogue à Hampden. Il paraît qu'ils font de très bonnes affaires. Tout un tas d'anciens de la fac travaillent pour eux, y compris Jack Teitelbaum et Rooney Wynne, d'après un article paru il y a peu dans le journal des anciens élèves.

Quelqu'un m'a dit que Bram Guernsey était dans les Bérets Verts, mais je ne pense pas que ce soit exact.

Georges Laforgue est toujours au département Langues et Littérature de Hampden, où ses ennemis n'ont pas encore réussi à le supplanter.

Le Dr Roland est retiré de l'enseignement actif. Il habite en ville, et a publié un livre de photographies sur l'université au fil des ans, ce qui en fait un invité d'après-dîner très recherché par les différents clubs de Hampden. Il a failli m'empêcher d'être admis en maîtrise en m'écrivant une recommandation où — bien qu'elle fût remplie d'éloges — il m'appelait Jerry à plusieurs reprises.

Le chat sauvage trouvé par Charles s'est avéré un animal familier étonnamment vivable. Il s'est lié au cours de l'été avec Mildred, une cousine de Francis, et à l'automne l'a suivie à Boston, où il est parfaitement satisfait d'habiter un appartement de dix pièces sur Exeter Street et répond au nom de Princess

Marion est mariée avec Brady Corcoran. Ils vivent à Tarrytown, dans l'Etat de New York — d'où Brady vient facilement en ville — et ils ont eu un bébé, une fille. Elle a l'avantage d'être la première femelle née dans la famille Corcoran depuis on ne sait combien de générations D'après Francis, Mme Corcoran en est absolument folle, à l'exclusion de tous ses autres enfants, petits-enfants et animaux de compagnie. On l'a baptisée Marie-Katherine, un nom tombé de plus en plus en désuétude, et — pour des raisons qui leur sont propres — les Corcoran ont décidé de la surnommer « Bunny ».

J'ai parfois des nouvelles de Sophie. Elle s'est blessée à la jambe, et a dû quitter quelque temps sa compagnie de ballet, mais récemment on lui a donné un grand rôle dans une création. De temps en temps, nous allons dîner ensemble. Quand elle appelle, en général, il est très tard, et elle a envie de parler de ses problèmes avec son petit ami. J'aime bien Sophie. Je crois qu'on peut dire que c'est ma meilleure amie, ici. Mais, en un sens, je ne lui ai jamais vraiment pardonné de m'avoir fait revenir dans cet endroit misérable et perdu.

Je n'ai pas posé les yeux sur Julian depuis ce dernier après-midi avec Henry, dans son bureau. Francis — avec d'extraordinaires difficultés — a réussi à le joindre deux jours avant l'enterrement d'Henry. Il m'a dit que Julian l'avait accueilli cordialement ; avait écouté poliment le récit de la mort d'Henry ; et avait dit : « Je vous remercie, Francis. Mais je crains de ne rien pouvoir faire de plus. »

Il y a peut-être un an, Francis m'a rapporté une rumeur — dont nous avons appris ensuite que c'était pure invention — comme quoi Julian avait été nommé tuteur royal du petit prince héritier du Suaoriland, quelque part en Afrique de l'Est. Mais cette histoire, quoique fausse, a pris vie de façon étrange dans mon imagination. Que souhaiter de mieux à Julian que d'être un jour l'éminence grise du trône de Suaori, et faire de son élève un roi-philosophe ? (Le prince de cette histoire n'avait que huit ans. Je me demande qui je serais, maintenant, si Julian s'était emparé de moi à l'âge de huit ans.) J'aime à penser que peut-être — à l'instar d'Aristote — il va éduquer un homme promis à la conquête du monde.

Mais aussi, comme dit Francis, peut-être que non.

Je ne sais pas ce qu'est devenu l'agent Davenport — je pense qu'il habite toujours Nashua, dans le New Hampshire — mais l'inspecteur Sciola est mort. Il est mort d'un cancer du poumon il y a environ trois ans. Je l'ai appris par un communiqué officiel en fin de soirée à la télévision. On voyait Sciola debout, maigre et dantesque, sur un fond noir. « Au moment où vous verrez cette émission », disait-il, « je serai mort. » Il continuait en disant que ce n'était pas sa carrière de policier qui l'avait tué, mais deux paquets de cigarettes par jour. J'ai vu cela vers trois heures du matin, seul chez moi, sur un poste en noir et blanc avec beaucoup d'interférences. Une sorte de neige et des parasites. On aurait dit qu'il s'adressait, de l'écran, directement à moi. Un moment, j'ai été désorienté, pris de panique ; un fantôme peut-il s'incarner dans des longueurs d'onde, des bits électroniques, un tube cathodique ? Que sont les morts, de toute façon, sinon des ondes et de l'énergie ? De la lumière provenant d'une étoile éteinte ?

Ce qui, d'ailleurs, est une phrase de Julian. Je l'ai entendue dans un de ses cours sur *L'Iliade*, quand Patrocle apparaît en rêve à Achille. Il y a un passage très émouvant où Achille — plein de joie à la vue de cette apparition — essaye de prendre dans ses bras le fantôme de son vieil ami, qui disparaît. *Les morts nous apparaissent en rêve,* disait Julian, *parce que c'est leur seule manière de se faire voir ; ce que nous voyons n'est qu'une projection, dirigée de très loin, la lumière nous provenant d'une étoile éteinte...*

Ce qui me rappelle, à propos, un rêve que j'ai fait il y a quinze jours.

Je me trouvais dans une étrange ville déserte — une cité ancienne, comme Londres — dépeuplée par la guerre ou l'épidémie. Il faisait nuit ; les rues étaient obscures, bombardées, abandonnées. Pendant longtemps, j'ai erré sans but — je suis passé devant des jardins dévastés, des statues éclatées, des terrains vagues remplis de mauvaises herbes, des immeubles écroulés d'où jaillissaient comme des os brisés des poutrelles rouillées. Mais ici et là, intercalés entre les coquilles vides et massives des monuments publics, je commençais à voir de nouveaux bâtiments reliés par des passerelles futuristes éclairées par en dessous. Les longues et froides perspectives de l'architecture moderne, d'une phosphorescence surnaturelle, s'élevaient des gravats.

Je suis entré dans un de ces nouveaux bâtiments. C'était comme un laboratoire, peut-être, ou un musée. Mes pas résonnaient sur le carrelage. Il y avait un groupe d'hommes, tous fumant la pipe, rassemblés autour d'un objet exposé dans une vitrine en verre qui luisait dans la pénombre et les éclairait par en dessous de façon macabre.

Je me suis approché. Dans la vitrine se trouvait une machine tournant lentement sur son piédestal, une machine avec des pièces en métal qui sortaient, rentraient et s'affaissaient sur elles-mêmes pour former de nouvelles images. Un temple Inca... clic clic clic... les Pyramides... le Parthénon. L'Histoire passait sous mes yeux, changeait à chaque instant.

« J'ai pensé que je te trouverais ici », a dit une voix à mon côté.

C'était Henry. Dans l'ombre, il avait le regard ferme, impassible. Au-dessus de son oreille, sous la tige en acier de ses lunettes, je distinguais tout juste la brûlure de la poudre et le trou noir dans sa tempe droite.

J'étais content de le voir, mais pas vraiment surpris. « Tu sais, lui ai-je dit, tout le monde dit que tu es mort. »

Il a regardé la machine de haut. Le Colisée... clic clic clic... le Panthéon. « Je ne suis pas mort. J'ai seulement quelques ennuis avec mon passeport. »

« Quoi ? »

Il s'est éclairci la voix. « Mes mouvements sont restreints. Je n'ai plus la faculté de voyager aussi librement que je l'aimerais. »

Sainte-Sophie. La place Saint-Marc, à Venise. « Quelle est cette place ? » lui ai-je demandé.

« Cette information est classée, je le crains. »

J'ai jeté autour de moi un regard curieux. Il semblait que j'étais l'unique visiteur. « C'est ouvert au public ? »

« Pas en général, non. »

Je l'ai regardé. Il y avait tellement de choses que j'aurais voulu lui demander, que j'aurais voulu lui dire ; mais, d'une certaine façon, je savais que nous n'en avions pas le temps et que même alors, tout serait, en un sens, à côté de la question.

« Tu es heureux ici ? » ai-je fini par dire.

Il a réfléchi un moment. « Pas particulièrement. Mais tu n'es pas très heureux non plus là où tu es. »

Basile-le-Bienheureux, à Moscou. Chartres. Salisbury et Amiens. Il a jeté un coup d'œil à sa montre.

« J'espère que tu voudras bien m'excuser, mais je suis en retard pour un rendez-vous. »

Il m'a tourné le dos et s'est éloigné. J'ai regardé son dos diminuer au fond du long couloir étincelant.

## DANS LA MÊME COLLECTION

Peter Carey, *Oscar et Lucinda*. Traduit de l'anglais (Australie) par Michel Courtois-Fourcy.

Albert Drach, *Voyage non sentimental*. Traduit de l'allemand par Colette Kowalski.

William Gaddis, *JR*. Traduit de l'anglais (États-Unis) par Marc Cholodenko.

Natalia Ginzburg, *Nos années d'hier*. Traduit de l'italien par Adrienne Verdière Le Peletier. Nouvelle édition établie par Nathalie Bauer.

Nadine Gordimer, *Le Safari de votre vie*. Nouvelles traduites de l'anglais (Afrique du Sud) par Pierre Boyer, Julie Damour, Gabrielle Rolin, Antoinette Roubichou-Stretz et Claude Wauthier.

Nadine Gordimer, *Feu le monde bourgeois*. Traduit de l'anglais (Afrique du Sud) par Pierre Boyer.

Oscar Hijuelos, *Les Mambo Kings*. Traduit de l'anglais (États-Unis) par Pierre Alien et Jean Clem.

Jerzy Kosinski, *L'Ermite de la 69e Rue*. Traduit de l'anglais (États-Unis) par Fortunato Israël.

Salvatore Mannuzzu, *La Procédure*. Traduit de l'italien par André Maugé.

Valerie Martin, *Mary Reilly*. Traduit de l'anglais (États-Unis) par Annie Saumont.

Péter Nádas, *La Fin d'un roman de famille*. Traduit du hongrois par Georges Kassai.

Tim O'Brien, *A la poursuite de Cacciato*. Traduit de l'anglais (États-Unis) par Yvon Bouin.

Tim O'Brien, *A propos de courage.* Traduit de l'anglais (États-Unis) par Jean-Yves Prate. Prix du Meilleur Livre étranger 1993.

Paul Sayer, *Le Confort de la folie.* Traduit de l'anglais par Bernard Hoepffner.

Pramoedya Ananta Toer, *Le Fugitif.* Traduit de l'indonésien par François-René Daillie.

Tobias Wolff, *Un mauvais sujet.* Souvenirs d'une enfance. Traduit de l'anglais (États-Unis) par Anouk Neuhoff.

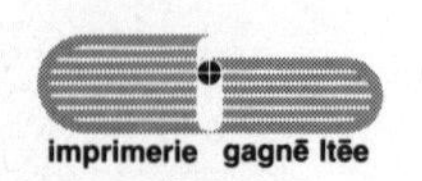


IMPRIMÉ AU CANADA